DIE Jüdische WELT
VON GESTERN
1860-1938

DIE Jüdische WELT VON GESTERN

1860-1938

Text- und Bild-Zeugnisse aus
Mitteleuropa

Herausgegeben von Rachel Salamander

Mit Textbeiträgen von
Schalom Ben-Chorin, Marcel Reich-Ranicki,
Joachim Riedl und Julius Schoeps

Bildauswahl und Gestaltung von
Christian Brandstätter

Mit 425 Abbildungen in duotone

Verlag Christian Brandstätter·Wien

Die Redaktion erfolgte durch Anna Lorenz, die
technische Betreuung durch Rudolf Metzger.

Das Buch wurde bei Gutenberg Ges. m. b. H. in
Wiener Neustadt gedruckt, die Reproduktion der
Abbildungen erfolgte bei Grafisches Atelier Laut KG in
Wien. Gesetzt wurde in der Garamond, 10 auf 10 Punkt,
bei Gutenberg Ges. m. b. H. in Wiener Neustadt,
gebunden bei Gerald Frauenberger in
Neudörfl a. d. Leitha.

Herausgeber und Verlag danken allen Rechtsinhabern
für die freundliche Genehmigung zur Zitation oder
Reproduktion jener Texte und Abbildungen, die nach
dem Urheberrecht geschützt sind. Da in einigen Fällen
die Inhaber der Rechte nicht zu ermitteln waren, werden
rechtmäßige Ansprüche nach Geltendmachung vom
Verlag abgegolten.

Christian Brandstätter Verlag & Edition
Gesellschaft m. b. H. & Co. KG
A-1080 Wien, Wickenburggasse 26
Telephon (0 222) 48 38 14–15

FÜR MEINEN VATER

Am Grabe ihrer Eltern
weinen die Kinder
um die in sie gesetzten Hoffnungen.
R. S.

INHALTSVERZEICHNIS

INHALTSVERZEICHNIS

Rachel Salamander
VORWORT

Das Vergangene lebt nur in uns. Es bekommt seine historische Realität kraft unserer Erinnerung; einer Erinnerung, der die vergangenen Bilder und Worte ein Stück jetziges Bewußtsein werden . . .: Alter Grabstein auf dem jüdischen Friedhof von Kolin (Nordböhmen)

Von jeder Normalität sind wir weit entfernt. Wie immer wir auch mit der jüdischen Geschichte umgehen, machen wir es falsch. Werden etwa Synagogen vom Verfall gerettet, dann um den Preis ihrer Entweihung. Aus ihnen entstehen Kulturzentren, für jedermann zugänglich, Juden für den liturgischen Ablauf gibt es hierzulande sowieso nicht mehr. Präsentiert sich eine größere Stadt mit Rücksicht auf ihren jüdischen Anteil, dann meist mit einem jüdischen Museum. Doch der Wille, wenigstens für das Vergangene etwas zu tun, erfährt auch hier sogleich seine Begrenzung. Ein Museum zu beleben kann kaum gelingen, Originalobjekte für die Ausstattung sind rar. So stehen wir meist vor Kopien, deren kunstgewerbliche Machart uns zu deutlich einen Kulturgenuß aus zweiter Hand verschafft. Aber sollen wir aus lauter Kulturtreue denn auf jede Tradierung verzichten müssen?

Und wie steht es mit dieser Bild- und Textauswahl, die einen Überblick über die jüdische Welt Mitteleuropas von 1860 bis 1938 geben soll?

Da tritt im 19. Jahrhundert neben den Urkunden, dem geschriebenen Wort, eine neue Dokumentationsmöglichkeit ersten Ranges auf: die Photographie. Scheinbar authentisch, wie das Leben selbst, fängt da ein Medium plötzlich nicht nur spektakuläre Ereignisse und Personen ein. Die Kamera macht auch ganz intime, nicht weiter nennenswerte Details des ohnehin unbeachteten Alltags im Bild zur Sensation. Zufälligkeiten, gar Nebensächliches, geraten da auf einmal in den Status visuell unsterblicher Zeitzeugen. Diese Photos sind abgezogene Wirklichkeiten vergangenen Lebens, allerdings aus seinem Zusammenhang gerissen. Den müssen wir zu rekonstruieren suchen, denn diese Abbildungen können schließlich nie mehr als nur Fragmente sein, Endlos-Ausschnitte eines immer erweiterbaren Kontexts. Sie verlieren das Ganze, dessen Teil sie festhalten. So sind wir bei der Rekonstruktion auf zusätzliche Quellen angewiesen.

Wir greifen auf Textzeugnisse zurück, auf literarische und biographische Urkunden und Chroniken. Virtuell füllen sie die Leerstellen, die die Bilder aufreißen. Auch wenn beide Quellen, Text wie Bild, die Lücken in der Rekonstruktion nicht schließen können, so vermögen sie dennoch einen zentralen Aspekt jüdischer Geschichte herauszustellen: Die jüdische Welt von gestern hat es ebenso wenig gegeben wie eine homogene jüdische Welt von heute.

Wie die übrige Gesellschaft aus vielen Gesellschaften, so ist das Judentum aus verschiedenen Judentümern gemacht. Da kontrastiert die Vitalität traditionell osteuropäischer Lebensweise mit der abverlangten Vornehmheit der assimilierten jüdischen Oberschicht. Da achten die einen peinlich genau darauf, vergessen zu machen, woher sie kommen, aus den Schtetls, um in den Metropolen Ausflucht vor Armut und Zuflucht vor Pogromen zu finden. Andere, die nirgendwo mehr zu Hause sind, weder im Orthodoxen noch im Nationalen, beginnen wehmütig den Verlust des gerade abgeschüttelten Authentischen zu beklagen. Sie wissen, daß sich, ohne in Romantik zu verfallen, das Ursprüngliche nicht wiederherstellen läßt. Was für ihre Vorfahren einfach da war, sich von selbst verstand, ist den Nachkommen schon der ersten Generation nicht mehr selbstverständlich und geht als nicht mehr gelebter Standard verloren. S. J. Agnon, der große Romancier der neuhebräischen Literatur hat den Verlust kultureller und religiöser

Tradition sinngemäß einmal so beschrieben: Der Großvater habe die Tora geliebt, der Sohn über die Liebe zur Tora geschrieben und der Enkel nur mehr über die Liebe.

Sollen wir also diese Dokumente der Vergangenheit unbeachtet lassen, uns mit der Einsicht beruhigen, daß es sich so, wie es war, nicht mehr erschließen läßt. Bewahren wir diese Zeugnisse mehr aus einem gegenwärtigen Bedürfnis heraus denn aus historischer Pflicht, so werden wir ihre ungenügende Präsentation in Kauf nehmen. Jüdische Tradition ist es, Vergangenes zu bewahren und den Anspruch der Toten anzuerkennen, sie und ihre Werke lebendig zu halten.

Mit der Vernichtung des europäischen Judentums sind auch die sichtbaren Zeichen seiner Existenz zerstört. Das Wenige, uns Verbliebene, nicht mit Gegenwart aufzuladen, hieße, diese versenkte Welt endgültig aufzugeben.

Die auf den Photos abgebildeten Menschen seien trostlos verloren gewesen. Das stimmt. Nur wußten sie damals nicht, was wir heute wissen. Sie auf prächtigem Hochglanzpapier zu zeigen, sei falscher Prunk, erwecke Idyllen, wo keine waren. Trauer über die Unwiederbringlichkeit dieser ausgelöschten Welt kann aber nicht heißen, ihr im nachhinein schon zur Lebzeit den schwarzen Flor des kommenden Unglücks überzustülpen, den Todgeweihten im nachträglichen Blick ihre ureigenen Anliegen, ihre Sehnsüchte, ihren Glanz abzusprechen.

Das Vergangene lebt nur in uns. Es bekommt seine historische Realität kraft unserer Erinnerung; einer Erinnerung, der die vergangenen Bilder und Worte ein Stück jetziges Bewußtsein werden. So wird in uns Geschichte lebendig, mit uns Gegenwart. Das Wie der Darstellung ist sekundär. Denen, die in den Texten sprechen, und denen, die uns aus den Bildern ansehen, geben wir ihren Namen zurück und damit ihre Individualität. Darum nennen wir im jüdischen Totengebet die Verstorbenen, derer wir eingedenk sind, namentlich.

Schalom Ben-Chorin
JÜDISCHEN GLAUBENS

Was aber hat die Juden durch alle Fährnisse der Verfolgungen am Leben erhalten? Hier ist vor allem der Sabbat zu nennen, von dem es heißt: „Mehr als Israel den Sabbath bewahrt hat, hat der Sabbath es bewahrt" . . .: Krakauer Jude auf dem Weg in die Synagoge. 1904

*D*er Philosoph Moses Mendelssohn zu Berlin sprach im 18. Jahrhundert vom Judentum noch von „meiner Nation", während die Juden im 19. Jahrhundert und im ersten Drittel unseres Jahrhunderts eine vorwiegend konfessionelle Definition des Judentums bevorzugten. Man umschrieb sogar den Begriff „jüdisch" mit „mosaisch" oder „israelitisch". Dies gilt freilich nur für das Judentum in Mittel- und West-Europa, während das Ost-Judentum sich seines volkhaften Charakters schon durch die eigene jiddische Umgangssprache bewußt blieb.

In Deutschland war es der „Centralverein deutscher Staatsbürger jüdischen Glaubens", der diese Ideologie pflegte; in Österreich war es die „Union österreichischer Staatsbürger jüdischen Glaubens", die eine ähnliche Weltanschauung vertrat.

Der geistige Führer der radikalen jüdischen Orthodoxie in Deutschland, Isaak Breuer, sprach ironisch vom deutschen Staatsbürger jüdischen Unglaubens, was die Verhältnisse oft traf und kennzeichnete.

Vom deutschen Judentum im 19. Jahrhundert gehen die drei Grundströmungen aus, die das Judentum noch heute, am Ende des 20. Jahrhunderts, kennzeichnen: Orthodoxie, Reform und Konservative.

Unter Orthodoxie ist hier nicht jenes traditionsgesättigte Judentum des Ostens zu verstehen, wie es in der mystischen Volksfrömmigkeit des

Chassidismus und in der talmudischen Gelehrsamkeit der Mitnagdim, vor allem in Litauen, Gestalt gewann. In Frankfurt am Main entstand unter der Ägide von Samson Raphael Hirsch jene Neo-Orthodoxie, die weltlich-westliche Bildung mit strenger jüdischer Gesetzesfrömmigkeit vereinen wollte.

Die Reform im radikalen Sinne, wie sie von Abraham Geiger intendiert wurde, fand in Deutschland nur sehr begrenzte Verbreitung. Nur die jüdische Reformgemeinde zu Berlin behielt den radikalen Kurs bei, während die Mehrheit der Gemeinden und Synagogen, in Deutschland und Österreich, einem gemäßigten Libe-

ralismus huldigten, wie er heute unter den „Conservatives" in Amerika weiterlebt.

Während im Ostjudentum jüdische Gelehrsamkeit in den Jeschiwot, den Talmud-Lehranstalten, gepflegt wurde, entstanden in Deutschland akademische Rabbinerseminare: die liberale Hochschule für die Wissenschaft des Judentums in Berlin, das konservative Jüdisch-Theologische Seminar in Breslau (ebenso in Wien), und das orthodoxe Hildesheimersche Seminar in Berlin.

Stärker als in der theologischen Differenzierung der drei Strömungen machte sich in der Gestaltung des Gottesdienstes die Nuancierung sichtbar.

Anstelle des schlichten Bethauses, der „Schul", in der gebetet und gelernt wurde, trat der Prachtbau maurischer und neuromanischer Synagogenbauten. Das galt sogar für die Neo-Orthodoxie, die mit der liberalen Strömung in bezug auf äußere Repräsentation eines bürgerlich-wohlhabenden Judentums wetteiferte.

In den liberalen Synagogen wurde allgemein die Orgel eingeführt, was zur Hebung der ästhetischen Gestaltung des Gottesdienstes entscheidend beitrug, aber auch wiederum zu einer gewissen Verfremdung, durch Anlehnung an den christlichen Gottesdienst, insbesondere den protestantischen.

Rabbiner und Vorbeter trugen Talare, die deutsche Predigt war allgemein integraler Bestandteil des Gemeindegottesdienstes an Sabbaten und Feiertagen.

Nur am Rande dieser offiziellen institutionalisierten Religion wahrte das Ostjudentum noch seine folkloristisch dominierte Form (oder Formlosigkeit) des Schtetl.

Jüdische Frömmigkeit, in jeder Form, zeichnet sich durch Bipolarität aus. Die beiden Pole sind Gemeinde (Synagoge) und Haus. Gelebtes Judentum kann sich nicht auf die Synagoge beschränken, sondern entfaltet sich erst im Kreise der Familie. Ist der Gemeinde-Gottesdienst, etwa am Freitagabend, beendet, so findet dieser Vorabend des Sabbat seine Krönung am Familientisch. Die Hausmutter hat bereits die Sabbat-Lichter gesegnet, der Vater singt oder spricht den Segen über Wein und Brot und den Sabbat. Vater und Mutter segnen die Kinder mit dem alten Priestersegen: „Der Herr segne und behüte dich, der Herr lasse sein Antlitz dir leuchten und begnade dich, der Herr erhebe sein Antlitz über dir und gebe dir Frieden."

Das jüdische Haus steht wörtlich unter dem Worte Gottes, denn an den Türpfosten wird die Mesusa befestigt, jener Haussegen, der das Glaubensbekenntnis enthält: „Höre Israel, der Herr unser Gott ist EINER."

Die Feste des jüdischen Jahres sind ebenfalls keineswegs auf die Synagoge hin zentriert. Dies trifft höchstens für die Hohen Feiertage, Neujahrsfest und Versöhnungstag, im Herbst zu, aber schon das darauf folgende Laubhüttenfest findet sein Zentrum in der Familie, die sich in Israel sieben Tage, in der Diaspora aber acht Tage, in der Laubhütte, zumindest zu den Mahlzeiten, einfindet.

Auch das Frühlingsfest Pessach, die jüdischen Ostern, sind viel stärker im Familienkreise zu verspüren. Der erste Abend, Seder genannt (Seder =

Ordnung des Pessach-Festes) und als Hausliturgie mit vielen Symbolgerichten, Gesprächen und Liedern bis in die Mitternacht hinein gefeiert, inspirierte den fünfzehnjährigen Heinrich Heine zu seiner Ballade „Belsazar": „Die Mitternacht zog näher schon . . ."

Während in der Synagoge das männliche Element dominiert, ist es die jüdische Frau, die das Familienleben bestimmt, von der koscheren Küche bis zur Gestaltung der Feiertage.

Von den vielen Feiertagen des jüdischen Jahres, den Hochfesten im Herbst, den drei Wallfahrtsfesten (der Name stammt noch aus der Zeit des Tempels in Jerusalem, zu dem gepilgert wurde): Pessach, Wochenfest und Laubhütten, kommt noch das Makkabäer-Fest Chanukka im Winter, wo die traulichen Lichter der Menora (Festleuchter) an den Fenstern der Wohnung entzündet werden, und das heitere Purim-Fest, der jüdische Karneval, im Vorfrühling.

Von der Wiege bis zur Bahre wird das Leben des Juden von der Tradition geregelt. Wenn Schopenhauer von der „Welt als Wille und Vorstellung" sprach, so ist im Judentum von der Welt als Gesetz und Brauch die Rede.

Der archaische Charakter zeigt sich hier in der patriarchalischen Dominante. Acht Tage nach der Geburt des Knaben findet die Beschneidung statt, die das Zeichen des Bundes Gottes mit Abraham sakramental verwirklicht.

Eine entsprechende Einführung in den Bund gibt es für die Mädchen nicht, aber gerade bei den Juden West-Europas gab es den „Holekresch"-Brauch. Das kleine Mädchen wurde im Babykorb hochgehoben und sein jüdischer Name laut verkündigt.

Mit 13 Jahren und einem Tag wird der jüdische Knabe Bar-Mizwa, reli-

giös mündig, ein vollwertiges Mitglied der Gemeinde. Im deutschen Judentum der Emanzipations- und Assimilationszeit wurde daraus eine große synagogale und Familienfeier, während für die Mädchen, in den liberalen Gemeinden, eine kollektive Konfirmationsfeier zum Wochenfest eingeführt wurde.

Neben der bürgerlichen standesamtlichen Trauung war die feierliche rabbinische Trauung, unter dem Trau-Baldachin, mit dem gemeinsamen Kelch, allgemein, auch bei nicht-traditionellen Juden.

Durch besondere Schlichtheit zeichnet sich das Begräbnis aus. Ein einfacher Holzsarg von sechs Brettern, gleich für arm und reich, bildet das letzte Heim der Toten. Die tiefe Verbindung mit dem Heiligen Lande zeigte sich aber darin, daß sehr oft dem Sarg ein Säckchen mit Erde aus Erez Israel (Palästina) beigegeben wurde.

Mit besonderer Treue haben die Juden überall auf der Welt ihre Friedhöfe gepflegt. Zeitweilige Bestattung blieb unbekannt. Der Friedhof wurde „das ewige Haus" genannt, aber auch „der gute Ort".

In seinem 1938 entstandenen Gedicht „Der Gute Ort zu Wien" schreibt Franz Werfel:

„Vergißt du immer den Befehl,
Der dich umlastet, Israel!?
Du mußt den Ländern, die dich hassen,
Als Stapfen deine Gräber lassen."

Genau so ist es gekommen. In vielen einstigen Zentren jüdischen Lebens im 20. Jahrhundert zeugen nur noch die Gräber, falls sie nicht vom Haß der Feinde zerstört wurden, von der einstigen Präsenz Israels.

Was aber hat die Juden durch alle Fährnisse der Verfolgungen am Leben erhalten? Hier ist vor allem der Sabbat zu nennen, von welchem der jüdische Kulturphilosoph unseres

Jahrhunderts, Achad Haam, bemerkte:

„Mehr als Israel den Sabbath bewahrt hat,

hat der Sabbath es bewahrt."

Das deutsche Judentum hatte den Sabbat leider oft vergessen. Der Glaube des Judentums war keine Selbstverständlichkeit mehr. Kräfte und Umwelt haben Geist und Seele des assimilierten Juden dem Erbgut der Väter entfremdet.

Aber gerade in dieser Situation gewann das deutsche Judentum ein ganz eigenes Profil. Jüdische Denker, die in beiden Welten wurzelten, in Judentum und europäischem Geist, formten das Antlitz eines postassimilatorischen Judentums. Wir denken hier an den Marburger Neukantianer Hermann Cohen, der in seinem postumen Werk „Religion der Vernunft aus den Quellen des Judentums" eine jüdische Ethik schuf, die eine Synthese jüdischen und kantianischen Denkens darstellt. Wir denken an den letzten großen deutschen Rabbiner Leo Baeck, der in seinem „Wesen des Judentums" eine gültige liberale Theologie des Judentums schuf, und an Martin Buber, der verinnerlichte chassidische Frömmigkeit in deutschem Sprachgewand beispielhaft seiner Dialogik „Ich und Du" illustrierend zur Seite stellte, und an seinen Mitarbeiter bei der Bibel-Übersetzung „Verdeutschung der Schrift", Franz Rosenzweig, der in seinem Hauptwerk „Der Stern der Erlösung", von Hegel ausgehend, zu einem neuen Denken vorstieß.

Nur in der Geschichte des frühmittelalterlichen spanischen Judentums, und in der hellenistischen Epoche des Philo von Alexandrien, zeigt sich eine vergleichbare Synthese aus dem Geiste des Judentums und seiner Umwelt.

*D*ann kam der Donners-
tag mit seinem großen Betrieb; da
begannen schon die Vorbereitungen für Schabbath, mit Teig anrühren für das Brot, den weißen Bar-
ches und den Malaj aus Kukuruz.
Die Weiber laufen herum, atemlos
und aufgeregt, ein Stück Sauerteig
zu leihen, oder etwas Holz oder
einen guten Rat, alles durcheinander in der letzten Minute.
Donnerstagnacht zu Freitag wird
durchgearbeitet, Teig gemacht und
Ofen geheizt, Kartoffeln geschält,
am Ofenfeuer schon die verschiedenen Gerichte gekocht, dann gebacken: das Brot, die Challe, der
Kukuruz-Malaj; das Kartoffelbrot
– Mandaburtschinik genannt –, das
schon Freitag heiß verschlungen
wird, schmeckt großartig mit Butter oder Schmetten.
Freitag wird alles gewaschen, geputzt, aufgeräumt. Den Kleineren
werden die Köpfchen von den etwas Größeren mit Petroleum gewaschen und gekämmt; Petroleum
ist gut gegen Läuse. In der Stube
riecht es nach frisch gebackenem
Brot, gebratenem Fleisch und Petroleum durcheinander. Spät am
Nachmittag ist man bald so weit,
den Schalet in den Ofen zu schie-
ben; der Ofen wird hermetisch abgeschlossen und sauber geputzt.
Der erdene Fußboden wird mit
dünnem Lehm getüncht, dann
wird ganz unten an den Wänden
ein grüner Streifen gezogen.
Der Tisch ist weiß gedeckt, geputz-
te Messingleuchter zieren ihn, die
Tellerchen stehen da für jeden; jeder hat seinen Platz, dem Alter
nach, der Würde nach. Der männliche Teil der Familie ist bereits
beten gegangen. . . . Inzwischen
hatte die kleine Mama Licht ge-
benscht und immer private Gespräche in das Gebet gemischt; sie
sprach stets zum lieben Gott wie
eine erwachsene Tochter zu ihrem
Vater, ihn an seine Verantwortung
und an seine Pflichten mahnend,
jede Woche dasselbe.
Alexander Granach

Das Judentum ist ja nicht nur eine Sache des Glaubens, sondern vor allem die Sache der Lebenspraxis einer durch den Glauben be- stimmten Gemeinschaft.
Gustav Janouch

Es ist das Besondere und Schöpferische des jüdischen Optimismus, daß jeder Glaube hier als Verantwortlichkeit begriffen wird; der Gedanke von ihr ist als der jüdische Gedanke in die Welt getreten.
Leo Baeck

Wenn ich an meine Jugendjahre in der großen Judenstadt Minsk zurückdenke, so ragt aus einer Menge von Bildern und Er- scheinungen eine ganz ungewöhnliche Ge- stalt hervor: es ist ein älterer Jude von ungewöhnlich schlanker und schmächtiger Gestalt, mit stark ergrautem, ehemals schwarzem, sehr langem Bart, mächtig ge- wölbter Stirne und tiefen Augen, die niemand vergißt, wer sie nur einmal gesehen. Dieser Mann hieß Reb Jajnkew-Mejer (seinen Fami- liennamen kannte kaum jemand) und beklei- dete das Amt eines Nebenrabbiners an einer kleinen Nebensynagoge. Trotz dieser beschei- denen Stellung genoß er in der Stadt ein solches Ansehen, wie es nur berühmte und sehr gelehrte Rabbiner genießen. Dieses An- sehen beruhte keineswegs auf Gelehrsamkeit, die ja sonst die wichtigste Eigenschaft des osteuropäischen Rabbiners ist, sondern aus- schließlich auf seinem ungewöhnlichen, zum Teil heiligen Lebenswandel und auf einer eigentümlichen Funktion, die er freiwillig ausübte.
Er war nämlich Zensor – im altrömischen Sinne des Wortes – und sah seine vornehm- lichste Aufgabe in der Überwachung der Heilighaltung des Sabbats: er achtete streng darauf, daß die Juden am Freitag möglichst früh ihre Arbeiten einstellten und ihre Läden schlossen und am Samstag abend möglichst spät wieder an ihre Geschäfte gingen. Bei Juden beginnt der Sabbat nämlich am Freitag mit Einbruch der Dämmerung und endet am Samstag abend, sobald mindestens drei Sterne am Himmel zu sehen sind. Reb Jajnkew- Mejer trat also am Freitag nachmittag, lange vor Einbruch der Dämmerung, auf einem Wägelchen, das ihm der Fuhrwerksunterneh- mer oder die Gemeinde unentgeltlich zur Verfügung stellte, eine Rundfahrt durch die Straße an, blieb vor jedem jüdischen Geschäft stehen, klopfte an und rief: „Jidden, es ist Zeit zu machen Schabbes!" Seine Autorität war so groß, daß jeder Kaufmann und Handwerker sofort das Geschäft und die Werkstatt schloß. Zum Schluß fuhr er auf den Güterbahnhof hinaus und schickte alle jüdischen Spediteure und deren Angestellte nach Hause. Selbst der

russische Bahnhofvorsteher unterlag dem ei- gentümlichen Zauber, der von diesem Mann ausging: er ließ ihm jedesmal einen Lehnses- sel auf den Perron hinaustragen. Wenn der letzte Jude den Bahnhof verlassen hatte, begab sich Reb Jajnkew-Mejer ins Bad und dann in die Synagoge.
Alexander Eliasberg

Die Feiertage und der Schabbes (Sabbat) waren die lichten Punkte unserer ärmlichen Existenz.
Der Sabbat ist im orthodox-jüdischen Milieu eine eigenartige Feier von hohem ethischen Wert. Die Talmudisten haben diesen Tag mit vielen Reihen von „Umzäunungen" umge- ben, um den Kern, den Sabbat, für den dem Herrn immerfort in den Gebeten gedankt wird, vor jeder Antastung zu schützen. So heilig wird dieser Tag gehalten, daß „Me-

Am Sabbat wird beson- ders gut gegessen. Nach dem „ge- fillten Fisch" und der Suppe wird meist ein gekochtes Huhn serviert. Viele der Armen unter den Ostju- den sparten die ganze Woche auf das Huhn. Der Ausblick auf den „Schabbes" war für sie manchmal das einzige, was das Leben erträg- lich machte.
Rechts: Das Sabbat-Huhn. Um 1920

challel Schabbos", den Sabbat entweihen, zu den ärgsten Sünden zählt, die ein frommer Mann auf sich laden kann. (Das biblische Gesetz strafte die Entweihung des Sabbats mit dem Tode.) Damit an diesem, nur der Ruhe und der Beschaulichkeit geweihtem Tage absolut keine Arbeit verrichtet werden könne, sind die „Umzäunungen" geschaffen worden. So darf zum Beispiel am Sabbat keine Instrumentalmusik gemacht werden, obwohl musizieren als keine Arbeit angese- hen werden kann, damit der Musiker von Beruf nicht in die Lage komme, arbeiten zu müssen. Damit keine Lasten getragen wür- den, ist das Tragen jedes beliebigen Gegen- standes, sogar der Taschenuhr verpönt. Die Kleidertaschen müssen am Freitag-Abend sorgfältig entleert werden, ja selbst das Schnupftuch darf nicht eingesteckt werden, sondern muß um den Hals oder Arm gebun- den werden, wodurch es den Anschein eines Kleidungsstückes gewinnt. Der Dürftige spar-

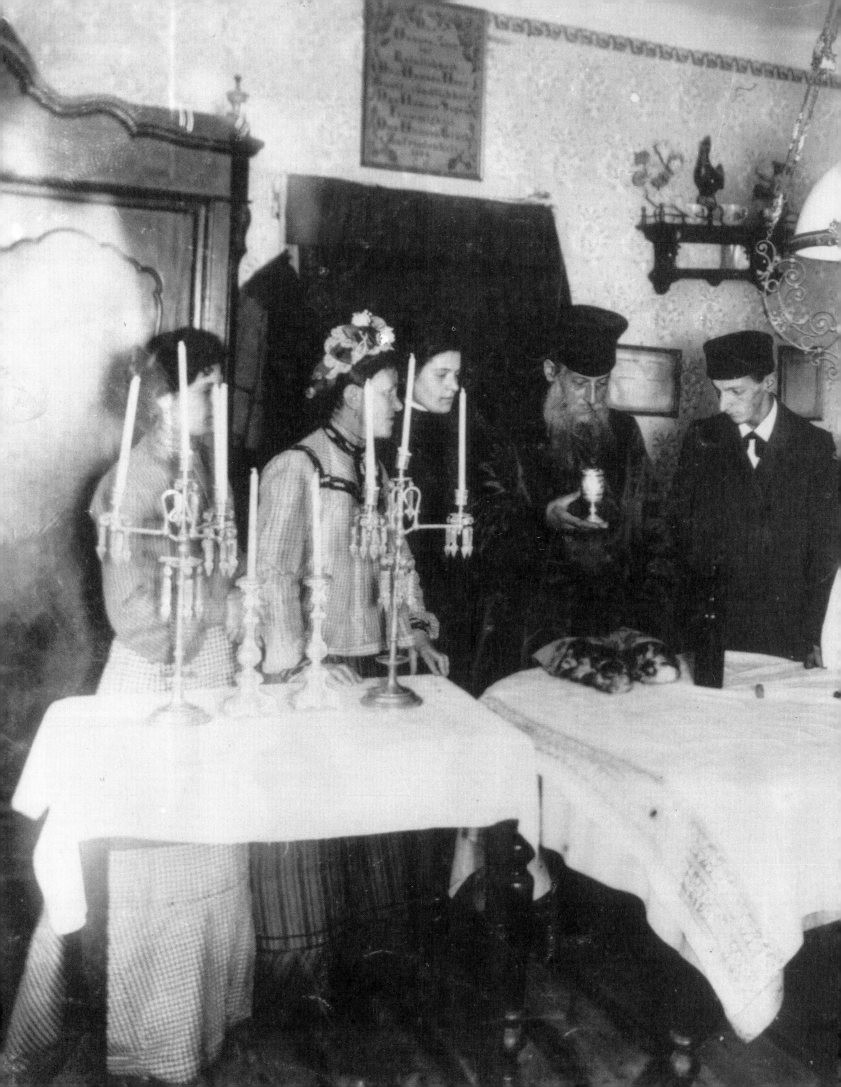

Am Sabbat darf der Weg des Frommen nur 2.000 Schritte weit reichen. Nichts konnte so wichtig sein, als daß man es wagte, die Ruhe zu entweihen.
<u>Rechts:</u> Polnische Juden mit Kaschket (Schirmmütze). Um 1910
<u>Links:</u> Kiddusch machen: Einsegnung des Sabbats bei Tisch am Freitagabend. 1906

te die ganze Woche, um „Schabbes machen" zu können. Gegenseitiger Beistand, um einander ein würdiges Begehen des Sabbats zu ermöglichen, war ein frommes Gebot ...
Schon der Freitag ist ein Halbfeiertag. Die Hausfrau, die für diesen und für den kommenden Tag vorsorgen muß, hat viel zu tun und schafft emsig. Auch der Ehegatte, und wenn er noch so gelehrt oder noch so vermögend wäre, findet es an diesem Tage nicht unter seiner Würde, persönlich in der Küche helfend Hand anzulegen, um sich „zu Ehren des Sabbats" nützlich zu machen, denn solche Dienste sind gottgefällig und werden im Himmel gelohnt. Er geht einkaufen, putzt das Besteck oder die Leuchter, spaltet Holz; mit einem Worte, er trachtet sich mannigfache Verdienste zu erwerben. Zeitig früh wird bereits mit den verschiedenartigsten Arbeiten begonnen, denn auch das weiße Sabbatbrot, „Chales" genannt, wird zu Hause gebacken ...
An diesem Tage sitzt auch der ärmste Jude an einem weißgedeckten Tische, hat eine Fisch- oder Fleisch-, ja sogar Fisch- und Fleischspeise und Dessert, den „Zimes". Der koscher zubereitete Hecht ist eine Spezialität und tatsächlich eine delikate Sache, die auch Ungläubigen gar lecker schmeckte. Auch ein Schnaps würzte die Schabbesmahlzeit. Wein war zu teuer und an rituelle Vorschriften gebunden, unser schlechtes Bier mundete niemandem. Sogar wir kleinen Kinder bekamen ein Gläschen Schnaps, das wir mit weißem Brote austunkten ...
Die Hausfrau ist am Nachmittag besonders stark beschäftigt; es heißt mit allem fertig werden und sich vom Sabbat nicht überraschen lassen, mit dessen Beginn jede Arbeit eingestellt werden muß.
Das städtische Dampfbad wird rechtzeitig angeheizt: Der Badediener begeht die Straßen des Judenviertels, schüttelt einen Birkenbesen in der erhobenen Rechten und ruft

laut: „Jüden in Bod erain!" – Die männliche Bevölkerung stellt hierauf ihre Hilfsdienste ein, versorgt sich mit frischer Wäsche und eilt ins Bad. Dort trifft sich die ganze Gemeinde. In der Dampfstube ist eine treppenartige Estrade aufgebaut; auf der obersten Stufe, wo es am heißesten ist, sitzen die Honoratioren und besprechen Gemeindeinteressen und Privatangelegenheiten, ebenso wie die hohe Politik ...
Am späten Nachmittag ging man eilig aus dem Bade heim. Die nassen Paies hingen bei den Ohren wie Mäuseschwänzchen herab. Man zog schnell den Schabbesrock an und lief ins Bethaus. Die Schabbeskleider sind bei den Frommen aus schwarzer Seide oder aus Atlas verfertigt, bei den weniger Frommen aus schwarzem Tuch. Ein Mann, der Anspruch auf Gelehrsamkeit erhob, ein sogenannter „güter Jüd", oder gar der Row in persona, kleidete sich auch in schwarzen oder braunen Sammet.
Jehudo Epstein

Der Sabbat hebt den Unterschied unter den Menschen, der in ihrer Arbeitsweise sich ausbildet, grundsätzlich wieder auf. Auch der Handarbeiter wird zum Herrn seiner selbst. Die wöchentliche Ruhe an einem bestimmten Tage stellt den Arbeiter dem Herrn gleich ... Alle Mühsal aber des täglichen Lebens warf der Ghettojude von sich, wenn die Sabbatleuchte entzündet wurde. Alle Schmach wurde abgeschüttelt. Die Liebe Gottes, die ihm den Sabbat wiederum brachte an jedem siebenten Tage, sie brachte ihm auch seine Ehre wieder und sein Menschenrecht in seiner niedrigen Hütte.
Hermann Cohen

Es ist doch sicherlich ein Wunder, daß der Jude bei den Leiden, die sein geschichtliches Leben durchziehen, einen solchen Gleichmut, einen solchen wahrhaften Humor immerfort behaupten konnte, ohne den er sich nicht immer wieder aus den tiefsten Erniedrigungen zu einer stolzen Höhe hätte emporheben können. Dieses Wunder haben ihm seine Feste bewirkt.
Hermann Cohen

Das Fest, das wir Kinder am kräftigsten spürten, obwohl wir, ganz klein, noch nicht eigentlich daran teilnahmen, war das Purim-Fest. Es war ein Freudenfest zur Erinnerung an die Errettung der Juden von Hamán, dem bösen Verfolger. Hamán war eine wohlbekannte Figur und sein Name war in die Umgangssprache eingegangen. Bevor ich erfuhr, daß er ein Mann war, der gelebt und schreckliche Dinge ausgeheckt hatte, kannte ich seinen Namen als Schimpfwort. Wenn ich die Erwachsenen zu lange mit Fragen quälte oder nicht schlafen gehen wollte oder sonst nicht tat, was man von mir wollte, kam ein Stoßseufzer: „Hamán!" Dann wußte ich, daß man keinen Spaß mehr verstand, daß ich ausgespielt hatte. „Hamán" war das letzte Wort, ein Stoßseufzer, aber auch eine Beschimpfung. Ich war sehr erstaunt, als man mir ein wenig später erklärte, daß Hamán ein böser Mann gewesen sei, der alle Juden töten wollte. Aber dank Mordechai und der Königin Esther war es ihm mißlungen und aus Freude darüber feierten die Juden Purim. Die Erwachsenen verkleideten sich und gingen aus, man hörte Lärm von der Straße, Masken erschienen im Haus, ich wußte nicht, wer sie waren, es war wie im Märchen, nachts blieben die Eltern lange aus, die allgemeine Aufregung teilte sich uns Kindern mit, ich lag wach im Kinderbett und horchte. Manchmal zeigten sich die Eltern maskiert und entlarv-

ten sich dann, das war ein besonderer Spaß, aber lieber noch war es mir, ich wußte nicht, daß sie es waren.
Elias Canetti

Dieses Fest, dessen politische Bedeutung im Auszuge aus Ägypten und der Befreiung aus der Sklaverei gipfelte, war zugleich das Frühlings- und Saisonfest, das freudigste aller Feste. Man traf Vorsorge, um Eltern und Kinder für die kommende Jahreszeit mit entsprechenden neuen Kleidern und Kopfbedeckungen auszustatten, was mit dem Frühlingsbeginn schön harmonierte und zur zufriedenen und frohen Stimmung der Gemüter beitrug.
Lange vor Ostern begann in der ganzen Stadt das große Reinemachen. Unsauberkeiten und

Schmutz sind ja leider die Begleiterscheinungen der Armut; die Armut aber in unserem Städtchen war groß. Eine gründliche Reinigung von Zeit zu Zeit war sehr notwendig. Alle Häuser wurden von oben bis unten, von außen und innen geputzt, abgerieben, neu getüncht, alles Metallgeschirr blinkend sauber gescheuert und „gekaschert", das heißt für den „Pösach", das Osterfest, koscher gemacht, denn das im alltäglichen Gebrauche stehende Geschirr und das Besteck dürfen in den Ostertagen nicht verwendet werden, es sei denn, sie werden besonders dafür präpariert. Reiche Leute hatten spezielles Ostergeschirr, das, abgesondert und wohlverwahrt, das ganze Jahr nicht benützt wurde. Wer kein solches besaß, mußte sein gewöhnliches „kaschern" lassen.
Jehudo Epstein

Mazza, das ungesäuerte Brot, erinnert an den Auszug aus Ägypten, der in solcher Hast erfolgte, daß man das Brot nur in dieser Form backen konnte.
Links: Herstellung und Verpakkung von Mazzot in Berlin vor dem Pessachfest. Photographie von *Roland Lewy.* 1936

Diese festliche Woche wurde nun vom Sederabend eingeleitet. Um die langausgezogene Festtafel saßen die dreißig Kinder des Waisenhauses, die Familie meines Vaters und eingeladene Gäste. Vater liebte es besonders, seine Studenten einzuladen, von denen viele ohne Anhang in Berlin lebten. So waren wir oft eine Gesellschaft von etwa fünfzig Menschen, die den Auszug aus Ägypten noch einmal aus der Erinnerung vollzogen. Vater saß der Tafel vor in einem großen breiten Lehnstuhl, der noch mit schneeweißen Daunenkissen ausstaffiert war. Denn an diesem Abend muß man bequem und angelehnt sitzen – es wird ja auch viel Wein während der Erzählung getrunken, nicht ungezügelt, nach bestimmten Leseabschnitten geordnet.

Links: Taschlich an Rosch ha-Schana in Munkacz (Ungarn). Photographie von *Abraham Pisarek*. 1930

An Rosch ha-Schana (September/Oktober), dem Neujahrsfest, ist es Brauch, an ein Flußufer zu gehen und Brotkrumen ins Wasser zu werfen (Taschlich); der Strom soll die Sünden wegschwemmen, wird gebetet. Rosch ha-Schana ist der erste der zehn Bußtage, die mit Jom Kippur enden. An Rosch ha-Schana wünscht man sich „Ketiwa u-Chetima towa", d. h. „Gute Schrift und Siegel", die Taten mögen im Buch des göttlichen Gerichts auf der „guten" Seite niedergeschrieben werden.

schaft des westlichen Juden liegt in diesem Namen. Der Jom Kippur aber ist kein Versöhnungs-, sondern ein Sühne-Tag, ein schwerer Tag, dessen 24 Stunden eine Buße von 24 Jahren enthalten. Er beginnt am Vorabend, um vier Uhr nachmittags. In einer Stadt, deren Einwohner in der überwiegenden Mehrzahl Juden sind, fühlt man das größte aller jüdischen Feste wie ein schweres Gewitter in der Luft, wenn man sich auf hoher See auf einem schwachen Schiff befindet. Die Gassen sind plötzlich dunkel, weil aus allen Fenstern der Kerzenglanz bricht, die Läden eilig und in furchtsamer Hast geschlossen werden – und gleich so unbeschreiblich dicht, daß man glaubt, sie würden erst am Jüngsten Tag wieder geöffnet. Es ist ein allgemeiner Abschied von allem Weltlichen: vom Geschäft, von der Freude, von der Natur und vom Essen, von der Straße und von der Familie, von den Freunden, von den Bekannten. Menschen, die vor zwei Stunden noch im alltäglichen Gewand mit gewöhnlichen Gesichtern herumgingen, eilen verwandelt durch die Gassen, dem Bethaus entgegen, in schwerer, schwarzer Seide und im furchtbaren Weiß ihrer Sterbekleider, in weißen Socken und lockeren Pantoffeln, die Köpfe gesenkt, den Gebetsmantel unter dem Arm, und die große Stille, die in einer sonst fast orientalisch lauten Stadt hundertfach stark wird, lastet selbst auf den lebhaften Kindern, deren Geschrei in der Musik des Alltagslebens der stärkste Akzent ist. Alle Väter segnen jetzt ihre Kinder. Alle Frauen weinen jetzt vor den silbernen Leuchtern. Alle Freunde umarmen einander. Alle Feinde bitten einander um Vergebung. Der Chor der Engel bläst zum Gerichtstag. Bald schlägt Jehova das große Buch auf, in dem Sünden, Strafen und Schicksale dieses Jahres verzeichnet sind. Für

Vater trug sein weißes Totenhemd, denn obgleich das Passahfest ein freudiges Fest ist, soll der Mensch immer bereit sein, am letzten Tage vor Gott zu stehen. Auf dem Kopf trug er ein weißseidenes Käppchen, das mit einer breiten Silberborte kunstvoll bestickt war. Saß er so in seinem weiten Lehnstuhl, das Gesicht von den hohen Kerzen auf schweren Silberleuchtern beschienen, erblickten wir in ihm eine biblische Figur, die aus alten Zeiten zu uns zurückgekehrt war. Vor ihm lag die Hagadah, in großen hebräischen Buchstaben auf pergamentartigem Papier gedruckt. Manche von ihnen sahen schon recht vergilbt aus, weil man beim Aufzählen der zehn Plagen, mit denen Gott die Ägypter heimgesucht hat, jedesmal den kleinen Finger der rechten Hand ins gefüllte Weinglas tauchen muß und dann den Wein auf die Blätter des Buches abtropfen läßt. Im Laufe der Jahre verleihen diese durchsickernden Weintropfen dem Buch das Aussehen jahrhundertealter Vergangenheit. Vater sang mit kleiner, aber wohltönender Stimme die traditionellen Melodien aus meinem großelterlichen Hause. Damit begnügte er sich aber nicht. Wenn einer der Studenten, die meist aus den östlichen Ländern Europas kamen, eine andere Melodie zum gleichen Text kannte, ruhte Vater nicht eher, als bis wir alle auch die neue Melodie gelernt hatten, und so kam es, daß über einen einzigen Text eine lange Zeit vergehen konnte, bis man die Erzählung wieder aufnahm.
Josef Tal

*W*enn man nach dem Gottesdienst am Vorabend des Rosch Haschana aus der Synagoge nach Hause geht, begrüßt man seine Freunde mit den Worten „leschana towa tikatewu!" (Zu einem guten Jahr möget ihr eingeschrieben werden.) Nach dem Kiddusch und der Mauzi wird zu Hause ein in Honig getauchtes Stück eines Apfels als Symbol der Hoffnung auf ein „gutes und süßes neues Jahr" genossen. In manchen Gegenden ist der Brauch verbreitet, am Erew Rosch Haschana vom Kopf eines Fisches oder Widders zu essen als Sinnbild dafür, am Anfang und nicht am Ende zu sein.
Manfred Swarsensky

*I*ch hatte schon gesehen, wie sie die Besinnung verloren, weil sie beteten. Das war am Jom Kippur. In Westeuropa heißt er „Versöhnungstag" – die ganze Kompromißbereit-

*A*m Rosch Haschana gingen wir manchmal mit unseren orthodoxen Freunden zum Flußufer, wo sie Brotstücke ins Wasser warfen. Dieser „Taschlich machen" genannte Ritus symbolisiert die Hoffnung darauf, daß ehrliche Reue während der zehn Bußtage die Sünden des Menschen ebenso fortschwemmt wie der Fluß die Brotstücke
Philip Seligsberger-White

Rechts: Jom Kippur (September/ Oktober) in der Synagoge. Um 1910

An Sukkot (September/ Oktober) errichtet jede Hausgemeinschaft eine Laubhütte in Erinnerung an das provisorische Hüttenleben während der Wüstenwanderung. An den acht Tagen des Festes sollte die Laubhütte der einzige Aufenthaltsort sein. Sie wird, wenn möglich, unter freiem Himmel aufgestellt und mit einem provisorischen Dach versehen, durch das die Sterne schimmern können. Gegenüberliegende Seite, unten: Ungarisches Haus mit geöffnetem Dachsegment, das den Vorschriften für eine Laubhütte entspricht. Um 1914

alle Toten brennen jetzt Lichter. Für alle Lebenden brennen andere. Die Toten sind von dieser Welt, die Lebenden vom Jenseits nur je einen Schritt entfernt. Das große Beten beginnt. Das große Fasten hat schon vor einer Stunde begonnen. Hunderte, Tausende, Zehntausende Kerzen brennen neben- und hintereinander, beugen sich zueinander, verschmelzen zu großen Flammen. Aus tausend Fenstern bricht das schreiende Gebet, unterbrochen von stillen, weichen, jenseitigen Melodien, dem Gesang der Himmel abgelauscht. Kopf an Kopf stehen in allen Bethäusern die Menschen. Manche werfen sich zu Boden, bleiben lange unten, erheben sich, setzen sich auf Steinfliesen und Fußschemel, hocken und springen plötzlich auf, wackeln mit den Oberkörpern, rennen auf kleinem Raum unaufhörlich hin und zurück, wie ekstatische Wachtposten des Gebets, ganze Häuser sind erfüllt von weißen Sterbehemden, von Lebenden, die nicht hier sind, von Toten, die lebendig werden, kein Tropfen netzt die trockenen Lippen und erfrischt die Kehlen, die so viel des Jammers hinausschreien – nicht in die Welt, in die Überwelt. Sie werden heute nicht essen und morgen auch nicht. Es ist furchtbar, zu wissen, daß in dieser Stadt heute und morgen niemand essen und trinken wird. Alle sind plötzlich Geister geworden, mit den Eigenschaften von Geistern. Jeder kleine Krämer ist ein Übermensch, denn heute will er Gott erreichen. Alle strecken die Hände aus, um ihn am Zipfel seiner Gewänder zu erfassen. Alle, ohne Unterschied: die Reichen sind so arm wie die Armen, denn keiner hat etwas zu essen. Alle sind sündig, und alle beten. Es kommt ein Taumel über sie, sie schwanken, sie rasen, sie flüstern, sie tun sich weh, sie singen, rufen, weinen, schwere Tränen rinnen über die alten Bärte, und der Hunger ist verschwunden vor dem Schmerz der Seele und der Ewigkeit der Melodien, die das entrückte Ohr vernimmt.
Joseph Roth

An diesem heiligsten und höchsten Feiertag, den die Juden kennen, erflehen die Frommen die Verzeihung aller Sünden, deren sie sich im vergangenen Jahr schuldig machten, und kasteien sich vor Gott durch Waschen und Fasten. Während vierundzwanzig Stunden, also auch die ganze Nacht, bleiben die Gläubigen ununterbrochen bei fortwährendem Beten und dauerndem Gottesdienst in der Synagoge beisammen. Die meisten tragen ihre weißen Sterbegewänder, was einen bedrückenden Eindruck macht und den Ernst der Feier – man gedenkt besonders der Toten – noch erhöht.
Philippine Landau

Das Judentum ist Versöhnungsreligion; dem Sinn des Lebens gibt es damit seinen Schlußsatz. In einem alten Gleichnis ist dies gesagt: „Zweck und Ziel alles Werdens ist die Versöhnung." ... Der Versöhnungstag ist zum heiligen Mittelpunkt des Jahres, zum höchsten Fest geworden.
Leo Baeck

Aus frühester Kindheit schwebte ein Duft von exotischen Früchten heran [im Herbst vor dem Laubhüttenfest] – ein paar Tage lang war Morgen für Morgen zusammen mit der kühlen Herbstluft ein alter Mann husch-husch in unsere Wohnung gestürzt, hatte Zweige, einen Palmast, eine Art von Zitrone, dargereicht, die man aber „Ethrog" nannte – der Vater hatte hastig den Palmzweig geschüttelt, den Ethrog zur Nase geführt und Luft eingesogen, einen Segensspruch gesagt – dann war der fremde Mann sehr rasch wieder weggerannt, denn er hatte noch in vielen anderen Wohnungen den gleichen rätselhaften Dienst zu leisten. Reste der Zeremonien des Laubhüttenfestes waren das, die sich in einer „aufgeklärten" Familie knapp noch ein paar Jahre lang schattenhaft erhielten, ehe sie ganz verschwanden.
Max Brod

Oben: Vorbereitungen für Sukkot. Um 1930.

Simchat-Thora, das Fest der Gesetzesfreude, findet einen Tag nach Ende des Laubhüttenfestes statt. Es schließt den jährlichen Zyklus der Toravorlesung und beginnt einen neuen.

Oben: Flaggen für Kinder werden ausgesucht. Photographie, *Studio Kuszer*, Warschau. Um 1930

Rechts: Chanukka. Photographie von *Abraham Pisarek*. Um 1935

Einmal im Jahr ist es den Kindern erlaubt, in der Synagoge ungehindert vergnügt zu sein. Schon am Vorabend des Festes sind wir todmüde und atemlos vor lauter freudigem Tanzen.
Die Synagoge ist voller Menschen, und so viele Jungen sind da, daß man nicht weiß, wo man sich vor ihnen verstecken soll. Zur Hakkafot-Prozession dürfen auch die kleinen Mädchen in die Männerabteilung; sie balgen sich zwischen den Füßen der Erwachsenen mit den Jungen herum.
Die Lichter scheinen mit neuem Feuer zu brennen. Der heilige Schrein steht offen, die Thora-Rollen, alle in Festtagsmäntelchen, werden eine nach der anderen herausgenommen. Die Synagoge ist festlich wie ein hoher Tempel. Die Männer tanzen, die Thora-Rollen in den Händen, und die Kinder stampfen und tanzen mit ihnen.
Wir rennen wie die Wilden um das Pult des Vorbeters, laufen an der einen Seite hinauf, an der anderen hinunter. Die Stufen ächzen unter unseren Füßen.
Jeder stößt und jagt den anderen und versucht, so oft wie möglich um das Pult zu kreisen, und keiner hat Zeit, das geschnitzte Geländer zu berühren oder schnell zu streicheln, nicht einmal Atem schöpfen kann man. In unseren Händen rasseln Klappern. Wir vollführen einen schrecklichen Lärm. Unsere Papierfähnchen pfeifen, flattern und zerreißen im Wind.
Der Synagogendiener verkriecht sich in einen

Winkel, wahrscheinlich aus Angst, wir würden die Wände niederreißen. Da sieht er, daß die Bücher fast vom Pult fallen und ruft uns zu: „Bitte, Kinder hört doch auf! Genug! Ihr ruiniert ja die ganze Synagoge!"
Bella Chagall

Nichts sonst erinnert bei uns in Haus und Betraum an jene Siege als ein Lichtchen, das sich acht Tage lang täglich um eines vermehrt, und eine stille Feier im Frieden des Hauses. Denn wir feiern im Chanukkafest nicht die Siege der Makkabäer, sondern die Wiederaufnahme des Tempeldienstes, des Anzündens der Menora. Das Chanukkalichtchen deutet bloß den Sinn des Sieges der Makkabäer an und das Mittel und Geheimnis dieses Sieges. „Nicht durch Macht und nicht durch Kraft, sondern durch meinen Geist spricht der Herr der Heerscharen" (Secharja 4, 6).
Max Grunwald

Die erste Kerze wurde angebrannt und dazu die Herkunft des Festes erzählt. Die wundersame Begebenheit vom Lämpchen, das so unerwartet lange brannte, dazu die Geschichte der Heimkehr aus dem babylonischen Exil, der zweite Tempel der Makkabäer. Unser Freund erzählte seinen Kindern, was er wußte. Es war nicht gerade viel, aber ihnen genügte es. Bei der zweiten Kerze erzählten sie es ihm wieder, und als sie es ihm erzählten, erschien ihm alles, was sie doch von ihm hatten, ganz neu und schön. Und von da ab freute er sich jeden Tag auf den Abend, der immer lichter wurde. Kerze um Kerze stand an der Menora auf, und mit den Kindern träumte der Vater in die kleinen Lichter hinein. Es wurde schließlich mehr, als er ihnen sagen konnte und wollte, weil es noch über ihrem Verständnis war.
Er hatte, als er sich entschloß, zum alten Stamme heimzukehren und sich zu dieser Heimkehr offen zu bekennen, nur gemeint, etwas Ehrliches und Vernünftiges zu tun. Daß er auf diesem Heimweg auch eine Befriedigung seiner Sehnsucht nach dem Schönen finden würde, das hatte er nicht geahnt. Und nichts Geringeres widerfuhr ihm. Die Menora mit ihrem wachsenden Lichterschein war etwas gar Schönes, und man konnte sich dazu erhabene Dinge denken. So ging er her und entwarf mit seiner geübten Hand eine Zeichnung für die Menora, die er seinen Kindern übers Jahr schenken wollte.
Theodor Herzl

23

Das nächste, was ich vor mir sehe, ist das
Fest der Beschneidung. Es kamen viel mehr
Leute ins Haus. Ich durfte bei der Beschneidung zusehen. Ich habe den Eindruck, daß
man mich absichtlich zuzog, alle Türen waren offen, auch die Haustüre, im großen
Wohnzimmer stand ein langer, gedeckter
Tisch für die Gäste, und in einem anderen
Zimmer, das dem Schlafzimmer gegenüber
lag, ging die Beschneidung vor sich. Es waren
nur Männer dabei, die alle standen. Der
winzige Bruder wurde über eine Schüssel
gehalten, ich sah das Messer, und besonders
sah ich viel Blut, wie es in die Schüssel
träufelte.
Der Bruder wurde nach dem Vater der
Mutter Nissim genannt, und man erklärte
mir, daß ich der Älteste sei und darum nach
meinem väterlichen Großvater heiße. Die
Stellung des ältesten Sohnes wurde so heraus-
gestrichen, daß ich vom Augenblick dieser
Beschneidung an ihrer bewußt blieb und den
Stolz darauf nie mehr los wurde.
Elias Canetti

Dr. Baeck sprach über die „heilige Freude".
Er ging von der Tatsache aus, daß der
eingesegnete Knabe „zum Gesetz" aufgerufen werde, ein „Bar mizwa" sei, was nach
Ansicht der Völker doch zweifellos eine Ein-
engung seiner Freiheit bedeute, denn im
Gesetz zu gehen, betrachte die Welt zwar
allgemein als notwendig, doch nicht gerade
als „erfreulich". Es sei die Eigenart des Judentums, das Gesetz auf sich genommen zu
haben und sich dessen mit innerer Freude zu
rühmen, denn erst das Gesetz gebe dem

Menschen die eigentliche menschliche Freiheit, in ihm erhebe er sich aus der gemeinen
Kreatur. Doch sei diese Freude keine „ausge-
lassene Heiterkeit", sondern die erhabene, die
heilige Freude, die er eben in dieser Stunde
für mich, den „Bar mizwa", herabflehe.
Conrad Rosenstein

Bekundet wird nun diese neue Stellung des
Knaben als mündigen Glieds der jüdischen
Gemeinschaft öffentlich vor versammelter
Gemeinde dadurch, daß er den Segensspruch
über die geöffnete Tora ausspricht, und zwar
an dem Schabbat, der seinem nach dem
jüdischem Kalender errechneten 13. Geburts-

Bar Mizwa bedeutet für
den dreizehnjährigen Jungen den
Eintritt in das gebetspflichtige Al-
ter. Die Bar Mizwa wird bei der
Toravorlesung in der Synagoge
aufgerufen und liest zum ersten
Mal vor. In dieser Zeit erlernt er
auch das Anlegen der Gebetriemen
(Tefillin), die am linken Arm, dem
Herz gegenüber, und an der Stirn
getragen werden.
Oben: Bar Mizwa im Kreise der
Familie. 1906

Eines der wesentlichsten
Gebote des Judentums ist die Be-
schneidung, Brit Mila, mit der der
Bund mit Gott eingegangen wird.
Am achten Tage nach der Geburt
wird sie vollzogen, zusammen mit
der Namengebung, und groß ge-
feiert.
Links: Familienfeier am Tag der
Beschneidung. Um 1910

Der Talmud empfiehlt,
sorgfältigst zu durchdenken, ob
Mann und Frau leiblich, dem Gefühlsleben nach, hinsichtlich der
Herkunft und der Weltanschauung
zueinander passen. Die Ehe gilt als
göttliches Gebot, doch ist eine
Scheidung, wenn die Ehe „miß-
rät", erlaubt. Es existieren verschiedene Arten der Eheschlie-
ßung, die üblichste ist die Trauung
unter dem Baldachin (Chuppa),
der das gemeinsame Haus symbolisiert.
Rechts: Trauung im Freien unter
der Chuppa. Photographie von
Abraham Pisarek. 1935

tage entspricht oder auf diesen folgt. Er wird zur Tora „aufgerufen", wie der landläufige Ausdruck lautet, er ist ole latora (er geht hinauf zur Tora), er erhält eine alia (volkstümlich „Lije"). Der Bar-Mizwa, der mit seinem hebräischen Namen aufgerufen wird, liest manchmal selber eine Parascha (Toraabschnitt) vor oder auch die ganze Sidra (Wochenabschnitt für den betreffenden Schabbat) . . . Als besondere Leistung gilt es, wenn der Knabe überdies noch einen Sijum macht

über einen Traktat des Talmuds („Zu Ende Lernen" eines Traktats) . . . und beim Festmahl, das anläßlich des Ehrentages des Knaben von seinen Eltern veranstaltet wird, Birkat hamason, das Tischgebet, auswendig „benscht".

Leopold Neuhaus

*I*ndessen hatte sich der Brautzug in Bewegung gesetzt. Voran die Musikanten, auf ihren Fiedeln erbarmungslos kratzend, ihnen folgte die Braut, geführt von ihrer und des Bräutigams Mutter, denen sämtliche weibliche Gäste sich anschlossen.
Vor dem Tempel, wo der Zug anlangte, hatte bereits früher das männliche Element rings um einen unter freiem Himmel aufgepflanzten Baldachin Aufstellung genommen.
Eine kleine, runde, unbewegliche weiße Masse, die aus der Ferne für ein Säckchen Mehl gehalten werden konnte, hob sich unter dem Baldachin von der Erde empor. Es war Moschele. Mit Rücksicht auf den hochfeierlichen Akt, der jetzt vollzogen werden sollte, war Moschele in einen schneeweißen Kittel gesteckt worden. Er drückte das Schnupftuch noch fester an seine Augen, um seine Blicke vor der heranflutenden Menge der Weiber, die, entgegen aller sonst beobachteten Anstandsgesetze, sich immer näher an sein keu-

sches Persönchen herandrängte, zu schützen. Da – es wurde ihm heiß ums Herz – dicht vor ihm hatte sich jemand hingestellt. Seine Hand streifte einen sich zart anfühlenden, knisternden Körper, sein Atem sog den Hauch eines anderen Atems ein. Sie war's! Dieses unbekannte, geheimnisvolle, rätselhafte Wesen, an dessen Seite er fortan durch das Leben gehen sollte.
Vorschriftsmäßig hätte er seiner Braut den Schleier in die Höhe heben und ihr Gesicht zum ersten Male einer Prüfung unterziehen sollen. Gewiß, man kaufte ja nicht die Katze im Sack. Wie leicht konnte sich das heimzuführende Weibchen als eine Mißgestalt, ein Scheusal entpuppen, und der arme Mann war um sein Lebensglück betrogen . . .
Aber Moschele sah und hörte in seiner jetzigen Verwirrung nichts. Mechanisch steckte er der Braut den Ring auf den Finger, und mechanisch murmelte er sein: „Hierdurch wirst du mir angelobt nach dem Ritus Mosis und Israels" herunter. Erst als das Glas unter seinen Füßen klirrte (nach Beendigung der Trauungszeremonie zerbricht der Bräutigam ein Glas, indem er mit dem Fuße darauf tritt) und die Musikanten unter jubelnden Glückwünschen den Hochzeitsmarsch anstimmten, erwachte er aus seinem träumerischen Zustande.

Jacob Fromer

Oben: Hochzeit von Käthe Sternfeld und Samuel Wilhelm von Freudiger in Budapest. 1931

Rechts: Hochzeitszug mit Musikanten (Klezmorim) in der Unterbergstraße in Eisenstadt (Burgenland). 1934

Rechts: Vor dem Bet Din, dem rabbinischen Gericht, das jeder Rabbiner vertrat. Tschechoslowakei. Photographie von *Abraham Pisarek*. Um 1930

Rechts unten: Begräbniszug vor Schloß Esterházy in Eisenstadt. Um 1930

*D*ie Juden legten ihre Toten in die „Tachrichim", die Totenkleider eingewickelt auf eine einfache schwarze Bahre, deckten Sie mit einem einfachen schwarzen Tuche zu und die Freunde des Verstorbenen trugen die Bahre auf ihren Schultern zum Friedhof, wobei sie abwechselnd laut riefen: „Gerechtigkeit möge ihr voranschreiten!" Passanten lösten die Müden ab, denn einen Toten zur Beerdigung tragen zu helfen ist sehr gottgefällig. Hier war keine Assistenz von Geistlichen zu sehen und kein Pomp wurde entfaltet: arm wie reich wurde gleich prunklos begraben. Dieselbe einfache schwarze Bahre und dasselbe schwarze Tuch für alle. Das Leichenbegängnis des angesehenen Mannes war nur an dem Gefolge erkennbar. Der Tod wirkte durch diese Schmucklosigkeit sehr ernst, erschütternd. Ein solcher Zug, eine „Lewaie", der laute, langsame und feierliche Ruf der Träger, „Zedek lefônow jehâlech", hinterließ bei mir immer einen schauerlich ergreifenden Eindruck. Es schreckte und schüchterte mich ein. Das Bild des Gesehenen verfolgte mich lange. Der Verstorbene wurde durch seine nächsten Angehörigen durch sieben Tage betrauert, während welcher Zeit man auf der Erde oder auf niedern Schemeln saß, sich weder waschen noch das Haar schneiden lassen durfte und von Speise und Trank so wenig als möglich zu sich nahm.
Jehudo Epstein

*E*s ist ein Gebot, daß der Richter nach Gerechtigkeit richte, wie gesagt ist (3. M. 19₁₅): „Nach Gerechtigkeit richte deinen Volksgenossen." Was bedeutet Gerechtigkeit des Richtens? Die Gleichstellung der beiden Parteien in jeder Hinsicht; daß nicht die eine alles Nötige ausspreche und die andre gesagt bekomme, sich kurz zu fassen; daß man nicht die eine freundlich behandle und ihr gütig zuspreche, die andre aber unhöflich aufnehme und sie hart anfahre.
Wenn von den zwei Parteien, eine in kostbarer Kleidung gekleidet, die andre in geringer erschien, da spreche der Richter zum Vornehmen: Gib ihm Kleider, die wie die deinen sind, bevor du mit ihm verhandelst, oder lege dir den seinen ähnliche Kleider an, damit ihr einander gleich seid; dann mögt ihr vors Gericht treten.
Es soll nicht der eine sitzen und der andre stehen, sondern beide sollen stehen; will das Gericht beide sitzen lassen, so lasse man sie sitzen; nicht aber sitze der eine höher, der andre niedriger, sondern der eine an der Seite des andern.
Mischne Tora. Der Richter

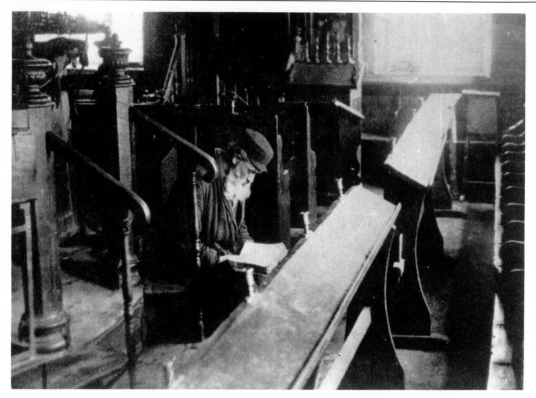

Er saß spät abend im Lehrhaus und studierte. Der große Raum war fast leer. Die meisten Handwerker waren bereits nach Hause gegangen. Die Talmudstudenten hatten sich in die Nebenräume zurückgezogen, die kleiner und besser geheizt waren. In dem großen Betsaal mit der vergitterten Galerie für die Frauen und den riesigen Fenstern war es kalt und dunkel. Bloß ein paar zaghafte Kerzenflämmchen kämpften verzweifelt gegen das Meer der Finsternis. Das ewige Licht beim Thoraschrein schien in der Dunkelheit zu versinken. Vor den kleinen Wachskerzen am großen Tisch saßen ein paar Greise und verspätete Besucher. Sie lernten mit schläfrigen Stimmen oder hatten die Köpfe auf die Bücher gelegt und schlummerten. Auf den Bänken rings um den einzigen Ofen, der den Raum erwärmen sollte, aber jetzt bereits erloschen war, herrschte ein wirres Durcheinander von Bündeln und Schatten schlafender Wanderbettler, die im Lehrhaus übernachteten. Zwei oder drei waren noch wach, einige schliefen sitzend. Bei der Kiste, unweit der Bücherregale, herrschte dichte Finsternis, die geradezu mit Händen zu greifen war; es schien als kauerten dort die Seelen aller Toten des Schtetls wie eine Schar Vögel, die ihre Köpfe unter die Flügel der Nachbarn gesteckt hatten. Jechiel zog den Wachsstumpf, den er mitgebracht hatte, aus der Tasche, entzündete ihn an einer brennenden Kerze und setzte sich an den Tisch, um einen Abschnitt zu repetieren. Er hatte heute noch keine Zeit gehabt, ein Buch zur Hand zu nehmen. Und wenn er im grauen Morgendämmern neben den einfachen, armen Leuten stand, deren Notschreie und Herzensbitten die kalten Mauern des halb in Kellertiefe gelegenen Bethauses erhitzten, weilte er in einer ganz anderen Welt. Die Diele, die vier Wände, die Decke rückten fort, und Jechiel schwebte in einem Wolkenmeer . . . Gott war ihm kein abstrakter Begriff mehr, sondern ein lebendes Wesen, in dessen unmittelbarer Nähe er stand und mit dem er sprach. Er erbat nichts von Ihm, sondern freute sich Seiner. War er glücklich, so nahe neben Gott stehen und Ihm sagen zu dürfen, wie sehr er sich Seiner freute, wie innig er Ihn liebte.
Schalom Asch

*D*em Fremden erscheinen alle Bethäuser gleich. Aber sie sind es nicht, und in vielen ist der Gottesdienst verschieden. Die jüdische Religion kennt keine Sekten, wohl aber verschiedene sektenartige Gruppen. Es gibt eine unerbittlich strenge und eine gemilderte Orthodoxie, es gibt eine Anzahl „aschkenasischer" und „sephardischer" Gebete und Textverschiedenheiten in denselben Gebeten. Sehr deutlich ist die Trennung zwischen sogenannten aufgeklärten Juden und den Kabbalagläubigen, den Anhängern der einzelnen Wunderrabbis, von denen jeder seine bestimmte Chassidimgruppe hat. Die aufgeklärten Juden sind nicht etwa ungläubige Juden. Sie verwerfen nur jeden Mystizismus, und ihr fester Glaube an die Wunder, die in der Bibel erzählt werden, kann nicht erschüttert werden durch die Ungläubigkeit, mit der sie den Wundern des gegenwärtigen Rabbis gegenüberstehen. Für die Chassidim ist der Wunderrabbi der Mittler zwischen Mensch und Gott. Die aufgeklärten Juden bedürfen keines Mittlers. Ja, sie betrachten es als Sünde, an eine irdische Macht zu glauben, die imstande wäre, Gottes Ratschlüssen vorzugreifen, und sie sind selbst ihre eigenen Fürsprecher. Dennoch können sich viele Juden, auch, wenn sie keine Chassidim sind, der wunderbaren Atmosphäre, die um einen Rabbi weht, nicht entziehen, und ungläubige Juden und selbst christliche Bauern begeben sich in schwierigen Lagen zum Rabbi, um Trost und Hilfe zu finden.
Joseph Roth

*W*as immer die ostjüdischen Familien an Religion praktizierten, strahlte diese gewisse Herzenswärme aus. Man hatte das Gefühl, daß Religion Wirklichkeit für sie war. Da so viele keine deutsche Staatsangehörigkeit hatten und da sie sicher nicht auf ihren Heimatstaat Polen mit seinem nie endenden Antisemitismus stolz waren, ist es vielleicht verständlich, daß das Judentum, das heißt die jüdische Religion mit all ihren Gesetzen, Sitten und Traditionen, ihre wirkliche innere Heimat darstellte. Die Herzenswärme kann jedoch allein so nicht erklärt werden, denn sie war tief in der Persönlichkeit des Menschen verankert. Im Gegensatz zu dieser inneren gefühlsstarken Warmherzigkeit war das Judentum der deutschen Juden etwas Kaltes, im besten Falle eine intellektuell-emotionale Erscheinung, wie ich sie ganz besonders in meinem Lehrer Isaak Heinemann in Breslau vorfand. Der Zylinderhut, den die deutschen Juden in der Synagoge trugen, bezeugte mehr als eine Sitte, mehr als selbstauferlegten Respekt vor Gott. Er war auch ein Zeichen einer gewissen Erstarrung des Herzens.
Emil Schorsch

*D*ies ist der allgemeinste Sinn der Offenbarung: daß Gott in Verhältnis tritt zum Menschen.
Hermann Cohen

*U*nter völliger Stille der Menschen fängt der Vorbeter das alte Kol-nidre-Gebet an. Er ist weißbärtig, untersetzt, hat einen weißen Mantel an, darüber liegt sein Gebetsmantel. Ein Käppchen trägt er, das ist aus Samt, mit Goldfäden bestickt. Die Gebetsmäntel der anderen Männer sind einfach und roh. Einige tragen kunstvolle mit Silberstickereien. Ganz leise hat der Vorbeter begonnen. Noch einmal singt er dasselbe Gebet, lauter. Und zum dritten Mal mit voller klagender Stimme. Mit diesem Ton ist der Abend gewaltig und machtvoll eingeleitet. Es scheint mir dabei nicht, als ob die Leute in gleichmäßiger Spannung und Erregung sind. Ich sehe sie hier und da plaudern. Der kleine Chor tritt in Aktion; die Jungen und die jungen Männer singen ganz auswendig. Der Vorbeter dirigiert sie selbst; er streichelt während des Gesanges den und jenen Jungen, nickt ihnen zu. Dann kommt eine Stelle, die den Höhepunkt des Abends bildet. Der weißbärtige Mann hat sich vorbereitend seinen Gebetsmantel ganz über den Kopf gezogen. Andere im Saal tun wie er. Das Tuch fällt nach vorn über seine Stirn; unter dem Kinn drückt er es zusammen. Und was ich dann höre, was er dann singt, ist ein Widerhall des Jammerns und Stöhnens, das ich morgens auf dem Friedhof gehört habe. Nun im Gesang. In Inbrunst saugt sich der Mann ein, wie er sich in sein Tuch zurückgezogen, in Inbrunst, die alle mitnimmt. Wahrhaftig weint, wahrhaftig schluchzt er. Schluchzen ist zu Gesang geworden, Gesang vom Schluchzen getragen. Das Lied sinkt in sein Urelement. Er trillert; die Stimme schleppt sich abwärts von Stufe zu Stufe. Dann wirft er sie verzweifelnd und

bettelnd wieder hoch, sie sinkt wehklagend zurück. Und wieder wirft er sie hoch. Auf die Frauengalerie greift das Weinen über. Wie der Mann in Jammern und Drängen nicht nachläßt, sich steigert, geben sie oben ganz nach. Ihr Weinen wird lauter, heller und übertönt seines. Ein wirklich angstvolles allgemeines Weinen hat sich zuletzt ausgebreitet, das den Raum durchschallt. Dumpf und tief singen die Männer in ihren Mänteln und wiegen sich. Nach rückwärts ist der Kopf des bärtigen alten Mannes gebogen, die Augen sind geschlossen. Die Tränen fließen ihm sichtbar über die Backen. Dann wird er stiller. Feierliche Gesänge kommen, auch seltsame wie freudige Lieder. Und zum Schluß, wie alles aus ist und sie schon gehen, intoniert einer ein Lied. Und alt und jung, Mann und Frau singen mit: die stolze, hoffnungsfrohe Hatikwah, die zionistische Hymne . . .
Alfred Döblin

*I*ch sah, daß in dieser kleinen Stadt lauter rothaarige Juden wohnten. Einige Wochen später feierten sie das Fest der Tora, und ich sah, wie sie tanzten. Das war nicht der Tanz eines degenerierten Geschlechts. Es war nicht nur die Kraft eines fanatischen Glaubens. Es war gewiß eine Gesundheit, die den Anlaß zu ihrem Ausbruch im Religiösen fand. Die Chassidim faßten sich bei den Händen, tanzten in der Runde, lösten den Ring und klatschten in die Hände, warfen die Köpfe im Takt nach links und rechts, ergriffen die Torarollen und schwenkten sie im Kreis wie Mädchen und drückten sie an die Brust, küßten sie und weinten vor Freude. Es war im Tanz eine erotische Lust. Es rührte mich tief, daß ein ganzes Volk seine Sinnenfreude seinem Gott opferte und das Buch der strengsten Gesetze zu seiner Geliebten machte und nicht mehr trennen konnte zwischen körperlichem Verlangen und geistigem Genuß, sondern beides vereinte. Es war Brunst und Inbrunst, der Tanz ein Gottesdienst und das Gebet ein sinnlicher Exzeß. Die Menschen tranken Met aus großen Kannen. Woher stammt die Lüge, daß Juden nicht trinken können? Es ist halb eine Bewunderung, aber auch halb ein Vorwurf, ein Mißtrauen gegen eine Rasse, der man die Stete der Besinnung vorwirft. Ich aber sah, wie Juden die Besinnung verloren, allerdings nicht nach drei Krügen Bier, sondern nach fünf Kannen schweren Mets und nicht aus Anlaß einer Siegesfeier, sondern aus Freude darüber, daß Gott ihnen Gesetz und Wissen gegeben hatte.
Joseph Roth

Links: Die Altneuschul (um 1260 erbaut) in Prag. Photographie, F. Fridrich, Prag. Um 1892

Gegenüberliegende Seite, rechts: Innenraum der Synagoge (erhaltene Teile aus dem 12. Jh.) in Worms, der ältesten in Mitteleuropa. 1924
Gegenüberliegende Seite, unten: Holzsynagoge in Wolpa (Russisch Polen). Um 1910

*S*onntag war der Rüsttag des Versöhnungstages. Vor dem Beginn des Abendgebetes hatte sich, wie gewöhnlich, fast die ganze Gemeinde in der Rabbinergasse vor der Wohnung des Oberrabbiners, ihres geliebten Lehrers und Seelenhirten versammelt. Der Greis erschien. Die hohe Gestalt mit dem glühenden ungeschwächten Auge und dem silberweißen herabwallenden Bart, in einen prachtvollen Talles eingehüllt, der nur vorne die schneeigen Sterbekleider sehen ließ, machte einen tiefen Eindruck auf die versammelte Menge. Bei seinem Anblicke teilte sich die Menschenmasse und er spendete bei Durchschreiten rechts und links seinen Segen. Jene, welche ihm zunächst standen, küßten den Zipfel seiner Kleider, und alle begrüßten ihn mit ehrfurchtsvollen Segenssprüchen. Bei der Altneusynagoge schied die Menge von ihm, und er trat mit dem Parneß und dem Synagogenvorsteher, die ihn aus seiner Wohnung abgeholt und begleitet hatten, nachdem er die Türpfoste mit der Hand berührt und diese dann ehrfurchtsvoll an seine Lippen geführt hatte, in die hellerleuchtete Synagoge. Diese ist eines der ältesten und merkwürdigsten Gebäude.

Das Innere derselben bildet einen viereckigen, mehr langen als breiten Raum, dessen Decke von zwei mächtigen Säulen getragen wird. Diese schließen eine Tribüne, das Almemor ein, zu dem drei Stufen hinaufführen und welches von einem mit Marmorplatten belegten niedrigen Gemäuer umgeben ist, auf welchem sich ein Gitter erhebt. Das Almemor steht nicht in der Mitte der Synagoge, sondern der Bundeslade etwas näher. Auf dem Almemor erhebt sich eine hohe mächtige Fahne, die von einem Ende derselben bis zum anderen reicht.

Das Gotteshaus war wie gewöhnlich an diesem Abende herrlich beleuchtet, und an allen Lampen, die von der hohen Decke niederhingen, brannten Wachskerzen. Überdies waren um das Almemor sowie an den Wänden der Synagoge ringsum eine Anzahl weißer mannshoher brennender Wachskerzen aufgestellt, die in Übereinstimmung mit den weißen Sterbekleidern der Betenden prachtvoll gegen die tiefe Schwärze der Wände und der Decke abstachen.
Salomon Kohn

*W*elch imposantes Volk, das jüdische. Ich habe es nicht gekannt, glaubte, das, was ich in Deutschland sah, die betriebsamen Leute wären die Juden, die Händler, die in Familiensinn schmoren und langsam verfetten, die flinken Intellektuellen, die zahllosen unsicheren unglücklichen feinen Menschen. Ich sehe jetzt: das sind abgerissene Exemplare, degenerierende, weit weg vom Kern des Volkes, das hier lebt und sich erhält. Und was ist das für ein Kern, der solche Menschen produziert

wie den hinflutenden reichen Baal-schem, die finstere Flamme des Gaon von Wilno. Was ging in diesen scheinbar kulturarmen Ostlandschaften vor. Wie fließt alles um das Geistige. Welche ungeheure Wichtigkeit mißt man dem Geistigen, Religiösen zu. Nicht eine kleine Volksschicht, eine ganze Masse geistig gebunden. In diesem Religiös-Geistigen ist das Volk so zentriert wie kaum ein anderes in seinem. Die Juden hatten es leichter darin als andere, hatten sich nicht mit Staatsformen,

Revolutionen, Kriegen, Grenzverbesserungen, Königen, Parlamenten herumzuschlagen. Die Sorge darum haben ihnen die Römer, zwei Jahrtausende zurück, abgenommen. Und sie haben sich eigentlich darüber nicht beklagt. Sie haben nicht darum an den Wassern Babylons gesessen und geweint. Es drehte sich für sie immer um den Tempel. Sie brauchten den Staat nur für den Tempel. Nur auf Zion steht der richtige Tempel.
Alfred Döblin

Dann habe ich den Tempel erreicht, einen großen vergitterten rundkuppligen Bau. Gutgekleidete Herren und Damen gehen in verschiedene Türen. Es ist wie in der Tlomacki in Warschau. Der Mann im Vorraum mit der Gebetsschärpe hat eine richtige Portiermütze auf, und darauf steht auch Portier. Zwei Glastüren, es ist bis zu den Türen voll. Lautlose Stille. Heller schöner Chorgesang. Diese Gebeträume ein Unterschied von Welten. Nur gelegentlich Flüstern in dem Gedränge hinter den Bänken, auch der Mittelgang ist gefüllt. Es ist ein großes weites Rund, und siehe da, es hat drei regelrechte Ränge mit Balkon, ist gebaut wie ein wirkliches Theater. Die Ränge sind leer, im ersten Rang sitzen wenige sehr gut und modern gekleidete Damen. Unten pressen sich die Männer, auch Soldaten. Vorn stehen die Geistlichen im schwarzen Rock, runde Mützen auf mit Knopf; der in der Mitte ist der Sänger. Ein herrlicher, herrlicher Gesang. Ich war nur hergegangen, um zu sehen und wieder zu gehen, denn ich habe Abscheu vor dem, was die Liberalen aller Bekenntnisse Gottesdienst nennen. Aber dann singt er. Ich verstehe nicht, was er singt, aber es ist feinster Kunstgesang. Welche Koloraturen, Triller bringt er hervor, wie bildet er den Ton. Alles steht und lauscht. Und es ist nicht bloße Kunst, Kunst der Konzertsäle; es gibt schon religiöse Kunst, wenn sie auch nicht so hoch steht wie die religiöse Kunstlosigkeit. Die betenden flehenden und preisenden Gefühle äußern sich hier dünn zivilisiert. Er singt in der fremden hohen Sprache. Nun wird der Portier wild, macht Platz im Mittelgang. Singend kommt von oben der Vorbeter mit den Rabbinern. Die Thora, in roten Samt gehüllt, tragen sie um die Plätze, und im Gehen jauchzt und klagt der Sänger. Von allen Seiten strecken die Männer die Hände vor, den roten Samt zu berühren, die Thora zu küssen.
Alfred Dölbin

Die osteuropäischen Synagogen des Barock entwickelten einen eigenen Typus. Sie waren außen durch ihren wehrbauhaften Charakter, innen meist durch Freskenschmuck gekennzeichnet. Im 17. und 18. Jahrhundert verschärfte sich der Eingriff der polnischen Behörden in innerjüdische Angelegenheiten: sie behielten sich unter anderem vor, Lage und Bauart der Synagogen zu bestimmen. Ihre periphere Lage war geradezu prädistiniert für Ausschreitungen und Brandstiftungen, wie sie etwa 1648–1650 unter den Kosaken Bogdan Chmjelnicki stattfanden.

Eine festungsartige Bauweise lag in der Folge nahe. Die Wandmalereien im Inneren der Synagogen sind Produkte farbenfreudiger barocker Phantasie.
Eine Besonderheit: Die Synagoge von Zolkiew wurde 1687 unter der Patronanz von König Jan III. Sobieski erbaut und trägt ihm zu Ehren auch den Namen „Sobieski-Schul".
Links: Synagoge von Zolkiew (Galizien). Um 1910
Gegenüber: Synagoge von Przemysl (Galizien). 1905

Durchschritt man dann diese turbulente Welt, in der sich noch alle Interessen der Gasse mischten, und war die seltsam schwere und leise fallende Tür der Synagoge hinter einem zugefallen, so packte einen sogleich die Heiligkeit und Feierlichkeit des Ortes und erfüllte das Herz des Kindes, das, noch geblendet von Licht und Alltagsgeräusch, hier eintrat. Es umfing einen eine andere Welt, deren Fremdartigkeit, Losgelöstheit von allem Alltäglichen und Heiligkeit einen gleichzeitig entzückte, erhob und einem fast schmerzlich feierlich an das Herz griff.
Philippine Landau

Links: Typisches osteuropäisches Bethaus, rechts im Bild die durch Holzgitter abgegrenzte „Frauen-" oder „Weiberschul". Um 1905
Oben links: Deckenkonstruktion der Holzsynagoge von Wolpa (Russisch Polen) aus der ersten Hälfte des 17. Jahrhunderts. Um 1910
Oben Mitte: Chajim Eleazar Shapira, Rabbi von Munkacz (rechts), beim Verlassen seines Hauses, mit Gebetsgewändern angetan. Photographie von *Abraham Pisarek*. Um 1930
Oben rechts: Holzsynagoge von Gwozdziecz (Polen), laut Inschrift 1652 erbaut. Ausmalungen von Israel ben Mardochai. Um 1910

Es konnten kaum drei Stunden verflossen sein, seitdem er das Bethaus verlassen hatte. Nun, da er es wieder betrat, war ihm, als kehre er nach vielen Wochen dahin zurück, und er strich mit einer zärtlichen Hand über den Deckel seines alten Gebetpultes und feierte mit ihm ein Wiedersehn. Er klappte es auf und langte nach seinem alten, schwarzen und schweren Buch, das in seinen Händen heimisch war und das er unter tausend gleichartigen Büchern ohne Zögern erkannt hätte. So vertraut war ihm die lederne Glätte des Einbands mit den erhabenen runden Inselchen aus Stearin, den verkrusteten Überresten unzähliger längst verbrannter Kerzen, und die unteren Ecken der Seiten, porös, gelblich, fett, dreimal gewellt durch das jahrzehntelange Umblättern mit angefeuchteten Fingern. Jedes Gebet, dessen er im Augenblick bedurfte, konnte er im Nu aufschlagen. Eingegraben war es in sein Gedächtnis mit den kleinsten Zügen der Physiognomie, die es in diesem Gebetbuch trug, der Zahl seiner Zeilen, der Art und Größe des Drucks und der genauen Farbtönung der Seiten.
Joseph Roth

Wie ich schon andeutete, bedeutete mir kleinem Schüler . . . die Synagoge eine zweite Heimat. In ihr beruhigendes Dämmerlicht floh ich oft, auch wenn nicht gerade ein Gottesdienst abgehalten wurde. Ich dachte mir selber Gebete aus, in denen ich jedes Mal Gott um die Erfüllung eines konkreten Wunsches bat.
Oskar Kosta

35

Die Architektur der Synagogen des 19. Jahrhunderts bezieht – im Sinn der Neo-Romantik und des Historismus – alte Elemente ein und unterliegt vielerlei Stilnachahmungen. Neumaurische, neuromanische und neugotische Bauten verkörpern die Suche nach der entsprechenden Form. Die Frankfurter Synagoge stand seit dem Mittelalter im Ghetto bzw. in der Judengasse. Als sie Mitte des 19. Jahrhunderts wegen Baufälligkeit abgetragen werden mußte, ließen reformierte Kreise durch den Architekten Georg Kayser an gleicher Stelle 1855–1860 eine Synagoge für liberalen Ritus errichten. Das Innere war mit maurischen Elementen durchsetzt, die Verbundenheit mit Religion und Orient symbolisieren sollten. Die gotisierenden Formen der Fassade spiegelten die Zugehörigkeit zur deutschen Nation.

Nach Entwürfen des Architekten Eduard Knoblauch und unter der Leitung des Baumeisters August Stüler wurde 1866 die sogenannte Neue Synagoge in Berlin, Oranienburger Straße, vollendet. An ihrer Einweihung am 5. September, die als Symbol der formalen Gleichberechtigung der Juden in Preußen gelten kann, nahm unter anderen Ministerpräsident Fürst Bismarck teil. Die Synagoge, die am 9./10. November 1938 zerstört wurde, besaß Plätze für 3000 Personen und galt als eine der prachtvollsten Europas.

<u>Links</u>: Frankfurter Synagoge in der Judengasse. 1860
<u>Rechts</u>: Synagoge in der Oranienburger Straße in Berlin. 1870

Die Synagoge in der Oranienburger Straße hatte sogar eine Orgel. Orgelmusik zu hören, war eigentlich frommen Juden nicht gestattet, aber sie macht natürlich alles viel feierlicher und festlicher. Und auch das Beten hatte in den Synagogen einen ganz anderen Charakter. Hier saßen die Damen vornehm still da und blickten ruhig in ihre Andachtsbücher. (Auch in der Männerabteilung ging es ruhiger zu als in den Betstuben.) Gerade diese vornehme Stille gefiel mir bei gelegentlichen Besuchen einer Synagoge nicht. Ich vermißte das ursprüngliche, echte Gefühl. In Betstuben gab es kaum deutsche Juden. Die ganze Atmosphäre war ihnen zu fremd.
Gittel Weiß

Links: Innenansicht der Synagoge in der Oranienburger Straße in Berlin. Um 1935

Die Synagoge Fasanenstraße spielte im jüdischen Leben der Reichshauptstadt eine entscheidende Rolle. Sie war sozusagen das Symbol, für: „wie weit" man es in der deutschen Judenemanzipation bringen konnte. Zuweilen sprach man zwar von der „Jüdischen Reformgemeinde" noch mehr als von dieser Synagoge. Dennoch war die Reformgemeinde kein Symbol, sie war auch nicht „typisch", sondern eine Extravaganz, insofern sie bewußt jüdische Tradition aufgab, um sich an den Kirchenstil anzulehnen. Den Sonntag setzte sie an die Stelle des Sabbat und die hebräische Gebetssprache wurde vollkommen verdrängt. Der Andachtsstil wurde durchaus dem christlichen Gottesdienst nachgeahmt. Davon war in der Synagoge Fasanenstraße keine Rede. Hier wurde die Tradition aufrechterhalten, die schon eine Generation früher geschaffen wurde; zwar moderne Form, aber doch mit den alten Gehalten.
Conrad Rosenstein

Von den neuen Schöpfungen Berlins haben wir die Synagoge mit ihrer magischen Sabbat-Beleuchtung geschaut und die Andacht angehört. Der Effekt, den die Neugestalt hervorbringt, ist ein gewaltiger, auch der Kultus ein erhabener. Gegen den letzteren finden sich jedoch Gegner, und zwar von Seiten, wo ich es gar nicht erwartet hätte. So zum Beispiel sagte mir Sal . . ., man wisse nicht, welche Konfession man vor sich habe. Diese Leute meinen, solcher Kultus hätte keinen eigenen spezifischen Charakter. Man bedenkt aber nicht, daß ein Charakter, der von allen Charakteren das Beste in sich aufnimmt, auch ein Charakter ist. Es ist eben dieses die Aufgabe des neuen Judäa.
Louis Mayer

Obwohl manche Synagogenreformen zu begrüßen sind, gilt von ihnen, daß sie schon denen, die sich um sie bemühen, nicht mehr helfen, weil sie meistens . . . „sub specie emancipationis" entstanden sind, vom Standpunkt der Ästhetik und vom Hinschielen nach dem Geschmack eines zufälligen nicht-jüdischen Besuchers. Die Betstuben unserer Vorfahren und unserer östlichen Brüder entsprechen mit ihrem Lärm nicht unseren ästhetischen Ansprüchen, aber sie sind voller Innigkeit. Bei uns bringt niemand etwas in die Synagoge mit, und darum kann er sich auch dort nichts holen.
Gustav Sicher

Wir folgten dem Beispiel der Gemeinde und behielten unsere Kopfbedeckung auf. Viele Männer, an ihren Sitzplätzen angelangt, holten weiße Seidenschals aus bestickten Beuteln hervor und breiteten diese über ihre Schultern aus. Die Wirkung war einzigartig. Der obere Rand des Schals war mit Goldstickerei versehen. Hin und wieder gingen diese Männer hinauf (zum Pult) und lasen Abschnitte aus der Bibel vor. Alles Gelesene war auf Deutsch, jedoch wurde sehr viel in Hebräisch gesungen, unter Begleitung schöner Musik. Einige dieser Gesänge sind aus sehr früher Zeit überliefert, gehen vielleicht sogar zurück bis auf die Tage Davids. Der Oberrabbiner sang sehr viel allein und unbegleitet. Die Gemeinde stand abwechselnd auf oder setzte sich. Ein Knien der Gemeinde habe ich nicht bemerken können.
Lewis Carroll

Der Bau selbst ist einfach prachtvoll. Der Innenraum war fast vollständig mit Goldmalereien bedeckt, und die Gewölbe waren größtenteils halbkreisförmig. Der Ostteil wurde von einer halbrunden Kuppel überdacht und umfaßte eine kleinere Kuppel auf Säulen ruhend, unter der sich ein hinter einem Vorhang verborgener Schrank befand, in dem die Gesetzesrollen untergebracht waren. Davor befand sich ein Lesepult, ebenfalls nach Osten ausgerichtet und vor diesem war etwas höher eine Kanzel nach Westen zu. Der übrige Raum war mit Sitzplätzen ausgestattet.
Lewis Carroll

Rechts: Synagoge in der Levetzowstraße in Berlin-Tiergarten. Um 1912

Links: Synagoge von Hannover (erbaut 1870). Um 1900

Rabbi Michal sagte einmal zu einem seiner fünf Söhne, Rabbi Wolf von Zbaraž: „Als ich im Gebet aufgestiegen war und in der Halle der Wahrheit stand, habe ich Gott gebeten, er möge mir helfen, daß ich nie mit meinem Verstand gegen seine Wahrheit gehe."
Martin Buber

Rechts: Der Rabbi, die höchste geistliche Instanz. Um 1910 Gegenüberliegende Seite: Dorfältester in Karpato-Ruthenien. Photographie von *Roman Vishniac*. 1938

Sie standen in dem von Kerzen beleuchteten Bethaus, der leise Singsang, mit dem hier und dort junge Menschen ihr Talmudstudium begleiteten, störte die eifrigen Debattierer so wenig wie der Lärm der spielenden Kinder, den man umso duldsamer ertrug, als manche von ihnen den Vater oder die Mutter vor nicht langer Zeit verloren hatten. Die Waisenknaben mußten dreimal am Tag das Totengebet wiederholen, laut, deutlich. Und wenn es ihnen zu schwer war, sprach man es ihnen Wort für Wort vor. Singsang und Kinderlärm und nicht selten ein lauter Zwist – all das störte niemanden, denn man war über die Maßen damit beschäftigt, alles zu besprechen, die eigenen Angelegenheiten und die der großen Welt. Gleichviel ob sie von sich selbst oder anderen, den „Großen" sprachen, dauernd verknüpften sie die Wehleidigkeit mit Selbstironie, das Pathos mit Spott. Diese Männer, von denen die meisten am Sonntag nicht wußten, wie sie während der anbrechenden Woche ihre Familie durchbringen würden, und die sich am Donnerstag den Kopf zerbrachen, wo sie die Mittel finden sollten, den Sabbat zu bereiten – diese bettelarmen Männer, zumeist zu früh verheiratet und rastlos im Kinderzeugen, waren nicht armselig, denn sie wußten sich teilhaftig am Olam haba, an der „kommenden Welt", zu der sie nach ihrem Tode Zutritt erhalten würden. Und traf der Messias vorher ein, so öffnete sie sich ihnen noch viel früher. Denke ich an diese Juden zurück, wie ich sie bis zu meinem zehnten Lebensjahr täglich in den Gassen, auf dem Marktplatz, in Bethäusern und Studierstuben sah, so bringt mir die Erinnerung zweierlei Geräusche zurück: Seufzen, viel Seufzen und Ächzen, aber auch Gelächter, gutmütiges oder spöttisches, doch stets lautes Lachen, in das auch die Seufzenden und Ächzenden bald einstimmten. Jedes Bonmot, „ein gut' Wörtl" wurde sofort aufgenommen, wiederholt und ausgekostet, bis ein anderes es schließlich verdrängte. Außer den Bonmots zitierte man auch häufig weise, tiefe und besonders scharfsinnige Aussprüche. Chassidim brachten sie vom Hofe ihres Zaddik, des Wunderrabbi, zu dem sie immer wieder fuhren. Oder es handelte sich um Zitate aus Büchern und Artikeln zumeist hebräischer Autoren oder um apokryphe Äußerungen, die man dem oder jenem „scharfen Kopf" zuschrieb.
Manès Sperber

Ich geriet am Sonnabend in ein chassidisches „Schtübel" . . . Die Hauptsache waren die Lieder; so etwas habe ich noch nicht gehört; die brauchen keine Orgel, – ein solcher rauschender Enthusiasmus, Kinder und Greise durcheinander.
Franz Rosenzweig

Als Rabbi Mordechai einmal in der großen Stadt Minsk war und dort vor mehreren gegnerisch gesinnten Männern die Schrift auslegte, lachten die ihn aus. „Dadurch wird doch der Vers gar nicht klargestellt", riefen sie. „Meint ihr denn", erwiderte er, „ich wolle den Vers im Buch klarstellen? Der bedarf der Klarstellung nicht! Ich will den Vers in meinem Innern klarstellen."
Martin Buber

So ging es viele Jahre hindurch. Rabbi Ascher-Baruch altert, seine Tora aber verläßt ihn nicht. Wie seine Kraft einstens war, also ist sie auch jetzt. Die Nacht ist nur zum Lernen geschaffen. Eigentlich ist doch eine kleine Änderung eingetreten. Seine Frau hat begonnen, ausschließlich dünne Kerzen auszusuchen. Denn sie sagte: Meinem Ascher-Baruch, leben soll er, sind die Hände vom Alter schwer geworden, und seine Finger zittern, vielleicht können sie die dicken Kerzen nicht mehr halten. – Aber sonst hat sich nichts geändert. – Rabbi Ascher-Baruch ist Rabbi Ascher-Baruch und Licht ist Licht. – Und wie es früher leuchtete, leuchtet es auch jetzt. Nacht für Nacht sitzt er beim Licht der Kerze, sitzt die ganze Nacht und lernt . . . Aber nicht ewig währt die Kraft! Wie alle Menschen heimgesucht werden, wird auch Rabbi Ascher-Baruch heimgesucht, und wie alle Menschen sterben, ist auch er gestorben. Rabbi Ascher-Baruch starb, alt und lebenssatt. Nacht für Nacht hatte er gesessen, die ganze Nacht hatte er gesessen und gelernt. Sein Mund hatte nicht aufgehört zu lernen bis zum Tage des Sterbens.
Samuel Josef Agnon

Welcher Form des Judentums stehen wir fern? Das Judentum ist so vielseitig und in seiner Entwicklung so mannigfaltig, daß wir wohl immer eine Form finden werden, die unserem Wesen zusagt. Das Judentum ist auf der Geschichte basiert und hat glücklicherweise alle Phasen, die es in verschiedenen Zeiten durchgemacht, zusammengestellt und aufbewahrt. Es gibt nichts im Judentum, von dem nicht auch das Gegenteil vorhanden ist.
S. Bernstein

Berlin, 4. Oktober 1862. Ich war gestern abend mit August, Eugen und Ottilie in der Reformsynagoge. So weit hinaus auch mein Denken und Streben geht, so weißt Du doch, wie es mir Bedürfnis ist, meine Zugehörigkeit zur Gesamtheit zu bestätigen, und die Kinder, die in Schulen und auf Straßen von dem Judesein zu leiden haben, sollen eine gewisse Innigkeit zur Religionsgenossenschaft gewinnen. Der Gottesdienst machte einen großen Eindruck auf sie. Mir ging es wieder eigentümlich durch die Seele, daß ich einen Beruf für eine freie ethische Gemeinde hätte. Eigentlich machte nur das stille Gebet auf mich einen Eindruck. Wie das alles lautlos für sich dieselben Worte spricht, das ist eine stille Bindung der Geister, aus der ein tiefer Schauer aufsteigt. Sonst war mir alles fremd, obgleich die Responsorien schön waren. Uns, die wir aus dem Alten erwachsen sind, würden nur die alten Melodien und Worte tiefe Jugendklänge erwecken . . .
Berthold Auerbach an Jakob Auerbach

Gegenüberliegende Seite: Krakauer Rabbiner im Gebet. Um 1910

Links oben: Zacharias Frankel (1801–1875), Oberrabbiner von Dresden und Leipzig, Direktor des jüdisch-theologischen Seminars in Breslau. Um 1871

Mitte oben: Wiener Rabbiner mit seiner Frau. Um 1865

Rechts oben: Leopold Stein (1810–1882), Führer des Frankfurter Reformjudentums. Um 1865

Links unten: Jisroel Szyldewer, chassidischer Prediger und „Baldarschn" in Staszów (Polen). 1923

Mitte unten: Robert Kaelter, Rabbiner in Danzig. Um 1910

Rechts unten: Kantor in Damboric (Böhmen). Um 1920

Sie assimilierten sich. Sie beten nicht mehr in Synagogen und Bethäusern, sondern in langweiligen Tempeln, in denen der Gottesdienst so mechanisch wird wie in jeder besseren protestantischen Kirche.
Sie werden Tempeljuden, das heißt: guterzogene, glattrasierte Herren in Gehröcken und Zylindern, die das Gebetbuch in den Leitartikel des jüdischen Leibblattes packen, weil sie glauben, man erkenne sie an diesem Leitartikel weniger als an dem Gebetbuch. In den Tempeln hört man die Orgel, der Kantor und der Prediger tragen eine Kopfbedeckung, die sie dem christlichen Geistlichen ähnlich macht.
Joseph Roth

43

Links: Feier anläßlich der Grund-
steinlegung für die Neue Synagoge
in Kremsier (Mähren). Unter dem
Baldachin die Rabbiner Dr.
Frankl-Grünn, Dr. Freimann und
Dr. Reach. 1908

Rechts: Neue Synagoge in der
Nähe des Karlsplatzes in München. Um 1890

Rechts: Grundsteinlegung der
Synagoge am Bornplatz in Ham-
burg am 23. März 1905. An der
Feier nahmen neben dem Oberrab-
biner und der Gemeinde der neuen
Synagoge Mitglieder sämtlicher
Synagogen und jüdischen Institu-
tionen teil. 1905

Die sephardische Gemeinde in Wien umfaßte etwa tausend Personen. Sie besaß auch ein Haus in der Leopoldstadt, die „Casa Sefardi", wo die Vereinslokale untergebracht waren.
<u>Links:</u> Der türkisch-israelitische Tempel in Wien-Leopoldstadt, Zirkusgasse 22, wurde 1885/86 nach den Plänen von Hugo von Weidenfeld im maurischen Stil erbaut. Um 1890

<u>Oben:</u> Es gab viele kleinere Bethäuser in den Großstädten, so auch in Wien. Ein Geschäft (links im Bild) diente als Synagoge. Über dem Eingang befand sich das Schild „Sephardische Synagoge ‚Gemeinde Jakobs'". Photographie von *Abraham Pisarek.* Um 1930

*D*ie ostjüdische Bevölkerung rings um die Grenadierstraße hatte ihre „Betstuben". Diese mußten in der Nähe der Wohnungen der Gläubigen liegen, denn man durfte ja gerade am Sabbat und an den Feiertagen, wenn man ein Gotteshaus aufsuchte, nicht fahren. Es waren jeweils zwei Räume, der eine für Männer und der andere für Frauen bestimmt. Die Trennung nach Geschlechtern ist strenge Vorschrift. Die Betstuben waren schmucklos.

Es ist orthodoxen Juden nicht erlaubt, Bilder in Gebetstätten anzubringen. Porträts schon gar nicht, denn es steht geschrieben: „Du sollst dir kein Bildnis machen." Die Gläubigen saßen oder standen dicht gedrängt (das besonders an den hohen Feiertagen). Und es war ein starkes und leidenschaftliches Hinwenden zu ihrem Gott, zumal durch die Frauen.
Gittel Weiß

*D*ie ostjüdischen Familien hatten sich drei sogenannte „Stübel" geschaffen, das sind Gebeträume, in welchen ihre besonderen religiösen Bräuche berücksichtigt werden. Im ersten Stübel versammelten sich die jüdischen Familien aus Litauen, im zweiten die aus Polen und im dritten die Galizier. Diese Trennung ist unschwer zu verstehen, wenn man bedenkt, daß in den Gebeten die kleinen Unterschiede der Aussprache der Vortragsweise und der Melodien eine wichtige Rolle spielen. Wenn bekannte Melodien auftauchen, dann summt die ganze Gemeinde mit dem Vorbeter mit.
Emil Schorsch

<u>Rechts:</u> Synagoge (links) in Mattersburg (Burgenland). Um 1925

47

Diese Verbindung schlichter Lebensführung mit emsigem Studium, mit einem Studium, dessen Energie nicht übertrieben gepriesen wird, wenn es ein titanisches genannt wird, hat dem jüdischen Leben in den Jahrtausenden des Elends jene Ruhe, Festigkeit, Überlegenheit und Hoheit gegeben und erhalten, ohne die es den Verfolgungen nicht hätte Stand halten können.
Hermann Cohen

Herr Oppenheimer und sein Sohn, die beide einen Buckel hatten, waren Toraschreiber: Gewissenhaft und mühselig beschrieben sie Buchstaben für Buchstaben und Wort für Wort die Pergamentrollen des Pentateuchs, aus dem je ein Abschnitt täglich im Gottesdienst vom Kantor vorgelesen wird. Es dauerte Monate, bis sie eine einzige Rolle fertiggestellt hatten. Es bestand aber keine große Nachfrage nach neuen Torarollen von seiten der jüdischen Gemeinden, so daß die Familie genötigt war, als Zusatzeinkommen einen kleinen Spezereiladen zu betreiben. Aus demselben Grunde nahmen sie Pensionäre auf.
Julius Frank

Links: David Elye, der Sofer (Schreiber) von Annopol. Der Sofer schrieb Torarollen, Tefillin und Mesusot. 1912

Links unten: Talmudstudium im Besmedresch (Beth ha-Midrasch) des Altersheimes in Wilna (Litauen). Photographie von *Moryc Grossmann.* 1937

Man fragte Rabbi Levi Jizchak: „Weshalb fehlt in allen Traktaten des babylonischen Talmuds das erste Blatt und jeder fängt mit dem zweiten an?"

Er antwortete: „Wieviel ein Mensch auch gelernt hat, er soll sich vor Augen halten, daß er noch nicht ans erste Blatt gelangt ist."
Martin Buber

Wenn der Baal-schem etwas Schwieriges zu erledigen hatte, irgendein geheimes Werk zum Nutzen der Geschöpfe, so ging er an eine bestimmte Stelle im Walde, zündete ein Feuer an und sprach, in mystische Meditationen versunken, Gebete – und alles geschah, wie er es sich vorgenommen hatte. Wenn eine Generation später der Maggid von Meseritz dasselbe zu tun hatte, ging er an jene Stelle im Walde und sagte: „Das Feuer können wir nicht mehr machen, aber die Gebete können wir sprechen" – und alles ging nach seinem Willen. Wieder eine Generation später sollte Rabbi Mosche Leib aus Sassow jene Tat vollbringen. Auch er ging in den Wald und sagte: „Wir können kein Feuer mehr anzünden, und wir kennen auch die geheimen Meditationen nicht mehr, die das Gebet beleben, aber wir kennen den Ort im Walde, wo all das hingehört, und das muß genügen." – Und es genügte. Als aber wieder eine Generation später Israel von Rischin jene Tat zu vollbringen hatte, da setzte er sich in seinem Schloß auf seinen goldenen Stuhl und sagte: „Wir können kein Feuer machen, wir können keine Gebete sprechen, wir kennen auch den Ort nicht mehr, aber wir können die Geschichte davon erzählen." Und – so fügt der Erzähler hinzu – seine Erzählung allein hatte dieselbe Wirkung wie die Taten der drei anderen.
Gershom Scholem

*D*ie Betstube des großen Gaon. Seinen Namen höre ich öfter, des großen gelehrten Juden von Wilno vor einem Jahrhundert. Treppen vom Hof hinauf in ein großes warmes Holzzimmer. Die Bima in der Mitte, Männer in Straßenkleidung mit Gebetsmänteln hantieren oben. Einer hat die um zwei Holzstäbe gewickelten Torarollen in der Hand, hebt sie gegen den Raum. Ein anderer tritt herauf, faßt sie oben an, rollt sie fest zu, bindet sie. Währenddessen Liturgien. Es sitzen an breiten Tischen ältere Männer mit sehr scharfem, sinnendem Ausdruck, die Köpfe über ihren Büchern aufgestützt. Andere sind in leiser Unterhaltung, die Rücken angelehnt, die weißen Bärte krauend. Kleine Gruppen lesen zusammen über einem Buch. Hier sind mehr Einzelpulte wie in der großen Halle vorhin. Man geht wenig herum. Sie wenden die Blicke nicht von den Büchern.
Alfred Döblin

Rechts: Im Bethaus, dem Versammlungsort der Lernenden und Betenden. Um 1920

Cheder bezeichnet man die traditionelle Elementarschule für Knaben, in der sie in Bibel und Talmud unterwiesen wurden. Der Melamed (Lehrer) unterrichtete sie vom vierten bzw. fünften Lebensjahr bis zur Bar Mizwa.

<u>Links:</u> Yitzchok Erlich, Schuldiener im Cheder von Staszów (Polen). Um 1920

<u>Gegenüberliegende Seite:</u> Ein Melamed (Lehrer) und seine Schüler im Cheder. Lublin (Polen). 1924

Cheder – das Wort bedeutet eine Stube – so nannte man die Schule, die gewöhnlich von einem bettelarmen Mann, einem „Luftmenschen", in dem einzigen Raum abgehalten wurde, in dem auch seine Frau und seine zahlreichen Kinder lebten, aßen, schliefen. Die Schüler waren mindestens drei Jahre alt und selten älter als sechs. Später lernten sie bei qualifizierten Lehrern in Chedorim, die eher Lehrstuben glichen, doch selten Schulklassen ähnelten. Ich wollte nicht in den Cheder, wohl auch, weil ich zu Hause sehr verwöhnt wurde, besonders aber, weil ich dort der grenzenlosen Armut und einer deprimierenden Häßlichkeit begegnete. Ich erfuhr da zum ersten Mal, daß die meisten Kinder sich nicht satt aßen, daß sie an Hautkrankheiten litten, die ihre Gesichter immer wieder entstellten. Ich empfand sehr früh das Gefühl des Ekels und entdeckte recht bald, daß es mit einer Furcht, wenn nicht gar mit einer schwer faßbaren Angst einherging. Um mich ohne Zwang in den Cheder zu bringen, kam man auf den Gedanken, mich von dem Faktotum des Lehrers auf den Schultern hintragen zu lassen. Der „Behelfer" war gewöhnlich ein junger Mann, der zu nichts fähig war und nichts vom Leben erwarten durfte. Einmal schlug er mir vor, ich sollte ihn genauso behandeln, als ob er mein Pferd wäre. Er machte Kapriolen, lief im Galopp, wieherte zwischendurch recht jämmerlich. Da er nun mein Pferd war, hatte ich ihn natürlich zu füttern. Das tat ich sehr gerne, denn ich war zumeist appetitlos und es kam mir zupaß, das Täschlein zu leeren, so daß es aussehen mochte, als hätte ich mein zweites Frühstück gegessen. Aber ich fand auch Spaß daran, meinen Träger glauben zu lassen, daß er mich dank seiner Komödie dazu verführte, ihm mein Essen zu überlassen.
Manès Sperber

Sussja pflegte jeden jüdischen Knaben, der ihm begegnete, zu segnen mit den Worten: „Du sollst gesund und stark sein wie ein Goj!"
Martin Buber

51

Die Jeschiwa (Talmudische Hochschule) dient der Gelehrten- und Rabbinerausbildung. Der Rektor nennt sich Rosch Jeschiwa, der Student Bachur (jidd. Bocher).

Links: Jeschiwe-Bocher aus Polen. 1860/70

Rechts: Jeschiwe-Bocher. Vor 1904

In jeder Zeit hat Leibke gelebt, nur nicht in unserer. Er hat das Leben nicht gekannt und die Welt nicht gewußt. Seine Eltern arbeiteten schwer für ihren einzigen Sohn, und er fragte nicht, wie. Die besten Lehrer hielten sie für ihn, bereiteten ihm die größten Bequemlichkeiten, und er fragte nicht, woher sie es nehmen. Sie sorgten sich oft wegen der schweren Zeiten, aber er hörte nicht zu und wußte nicht, daß er zuhören soll. Des Vaters oder der Mutter Seufzen riß ihn nicht fort von seiner Welt.
David Pinski

Rechts: Fahrt zur Jeschiwa. Photographie von *Abraham Pisarek*. Um 1930

Vielleicht trafen wir uns in einem Wort, das nie zwischen uns fiel, das mir jetzt immer in den Sinn kommt, wenn ich an ihn denke. Es ist das Wort lernen. Von der Würde des Lernens war er wie ich erfüllt. Durch das frühe Lernen, den abgründigen Respekt davor, war sein Geist wie meiner erwacht. Aber sein Lernen hatte sich ganz schon den Menschen zugewandt, er brauchte keinen Vorwand, weder den der Erweiterung eines Wissensgebietes, noch den einer Nützlichkeit, eines Zwecks, eines Vorhabens, um Menschen zu erlernen. Auch ich wandte mich um diese Zeit Menschen ernsthaft zu und habe seither den größten Teil meines Lebens damit zugebracht, sie aufzufassen. Damals mußte ich mir noch sagen, daß es um dieser oder jener Erkenntnis willen geschah, auf die ich aus war. Aber wenn alle anderen Vorwände zerbröckelten, blieb mir der eine der Erwartung, es lag mir daran, daß die Menschen, auch ich selber besser würden, und dazu mußte ich über jeden Einzelnen von ihnen auf das genaueste Bescheid wissen. Babel, mit seiner ungeheuren Erfahrung, wenn auch nur elf Jahre älter als ich, war über diesen Punkt längst hinweg: sein Wunsch nach einer Verbesserung der Menschen diente nicht als Vorwand zu ihrer Kenntnis. Ich spürte, daß dieser Wunsch bei ihm so wenig zu ersättigen war wie bei mir, aber daß er ihn nie zum Selbstbetrug verführte. Was er über Menschen erfuhr, war unabhängig davon, ob es ihn freute, ob es ihn quälte, ob es ihn niederwarf: er mußte Menschen erlernen.
Elias Canetti

Unten: Ein Jeschiwe-Bocher hält die Eröffnungsrede auf dem Balkon seiner Jeschiwa. Photographie von *Abraham Pisarek*. Um 1930

Oben: Der große Lehrsaal in der Jeschiwa von Lublin, die eine große Tradition hatte. Photographie von *Abraham Pisarek*. Um 1930

Die Leiche des frommen Juden liegt in einer einfachen Holzkiste, von einem schwarzen Tuch bedeckt. Sie wird nicht geführt, sondern von vier Juden getragen, im Eilschritt – auf dem kürzesten Wege, ich weiß nicht, ob es Vorschrift ist oder ob es geschieht, weil den Trägern ein langsamer Schritt die Last verdoppeln würde. Man rennt fast mit der Leiche durch die Straße. Die Vorbereitungen haben einen Tag gedauert. Länger als 24 Stunden darf kein Toter auf der Erde bleiben. Das Wehklagen der Hinterbliebenen ist in der ganzen Stadt zu hören. Die Frauen laufen durch die Gassen und schreien ihren Schmerz hinaus, jedem Fremden entgegen. Sie reden zum Toten, geben ihm Kosenamen, bitten ihn um Vergebung und Gnade, überhäufen sich mit Vorwürfen, fragen ratlos, was sie jetzt tun würden, versichern, daß sie nicht mehr leben wollen – und alles in der Straßenmitte, auf dem Fahrdamm, im eiligen Lauf, während aus den Häusern teilnahmslose Gesichter sehen und Fremde ihren Geschäften nachgehen, Wagen vorbeifahren und die Ladenbesitzer Kunden heranlocken.

Auf dem Friedhof spielen sich die erschütterndsten Szenen ab. Frauen wollen die Gräber nicht verlassen, man muß sie bändigen, der Trost sieht wie eine Zähmung aus. Die

Rechts: Friedhof in Eisenstadt (Burgenland), wo seit dem 14. Jahrhundert eine jüdische Gemeinde bestand. Photographie von Bruno Reiffenstein. Um 1920

Melodie des Totengebets ist von einer grandiosen Einfachheit, die Zeremonie des Begrabens kurz und fast heftig. Die Schar der Bettler, die um Almosen ringt, ist groß. Sieben Tage sitzen die nächsten Hinterbliebenen im Hause des Toten auf dem Boden auf kleinen Schemeln, sie gehen in Strümpfen und sind selbst wie halbe Tote. In den Fenstern brennt ein kleines, trübes Totenlicht vor einem Stückchen weißer Leinwand, und die Nachbarn bringen den Trauernden ein hartes Ei, die Nahrung desjenigen, dessen Schmerz rund ist, ohne Anfang und ohne Ende.

Joseph Roth

Links: Friedhof in Lublin, das seit dem Ende des 15. Jahrhunderts ein Hauptzentrum ostjüdischen Lebens war. Um 1895

Rechts: Klageweiber (Klogerins) auf dem Friedhof von Brody (Galizien). Während des Monats Elul (August/September) war es Brauch, die Gräber Verwandter und sehr frommer Juden zu besuchen, um für die „Ewige Ruhe" von Schwachen und Kranken zu bitten. Es gab professionelle „Klager", um Gebete in Jiddisch zu improvisieren. Um 1910

Joachim Riedl
Heimat der Mühsal, Heimat der Gelehrsamkeit

Die Nähmaschine rasselt, das Bügeleisen steht auf dem Nudelbrett, auf dem Ehebett nimmt er Maß. Wer sucht einen solchen Schneider auf?
Joseph Roth

Oben: Der Schneider Zelig aus Wolomin (Polen). Um 1925

Gegenüberliegende Seite: In Galizien und Polen trugen die verheirateten Männer, ganz gleich ob Chassidim oder nicht, über der Kippa den Streimel, eine mit Marder oder Zobel besetzte Samtmütze. Um 1930

Mitunter schien es, als wäre die Zeit aufgehoben. Sie lebten in einer geschlossenen, verschlossenen Welt, die in sich ruhte und von einem bestimmten Tag in Ahnenzeiten an aufgehört hatte, sich zu drehen; allmählich langsam und träge wurde sie, bis sie schließlich ganz still stand und nicht mehr weiter wollte. Hundert Jahre waren keine Zeit. Was sich zutrug in der übrigen Welt, das zog vorbei wie die fliehenden Wolken am Himmel, der tief über dem Land hing. Schwer klebte die Erde an den Füßen. Die Armut war ererbt von den Vätern, und auch diesen war sie, Generation um Generation, von den Vorfahren weitergereicht worden. Dreimal täglich starben die Menschen Hungers. Das Leben, es wog wie Blei.

Niemand zweifelte an dem Gesetz, das Gott selbst den Menschen geschenkt hatte. Es gab 613 Regeln. Sie bestimmten jeden Alltag und jeden Festtag; sogar die Träume zähmten sie. Wie ein Huhn zu schlachten sei, war festgelegt, wie die Gebete zu klingen hätten oder wie man sich morgens die Schuhe anziehen müsse. Das eilige Auge sah nur zerzauste Jammergestalten, die im knöcheltiefen Morast der Straße versinkend wild und verzweifelt um ihr Überleben kämpften. Die Würde der Menschen sah es nicht. Doch selbst der Elendste war unbeugsam; mochte er auch mit seinem Schicksal hadern, es verging kein Augenblick, in dem ihn sein tiefer Glaube verließ und er die

strenge Disziplin, die dieser forderte, außer acht ließ. Gott lebte ja mitten unter den Menschen, und ihre Erlösung war so gewiß, wie sie nur eine Frage der Zeit war; jeder karge Tag brachte sie dem verheißenen Ziel näher. Wenn aber jemand die Gemeinschaft floh, dann verkroch sich seine Familie zu dreitägiger Trauer.

Es war die Heimat der Luftmenschen, die so heißen, weil sie ihren Lebensunterhalt aus der Luft zu beziehen schienen. Die Heimat der Seh-Händler, die mit allem Handel trieben, was man sehen konnte. Die Heimat der Wunderrabbis, deren Weisheit solch wunderbare Pracht entfaltete, daß sie jeden blendete,

der ihnen nicht in die Augen zu sehen wagte. Die Heimat der Zadikkim, der Heiligen und Gerechten. Die Heimat der Narren, Philosophen und Geschichtenerzähler. Die Heimat der Mühsal und die Heimat überschwenglicher Lebensfreude. Das Schtetl, in dem das osteuropäische Judentum hauste, war kein geographischer Ort; es war der Mittelpunkt der Welt, das Universum der Zuversicht, die so alt war wie die Menschheit selbst.

„Die jüdische Gemeinde hat eine bemerkenswerte Zuversicht, sie lebt mit der Last von zweitausend Jahren Geschichte auf ihren Schultern", schrieb der Pionier jiddischer Literaturkritik, der sich hinter dem Pseudonym Baal Machschabbot verbarg: „Sie lebt getrennt von der umliegenden Welt wie eine Insel im Ozean. Die Mitglieder dieser Gemeinde sind aneinander gebunden, unauslöschlich miteinander verknüpft. Die Juden leben in ständiger Angst, daß sie, Gott behüte, aus dem engen Käfig ausbrechen könnten, in den sie ihre Vorfahren gezwängt hatten, und sie neigen dazu, sogar jenen Freuden des Lebens zu entsagen, die ihnen das jüdische Gesetz erlaubt. Unablässig nehmen sie ein neues Joch auf sich. Sie haben Ohren nur, um Lesungen des Gesetzes zu lauschen, Augen nur, um die heiligen Texte prüfend zu studieren, Stimmen nur für den Ruf: Höre, oh Israel! Sie betrachten sich als das auserwählte Volk und sie leben schlimmer als die Hunde . . ."

Seitdem sich die ersten Juden um die Jahrtausendwende in Polen niedergelassen hatten, galt das Land als Ort der Zuflucht. Aus Deutschland, Italien, Spanien wurden sie vertrieben; katholische Fürsten sperrten sie in Ghettos, um dem Gott der Christenheit zu gefallen; wenn die Pest, der Hunger oder andere Plagen die Länder verheerten, dann wurden sie von der abergläubischen Meute niedergemetzelt, und ihre Viertel brannten lichterloh. Daher flohen viele Juden gen Osten. Die polnischen Prinzen und Könige nahmen die Neuankömmlinge gegen katholische Kirche und Bevölkerung in Schutz. Kasimir der Große baute, nahe der Residenz Krakau, seinen Juden eine eigene Stadt.

Es war das goldene Zeitalter des osteuropäischen Judentums. Der gefeierte Rabbi Moses Isserles lehrte in Krakau und schuf einen umfassenden, einheitlichen Kodex für die polnischen Juden. Überall wurde studiert, ein dichtes Netz an Schulen und Akademien überzog das Land. Lange bevor dies im zivilisierten Westen gebräuchlich war, entwickelten die osteuropäischen Juden ein pädagogisches System, das jedermann Bildung zusicherte.

Die Blüte währte nicht lange. Aufständische Kosakenhorden ertränkten sie im Blut Zehntausender Juden; die Polen, den Niedergang ihres Reiches vor Augen, wurden feindseliger. Als im Westen die Aufklärung heraufdämmerte, brach im Osten das Mittelalter an. Jüdische Mystiker zogen nun predigend von Stadt zu Stadt, falsche Messiasse verlockten die verunsicherten Juden. Einer von ihnen, Jacob Frank, führte Tausende in den Schoß der römischen Kirche.

Die Jahrhunderte der Duldung waren vorbei. Etwa 600.000 Juden lebten damals im Königreich Polen, und die meisten von ihnen suchten Zuflucht bei der frommen Tradition ihres Volkes, die sie in besseren Zeiten vernachlässigt hatten. Sie verließen die großen Städte, zogen aufs Land und bildeten in Dörfern und Kleinstädten ihre verschworene, nach außen hin abgeschottete Gemeinschaft.

Die Welt des Schtetl war ein Rückzugsort, eine Folge des Zusammenrückens, eine spirituelle Wagenburg. Schon von Beginn an signalisierte sie Abkehr und drückende Rückständigkeit. Die Schtetl-Juden hatten der Welt entsagt, sie hatten aufgehört, um Anerkennung zu kämpfen. Jedem neuen Schicksalsschlag begegneten sie mit gottesfürchtiger Demut, immer mehr wurde gebetet und gefastet, und immer enger schloß man sich zusammen. In diese Enge brachte der Baal Shem Tov, ein Mann von großem Charisma, seine Hoffnungsbotschaft: Die Juden müßten ihren Glauben feiern, Gott ihr Herz öffnen, anstatt nur zu studieren; sie müßten vom Heiligen durchdrungen sein und diese Heiligkeit in asketischer Freude zeigen. Bis zu ihrem Untergang blieben die Juden im Schtetl dieser chassidischen Lehre treu. Je drückender die Not, desto überschwenglicher der Jubel; je unnachgiebiger die Verfolgung, umso stärker wuchs der Glaube im Herzen.

Polen wurde zerschlagen und aufgeteilt. Die russischen Zaren, die den Löwenanteil der Beute eingestreift hatten, zwangen ihre jüdischen Untertanen, sich in einem schmalen Landstreifen, 500.000 Quadratkilometer zwischen Ostsee und Schwarzem Meer, anzusiedeln; 1897 lebten in diesem Rayon beinahe fünf Millionen Juden. In diesem Gebiet verwandelte sich das Schtetl in einen weltabgewandten Kosmos. Bedroht von Elend und Pogromen, ausgeliefert einer feindlichen Umwelt, besaßen die Juden keine andere Waffe als ihr Gottvertrauen; und die Mameloschen, ihre jiddische Sprache, kannte gar keine Worte für die vielen verschiedenen Mordwerkzeuge, mit denen man ihnen zu Leibe rückte. Die westliche Vorstellung von Geschichte war für sie ohne Belang. Sie hatten ja ihre eigene Geschichte, ein ewig gleicher Kreislauf, der unverändert andauern würde bis zur Ankunft des Messias. Für die Bewohner des Schtetl, schreibt Maurice Salomon, ersetzte „die Bibel die tägliche Lektüre der neuesten Nachrichten in der Zeitung".

„In gewisser Hinsicht gab es für die Juden kein soziales Problem, solange sie die rigide religiöse Orthodoxie von der äußeren Welt isolierte", meint Isaak Berlin. Sie lebten in einer vorbürgerlichen, vorindustriellen Gesellschaft, getragen von einer archaischen Ordnung, einem Patriarchalismus heiliger Gelehrsamkeit. Der Lebensraum des Schtetl fand in den Zwischenräumen der überholten agrarischen Strukturen Osteuropas Platz. Da den Juden zumeist Landbesitz verboten war, verdienten sie ihren Unterhalt mit Handel und Handwerk, waren kleine Ladenpächter und Taglöhner – und lebten von ihrem Witz. „Die Welt des Schtetl war zugleich Gemeinde und Gesellschaft", schreibt der Historiker Irving Howe, „Gemeinde nach innen: ein in Lumpen gehülltes Königreich des Geistes; Gesellschaft nach außen: verarmt und bedroht."

Das Schtetl war von Beginn an dem Untergang geweiht. Im beharrlichen Stillstand wohnte langsames Vergehen, die Abgeschlossenheit führte zu Ausgrenzung, Vergessen und Tod.

Es glich dem „ostjüdischen Antlitz", das Arnold Zweig beschrieb: „Der Jude trägt seine Vergangenheit mit sich, gebeugt, aber unermüdlich. Er neigt seine starken Schultern, Lastenträger Gottes, der er ist, und mit gebogenen Knieen schreitet er langsam dem Ziele zu, das ihm gesetzt ist, Vergangenes in die Zukunft zu tragen." Doch Zukunft gab es nicht, wo nur verzweifelt-radikale Abwehr herrschte; wo nichts als Vergangenheit war. Im Schtetl bedeutete die Zukunft das Ende der Vergangenheit.

Erst als es das Schtetl nicht mehr gab, wurde es betrauert und in melancholischen Erinnerungen zur Elendsidylle verklärt. Bereits die jüdischen Avantgardisten im revolutionären Rußland mußten sich auf die ethnologische Suche nach ihren Wurzeln begeben. 1925 verfilmte der Leiter des Moskauer jüdischen Staatstheaters, Alexander Granovsky, ein Schüler Max Reinhardts, eine der vielen Geschichten von Scholem Alejchem, die von den Fährnissen des jüdischen Sisyphos, des ewigen Luftmenschen Menachem Mendel, erzählen. Im ukrainischen Berdichev, einem nahezu archetypischen Schtetl, fanden die Moskauer nur noch eine halbverfallene Kulisse für ihren Film. Sorgfältig rekonstruierten sie das jahrhundertealte Straßenbild. „Das Jüdische Glück" wurde beinahe zu einem Dokumentarfilm, dem einzigen, der unverfälscht das Leben im Schtetl verewigte.

„Ein Durcheinander von Holzhäusern, die sich in chaotischer Unordnung um einen Marktplatz drängen, übervölkert wie ein Großstadt-Slum", so beschreibt Maurice Samuel die Welt des Scholem Alejchem, die in dem Stummfilm noch einmal aufersteht: „Die Straßen, qualvoll wie ein talmudisches Argument. Zu einem Fragezeichen gewunden und in Parenthesen gesetzt. Sie führen in Sackgassen, gleich einer Theorie, die an der Realität zu ihrem Ende kommt; sie verlieren sich in Durchfahrten, Hinterhöfen, verwinkelten Wegen . . ."

Wer denn in Polen die Straßen baue und pflege, wollte der Rabbi von Rizin, ein hochfahrender Prinz der Chassidim, von einem Besucher wissen: „Die Juden". Da rief der Riziner voller Freude: „Wer sollte auch sonst sich aufs Wegemachen verstehen?"

Die Wege *aus* dem Schtetl, sie führten in alle Welt. Die Wege *im* Schtetl, sie führten im Kreis. Todeskreis.

Und so dichtete Itzik Manger, der sie alle beschritten hatte: „Ich bin der Weg gen Untergang, / der blonde Sonnentod, / der braune Hirtenpfeifenklang, / das müde Abendrot. / Mein Bruder, geh' du mir nicht nach, / mein Gehn ist nur Vergehn . . ."

Links: Markttag in Rawa Ruska
(Galizien). 1910
Rechts: Markttag in Kremieniec,
einer der ältesten jüdischen Siedlungen in Russisch Polen. Photographie von *Alter Kacyzne*. 1925

*N*un, was dachten denn die Leute vom Städtel selbst? Wußten sie, wie häßlich ihre Häuser und wie unschön ihre armselige Kleidung war? Gewiß fehlte ihnen die Möglichkeit zu vergleichen, denn die meisten von ihnen starben, ehe sie sich ein- oder höchstens zweimal weiter als 30 Kilometer entfernt hatten. Die nahen Dörfer gefielen ihnen keineswegs, die strohbedeckten Hütten der Ukrainer waren in ihren Augen viel häßlicher als ihre eigenen Häuser; überdies mieden sie möglichst die Dörfer, weil sie mit Recht fürchteten, dort der Feindseligkeit zu begegnen. Dennoch waren diese Städtchen keine Ghettos, sondern wesensmäßig ebenso wie definitionsgemäß das Gegenteil. Ein Städtel war nicht das Anhängsel einer christlichen Gemeinde innerhalb der Bannmeile, nicht ein diskriminierter Fremdkörper innerhalb einer höheren Zivilisation, sondern im Gegenteil eine scharf profilierte, in ihren Grundlagen gefestigte autonome Gemeinschaft mit einer eigenartigen Kultur – dies inmitten von Armut und Häßlichkeit, und eingekreist von Feinden des jüdischen Glaubens. Das Städtel war ein Zentrum, von dem aus gesehen die slawischen Dörfer periphere Agglomerationen waren, deren Einwohner, zumeist Analphabeten zum Geistigen kaum eine Beziehung hatten. In all seiner Misere war das jüdische Städtchen eine kleine Civitas Dei – geistig und geistlich erstaunlich, in mancher Hinsicht um Jahrhunderte zurückgeblieben, nicht selten abstoßend, aber dennoch bewundernswert, weil das Leben dieser Menschen täglich, ja stündlich und bis in die letzte Einzelheit durch ihre wahrhaft beispiellose Treue zu einem unablässig fordernden Glauben bestimmt wurde. Die Juden des Ghettos von Venedig, von Rom oder Worms blieben eine in der eigenen Vaterstadt diskriminierte exilierte Minderheit, während die Einwohner des Städtels majoritär, also bei sich zu Hause waren; ihre nichtjüdischen Nachbarn, etwa die polnischen Adeligen mochten mächtig und reich sein und auf sie herabsehen: die Juden waren jedoch von ihrer eigenen Überlegenheit überzeugt. Im Städtel gab es nicht die Spur eines Minderwertigkeitsgefühls wegen der Zugehörigkeit zum Judentum und daher nicht die geringste Neigung, das eigene Wesen zu verhüllen oder wie die anderen zu werden.

Gewöhnlich wohnten zwei Familien zusammen, manchmal in einer einzigen Stube. Der Streit der Frauen, die am gleichen Herd kochen mußten, das Geschrei der Kinder, all das drang Tag und Nacht auf die Gasse hinaus. Das Unglück wurde stets publik, das Glück blieb oft geheim, aber es offenbarte sich aufdringlich vor aller Welt, wenn die Eltern sich ihrer Nachkommen rühmen durften. Man schalt die Kinder laut, man verfluchte sie sogar, und fast im gleichen Atemzug überschüttete man sie mit den zärtlichsten Worten.

Die meisten Häuser waren ebenerdig und boten selten mehr Raum als für zwei kleine Stuben und eine Küche, sie waren aus Holz gebaut und mit Schindeln gedeckt; sie drangen aufeinander ein, als suchte ein jedes Schutz bei dem anderen. Die Straßen bildeten selten eine grade Linie, denn jedes Gebäude schien sich von den anderen zumindest durch die Form unterscheiden zu wollen, als wären sie alle im Alptraum eines Urbanisten beheimatet. Es gab kein Gas, keine Elektrizität und keine Kanalisation im Städtchen, und es gab natürlich auch keine Wasserleitung in den Häusern, sondern einige wenige Brunnen, aus denen man das Wasser schöpfte. Wasserträger brachten es jenen, die es bezahlen konnten, ins Haus, wo man es in großen Fässern bewahrte; die Armen mußten sich das Wasser selber holen.

Manès Sperber

„Und was habt Ihr jetzt für ein Geschäft?" –
„Wer hat ein Geschäft?" – „Wovon lebt Ihr?"
– „Ach, das meint Ihr? Man lebt so." – „Aber
wovon?"

„Von Gott, gelobt sei er! Wenn er gibt, so hat
man." – „Er wirft's doch nicht vom Himmel
herunter!" – „Doch, er wirft wirklich! Weiß
ich, wovon ich leb'? Bitte rechnet aus: Ich
brauche ein Vermögen – vier Rubel die
Woche gewiß! Vom Haus hab' ich, außer
meiner Wohnung, an zwölf Rubel Einkünfte;
es gehen neun Rubel Grundzins ab, an fünf
Rubel für Reparaturen, bleibt – ein Loch in
der Tasche für zwei Rubel sicherlich."
Er verfällt in einen stolzen Ton: „Geld hab'
ich gottlob nicht! Ich nicht, keiner von all den
Juden, die hier stehen, keiner! Außer vielleicht den Deutschen aus den großen Städten . . . Wir haben kein Geld! Ein Handwerk
kann ich nicht, mein Großvater hat keine
Stiefel genäht! Trotzdem, wenn Gott will, leb
ich; und leb' schon so an die fünfzig Jahre.
Und – muß man ein Kind verheiraten, so
wird es verheiratet, und getanzt wird auch
dabei!"

„Kurz, was seid Ihr?" – „Ein Jude wie alle
Juden." – „Was tut Ihr die ganzen Tage?" –
„Ich lerne, ich dawen . . . was tut ein Jude?
Wenn ich gefrühstückt hab, geh ich auf den
Markt . . ." – „Was tut Ihr auf dem Markt?"
– „Was ich tu'? Was sich tun läßt. Also gestern
zum Beispiel, hab' ich, so im Vorbeigehen,
gehört, daß Joine Borik für einen Poriz drei
Böcke kaufen will; früh am Morgen bin ich
schon beim zweiten Poriz, der mal gesagt hat,
er habe zuviel Böcke. Hab' so mit Joine Borik
das Geschäft gemeinsam gemacht, und wir
haben gottlob jeder anderthalb Rubel verdient."

„Ihr seid also ein Makler?" – „Weiß ichs?
Mitunter fällt's mir ein, dann kauf ich ein
Maß Getreide." – „Mitunter?" – „Was mitunter heißt? Wenn ich den Rubel hab', kauf
ich." – „Und wenn nicht?" – „Verschaff' ich
mir den Rubel!" – „Aber wie?" – „Was heißt
wie?"

Und es dauert eine Stunde, bis ich erfahre,
daß Lewi-Jizchok Bärenpelz mitunter Dajan
ist und in Schiedsgerichten sitzt, zum Teil
Makler, hin und wieder auch Händler ist,
und so ein ganz klein wenig Heiratsvermittler, und manchmal, wenn es ihm einfällt,
besorgt er gar Botengänge.
Und von all diesen erwähnten und nicht
erwähnten „Berufen" verdient er, wenn auch
mit Mühe und Not, sein Brot für Weib und
Kind und sogar für die verheiratete Tochter,
weil ihr Schwiegervater ein armer Schlucker
ist!

Jizchak Leib Peretz

Rechts: Auf dem Marktplatz in
einem galizischen Schtetl. Um
1910

Oben: Schtetlbewohner vor ihrer
Wohnung, die zugleich als Laden
diente. Um 1910
Unten: „Klein Waren und Hefe":
Ein Trödelladen mit der Familie

des Inhabers und Kunden. Um
1915
Rechts: Jüdische Familie in der
östlichen Slowakei. Photographie
von *Abraham Pisarek*. Um 1930

*A*ls Jechiel Meier zur Welt kam, trat die Enge an seine Wiege. Fortan begleitete sie ihn sein Leben lang. Vom ersten Tage an mußte er mit den Ellenbogen um das Stückchen Raum kämpfen, das sein sündiger Leib im unendlichen Weltenraum brauchte . . .
Er wurde in einem jener Gäßchen geboren, wo die niedrigen Häuser sich übereinander neigen. Der erste Eindruck, den Jechiel Meier von unserer Erde empfing, war: zu eng. Das Stübchen, in dem er das Licht der Welt erblickte, war vollgepfropft mit Betten und Tischen. Wo er sich bewegte, stieß er an eine Bettkante. Jeder Winkel der Stube war besetzt. Wo Jechiel Meier ging, wo er stand, war der Platz, den er brauchte, bereits von einem anderen Ding ausgefüllt.
Sein Leben lang schlief er nie allein, stets war sein Körper an einen anderen gepreßt, der einem Verwandten oder einem Fremden gehörte. Schon in frühester Kindheit mußte er um den Platz auf der Familienschlafbank, den er brauchte, kämpfen. Seine zwei Brüder Gedalje und Schlojme, die zusammen mit ihm schliefen, drückten ihn an die Wand, er tat ihnen desgleichen. Die ganze Nacht hindurch kämpften die drei Brüder wachend oder schlafend mit ihren Körpern um den Platz auf der Schlafbank. Erst der Schlummer stiftete Frieden zwischen ihnen und schlang alle drei so ineinander, daß sie ein Körper zu sein schienen.
Im Cheder, beim Lehrer in der Bibelschule, war wieder die Enge da – zwischen einer Knabenschar zusammengepreßt saß der kleine Jechiel Meier auf der Bank. Selbst in dem heiligen Bethaus war es eng. Die Wände waren feucht vor Hitze. Der Knabe stand zusammen mit dem Vater bei der Tür und konnte kaum atmen. Sein Wochentag war eng und sein Sabbat war eng. Ständig mußte er um das Stückchen Raum kämpfen, das sein kleiner Körper bei Tag und bei Nacht brauchte . . .
Ein einziges Mal fühlte er, daß die Welt weit, groß, lang ist. Ach, diese Weite – wie oft gedachte er ihrer, sann über sie nach, sehnte sich nach ihr, hoffte einmal in ihr leben zu können!
Schalom Asch

*D*ie Mehrzahl der jüdischen Familien war bettelarm. Der Vater war vom frühen Morgen bis zum späten Abend von Hause fort. Entweder hatte er feste Beschäftigung und plagte sich damit zwölf und vierzehn und sechzehn Stunden des Tages, oder aber er war ein „Luftmensch", der von der Hand in den Mund lebte, ein kleiner Händler, Makler, Kommissionär, alles in einer Person. Er lief – wie ein wildes Tier auf seiner Jagd nach einem Happen Futter – von Kunde zu Kunde, von Laden zu Laden. Aber nicht der Vater allein war so versklavt; die Mutter teilte sein Los in hohem Maße. Mit wenigen Ausnahmen besorgte die Mutter nicht nur die Wirtschaft, sondern arbeitete auch außer dem Hause, wusch Wäsche, ging auf Gartenarbeit. Sie sammelte Beeren, sie suchte auf den Feldern, wo Gänse gehütet wurden, die ver- lorenen Federn zusammen oder zupfte Federn von geschlachtetem Geflügel zum Füllen von Kissen. Diese letztere Beschäftigung wurde für die späte Nacht aufgehoben, wenn die Kinder schliefen und der Docht der einzigen Lampe geputzt und ganz niedrig geschraubt war. Das war das Los der Durchschnittsfrau. Noch schlimmer war das Los der Krämersfrau, die von frühester Morgenstunde an bis in die Nacht hinein, in stickender Sommerhitze schwitzend oder in bitterer Winterkälte über dem kleinen Lehmherd zitternd, an ihren Laden geschmiedet war. So stand die Armut mit erhobener Peitsche über den jüdischen Eltern, hetzte sie in der Tretmühle des Lebens den ganzen Tag vorwärts und trennte sie von ihren Kindern.
Und an Kinder mangelte es nie.
Schemarja Levin

*S*o viel Heiterkeit, so viel Güte war in diesem Lächeln, daß es sogar die Kraft der fremden, flachen, wehmütigen Landschaft beherrschte, durch die ich fuhr.
Joseph Roth

Rechts: Großvater und Enkel auf der Landstraße zwischen Warschau und Otwock. Photographie von *Menachem Kipnis.* 1928

Oben: Windschiefe Holzhäuser und viele Kinder gehörten zum Erscheinungsbild des Schtetl: Straße in Wladimir Wolynsk (Polen). 1914

Unten: Ein Sommernachmittag in einem galizischen Schtetl: Zur Kleidung der Ostjuden gehörte auch der Kaftan, ein Gewand, das zumindest beim Gebet gegürtet wurde. 1900

Gegenüberliegende Seite: Der Fromme legt beim Gebet die Tefillin (Gebetriemen) an. In zwei ledernen Kapseln, die am linken Arm und am Kopf getragen werden, sind vier Bibelstellen eingeschlossen. „Wer Tefillin aus seinem Kopfe, Zizit (Schaufäden) auf seinem Gewande und eine Mesusa an seiner Tür hat, ist geschützt", steht im Talmud. Zum Gebet wird weiters der Tallit (Gebetsmantel) angelegt. Um 1914

Die kleine Stadt liegt mitten im Flachland, von keinem Berg, von keinem Wald, keinem Fluß begrenzt. Sie läuft in die Ebene aus. Sie fängt mit kleinen Hütten an und hört mit ihnen auf. Die Häuser lösen die Hütten ab. Da beginnen die Straßen. Eine läuft von Süden nach Norden, die andere von Osten nach Westen. Im Kreuzungspunkt liegt der Marktplatz. Am äußersten Ende der Nord-Süd-Straße liegt der Bahnhof. Einmal im Tag kommt ein Personenzug. Einmal im Tag fährt ein Personenzug ab. Dennoch haben viele Leute den ganzen Tag am Bahnhof zu tun. Denn sie sind Händler . . . Den Weg zur Bahn legt man zu Fuß in 15 Minuten zurück. Wenn es regnet, muß man einen Wagen nehmen, weil die Straße schlecht geschottert ist und im Wasser steht . . . Die acht Droschkenkutscher sind Juden. Es sind fromme Juden, die ihre Bärte nicht schneiden lassen, aber keine allzu langen Röcke tragen, wie ihre Glaubensgenossen. Ihren Beruf können sie in kurzen Joppen besser ausüben. Am Sabbat fahren sie nicht.

Die Stadt hat 18.000 Einwohner, von denen 15.000 Juden sind. Unter den 3000 Christen sind etwa 100 Händler und Kaufleute, ferner 100 Beamte, ein Notar, ein Bezirksarzt und acht Polizisten. Es gibt zwar zehn Polizisten. Aber von diesen sind merkwürdigerweise zwei Juden. Was die anderen Christen machen, weiß ich nicht genau. Von den 15.000 Juden leben 8000 vom Handel. Sie sind kleine Krämer, größere Krämer und große Krämer. Die anderen 7.000 Juden sind kleine Handwerker, Arbeiter, Wasserträger, Gelehrte, Kultusbeamte, Synagogendiener, Lehrer, Schreiber, Thoraschreiber, Tallesweber, Ärzte, Advokaten, Beamte, Bettler und verschämte Arme, die von der öffentlichen Wohltätigkeit leben, Totengräber, Beschneider und Grabsteinhauer.

Die Stadt hat zwei Kirchen, eine Synagoge und etwa 40 kleine Bethäuser. Die Juden beten täglich dreimal. Sie müßten sechsmal den Weg zur Synagoge und nach Hause oder in den Laden zurücklegen, wenn sie nicht so viele Bethäuser hätten, in denen man übrigens nicht nur betet, sondern auch jüdische Wissenschaft lernt. Es gibt jüdische Gelehrte, die von fünf Uhr früh bis zwölf Uhr nachts im Bethaus studieren, wie europäische Gelehrte etwa in einer Bibliothek. Nur am Sabbat und an Feiertagen kommen sie zu den Mahlzeiten heim. Sie leben, wenn sie nicht Vermögen oder Gönner haben, von kleinen Gaben der Gemeinde und gelegentlichen frommen Arbeiten, wie zum Beispiel: Vorbeten oder Unterricht oder Schofarblasen an hohen Feiertagen. Ihre Familie, das Haus, die Kinder versorgen die Frauen, die einen kleinen Handel mit Kukuruz im Sommer, mit Naphta im Winter, mit Essiggurken und Bohnen und Backwerken betreiben.
Joseph Roth

*D*ie Bewohner der beiden Städtchen Barnow und Buczacz, die nur fünf Meilen voneinander entfernt liegen, trennt eine tiefe Kluft. Wohl sind sie gleich ungebildet, gleich arm, gleich mißachtet, wohl tragen sie die gleiche Tracht und beugen sich demselben Gotte, aber sie dienen ihm in grundverschiedener Weise.

Die Juden von Barnow sind „Chassidim", Mucker und Schwärmer, wilde, phantastische Fanatiker, die zwischen grausamer Askese und üppiger Schwelgerei seltsam hin und her schwanken. Sie halten sich – daher ihr Name – für die „Begnadeten" unter den Juden, weil ihnen andere tiefere Quellen der Offenbarung fließen: jene der „Kabbala", namentlich des Buches „Sohar". In Buczacz hingegen wohnen „Misnagdim", harte, nüchterne Leute, die vor allem die Bibel ehren, den Talmud aber nur insoweit, als er die Bibel erläutert, wie denn überhaupt die Geltung dieses Konversationslexikons bei keiner Sekte eine bindende ist, ja nicht einmal sein kann, weil es nicht viele Fragen gibt, über die der Talmud nicht sehr verschiedene Ansichten enthielte. Praktische, kühle Menschen, leben die Misnagdim schlecht und recht den Gesetzen ihres Glaubens nach, halten aber die zehn Gebote für wichtiger als alles andere, erklären sich die Wunder in möglichst natürlicher Art, sind jedoch im übrigen jeder überflüssigen Grübelei abgeneigt . . .

Da der Glaube der Juden des Ostens in allen Stücken das belebende Moment ist, der Urquell und Endzweck allen Strebens, so sind die Juden von Barnow und die von Buczacz in der Tat grundverschieden. In Barnow wird viel gefastet, aber auch viel gezecht, in Buczacz bewegt sich das Leben in gemessenem, einförmigem Geleise; in Barnow wird den lieben, langen Tag über gelehrte Dinge disputiert und nur in den Zwischenpausen gearbeitet oder gewuchert, die Buczaczer widmen sich dem Handwerk und Handel; der Fleiß, die bürgerliche Ehrenhaftigkeit sind größer, die Achtung vor geistiger Tätigkeit und die Opferfreudigkeit für Armut und Gelehrsamkeit geringer. Die Barnower sind exzentrisch und leidenschaftlich, die Buczaczer gelten als harte, berechnende Menschen. Die gleiche Frömmigkeit und der gleiche Druck von außen machen freilich diese Verschiedenheit dem flüchtigen Blick unkenntlich; der Pole oder Ruthene merkt es kaum, daß in Buczacz eine andere geistige Atmosphäre herrscht, als in den übrigen Städtchen des Kreises, wie auch dem schlesischen Wasserpolaken der Unterschied zwischen einem Herrnhuterort und einer protestantischen Industriestadt nicht ganz klar ist. Der Kundige freilich kann ihn nicht übersehen.

Karl Emil Franzos

Das, was die Eigentümlichkeit und die Größe des Chassidismus ausmacht, ist nicht eine Lehre, sondern eine Lebenshaltung, und zwar eine gemeindebildende und ihrem Wesen nach gemeindemäßige Lebenshaltung.
Martin Buber

In der chassidischen Botschaft ist die Trennung von „Leben in Gott" und „Leben in der Welt", das Urübel aller „Religion", in echter, konkreter Einheit überwunden ... Empfangend und handelnd weltverbunden steht der Mensch, vielmehr nicht „der", sondern dieser bestimmte Mensch, du, ich, unmittelbar vor Gott ... Nur aus der Erlösung des Alltags wächst der All-Tag der Erlösung.
Martin Buber

Fernher aus dem dunkelsten Rußland, aus den weltvergessensten galizischen Nestern, aus den historischen Ansiedlungsstätten strenggläubiger Juden, aus dem heiligen Moskau, aus Warschau, Krakau, Petersburg, Kiew, Odessa, aus dem ganzen Halbasien, wo weit und breit Juden wohnen, strömten sie herbei, die zahllosen orthodoxen Rabbinen mit ihrem Anhang, die gläubigen „Chassidim" mit Weib und Kind und zahllose sonstige Verehrer des Sadagoraer Großrabbiners, um sein Familienfest als ein orthodoxes Volksfest gleichsam mitzufeiern. Die Familie Friedmann, in der die Großrabbinerwürde erblich von Vater auf Sohn übergeht, erfreut sich eines unbestrittenen Weltrufs und repräsentiert in der orthodoxen Judenschaft eine Art freiwillig anerkannter Glaubensfürstendynastie. Und wahrhaft fürstlich war die Vermählungsfeier des Rabbisohnes mit einer russischen Millionärstochter. Fürstlich durch die Pracht des Hochzeitsaufzuges unter freiem Himmel, fürstlich durch die Bewirtung gebetener und ungebetener Gäste und fürstlich durch die nach vielen Tausenden zählende Menschenmenge, die sich ringsumher die Füße wundstand, um den Trauakt anzusehen. Die schaulustigen Städter, allen voran die Czernowitzer, strömten in hellen Scharen herbei und vermehrten das farbenprächtige Gesamtbild um einige wirkungsvolle Nuancen: goldblinkende Offiziersuniformen, kostbare seidene Damentoiletten, lichte Herrenkleider und phantasievoll zerknüllte „Panamahüte", eine lustige Filiale der Czernowitzer Platzmusikpromenade war hier auf der für fremde Zuschauer errichteten Holztribüne etabliert.
Czernowitzer Allgemeine Zeitung

In Rabbi Ascher-Baruchs Hause ist Reichtum, und in seinem Herzen die Tora. Er ist ein großer Schriftgelehrter und an Vermögen reich. Wissen und Reichtum beisammen. Darum ist auch sein Haus so geräumig, und höher als alle Häuser der Stadt, obwohl der Besitzer des Hauses gebückt einhergeht, gebückt unter dem Joch der Tora. Und das ist die Einrichtung des Hauses: Unten der Laden, die Winterstube und die Küche. Und oben, d. h. im Giebelzimmer, sitzt Rabbi Ascher-Baruch bei Studium und frommer Übung, und über die Tora sinnt er Tag und Nacht. Indessen arbeitet sein tugendsames Weib voll Eifer mit ihren Händen, kauft und verkauft, treibt Handel und Wandel, ernährt ihre Kinder in Ehren und erzieht sie zu Lehre und Ehe und guten Taten. Und zwischen einem Käufer und dem anderen beaufsichtigt sie die Dienstmagd im Hause. Und Rabbi Ascher-Baruch sitzt in seinem Giebelzimmer bei Studium und frommer Übung; den Torheiten der Zeit huldigt er nicht, um die Geschäfte kümmert er sich nicht – wie es in jenen Tagen in Israel Sitte war. Nacht für Nacht sitzt er beim Licht der Kerze, die ganze Nacht sitzt er und lernt. Und die Kerze steckt nicht in einem Silberleuchter, nicht einem Leuchter aus Blei, auch nicht in einem Lehmtopf, sondern zwischen seinen Fingern. Die Tora schwächt den Menschen, und der Schlaf befällt den vom Lernen Müden. Da erwacht er und rafft sich auf, von neuem seinem Schöpfer zu dienen.
Samuel Josef Agnon

Gegenüberliegende Seite: Im Hof des Rabbi von Munkacz (Ungarn), Chajim Eleazar Shapira. Photographie von *Abraham Pisarek*. Um 1930
Links: Palast des Rabbi von Czortkow (Galizien), Moische David Friedman. Um 1900
Oben: Der Wunderrabbi aus Góra-Kalwarja (Galizien) auf Besuch in Wien. 1932

*V*iel Leben herrscht in der Stadt, große Aufregung bei den Chassidim. Der berühmte Wunderrabbi aus B. hat der Einladung seiner Anhänger Folge gegeben und ist zu Rosch-chodesch nach N. gekommen. Menschenmassen drängen sich in das Haus, in dem der vornehme Gast seine Residenz aufgeschlagen hat. Greise, die an das Jenseits denken, Jünglinge, die im Diesseits kämpfen, Männer, die von Nahrungssorgen gequält werden, Frauen, die für die Gesundheit ihrer Kinder beben, Reiche, die sich vor dem Wechsel der Zeiten fürchten, Arme, die Erlösung aus der Not erhoffen, Gelehrte, die nach neuen Lehren lechzen, Unwissende, die der Anblick des Zaddik erleuchten soll, Fromme, die von höheren Welten träumen und Sünder, die ihr Gewissen beschwichtigen wollen, verlangen je nach ihrem Temperament stürmisch oder bittend, stolz oder demütig Einlaß zum Rabbi.
R. Niemirower

Viele Wunderrabbis leben im Osten, und
jeder gilt bei seinen Anhängern als der größte.
Die Würde des Wunderrabbis vererbt sich seit
Generationen vom Vater auf den Sohn. Jeder
hält einen eigenen Hof, jeder hat seine Leib-
garde, Chassidim, die in seinem Haus aus-
und eingehn, die mit ihm beten, mit ihm
fasten, mit ihm essen. Er kann segnen, und
sein Segen geht in Erfüllung. Er kann verflu-
chen, und sein Fluch erfüllt sich und trifft ein
ganzes Geschlecht. Wehe dem Spötter, der
ihn leugnet. Wohl dem Gläubigen, der ihm
Geschenke bringt. Der Rabbi verwendet sie
nicht für sich. Er lebt bescheidener als der
letzte Bettler. Seine Nahrung dient nur dazu,
sein Leben knapp zu erhalten. Er lebt nur,
weil er Gott dienen will. Er nährt sich von
kleinen Bissen der Speisen und von kleinen
Tropfen der Getränke. Wenn er im Kreis der
Seinen am Tische sitzt, nimmt er von seinem
reichlich gefüllten Teller nur einen Bissen und
einen Schluck und läßt den Teller rings um
den Tisch wandern. Jeder Gast wird von des
Rabbis Speise satt. Er selbst hat keine leibli-
chen Bedürfnisse. Der Genuß des Weibes ist
ihm eine heilige Pflicht und nur deshalb ein
Genuß, weil er eine Pflicht ist. Er muß
Kinder zeugen, damit das Volk Isreaels sich
vermehre, wie der Sand am Meer und wie die
Sterne am Himmel. Immer sind Frauen aus
seiner nächsten Umgebung verbannt. Auch
das Essen ist weniger Nahrung als ein Dank
an den Schöpfer für das Wunder der Speisen
und eine Erfüllung des Gebotes, sich von
Früchten und Tieren zu nähren – denn alles
hat Er für den Menschen geschaffen. Tag und
Nacht liest der Rabbi in heiligen Büchern. Er
kann viele schon auswendig, so oft hat er sie
gelesen. Aber jedes Wort, ja, jeder Buchstabe
hat Millionen Seiten, und jede Seite kündet
von der Größe Gottes, an der man niemals
genug lernen kann. Tag für Tag kommen die
Menschen, denen ein teurer Freund erkrankt
ist, eine Mutter stirbt, denen Gefängnis
droht, die von der Behörde verfolgt werden,
denen der Sohn assentiert wird, damit er für
Fremde exerziere und für Fremde in einem
törichten Krieg falle. Oder solche, deren
Frauen unfruchtbar sind und die einen Sohn
haben wollen. Oder Menschen, die vor einer
großen Entscheidung stehen und nicht wissen,
was sie zu tun haben. Der Rabbi hilft und
vermittelt nicht nur zwischen Mensch und
Gott, sondern, was noch schwieriger ist, zwischen Mensch und Mensch. Aus weiten Gegenden kommen sie zu ihm. Er hört in einem
Jahr die merkwürdigsten Schicksale, und kein
Fall ist so verwickelt, daß er nicht einen noch
komplizierteren schon gehört hätte. Der Rabbi hat ebensoviel Weisheit wie Erfahrung und
ebensoviel praktische Klugheit wie Glauben
an sich selbst und sein Auserwähltsein. Er
hilft mit einem Rat ebenso wie mit einem
Gebet. Er hat gelernt, die Sprüche der Schriften und die Gebote Gottes so auszulegen, daß
sie den Gesetzen des Lebens nicht widerspre-

chen und daß nirgends eine Lücke bleibt, durch die der Leugner schlüpfen könnte. Seit dem ersten Tag der Schöpfung hat sich vieles geändert, nicht aber Gottes Wille, der sich in den Grundgesetzen der Welt ausdrückt. Man bedarf keiner Kompromisse, um das zu beweisen. Alles ist nur Sache des Begreifens. Wer soviel erlebt hat wie der Rabbi, kommt bereits über den Zweifel hinaus. Das Stadium des Wissens hat er schon hinter sich. Der Kreis ist geschlossen. Der Mensch ist wieder gläubig. Die hochmütige Wissenschaft des Chirurgen bringt dem Patienten den Tod und die schale Weisheit des Physikers dem Jünger den Irrtum. Man glaubt nicht mehr dem Wissenden. Man glaubt dem Glaubenden.
Viele glauben ihm. Er selbst, der Rabbi, macht keinen Unterschied zwischen den treuesten Erfüllern der geschriebenen Gebote und den weniger treuen, ja nicht einmal zwischen Jude und Nichtjude, nicht zwischen Mensch und Tier. Wer zu ihm kommt, ist seiner Hilfe gewiß. Er weiß mehr, als er sagen darf. Er weiß, daß über dieser Welt noch eine andere ist, mit anderen Gesetzen, und vielleicht ahnt er sogar, daß Verbote und Gebote in dieser Welt von Sinn, in einer anderen ohne Bedeutung sind. Es kommt ihm auf die Befolgung des ungeschriebenen, aber desto gültigeren Gesetzes an.
Sie belagern sein Haus. Es ist gewöhnlich größer, heller, breiter als die kleinen Judenhäuser. Manche Wunderrabbis können einen wirklichen Hof halten. Ihre Frauen tragen kostbare Kleider und befehlen Dienerinnen, besitzen Pferde und Ställe: nicht, um es zu genießen, sondern um zu repräsentieren.
Joseph Roth

D̶ie Spannung zwischen dem wahren Erweckten, der zugleich als Volksführer, als Zentrum einer Gemeinschaft auftritt, und den Gläubigen, die ihr Leben um dessen persönliche Religiosität konzentrieren. Die Lehre ist hier in Persönlichkeit verwandelt, und was dadurch an Rationalität verlorenging, wurde an Wirkungskraft gewonnen.
Gershom Scholem

Gegenüberliegende Seite:
Krakauer Jude. 1904
Rechts: Der chassidische Rabbi

Urbach: Er ging nach Palästina und wurde „Rabbiner der Pioniere" genannt. 1924

Links: Ezrielke, der Schammes
und Schabbes-Klaper von Biala
(Russisch Polen). Photographie
von *Alter Kacyzne*. 1926

Oben: Der Schammes von Wisokie
Litewskie (Polen). 1924
Rechts: Krakauer Jude. 1904

*Der Jude war neben allen seinen niedrigsten
Tagesgeschäften der Regel nach zugleich ein
Gelehrter. Als Gelehrter konnte er ein Weiser
werden. Und als Weiser konnte die Grund-
stimmung des Juden die Zufriedenheit mit
seinem Erdenlose werden.*
Hermann Cohen

*Damit die jüdischen Männer in genügender
Anzahl zum Morgengottesdienst zusammen-
kamen . . . lief ein Junge zu den Häusern mit
römischen Nummern und klopfte mit einem
hölzernen Hammer das Zeichen es-tata. Am
Samstag, an dem es verboten war, irgendein
Werkzeug in die Hand zu nehmen, schrie der
Junge vor den Türen „In Schul!" Der jüdische Tempel ist nämlich auch eine Schule. Es
wird vorausgesetzt, daß die Frommen dort
ihr ganzes Leben Belehrung und Rat für
ihren sehr anspruchsvollen richtigen Weg suchen.*
Norbert Frýd

*Er lehrte, der herrliche Mensch, die große
Gewalt der Seele, die Allgewalt der Seele. Sie
machten ihn zu einem Zadik, einem Mehr-
als-Menschen, einem geheimnisvollen Wesen,
das andere errettet, Wunder verrichtet. Sogar
Rabbiner folgten ihm. Freude und Heiterkeit
lehrte er, Inbrunst des Gebetes, Trübsal
schien ihm tadelnswert. Der reine Gedanke,
das Gefühl war ihm alles; auch das Beten im
Wald und zwischen den Getreideähren gut.
Fromme, Chassidim, nannten sich die Leute.*
Alfred Döblin

*D*ieser Typus in seiner Verfeinerung, Vertiefung und Steigerung bis ins Schwärmerische wird durch den Chasid repräsentiert, dessen Ideal die Vergöttlichung der Menschheit ist und der das Himmelreich auf Erden verwirklichen möchte.

Die Brücke, die den Menschen zum Schöpfer hinführt, ist das Gebet. Deshalb sucht der Chasid im Gebet, das wie eine Entflammung über ihn kommen muß, sein geläutertes Empfinden, sein ganzes Denken und Wollen auszudrücken. Zu diesem Zwecke genügt ihm das vorgeschriebene Gebet durchaus nicht. Er geht oft über den Buchstaben hinaus, sprengt die Form, die seine Seelenfülle nicht zu fassen vermag, und gerät in eine religiöse Ekstase, die sich, wie beim verzückten Yoghi, in Springen, Tanzen, Singen und Pfeifen äußert. Da die Melancholie für ihn das höchste Übel ist, weil nur eine freudvolle Seele sich zu Gott aufzuschwingen vermag, sucht er Sorge, Kummer und Schwermut nach Möglichkeit von sich fernzuhalten. Sein Lieblingsstudium ist die kabbalistische und chasidische Literatur. Im praktischen Leben bewährt er sich als ein uneigennütziger, feinfühliger Mensch. Ist er arm, so geht er zu einem bessergestellten Freunde und nimmt ohne weiteres an seiner Tafel teil. Darbt seine Familie, so wird für sie gesammelt. Hat der Arme eine Tochter zu verheiraten, so geben ihm die Reichen die nötige Mitgift. Todsünde ist es, seinen Nächsten zu beschämen. Deshalb gibt er ganz insgeheim. Er bringt es fertig, sich schlafend zu stellen, wenn ein Dieb ihn bestehlen will, damit er den Dieb nicht beschäme.
Artur Landsberger

*D*iese Juden, die auf allen ihren Wegen Flüchtlinge des eigenen Blutes sind, wissen nichts mehr vom Judentum. Und die Christen wissen erst recht nichts davon. Sie wissen nicht, daß ein jüdischer Vater sich's zur höchsten Ehre, seiner Tochter zum höchsten Glück anrechnet, ihr einen Gelehrten zum Manne zu geben. Er plagt sich gerne, dieser Vater, den Schwiegersohn, die Tochter und die Enkelkinder zu ernähren, denn er hält sein Haus nun für geadelt, weil es das Heim ist für selbstloses Denken, für Forschen, Erkennen und Weisheit. Viele Ehen werden im Volk, das diesen Namen noch verdient, derart geschlossen, daß der Reiche den armen Philosophen als Tochtermann ins Haus nimmt. Auch in der Demokratie, die dem jüdischen Volke eigen ist, die ihm von altersher in den Instinkten sitzt, verschafft weder Besitz noch Macht den Adel, sondern es ist einzig der Geist, der adelig sein läßt. Aber was weiß man in gewissen großstädtischen Salons davon?
Felix Salten

Wenn es Nachman nur einfallen wollte, sein Häuschen zu verkaufen, so würde er doch im gleichen Augenblick aufhören ein Worobjowker zu sein; dann wäre er plötzlich ein Zugezogener, ein Fremder geworden. Und so hat er wenigstens einen eigenen Winkel, ein eigenes Haus, und vor dem Haus einen Garten. Der Garten wird von seinem Weib und seinen Töchtern bestellt, und wenn Gott ein gutes Jahr schenkt, so gibt es den ganzen Sommer über Gemüse, und die Kartoffeln reichen manchmal bis kurz vor Pessach. Doch von Kartoffeln allein kann man nicht leben. Zu Kartoffeln braucht man auch etwas Brot. Und Brot hat er nicht. Also muß er den Stecken nehmen und durch das Dorf gehen und sehen, ob nicht irgendwo ein Geschäft zu machen ist. Und wenn Nachman durch das Dorf geht, kommt er niemals mit leeren Händen nach Hause. Er kauft alles, was ihm gerade in die Hände kommt: altes Eisen, einen Topf Hirse, einen alten Sack, oder ein Fell. Das Fell wird aufgespannt, getrocknet und dann zu Awrohom-Eliohu, dem Kürschner, in die Stadt getragen. Und bei allen diesen Geschäften kann man etwas verdienen, oder auch etwas draufzahlen: dazu ist man ja Kaufmann! „Ein Kaufmann ist wie ein Jäger!" pflegt Nachman zu sagen, der zuweilen gerne ein gojisches Sprichwort gebraucht. Und Awrohom-Eliohu der Kürschner, ein Jude mit blau angelaufener Nase und schwarzen, wie in Tinte getunkten Fingern, lacht über ihn, weil er in seinem Dorf so verbauert sei, daß er sogar nur noch gojische Sprichwörter gebrauche ...
Scholem Alejchem

Wenn Rabbi David von Lelow in eine jüdische Stadt kam, pflegte er alle Kinder zusammenzuholen, jedes bekam von ihm ein Pfeifchen geschenkt, dann packte er sie alle miteinander in den großen Leiterwagen, in dem er reiste, und fuhr sie durch die ganze Stadt, und die Kinder pfiffen aus Leibeskräften, ohne einzuhalten, und Rabbi David lachte übers ganze Gesicht, ohne einzuhalten.
Martin Buber

Einige Alte tragen gedrehte Schläfenlocken; in ihren schweren rockartigen Kaftanen sehen sie von hinten wie Weiber aus. Heben auch, wenn sie Pfützen übersteigen, die Röcke wie Weiber auf. Von denen, die hier stehen, haben sehr viele einen träumenden Ausdruck; sind wie unaufgeweckt.
Alfred Döblin

Die Stellung der Frau war durchaus keine solche wie etwa im Orient. Das Weib leitete oft selbständig ein Unternehmen, half beinahe immer im Geschäft des Mannes und stand dementsprechend im vollen Kontakt mit der Außenwelt. Die gute Sitte forderte indes, daß die Geschlechter sich voneinander streng abgesondert hielten, so daß selbst beim Gebete die Frauen ihre eigene Abteilung im Gotteshause aufsuchten. Bei festlichen Gelegenheiten tanzten Männer mit Männern und Frauen mit Frauen. Die gute Sitte forderte ebenso, daß jedes Weib, das den Ruf einer „Jische znue", einer züchtigen Frau anstrebte, alles, was in Kleidung und Benehmen als Herausforderung gedeutet werden konnte, vermeide. Nach dem Ausspruch irgendeines Talmudisten sei schon allein der Schall einer Frauenstimme Unzucht. Der Fromme tat gut, das weibliche Geschlecht, um Versuchungen zu entgehen, überhaupt nicht anzusehen.
Jehudo Epstein

Oben: Spielende Kinder in Maciejowice, einem der ältesten Schtetl in der polnischen Provinz Lublin. Photographie von *Alter Kacyzne*. Um 1928
Rechts: Kinder auf dem Marktplatz eines galizischen Schtetl. Um 1910
Gegenüberliegende Seite: Wasserpumpe auf dem Fischmarkt in Otwock bei Warschau. Photographie von *Alter Kacyzne*. Um 1928

Man muß sich vorstellen, wie diese Mütter im Osten gelebt haben und wie viele Tausende von ihnen heute noch leben. Die Männer sitzen im Bet Hamidrasch und lernen, die Kinder sitzen im Cheder und lernen, und die Mütter arbeiten. Die jüdische Mutter hat ein Krämchen und handelt, die jüdische Mutter geht von Haus zu Haus und hausiert, die jüdische Mutter steht auf dem Markt und verdient vom frühen Morgen bis zum späten Abend die spärlichen Groschen fürs tägliche Brot der ganzen großen Familie. Dazu besorgt sie das Haus, kocht das Essen, wäscht die Wäsche, kleidet die Kleinen und hält sie sauber. Es ist ein Rätsel, wann sie Zeit findet, all das zu tun, und woher sie die Zeit nimmt, es auszuhalten. Und doch ist ihr ganzer Stolz und Lebenssinn, dem Mann und den Söhnen das Lernen zu ermöglichen. Sie wird derb und grob vor Elend und bringt noch einmal soviel Innigkeit und Zartheit auf, um eine jüdische Mutter zu sein.
Egon Jacobsohn/Leo Hirsch

Gestern fiel mir ein, daß ich die Mutter nur deshalb nicht immer so geliebt habe, wie sie es verdiente und wie ich es könnte, weil mich die deutsche Sprache daran gehindert hat. Die jüdische Mutter ist keine „Mutter", die Mutterbezeichnung macht sie ein wenig komisch. Das Wort „Mutter" ist für den Juden besonders deutsch, es enthält unbewußt neben dem christlichen Glanz auch christliche Kälte; die mit Mutter bezeichnete jüdische Frau wird daher nicht nur komisch, sondern fremd.
Franz Kafka

In ihrem Ghetto sind die Juden Handwerker und Arbeiter, sie sind Lastträger und Schmiede, Schlosser und Tischler, wie sie Uhrmacher und Juweliere sind. Wo sie mit dem Boden je zusammenkommen durften in der Verbannung, sind sie tüchtige Landwirte, Viehzüchter und Weinbauern. Die Güter, die in Ungarn von Juden verwaltet wurden oder gepachtet oder als Eigentum betrieben, beweisen es. Und ein Fürst Urussow, der in den achtziger Jahren Gouverneur der Ukraine war, in einem Gebiet, in dem die Juden Land besitzen durften, wundert sich in seinen Memoiren maßlos über den Ackerbau wie über den Weinbau der Juden, der nach seinen eigenen Worten dem Weinbau am Rhein in nichts nachsteht. Er ist als Russe der herrschenden Klasse kein Judenfreund gewesen, dieser Fürst und Gouverneur, dennoch meint er, es wäre vielleicht vorteilhaft, den Juden die Erlaubnis zu geben, sich auch in anderen Gegenden des großen Rußland anzusiedeln, damit die Trägheit der russischen Bauern durch ihr Beispiel befeuert werde. Und er sagt das alles mit einem Erstaunen, das ganz ohne Wohlwollen ist.
Felix Salten

Mein Heimatdorf heißt Wierzbowce auf polnisch, Werbowitz auf jiddisch und Werbiwizi auf ukrainisch. Es liegt neben Seroka. Seroka liegt neben Czerniatyn. Czerniatyn liegt neben Horodenka. Horodenka liegt neben Gwozdziez. Gwozdziez neben Kolomea. Kolomea neben Stanislau. Stanislau neben Lemberg . . .
In unserem Dorf Werbiwizi leben ungefähr hundertfünfzig ukrainische Familien und unter ihnen vier jüdische. Alle lebten vom Ackerbau. Die Juden hatten nebenbei noch kleine Kramläden, und einer von ihnen hatte die Dorfschenke vom Gutsbesitzer gepachtet. Das Dorf hatte zwei Hügel; auf einem stand die kleine Holzkirche mit ihrem Zwiebeldach, auf dem anderen lag das Gut. Die kleinen Chatas im Dorfe hatten Strohdächer, die braun und schwarz geräuchert waren von den Kaminen, durch die es hereinregnete, und am Qualm konnte man immer riechen, ob bei den Nachbarn Fleisch gekocht wurde. Die Stallungen des Gutes, die Scheunen, die Gesindequartiere hatten auch Strohdächer. Nur ein Haus war weiß, hatte ein Blumenbeet und das Dach war mit Holzschindeln getäfelt. Es war etwas Fremdes für uns, das Gut gehörte dem polnischen Gutsbesitzer. Zwischen dem Gutsbesitzer und dem Dorfe war eine Wand. Es war eine fremde Welt. Er, seine Frau, seine Kinder und sogar seine Angestellten mischten sich nicht mit dem Dorfe. Auch die Sprache war eine andere. Polnisch.
Alexander Granach

Oben: Bauernpaar aus der Bukowina. Um 1910

Gegenüberliegende Seite oben: Bauern in Westgalizien. Um 1920

Gegenüberliegende Seite unten: Jüdischer Bauer mit seiner Frau auf „seinem eigenen" Feld in der östlichen Slowakei. Photographie von *Abraham Pisarek*. 1933

*Die Erde in Ostgalizien ist schwarz und
saftig und sieht immer etwas schläfrig aus,
wie eine riesige fette Kuh, die dasteht und sich
gutmütig melken läßt. So schenkt die ostgalizische Erde dankbar und vertausendfacht
alles zurück, was man in sie hineintut, ohne
daß man ihr mit Dünger und Chemikalien
besonders schmeicheln muß. Ostgalizische
Erde ist verschwenderisch und reich. Sie hat
fettes Öl, gelben Tabak, bleischweres Getreide, alte verträumte Wälder und Flüsse und
Seen und vor allem schöne, gesunde Menschen: Ukrainer, Polen, Juden. Alle drei
sehen sich ähnlich, trotz verschiedener Sitten
und Gebräuche. Der ostgalizische Mensch ist
schwerfällig, gutmütig, ein bißchen faul und
fruchtbar wie seine Erde. Wo man hinguckt,
Kinder. Kinder in den Höfen, Kinder bei den
Tieren, Kinder in den Feldern, Kinder in den
Scheunen, Kinder in den Stallungen, Kinder!
Als ob sie jeden Frühling an den Bäumen
wüchsen wie die Kirschen. Wenn der Frühling
ins galizische Dorf einzieht, kommen die
Kälber, die Ferkel, die Fohlen, die Küken und
das kleine quietschende Zeug, die kleinen
Menschlein: Kinder.*
Alexander Granach

*Außerdem waren diese Dorfjuden nicht nur
kleine Kaufleute und Händler, sondern jeder
ist daneben noch Bauer und betreibt die
Bauerei mit eigenen Händen: die Wiesen, den
Acker, das Feld, den Stall. Es ist ein gemein-
samer Arbeitsrhythmus, es sind dieselben Sorgen. Die Frauen kommen jedes Jahr oder alle
zwei Jahre nieder. Die Männer trinken
abends gemeinsam ihren „Schoppen“, ihr
Glas Bier. Zu den Hochzeiten ist man hier
wie dort zu Gast, und die Jugend tanzt
miteinander zu Fastnacht wie zu Purim.*
Fritz Frank

*Landschaft die mich
erfand*

*wasserarmig
waldhaarig
die Heidelbeerhügel
honigschwarz*

*Viersprachig verbrüderte
Lieder
in entzweiter Zeit*

*Aufgelöst
strömen die Jahre
ans verflossene Ufer*
Rose Ausländer

*K*ein Hader war so schmutzig und keine
Scherbe so zerbrochen, daß er sie nicht untersuchte und sich in den Ranzen steckte. Er
handelte mit allem, was er sah: Er kaufte
Hadern, Häute, Federn, Knochen, altes Eisen, Hülsenfrüchte, Grieben, Gries, Graupen,
Mehl, Geflügel und was er konnte. Dabei
handelte und überredete er, beteuerte, und
wenn er zahlte, siebte er vorsichtig die Kreu-
zerchen zwischen den Fingern und befühlte
sie, als ob er wollte, daß sich auch etwas vom
Kupfer von ihnen an seine Finger kleben
würde. Itzigs Blick entging nichts, was sich
im Dorf bewegte. Lieber aber zahlte er mit
Waren als mit Geld; er trug in seinem Ranzen
ein kleines Päckchen aus Wichsleinwand und
darin hatte er Schnüre, Bändchen, Steckna-
deln, Knöpfe, Riemen, runde Spiegelchen,
Stücke Seide und was immer er sich mit
seinem kleinen Kapital besorgen konnte.
Jan Herben

*I*m allgemeinen aber war die Armut der
jüdischen Bevölkerung eine erschreckende.
Eine große Menge von Menschen, die nicht
genug Ernährungsmöglichkeiten fanden, war
in diesen Provinzen zusammengepfercht. Sie
rissen sich den Bissen buchstäblich gegenseitig
aus dem Munde, und es war ein Kampf ums
tägliche Brot, im wahrsten Sinne des Wortes.
Der größte Teil dieser Leute lebte, wie sie
selbst sagten, nur von dem bißchen „Bito-
chen" (Gottvertrauen). Viele hatten, wie
mein Vater, keinen bestimmten Beruf, griffen
zu allen möglichen Beschäftigungen und lebten vom Zufall. Der Tag begann mit dem
Vertrauen, daß der Herr schon irgendwie
helfen werde, und man legte sich mit dem
Vertrauen auf seine Hilfe auch für morgen
nieder. Man hoffte, wenn es sein mußte, auf
ein Wunder, denn täglich, ja stündlich könnte
„Moschiach", der Messias, erscheinen. Dieses
verzweifelte Gottvertrauen hielt sie in ihrer
Armut aufrecht. Die Not lehrte diese Menschen beten; sie schärfte ihren Verstand; sie
verlieh ihnen die Fähigkeit, Möglichkeiten zu
erklügeln, um aus kleinen und kleinsten Gelegenheiten einen, wenn auch winzigen Nutzen für sich zu ziehen, eine Fähigkeit, die
begreiflicherweise bei der christlichen Bevölkerung keine Sympathien für sie erweckte.
Jehudo Epstein

Links: Ein Metzgerladen für „Abtrünnige" in Kazimierz, dem jüdischen Stadtteil Krakaus: Das Schild
pries Waren an wie Polnische
Wurst, Salami, Zunge und Schin-
ken. 1900

Rechts: Der Ringplatz in Oswie-
cim (Auschwitz) in Galizien. Photographie von Jacob Hennenberg.
Um 1906
Links: Verkaufsladen für Mützen
und Geschirr in Russisch Polen.
Um 1910

Es gab bei uns Bettler aller Art: die „Ver-
schämten", die nur eine Anleihe machen
wollten, die sie aber nie zurückzahlen konnten – nicht die zumeist winzigen Summen, die
man ihnen kaum verweigern konnte, nicht
das Mehl und nicht die Kartoffeln. Dann gab
es die professionellen Bettler, die eingesessenen und die wandernden, die zumeist in
Gruppen auftraten – vor allem, wenn wohl-
habende Familien ihre Kinder verheirateten
oder einen der ihren begruben. Es gab die
Armen, die still hungerten und froren; sie
lebten von „Wundern", die immer eintraten,
wenn auch manchmal zu spät: eine kleine
Geldsendung eines Verwandten, eine Erbschaft, die einige Kronen erbrachte, oder das
größte, meist erwartete Wunder: daß die
Kinder in die Fremde fuhren und den dar-
benden Eltern immer wieder einige Gulden
schickten.

Wieviele auch hungerten, niemand verhun-
gerte. Man erzählte: Mitglieder der Gemeinde weckten den Rabbi am frühen Morgen:
„Es ist etwas Furchtbares geschehen", klagten
sie. „In unserer Mitte ist einer hungers gestorben, man hat ihn soeben tot in seiner Stube
aufgefunden." Darauf der Rabbi: „Das ist
nicht wahr. Ja, es ist unmöglich. Hättest du
oder du ihm ein Stück Brot verweigert, wenn
er es verlangt hätte?" – „Nein" antworteten
sie, „aber Elieser war zu stolz, um etwas zu
bitten –" „Also sagt nicht, daß mitten unter
uns einer hungers gestorben ist, denn Elieser
ist an seinem Stolze zugrunde gegangen."
Es gab solch Stolze, aber sie waren selten; die
meisten hungerten sich durch, bis ihre Kinder
ihnen helfen konnten, die nach Amerika
auswanderten, oder bis sie an einer Lungen-
krankheit oder am Herzschlag starben.
Manès Sperber

Wenn die jüdischen Städtel noch existierten,
würden sie für mich nur einer fernen Vergangenheit angehören; da sie vernichtet, so aus-
gerottet worden sind, daß nichts von dem,
was sie gewesen sind und hätten werden
können, in die Zukunft hinüberreichen kann,
gehört Zablotow nunmehr zu meiner Gegenwart. Es ist in meinem Gedächtnisse beheimatet.
Manès Sperber

Im Ghetto war das Gemeinschaftsleben ein vollständiges, es umfaßte nicht nur Religion, sondern auch Sitte, Recht, Sprache, Familienleben, in vollständiger Einheit . . .
Der Verkehr mit der nichtjüdischen Welt rangierte quasi nur unter der Kategorie „äußere Politik".
Adolf Böhm

Die Figur des Kraftjuden fehlt mir geradezu in Ihrem Stück [Das neue Ghetto]. Es ist nicht wahr, daß in dem Ghetto, das Sie meinen, alle Juden gedrückt oder innerlich schäbig herumlaufen. Es gibt andere – und gerade die werden von den Antisemiten am tiefsten gehaßt.
Arthur Schnitzler an Theodor Herzl

Mein Vater war ein orthodoxer Jude, der verliebt war in die deutsche Kultur, Philosophie und Dichtung . . . Er wollte mit mir immer deutsche Literatur und deutsche Zeitschriften lesen. In seiner Jugend hatte er selbst Aufsätze in der Neuen Freien Presse, der bekanntesten Wiener Zeitung, veröffentlicht; er war Korrespondent der Warschauer Hazefira, der ersten Tageszeitung, die auf hebräisch erschien; er hatte auch auf Hebräisch ein kleines Buch über Spinoza mit dem lateinischen Titel Amor Dei Intellectualis geschrieben. Spinoza war einer seiner Helden. Heine ein weiterer. Mein Vater hatte auch große Achtung für Lassalle, aber sein höchstes intellektuelles Ideal war, abgesehen von den hebräischen Schriftstellern, natürlich Goethe.

Links: Straßenbild aus Kolomea (Ostgalizien). 1914
Unten: Straßenleben im jüdischen Viertel von Lodz, der zweitgrößten jüdischen Gemeinde Polens. Um 1930
Gegenüberliegende Seite: Eingang zum jüdischen Viertel von Krakau. Photographie von Roman Vishniac. 1938

Ich teilte die Vorliebe meines Vaters für deutsche Dichtung nicht. Ich war ein polnischer Patriot. Mickiewicz und Slowacki liebte ich unvergleichlich mehr, sie waren mir viel näher. Aus diesem Grund habe ich auch nie gründlich Deutsch gelernt. Mein Vater sagte oft zu mir: „Ja, du willst deine schönen Gedichte nur auf Polnisch schreiben. Ich weiß, daß du eines Tages ein großer Schriftsteller sein wirst." Mein Vater hatte eine völlig übertriebene Vorstellung von meiner literarischen Begabung und wollte, daß ich mich in einer „Weltsprache" übe. „Deutsch", pflegte er zu sagen, „ist die Weltsprache. Warum willst du deine Begabung in einer Provinzsprache begraben? Du brauchst nur weiter als Auschwitz zu gehen . . ." – Auschwitz lag an der Grenze nicht weit von uns – „du brauchst nur weiter als Auschwitz zu gehen, und keiner wird dich mehr verstehen, dich und deine schöne polnische Sprache. Du mußt wirklich Deutsch lernen." Es war ein sich ewig wiederholender Refrain: „Du brauchst nur weiter als Auschwitz zu gehen, und du wirst völlig verloren sein, mein Sohn!" Ungeduldig wie ich war, habe ich ihn oft unterbrochen: „Ich weiß schon, was du sagen wirst, Vater – Du brauchst nur weiter als Auschwitz zu gehen, und du wirst völlig verloren sein." Die tragische Wahrheit ist, daß mein Vater nie weiter als Auschwitz kam. Während des Zweiten Weltkrieges ist er in Auschwitz verschwunden.
Isaac Deutscher

*3*50.000 Juden wohnen in Warschau, halb soviel wie in ganz Deutschland. Eine kleine Menge sitzt verstreut über die Stadt, die Masse haust im Nordwesten beieinander. Es ist ein Volk. Wer nur Westeuropa kennt, weiß das nicht. Sie haben ihre eigene Tracht, eigene Sprache, Religion, Gebräuche, ihr uraltes Nationalgefühl und Nationalbewußtsein.
Alfred Döblin

*J*üdische Frauen gehen in der Menge; sie tragen schwarze Perücken, einen kleinen schwarzen Schleier darüber, vorn eine Art Blume. Einen schwarzen Schal haben sie um. Merkwürdig ein großer modern gekleideter junger Mann mit seiner eleganten Schwester; stolz geht er und trägt eine Judenkappe auf dem Kopf. Auf dem Pflaster Familien im Gespräch: zwei jüngere Männer in sauberen Kaftanen mit ihren modern gekleideten polnisch pikant geschminkten Frauen. Ein Knabe in Matrosentracht dabei, „Torpedo" steht auf seiner Mütze. Ein polnischer Schutzmann leitet auf dem Damm den Wagenverkehr. Dieses Nebeneinander zweier Völker. Junge Mädchen schlendern Arm in Arm her, sehen wenig jüdisch aus, lachen, sprechen jiddisch, tragen sich bis auf die feinen Strümpfe polnisch. Aufrecht spazieren sie. Die Schultern der Männer sind schlaff, die Rücken krumm, der Gang schleppend.
Alfred Döblin

*A*chad Haam formulierte es einmal so: der Westjude habe seine innere Freiheit verloren, um eine äußere zu erlangen, der Ostjude besitze keine äußere Freiheit, aber immer noch sich selbst. Wenn dieser „Jid", häßlich, wenig sauber, unter der Hülle seines Talles jubilierte oder schluchzte, wußte er noch immer, daß er ein Enkel Abrahams, Isaaks und Jakobs war. In ihm war der Jubelruf der Chassidim und die Inbrunst der Zaddikim, die Mystiker des Sohar und die Weisheit der Gemara – der Aufriß einer ganzen Geschichte.
Conrad Rosenstein

*W*ir deutschen Juden sind geistig gesehen Proletarier, während die polnischen Juden, die in proletarischen Verhältnissen leben, Aristokraten ihres Geistes sind.
Franz Rosenzweig

*W*arschau war die größte jüdische Gemeinde Mitteleuropas (32% der Bevölkerung). Eine schmale assimilierte Oberschicht stand einer breiten proletarischen und kleinbürgerlichen Basis gegenüber, die vor allem von Handel und Handwerk lebte.

Gegenüberliegende Seite: Markttag im Ghetto von Warschau. 1906

Oben: Straßenszene im Warschauer Ghetto. Um 1910
Unten: Spaziergang am Sabbat im jüdischen Viertel von Warschau. 1906

Die alte Synagoge . . . lag im Innern der Judenstadt. Der Stahldraht, der diesen Stadtteil einst von der Außenwelt abgeschlossen hatte, war zerschnitten. Aber auf diesen Gassen lag noch immer Kerkerstimmung. Draußen blühte die künstlerische Schönheit vergangener Zeiten, hier war das Alter nur ein häßliches Gebrechen. Wie Runzeln in einem verwitterten Gesicht kreuzten sich die engen, luftberaubten Gäßchen. Windschiefe, schmale Häuser hingen vornüber aus der Reihe, wie lockere Zähne in einem welken Kiefer. Die Armut beider Konfessionen drängte sich in diesem grauen Winkel. Darum war auch am Samstag hie und da ein Kramgeschäft geöffnet, in dem verstaubte Waren feilgeboten wurden. Die Juden feierten. In Festtagskleidern standen sie in den Eingangstüren ihrer Trödelbuden, schwatzten mit lebhaften Bewegungen der Hände und des Körpers, und schrien sich gegenseitig über die Straße hinweg zu.
Auguste Hauschner

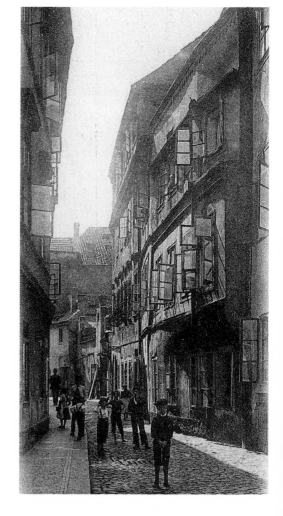

*P*rag ist die Stadt der Eigenbrötler, der Tag-Gespenster und Originale. Zuweilen, im Zwielicht des Morgens, huschen Gestalten um dich, wie aus Meyrinks „Golem" hervorgeschossen; da springt ein lebender Heuschreck mit weiten Sätzen ums Eck; Haschile, der grinsende Trottel, torkelt im Laufschritt bei vorgebeugtem Leib; Herr Grünwald, mit der Samtjoppe, der ellenlangen Halsbinde, dem dicken, turmhohen Haaraufsatz, trägt seinen Violinkasten vorbei. Ein Buckliger, ein Lahmer, ein Irrer. Aus dem Wirrsal von Ringgassen, Winkeln, Arkadenbögen, Durchhäusern, wo man wie ein foppender Spuk herausgukken und mit einer langen Nase rasch enteilen kann – kriecht uralte Kreatur.
Anton Kuh

*A*m Anfang der Assanationsaktion, anfangs der neunziger Jahre des 19. Jahrhunderts zählte die Josefstadt 128 Häuser, die in Teile geteilt waren; es gab manchmal bis zu dreißig Teile.
Josef Teige

*E*inen monströsen Fall solcher Teilung stellen die Teile a und d im Haus Nummer 213 dar. Der erste dieser Teile enthielt: im Erdgeschoß eine Küche, ein Zimmer, einen Laden, einen Keller, ein Klosett, eine Kammer und einen Holzschuppen mit Mitbenutzung des Gangs und des Hofs. Der zweite enthielt zwei Keller, Stiegen zum ersten Stock, einen Gang, ein Klosett, ein Zimmer, einen abgeschlossenen Gang, eine Küche, drei weitere Zimmer, die Stiege zum zweiten Stock, in dem Stock einen Gang, ein Klosett, zwei Zimmer eine Küche, vier weitere Zimmer, die Stiege zum Boden und den ganzen Boden über dem Gebäude zur Gasse hin mit Anteil am Gang und am Hof. Diese Teile gehörten zur gleichen Zeit vierzehn Mitbesitzern, unter denen auch einige ungeklärte Verlassenschaften waren und einige mit Anteilen partizipierten, die buchhalterisch mit sozusagen unglaublichen Brüchen ausgedrückt waren.
Emil Svoboda

*A*m 28. März 1885 wurde vom Prager städtischen Sanitätsrat beschlossen, den unteren Teil der Altstadt und die Josefstadt abzureißen. Gründe dafür waren „die große Sterblichkeit und die häufigen Krankheitsfälle an Infektionskrankheiten, die große Anzahl sanitärer und baulicher Hindernisse sowie blinde Kanäle, Übervölkerung infolge allzu großer Flächenverbauung, eine große Anzahl elender, überfüllter und unreiner, größtenteils aus einem Raume bestehender Wohnungen, Mangel an frischer Luft in dicht zusammengebauten Häusern, sowie Mangel an gutem Trinkwasser, und weiter der Umstand, daß dieser Bezirk im Inundationsgebiet liege." Mit der Assanierung wurde 1895 begonnen.
Josef Teige

Oben: „Fliegendes Kaffeehaus" in Prag. 1905
Links: Judengasse in Nikolsburg (Mähren). Photographie von Bruno Reiffenstein. Um 1920

*I*n uns leben noch immer die dunklen Winkel, geheimnisvollen Gänge, blinden Fenster, schmutzigen Höfe, lärmenden Kneipen und verschlossenen Gasthäuser. Wir gehen durch die breiten Straßen der neuerbauten Stadt. Doch unsere Schritte und Blicke sind unsicher. Innerlich zittern wir noch so wie in den alten Gassen des Elends. Unser Herz weiß noch nichts von der durchgeführten Assanation. Die ungesunde alte Judenstadt in uns ist viel wirklicher als die hygienische neue Stadt um uns. Wachend gehen wir durch einen Traum: selbst nur ein Spuk vergangener Zeiten.
Franz Kafka

*K*ennen Sie die schöne Anekdote von den zwei Juden, die vor Rothschilds Familiengruft stehen? Sie staunen die marmorne Pracht eine Weile an, dann stößt der eine den andren in die Seite und spricht aus tiefer Versunkenheit: „Das lebt!"
In diesem Friedhofausspruch glaube ich die Formel für Prag entdeckt zu haben. In keiner Stadt der Welt ist das Begrabene lebendiger, die Verwesung anheimelnder. Am Familiendunst, der aus engem Gassengewirr aufsteigt, hat die Chronik soviel Anteil wie die Gegenwart. Zu Mittag setzt sich der tote Urahne an den Tisch.
Anton Kuh

*Viele kehren zurück. Noch mehr bleiben
unterwegs. Die Ostjuden haben nirgends eine
Heimat, aber Gräber auf jedem Friedhof.
Viele werden reich. Viele werden bedeutend.
Viele werden schöpferisch in fremder Kultur.
Viele verlieren sich und die Welt. Viele blei-
ben im Ghetto, und erst ihre Kinder werden
es verlassen. Die meisten geben dem Westen
mindestens soviel, wieviel er ihnen nimmt.
Manche geben ihm mehr, als er ihnen gibt.
Das Recht, im Westen zu leben, haben jeden-
falls alle, die sich opfern, indem sie ihn
aufsuchen.*
Joseph Roth

Links: Der Eingang zum Ghetto in
Eisenstadt (Burgenland), im Vordergrund die Absperrungskette,
die am Sabbat nicht überschritten
werden durfte. Photographie von
Bruno Reiffenstein. Um 1920

Oben: Im Ghetto von Warschau.
Photographie von *Roman Vishniac.* 1938

Eine interessante Organisation besitzen die Wasserträger. In Kolomea gibt es ihrer 14, aber sie sind keine Arbeiter, sondern Unternehmer. Jeder von ihnen nennt einen Wagen mit einem langen Faß, vier Kannen und einer alten Schindmähre sein eigen; das ist seine Erwerbsquelle. Von Samstags abends bis Freitags nachmittags fährt er herum und bringt den Leuten „frisches Wasser" ins Haus. Zwei Kannen kosten 1 Kreuzer; die monatliche Zufuhr kostet 40–70 Kreuzer, je nach der beanspruchten Quantität. Jeder Wasserträger beschäftigt noch einen Arbeiter, den Kannenträger, dem er 50 Kreuzer täglich zahlt. Das Gewerbe eines Wasserträgers in Kolomea hat einen goldenen Boden, denn es ist frei von jeder Concurrenz. Die 14 Unternehmer haben die Stadt in 14 Rayons eingetheilt; keinem wird es einfallen, in das Gebiet des anderen überzugreifen. Damit erlangt auch jeder innerhalb seines Gebietes ein Monopol, aber er beutet es nicht aus, die Preise bleiben fest. Eine eigentliche Fachorganisation besitzen nur die Borstensortierer und auch die Talesweber in ihrem Verein „Einigkeit". Die anderen jüdischen Arbeiter socialdemokratisch zu organisieren, bezeichnete ein jüdischer Socialistenführer als unmöglich. Die einen, wie die Bäcker, Petroleum-Raffinerie- und Zündhölzchenarbeiter seien mit ihren Fabriken, wo sie von Generation zu Generation arbeiten, allzusehr verwachsen; die anderen, wie die Fiaker, haben Angst vor den Behörden. Aber selbst jenen Fachvereinen gehören nicht alle Arbeiter dieser Kategorien an. Vorzüglich organisiert, vielleicht die beste Fachorganisation in ganz Galizien, sind die Borstensortierer. Der Verein besitzt ein kleines Capital und wird, wenn die Mitglieder

striken, in eine Productivgenossenschaft umgewandelt. Nur dadurch gelang es den Mitgliedern dieser Branche, so hohe, vereinzelt dastehende Löhne zu erzielen. Anders bei den Taleswebern. Die älteren unter ihnen kümmern sich weder um Verein noch um Politik. Es sind mitunter Greise, die an den Webstühlen sitzen und um einen Lohn von 5 bis 7 Gulden die Woche zwölf Stunden täglich das Trittbrett bewegen und das Schiffchen zwischen den Ketten hin- und herschießen lassen. Aber die jüngeren sind Socialdemokraten. So nennen sie sich, so fühlen sie sich. Was das Endziel der Socialdemokratie ist, kann man jedoch schwer von ihnen erfahren. Sie haben es vielleicht nie gehört und

auch nicht gelesen, denn sie sind zumeist Analphabeten. Die socialdemokratischen Agitatoren unter der jüdischen Arbeiterschaft verlegen sich zumeist auf die Kritik der bestehenden Ordnung und da finden sie empfängliche Gemüter. In Kolomea und auch anderweitig findet man unter den socialdemokratisch gesinnten jüdischen Arbeitern ein buntes Gemisch von politischen und socialen Gedanken, das sich schwer mit dem waschechten Parteiprogramm deckt, aber sie sind alle darin einig: sie möchten kürzere Arbeitszeiten und bessere Löhne. „Uns ist schlecht, wir wollen besser leben, wir arbeiten ja" – sagte einer.
Saul Raphael Landau

*D*er Fremde wird unter der wimmelnden Menge der Judengasse eine Klasse Menschen gleich herausfinden, die sich durch ihr Äußeres von den anderen Menschen unterscheiden; während fast alle Juden bürgerliche Kleider tragen, sind diese in grobe Leinwand oder Segeltuch bekleidet, und ein Bündel Stricke hängen über der Achsel herunter. Sie stehen oder lagern auf der Gasse müßig und plaudern im gemeinsten Jargon. Dies sind jüdische „Eckensteher", Lastträger, vom Volke kurzweg „Träger" genannt. Sie werden zu der niedrigsten und ungebildetsten Klasse des Volkes gezählt und kein Mensch tritt gern in Verwandtschaft mit dieser Branche. Der Jude besitzt mehr als jede andere Nation Ahnenstolz und ein Prager Jude ist ein echter Aristokrat. Es ist wahr, der Träger ist roh, die Geistesfortschritte der Zeit sind an ihm spurlos vorübergegangen. Dafür aber ist er grundehrlich. Ihr könnt ihm Schätze an Gold und Juwelen übergeben, ihn damit da oder dort hinschicken, er bringt's euch an Ort und Stelle, kein Splitter wird davon fehlen. Ihr braucht nicht mitzugehen, sagt nur, in welches Haus er das vertraute Gut tragen soll, er bringt's und wartet oft viele Stunden auf euch, es zu übergeben und seinen Lohn zu empfangen . . .
Nicht wahr, ein saures Brot? Und doch gibt's Geizhälse, die einem solchen armen Lastträger von den kleinen Forderungen noch abzwacken. Am Sabbat und am Festtag werdet ihr ihn nicht mehr erkennen. Das Gesicht fein barbiert, hübsch gekleidet, einen „Thallisbeutel" von Seidenstoff in der Hand, schreitet er gravitätisch durch die Gasse nach der „Schul", wo er einen Sitz gepachtet hat und auch eine bedeutende Rolle dort spielt. Nachmittag trinkt er beim „Roten Adler" seine Tasse Schwarzen, spaziert dann mit seinem Weibe auf dem Glacis oder im canalischen Garten, hinter „Lämmel" und „Jerusalem", macht in neuerer Zeit vielleicht auch Politik, denkt an die „schöne Emanzipation" und ruft: „Auch ich bin ein Bürger!", und recht hat der Mann. Wer trägt mehr Lasten im Staate als er?
Georg Leopold Weisel

*E*s hätte ja schlimmer sein können, und für „besser" gibt es ja überhaupt keine Grenzen.
Scholem Alejchem

*D*ie auffällige Masse alter weißbärtiger Männer. Viele schmutzige, zerrissene Kaftane. Aus blassen und gelben bärtigen Gesichtern blicken sie. Heftiges Geschäftsleben auf Trottoir und Damm; es lehnen auch viele an den Mauern mit ganz ruhigem, stumpfem Ausdruck. Nebeneinander hocken fünf ganz zerlumpte Männer vor einem Hausflur, Stricke um den Leib gebunden: Träger. Jiddische Zeitungen werden ausgerufen. Aus den großen tiefen Läden steigen Männer, schleppen Säcke. Wie grausig zerlumpt sie sind, Stiefel mit hängenden Sohlen, Ärmel ausgerissen, Nähte geplatzt. Ein Junge führt einen Mann mit weißen toten Augen; sie betteln. Eine alte schmierige Frau drängt sich an die Passanten heran, hält die Hand hin. Vor einem amtlichen Papierosykasten am Straßenbord hocken drei ältere Juden, plaudern, rauchen. Wie viele herumstehen, sich umblikken, warten, warten, warten. Öfter kommt ein Windstoß; dann fliegen ihre langen schwarzen Mäntel auf, die weißen rituellen Schaufäden werden sichtbar. Ein kleiner dikker Mann steht mit einem mächtig geknoteten Strick um den Leib vor einem Schaufenster, schwarzbärtig, mit gelehrtem Gesicht. Sein fettiger Kaftan und seine Hosen sind ein Fetzen. Manche wandern in kleinen langsamen Trupps.
Alfred Döblin

Rechts: Lastträger warten auf Arbeit vor dem Stadttheater in Wilna (Litauen), einem Zentrum der jüdischen Arbeiterbewegung. Um 1916

Ich bin in der großen Verlegenheit, Menschen gegen ihren Willen Proletarier nennen zu müssen. Einigen kann ich die mildernde, in Westeuropa erfundene unsinnige Bezeichnung „geistige Proletarier" konzedieren. Es sind dies die Toraschreiber, die jüdischen Lehrer, die Gebetmäntelhersteller und die Wachslichterzeuger, die rituellen Schlächter und die kleinen Kultusbeamten. Es sind, sagen wir: konfessionelle Proletarier. Dann aber gibt es noch eine ganze große Schar von Leidenden, Getretenen, Mißachteten, die weder im Glauben noch in einem Klassenbewußtsein, noch in einer revolutionären Gesinnung Trost finden. Zu ihnen gehören zum Beispiel die Wasserträger in den kleinen Städten, die von morgens früh bis zum späten Abend die Fässer in den Häusern der Wohlhabenden mit Wasser füllen – gegen einen kargen Wochenlohn. Es sind rührende, naive Menschen, von einer fast unjüdischen körperlichen Kraft. Ihnen sozial gleichgestellt sind die Möbelpacker, die Kofferträger und eine ganze Reihe anderer, die von Gelegenheitsarbeiten leben – aber von Arbeiten. Es ist ein gesundes Geschlecht, tapfer und gutherzig. Nirgends ist Güte so nahe bei körperlicher Kraft, nirgends Roheit so fern von einer groben Tätigkeit wie beim jüdischen Gelegenheitsarbeiter.
Joseph Roth

Rechts: Der Schadchen (Heiratsvermittler). Photographie von *Roman Vishniac*. Um 1935
Unten: „Tewje, der Milchmann" – die Figur der Erzählung von Scholem Alejchem war keine Phantasiegestalt, sie existierte recht und schlecht im Schtetl-Milieu. Um 1910
Gegenüberliegende Seite: Klezmorim, die traditionellen jüdischen Musikanten: Musikgruppe aus Rohatyn (Galizien). 1912

Der Vermittler fragt: „Was verlangen Sie von Ihrer Braut?" – Antwort: „Schön muß sie sein, reich muß sie sein und gebildet," – „Gut", sagt der Vermittler, „aber daraus mach' ich drei Partien."
Sigmund Freud

Gleich anderen jüdischen Landlehrern befaßte sich mein Vater auch mit der Vermittlung von Ehen, war also „Schadchan". Denn in den meist kleinen jüdischen Landgemeinden waren wegen der geringen Anzahl Heiratsfähiger geeignete jüdische Partner nicht leicht zu finden.
Willi Wertheimer

Fast jeder im Städtchen kannte den kleinen, hageren Juden, den man allgemein „Herschko, der Musikant" nannte. Er war ein kleines Männchen mit scheublickenden Augen, die im mageren Gesichte so tief verborgen lagen, als wollten sie jeden Augenblick in die Augenhöhlen versinken. Und wie seine Augen, so war sein ganzes Wesen: scheu und verborgen.

Er war Geiger von Beruf und vor einigen Jahren hierher gekommen, wo er eine Musikgruppe gründete, der er als Kapellmeister vorstand. Außer ihm gehörten zur Truppe noch fünf Mann. Davon spielten zwei Geige, einer Baß, der vierte blies die Flöte, wogegen der letzte die große Trommel, den Triangel und die Becken schlug. Die Seele der Kapelle war aber Herschko; er gab ihr Takt und Klang und Halt. Und seine fünf Mann umgaben ihn mit treuer Anhänglichkeit, sanfter

Verehrung und stiller Bewunderung; denn Herschko war ein Künstler in seinem Beruf: Wenn er Geige spielte, da hatte man die Empfindung, als ob der kleine unansehnliche Herschko mit den Tönen wachse und alle Zuhörer weit überrage.

Die Hauptsaison für die Tätigkeit der Kapelle war der Winter. Es gab dann Feuerwehr-, Veteranen- und Kasinobälle, wie auch diverse Tanzkränzchen. Am einträglichsten waren jedoch die Hochzeiten. Diese gehörten aber hier zu den seltenen Ereignissen, weshalb der Verdienst der Kapelle ziemlich karg war und deren Mitglieder gezwungen waren, neben diesem ihrem Künstlerberufe noch einen anderen auszuüben.

Lorenz Scherlag

Die Melodien sind lang, der Körper vertraut sich ihnen gerne an. Infolge ihrer gerade verlaufenden Länge wird ihnen am besten durch das Wiegen der Hüften, durch ausgebreitete, in ruhigem Atem gehobene und gesenkte Arme, durch Annäherung der Handflächen an die Schläfen und sorgfältige Vermeidung der Berührung entsprochen.

Franz Kafka

Der Berditschewer sah einst einen Fuhrmann, der, zum Morgengebet mit Tallit und Tefillin angetan, die Räder seines Wagens mit Schmiere bestrich. „Herr der Welt", rief er begeistert aus, „schau dir diesen Mann an, schau die Frömmigkeit deines Volkes an! Auch noch wenn sie die Wagenräder schmieren, gedenken sie deines Namens."

Martin Buber

*David Leb Magdeburger war ein Kund-
schaftgeher. Wißt Ihr was das ist? Nicht! –
Gut, so wollen wir Euch's erklären. Zu der
Zeit, in der unsere Geschichte spielt, waren
die Juden in Österreich, Böhmen, vorzugs-
weise aber in Prag fast ausschließlich auf den
Handel angewiesen. Eine eigene Art von
Geschäftsleuten bildeten die „Kundschaftgeher". Es waren dies ambulante Handelsleute,
die keine Warenlager hielten, nur das kauften, was sie für ihre Kundschaften brauchten,
und diesen alles, was sie benötigten, ins Haus
brachten. Die Zahlung für die gelieferten
Waren empfingen sie teils in Tauschwerten,
teils in kleinen monatlichen oder wöchentlichen Raten. Ein richtiger Kundschaftgeher
mußte alles Erdenkliche herbeischaffen, ja er
war, wenn er mit seinem Geschäftsfreunde
auf gutem Fuße stand, dessen Freund, Berater, zuweilen sogar sein Gewissensrat. Wenn
der Hausvater einen Winterrock, die Mutter
Ohrringe, der Sohn eine silberne Uhr brauchte, war es der „Hausjud" – so wurde der
Kundschaftgeher von seinen christlichen Ge-
schäftsfreunden bezeichnet –, der alles das
auftreiben mußte und als starke à-conto-
Zahlung einige alte Schlafröcke, ein heiseres
Spinett, ein unbrauchbar gewordenes Jagdge-
wehr, einen pensionierten kupfernen Wasch-
kessel, wohl auch etwelche Mäusefallen oder
andere mehr oder weniger nützliche Gegenstände zu mäßigen Preisen annahm und den
Rest in wöchentlichen Ratenzahlungen erhielt.
Da, wo der Kundschaftgeher nicht nur Hausjud, sondern auch Hausfreund war, wurde
seine Hilfe auch bei ganz anderen Veranlas-
sungen in Anspruch genommen. Wenn sich
z. B. der Babi, der hübschen Tochter des
Altstädter Stadtviertlers Karbatsch, ein junger Witwer aus der obern Neustadt mit
deutlich ausgesprochenen Heiratsabsichten
näherte, und die Eltern des Mädchens, ohne
Aufsehen zu erregen, Erkundigungen über
den Freier einziehen wollten, wurde zu diesem freundschaftlichen Spionendienste gerne
der Hausjud, rectius Kundschaftgeher verwendet. Dieser kam in verschiedene Häuser,
hatte Gelegenheit, dies und das zu hören, und
war, was ihn namentlich ganz besonders
hierzu qualifizierte, ein ganz ungefährlicher,
parteiloser, neutraler Mensch, er konnte nie
selbst in die Lage kommen, den Heiratskan-
didaten, über den er referieren sollte, für
seine Tochter, seine Schwester, seine Nichte
zu acquirieren. Wer damals die Idee einer
Mischehe ausgesprochen hätte, wäre unbe-
denklich als ein vollkommen verrückter
Mensch betrachtet worden.
Der Kundschaftgeher war von Montag früh
bis Freitag abend auf den Beinen, fleißig,
tätig, regsam. Vor Anbruch des Freitagabends
schloß er seine Geschäftätigkeit. Samstags
war er – in seinem eigenen Hause – ein
König.*
Salomon Kohn

*V*on Armut und Verfolgung niedergehalten, von Pogromen erschüttert, von einem archaischen Messianismus betäubt, zwischen den Hoffnungen des Zionismus einerseits, des revolutionären Sozialismus andererseits zerrissen, schwebte das osteuropäische Judentum beständig über einem Abgrund. Der jüdische Luftmensch, ökonomisch unproduktiv und wurzellos, wie er war, kämpfte ebenso hoffnungslos wie zäh um sein Überleben, und überlebte tatsächlich wie durch ein Wunder. In seiner Phantasie erhob er sich über die Realitäten seiner Existenz und strebte den luftigen Höhen erfüllter Wünsche zu, nur um ein ums andere Mal in die rauhe Wirklichkeit hinabgeschleudert zu werden. Die jüdische Vorstellungswelt suchte dieser Realität zu entkommen und das Leben wechselvoll, hell und voll überraschender Wunder darzustellen; und jüdischer Humor und jüdische Selbstironie weinten und lachten über diesen beständigen Zusammenstoß von Hoffnung und Wirklichkeit.
Isaac Deutscher

*D*ann gab es die „Luftmenschen", wie sie der jüdische Klassiker Scholem Alejchem so köstlich beschrieben hat. Sie hatten keinen Beruf, sie hatten kein Geld, aber sie hatten „Ideen". Damit machten sie Geld und manchmal auch Pleite. Denn wenn einer darauf kam, mit einer bestimmten Ware zu handeln, sagen wir, mit Unterwäsche, dann stürzte sich ein Dutzend solcher Luftmenschen auf diesen Artikel, und alle zusammen machten sie Pleite. Aber sie fanden sehr schnell wieder eine andere „Idee".
Mischket Liebermann

Links: Lastträger aus Galizien.
Um 1910

*D*ie Gassen und Gäßchen in der Nähe der alten Lemberger Synagoge bilden eine kleine Stadt für sich. Hier scheint die Großstadt seit einem Jahrhundert in der Entwicklung stehengeblieben zu sein. Nur selten kommt die Sonne in diese engen, winkeligen Gassen. Die Häuser sind alt und die Höfe schmutzig und düster. Und jeder Hof ist eine Straße für sich mit verfallenen Häuserteilen und gebückten, wunderlichen Giebeln, die sich im Dunkeln wie kauernde Ungeheuer ausnehmen. Man wagt es kaum aufrecht zu gehen, aus Furcht, es könnten die alten Mauern jeden Augenblick zusammenstürzen . . .

Diese Häuser werden vom Dachboden bis in die Kellerräume von armen jüdischen Familien bewohnt. Alle leben sie vom Handel. Die kleinen, dunklen Läden sind mit allen möglichen Gegenständen angefüllt. Da sieht man Möbel und Hausgeräte, Bücher und Kinderspielzeug, Hüte und Schuhe in allen Formen, alte Kleider, Livreen und abgediente Uniformen in jeder Größe und Farbe liegen und hängen bunt durcheinander. Was in der Stadt morsch und unbrauchbar geworden ist, wird hierhergebracht, und kein Ding ist so schlecht, daß es hier nicht seinen Käufer findet.

Auf der Straße ist ein ständiger Jahrmarkt. Ein Stand reiht sich an den anderen. Jüdinnen mit falschen Scheiteln oder schmutzigen Tüchern auf den Köpfen, alte und frühgealterte, verkaufen Obst, Gemüse und Backwerk zu den billigsten Preisen. Neben den Hökerinnen sitzen die Flickschuster über ihre Arbeit gebückt. Daneben sieht man einen Buchhändler mit alten Zeitschriften, Gebetbüchern und Hintertreppenromanen. Zwischen den Buden tummelt sich ein Heer von Käufern und Maklern. Juden mit verstaubten, schmutzigen Gesichtern drängen sich durch die Menge. Sie tragen alte, fadenscheinige Cylinder auf den Köpfen und zerfetzte Schirme in den Händen . . . Krüppel und Bettler suchen lautjammernd im Gewühl vorwärtszukommen . . .

An den Straßenecken stehen Schuhputzer, Lastträger und bettelnde Judenjungen in zerrissenen Kaftanen, mit bleichen, hungrigen Gesichtern.

Tag für Tag tobt hier der Kampf um das bißchen Leben . . .

Wie klein ist der Erlös dieser Leute, die das Schicksal auf dieses Stückchen Erde zusammengetragen hat. Sie plagen sich, um nur den Hunger zu stillen. Wenige Kreuzer Verdienst machen sie glücklich und spornen ihre Tatkraft auf's Neue an. Hier sitzt eine Frau mit Äpfeln. Ihr Warenlager ist vielleicht eine Krone wert. Sie muß sich vom Ertrag des Obstes ernähren und weicht den ganzen Tag nicht von ihrem Platze. Weder Hitze noch Kälte können sie vertreiben . . . Etwas weiter verkauft ein Mann Gefrorenes, „den Löffel um einen Kreuzer". – Andere wieder bieten

Knöpfe, Bürsten, Schusterpech, Stiefelwichse und Zündhölzchen zum Kaufe an . . . Ein Weib trägt eine Kanne Limonade herum und alle paar Augenblicke erschallt ihr Ruf: „Wer will sich erquicken! A Cal! A Cal! Ein langes Leben! Kalt, aber gut für den bösen Hals! Ein langes Leben für einen Kreuzer . . .!" Ein Junge steht auf einer Kiste. Er hält die Hände vor den Mund wie ein Sprachrohr und schreit immerwährend: „Saaaktücher . . .! Drei Kreuzer das Stück . . .! Für große Nasen. Für kleine Nasen! Saaaktücher! Nur drei Kreuzer!"

Die Gassen sind voll fliegender Händler, und gleichmäßig ertönen die Stimmen der Ausrufer . . . Ausgemergelte Frauen, blasse, abgemagerte Kinder und bleiche, bekümmerte Männer schleppen schwere Eimer, Körbe, Kisten . . . Sie preisen ihre Waren in allen Tonarten an und suchen einander zu überbieten, zu überschreien . . . Wie verfolgt hasten sie durch's Leben, immer in Angst vor dem Morgen . . . Den ganzen Tag sind sie in voller Tätigkeit, unermüdlich, ohne zu klagen . . . Keiner hat einen direkten Beruf . . . Heute fährt einer mit dem Obstkarren und morgen handelt er schon mit alten Kleidern . . .

So ist das Treiben in diesen Gassen von früh bis spät – bis der Samstag kommt. Das ist der heilige Ruhetag für diese Geplagten. An diesem Tag sind sie Menschen . . . Sie schlafen und essen und unterhalten sich über die Weltereignisse . . .
Hermann Blumenthal

*E*in Hausierer trägt Seife, Hosenträger, Gummiartikel, Hosenknöpfe, Bleistifte in einem Korb, den er um den Rücken geschnallt hat. Mit diesem kleinen Laden besucht man verschiedene Cafés und Gasthäuser. Aber es ist ratsam, sich vorher zu überlegen, ob man gut daran tut, hier und dort einzukehren.
Joseph Roth

*I*n den siebziger Jahren des vorigen Jahrhunderts lebte in Prag ein junger Schnorrer, Popper; er wollte nicht arbeiten, sondern lebte von Gaben und als Minjanmann. Die reichen Juden von Prag errechneten, daß sie billiger kämen, wenn sie ihm eine Fahrkarte nach Amerika kaufen würden, eine einmalige Investition. Nordamerika sollte bewahrt werden; nach Südamerika verschiffte man aus Prag Bleche, und Popper sollte mitfahren und sein Glück in Argentinien suchen.
Leo Brod

*D*ie fliegenden Händler und „Luftmenschen" . . .
Oben: Sesselflicker aus Wilna (Litauen). Um 1900

Unten: Straßenhändler aus Warschau. Um 1900
Gegenüberliegende Seite: Schneider (links) und Altwarensammler aus Krakau. 1904

*Ich kam an einem Sonntagabend in eine
kleine ostgalizische Stadt. Sie hatte eine
Hauptstraße mit ganz gleichgültigen Häusern. Jüdische Händler wohnen in dieser
Stadt, ruthenische Handwerker und polnische
Beamte. Der Bürgersteig ist holprig, der
Fahrdamm wie die Nachbildung einer Ge-
birgskette. Die Kanalisation ist mangelhaft.
In den kleinen Seitengassen trocknet Wäsche,
rotgestreift und blaukariert. Hier müßte es
doch nach Zwiebeln duften, verstaubter
Häuslichkeit und altem Moder?
Nein! In der Hauptstraße dieser Stadt entwickelte sich der obligate Korso. Die Kleidung der Männer war von einer selbstver-
ständlichen, sachlichen Eleganz. Die jungen
Mädchen schwärmten aus wie Schwalben,
mit hurtiger, zielsicherer Anmut. Ein heiterer
Bettler bat mit vornehmem Bedauern um ein
Almosen – und es tat ihm leid, daß er
gezwungen war, mich zu belästigen. Man
hörte Russisch, Polnisch, Rumänisch, Deutsch
und Jiddisch. Es war wie eine kleine Filiale
der großen Welt. Dennoch gibt es in dieser
Stadt kein Museum, kein Theater, keine
Zeitung. Aber dafür eine jener „Talmud-
Tora-Schulen", aus denen europäische Gelehrte, Schriftsteller, Religionsphilosophen
hervorgehen; und Mystiker, Rabbiner, Wa-
renhausbesitzer.*
Joseph Roth

Links: Naftali Grinband, Uhrmacher in Góra-Kalwarja (Galizien). Photographie von *Alter Kacyzne*. 1928

*E*r war etwas unheimlich Schwarzes und unheimlich Kolossales. Man hätte nicht sagen können, daß sein Vollbart, sein glatter, blauschwarzer Vollbart, das braune, harte, knochige Angesicht umrahmte. Nein, das Angesicht wuchs geradezu aus dem Bart hervor, als wäre der Bart gleichsam früher dagewesen, vor dem Antlitz noch, und als hätte er jahrelang darauf gewartet, es zu umrahmen und es zu umwuchern.
Joseph Roth

Rechts: Chone Schlaifer, fünfund-
achtzigjähriger Schirmmacher in
Lomza (Polen). Photographie von
Alter Kacyzne. 1927
Unten: Galizischer Schuster. Um
1910

*M*an weiß von sechsund-
dreißig Zadiks. Das sind keine
Rebbes, sondern anonyme Gerechte im Volk. Sie dürfen sich nicht
offenbaren, und niemand errät sie;
sie können Schuster und Schneider
sein. Auf diesen stillen verborgenen
sechsunddreißig Gerechten ruht die
Welt. Wären sie nicht da, ginge sie
unter. Wenn einer von ihnen stirbt,
wird ein anderer geboren.
Alfred Döblin

*M*an leugnet im Westen auch den jüdischen
Handwerker. Im Osten gibt es jüdische
Klempner, Tischler, Schuster, Schneider,
Kürschner, Faßbinder, Glaser und Dachdek-
ker. Der Begriff von Ländern im Osten, in
denen alle Juden Wunderrabbis sind oder
Handel treiben, die ganze christliche Bevölkerung aus Bauern besteht, die mit den
Schweinen zusammenwohnen und aus Herren, die unaufhörlich auf die Jagd gehen und
trinken, diese kindischen Vorstellungen sind
ebenso lächerlich wie der Traum des Ostjuden von einer westeuropäischen Humanität.
Dichter und Denker sind unter den Menschen
im Osten häufiger als Wunderrabbis und
Händler. Im übrigen können Wunderrabbis
und sogar Händler im Hauptberuf Dichter
und Denker sein, was westeuropäischen Ge-
nerälen zum Beispiel sehr schwerzufallen
scheint.
Joseph Roth

*W*ir wissen, daß unsere Vorväter die Genossen der Männer waren, die wir heute in
den Städten Litauens, Polens und Galiziens
finden; nein, daß diese in den Hügellanden
Frankens und den deutschen Ebenen lebten
wie wir. Heute nun sprechen wir verschiedene Sprachen, denken andere Gedanken, leben
ein anderes Judentum, essen andere Speisen,
messen mit anderen Maßen und haben ein
Teil unserer Seele von Europa eingetauscht,
unseres Jüdischen einen Teil dafür gebend.
Nicht ganz fünf Generationen hat es an uns
geformt, das europäische Schicksal und seine
Freiheit, seine neue Luft, seine herrlichen
künstlerischen Werte, sein verschmelzender
und enteignender Atem: und schon bedurfte
es der alleräußersten Not, um uns zur Besinnung zu rufen, Not des Herzens, Not des
Gedächtnisses und Not des Antlitzes: Denn
aus dem strengen, verzichtenden und vor-
wärtsgewandten Antlitz des Juden, des Zeugen von der Ohnmacht der Zeit und von der
Unzerstörbarkeit der vom Willen erkorenen
nationalen Substanz, hatte sie die schwammi-
ge, zerfließende und nivellierende Fratze des
Händlers einer nordischen Levante gemacht,
bestimmt dazu, im Brei der ewigen „Jetzt-
zeit" aller Großstädte zu verschwinden ...
Der greise Jude des Ostens aber wahrte sein
Gesicht. Es sieht uns aus den Erzählungen
Mendels an, dies Gesicht: treuherzig und
verträumt und von einer Reinheit, die sich
nur erkauft mit Verzicht auf die breiten
Tätigkeiten und das Glück der breiten Tätigkeit.
Arnold Zweig

*E*in Rabbi zerbrach sich oft den Kopf dar-über, wie Simson unter die heiligen Männer und Propheten kam, die Geschichte dieses gewaltigen Raufbolds in die geweihten Blät-ter des frömmsten Buches. Da belehrte ihn eine Begebenheit darüber. Einmal ließ ihn der Fürst zu sich rufen – es war im Mittelalter – und wollte von ihm das Geheimnis erpres-sen, wie man den Juden beikommen könnte. Wenn er ihm das Zaubermittel verriete, ver-sprach er dem Rabbi, der ihm als der weiseste und zugleich der ärmste Mann der Gemeinde bekannt war, ein großes Rittergut; weigerte er sich aber, so sollte er aufs Rad geflochten werden. Dalilahs Frage an Simson: „Worin liegt Deine Stärke, Simson?"
Der Rabbi zögerte lange mit der Antwort. Wie schwer war es, eine zu finden, die seinem Volke nicht schaden konnte! Da aber bei dem Fürsten in dieser Beziehung nichts zu verlie-ren war, sagte er schließlich die Wahrheit: „Das Judentum bleibt so lange stark, als es dem Gelübde, das es in seiner Kindheit ablegte, treu bleibt. Ob nun das Messer nicht ans Haupthaar zu legen oder koscher zu essen und den Sabbat zu halten, die naive Formel dafür ist.
Der Jude ist dadurch nicht umzubringen, daß man ihm Heimat, Ruhe und Wohlergehen nimmt. Je mehr man es versucht, desto zäher wird er. Den Juden ist nur beizukommen, sie sind nur zu vernichten, wenn man dafür sorgt, daß es ihnen gut geht, wenn man sie als Brüder behandelt. Je wohler sie sich fühlen, desto schwächer wird ihr Judentum, desto leichteren Herzens verlassen sie es."
Der Fürst dachte, der Rabbi mache sich über ihn lustig und ließ schon Vorbereitungen zur Folter treffen. Der Rabbi mußte sich rasch noch ein paar Zaubersprüche ausdenken, die jeder Erstgeborene der Gemeinde in einer bestimmten Stunde sagen müsse und ähnli-ches, um loszukommen.
Oskar Baum

*A*ls der Gerer Rabbi den Rabbi von Rižin in Sadagora besuchte, fragte ihn dieser: „Gibt es in Polen gute Landstraßen?" „Ja", antworte-te er. „Und wer", fragte der Rižiner weiter, „übernimmt die Arbeit daran und leitet sie, Juden oder Nichtjuden?" „Juden", antworte-te er. „Wer sollte auch sonst", rief der Rižiner, „sich aufs Wegemachen verstehen!"
Martin Buber

*I*mmer und immer wieder hebt er sein vor Ausdruck leidendes Auge empor aus den Ebenen des Leids, groß und flammend steht seine Hoffnung in den Sternen des nacht-schwarzen Himmels: Die Hoffnung auf Dauer.
Arnold Zweig

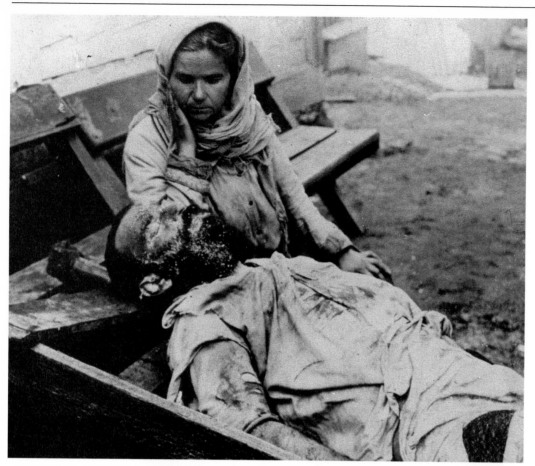

Es waren dort Pogrome, und wer konnte, floh aus den Ländern. Da schuf mein Vater eine Flüchtlingsorganisation. Es war seinem Bemühen zu danken, daß in unserer Stadt sich alles friedlich abwickelte. Man mietete ein Haus zur Unterbringung. Mein Vater wandte sich sofort an den Hilfsverein der Deutschen Juden und an die Alliance Israélite Universelle, um Hilfsgelder für seinen Plan zu erhalten. Die Mittel waren bescheiden, aber ich bin sicher, daß er persönlich beisteuerte.
Max Daniel

Denn über dem Leben derer, deren Blut in ihm floß, war Gerechtigkeit wie eine Sonne gestanden, deren Strahlen sie nicht wärmten, deren Licht ihnen nie geleuchtet und vor deren blendendem Glanz sie dennoch mit zitternden Händen, ehrfürchtig ihre leidenerfüllte Stirne beschatteten.
Vorfahren, die irrend, den Staub aller Heerstraßen in Haar und Bart, zerfetzt, bespieen mit aller Schmach, wanderten; alle gegen sie, von den Niedrigsten noch verworfen – aber nie sich selbst verwerfend; nicht, in bettelhaftem Sinn, ihren Gott ehrend nach dem Maß seiner Gaben; in Leiden nicht zum barmherzigen Gott – zu Gott dem Gerechten rufend.
Richard Beer-Hofmann

Oben: Nach einem russischen Pogrom in Kischinew (Bessarabien). 1905
Rechts: Auf der Flucht. Galizien. Um 1915

Reisen, müssen Sie wissen, kann man aus zwei Gründen. Entweder um irgendwohin zu kommen, oder um irgendwo wegzukommen.
Bruno Kisch

Zu den lächerlichen Unwahrheiten, die die Juden über sich verbreiten lassen, gehört die Rede vom Wandervolk der Juden. Ließe man sie einmal in Ruhe, sie gingen nicht mehr vom Fleck. Wo die Gräber ihrer Vorfahren sind, da spüren sie ihre Wurzeln, da sind sie zu Haus. Und, als hoffnungslose Minderheit und wehrlos, daher äußerst geeignet zur Abfuhr von Massenunzufriedenheiten, verjagt man sie von ihren Sitzen und nennt sie dann Nomaden.
Arnold Zweig

Der Baalschem sprach: „Was bedeutet das, was die Leute sagen: ‚Die Wahrheit geht über die ganze Welt?' Es bedeutet, daß sie von Ort zu Ort verstoßen wird und weiterwandern muß."
Martin Buber

Rechts und unten: Galizische Juden auf der Flucht vor der zaristischen Armee. 1914/15

Der Krieg zog durch die galizischen Dörfer, die im Dreck oder im Feuer versanken. Ich sah diese jüdischen und chassidischen Siedlungen, ihre unendliche Not, Enge und die Verzweiflung ihrer Einwohner, die nicht begriffen, warum die Vernichtung und das Morden stattfanden, und warum all das auf ihre Köpfe fiel. Sie flüchteten verzweifelt zu Fuß aus den Gegenden in der Nähe der Front, . . . Diese herzzerreißenden Bilder . . . paßten nicht zur naiven, sorgenlosen, fast kindlichen Freude, in der sie vor der Kriegskatastrophe lebten und die der Grundton allen Lebens der Chassidim war.
Frantisek Langer

103

*D*er Ostjude sieht mit einer Sehnsucht nach dem Westen, die dieser keinesfalls verdient. Dem Ostjuden bedeutet der Westen Freiheit, die Möglichkeit, zu arbeiten und seine Talente zu entfalten, Gerechtigkeit und autonome Herrschaft des Geistes. Ingenieure, Automobile, Bücher, Gedichte schickt Westeuropa nach dem Osten. Es schickt Propagandaseifen und Hygiene, Nützliches und Erhebendes, es macht eine lügnerische Toilette für den Osten. Dem Ostjuden ist Deutschland zum Beispiel immer noch das Land Goethes und Schillers, der deutschen Dichter, die jeder lernbegierige jüdische Jüngling besser kennt als unser hakenkreuzlerischer Gymnasiast.
Joseph Roth

Oben: Flüchtlinge auf einem Bahnhof an der deutsch-polnischen Grenze. Um 1918
Unten: Flüchtlinge in einem Massenquartier, das in der Synagoge von Brest-Litowsk (Litauen) eingerichtet wurde. Um 1918
Rechts: Auswanderungswillige Juden im Personenzug nach Danzig (Gdansk). Um 1925

*E*ines Tages verbreitete sich die Nachricht, Mosche Blecher wandere mit seiner Familie nach Israel aus. Ich weiß nicht mehr, wie groß seine Familie war, aber ich erinnere mich an einen erwachsenen Sohn, oder vielleicht zwei. Mosche Blechers Entschluß, nach Palästina zu gehen, entsprang keiner Laune, er war das Ergebnis eines tiefsitzenden Dranges. Jedermann fragte sich, warum er so lange gewartet hatte.

Die Einzelheiten dieses Aufbruchs sind mir nur undeutlich in Erinnerung, denn ich war damals noch ziemlich jung. Viele Leute besuchten ihn in seiner Kellerwohnung, übergaben ihm Briefe, die er an der Klagemauer, an Rachels Grab oder vielleicht vor der Höhle von Machpelah niederlegen sollte. Ältere Leute baten ihn um ein Säckchen mit heiliger Erde. Mosche Blecher ging in heiterer Erregung umher. Sein Blick war trunken von Sehnsucht, Erwartung und Seligkeit, die nicht von dieser Welt waren. Das Heilige Land schien ihm ins Gesicht geschrieben zu sein, das irgendwie einer Landkarte glich.

Eines Abends fuhr ein Wagen vor bei uns, so riesengroß, daß er mehr wie ein Eisenbahnwaggon aussah. Ich kann mir bis heute nicht erklären, warum Mosche Blecher einen solchen Wagen gemietet hatte. Vielleicht nahm er seine Möbel mit? Die Krochmalna war plötzlich voll von Juden. Sie waren erschienen, um Abschied zu nehmen.

Sie küßten Mosche, weinten und sprachen den Wunsch aus, der Messias möge kommen und dem Exil ein Ende bereiten. Mosche Blechers Reise schien auf das Kommen des Erlösers hinzuweisen, als wäre er sein Vorläufer oder Günstling. Daß Mosche Blecher mit seiner ganzen Familie nach Palästina fuhr, mußte Zeichen dafür sein, daß das Ende der Tage nahe war.

Isaac Bashevis Singer

<u>Unten</u>: Im Warteraum der HIAS, der 1888 in New York gegründeten „Hebrew Sheltering and Immi- grant Aid Society of America", in Warschau. 1921

Die meisten jüdischen Emigranten haben den Ehrgeiz, nicht zu schreiben, solange es ihnen schlecht geht; und das Bestreben, die neue Wahlheimat vor der alten herauszustreichen. Sie haben die naive Sucht des Kleinstädters, den Ortsgenossen zu imponieren. In einer kleinen Stadt des Ostens wird der Brief eines Ausgewanderten eine Sensation.
Joseph Roth

Ich bin ein Ostjude, und wir haben überall dort unsere Heimat, wo wir unsere Toten haben . . . Mein Sohn wird ein ganzer Amerikaner sein, denn ich werde dort begraben werden.
Joseph Roth

Links: Auswanderer auf einem Dampfer der Hamburg-Amerika-Linie (HAPAG). Photographie von Joseph Byron. Um 1908

Oben: Polnischer Einwanderer auf dem Weg in die Neue Welt. 1907

107

Unsere radikale Verelendung – doch nicht nur sie – bewirkte, daß ich alles um mich herum, besonders die Menschen auf der Straße anders zu sehen begann als vorher: jeden in seiner Besonderheit, in seiner Gangart; eines jeden Gesicht und Kleidung. Dabei ist es geblieben, denn meine Aufmerksamkeit für alle, die meinen Weg kreuzen, ist noch immer nicht abgestumpft. Abgesehen von meinem – gewiß auch physischen – Sehbedürfnis, einer Art visuellen Hungers, wirkt hier jene Wiener Situation nach. Sie hat in mir etwas gefördert, was man als „nackte Menschlichkeit" bezeichnen könnte. Das bedeutet weder Menschenliebe noch das Gegenteil, sondern die Unfähigkeit zur Gleichgültigkeit gegenüber allem, was die Menschen betrifft, also in erster Linie gegenüber ihrem Dasein. Im Städtel, in jedem kleinem Dorf ist einem kaum jemand, dem man begegnet, wirklich unbekannt, es sei denn, er wäre wirklich ein Fremder. In der Großstadt ist es umgekehrt: jene, die einem nicht fremd sind, bilden die Ausnahme. Ich ging nun durch die Straßen der Großstadt, nicht fähig und nicht willens, mich mit dieser Fremdheit abzufinden. Fand ich mich damit ab, daß sie mich nicht interessierte, nichts anging, so gingen sie, sie alle mich dennoch an.
Manès Sperber

Wir kannten den Talmud und waren durchtränkt vom Chassidismus. Seine Idealisierungen empfanden wir nurmehr als Sand, der uns in die Augen gestreut worden war. Wir waren in der jüdischen Vergangenheit aufgewachsen. Wir lebten mit dem elften, dem dreizehnten und dem sechzehnten Jahrhundert jüdischer Geschichte Tür an Tür, ja, unter einem Dach. Dem wollten wir entfliehen, um im zwanzigsten Jahrhundert zu leben. Durch die ganze dicke Lack- und Goldschicht von Romantikern wie Martin Buber hindurch sahen und rochen wir den Obskurantismus unserer archaischen Religion und eine Lebensweise, die sich seit dem Mittelalter nicht verändert hatte. Für jemand wie mich erscheint jedenfalls die modische Sehnsucht der westlichen Juden nach einer Rückkehr ins sechzehnte Jahrhundert, durch die man seine jüdische kulturelle Identität wiederzugewinnen oder neu zu entdecken hofft, irreal und kafkaesk.
Isaac Deutscher

Als wir endlich aus dem Ghetto in die Welt traten, geschah uns von innen her Schlimmeres als uns je von außen geschehen war: in das Urfundament, die einzigartige Einheit von Volk und Religion, war ein tiefer Riß gekommen. Er ist seither immer tiefer geworden.
Martin Buber

Ich fühlte mich unter den Juden des Berliner Westens nicht sehr wohl und machte unter ihnen wahrscheinlich auch eine recht kümmerliche Figur. Ich kannte mich in den feinen Sitten nicht aus, meine Kleidung war höchst dürftig, mein äußeres Benehmen von eingeschüchtert provinzieller Ungelenkigkeit. Dazu war ich noch sehr „jüdisch". Ich besuchte die Synagoge, aß nur koscher, legte morgens die Tefillin (Gebetsriemen) an, kurz ich war in ihren Augen bestimmt ein „Ostjude". Dabei war keineswegs feststehend, wer eigentlich als Ostjude galt. Die geographische Bestimmung dieses Begriffes richtete sich auch für die stolzen germanisierten Juden des deutschen Westens nach dem jeweiligen Standort. Für die Juden aus Frankfurt am Main lag die kritische Grenze an der Elbe, die Juden aus Berlin-W verschoben sie bis zur Oder. Der Wartlefluß war indiskutabel. Während die Juden aus Polen, dem sogenannten Kongreßpolen, als mehr oder weniger Fremdrassige gewertet wurden, nahmen wir aus der deutschen Provinz Posen den Rang von Mischlingen ein.
Hermann Zondek

Links: Elendsquartier in Polen während des Ersten Weltkriegs. 1914/18

Doch die meisten der Ostjuden blieben im Ghetto. Und blieben, was sie waren: arme Schlucker. Mit unheimlich vielen Kindern. Sie rackerten sich ab, um die zahlreichen Mäuler irgendwie satt zu kriegen.
Das Berliner Ghetto umgaben keine Mauern, und doch war es eine abgeschlossene Welt. Es hatte seine eigenen Gesetze, seine Sitten und Gebräuche. Die orthodoxen Juden wachten darüber, daß sie streng eingehalten wurden. Es gab eine eigene Versorgung. Alles mußte ja koscher (rein, nach bestimmten rituellen Vorschriften zubereitet) sein. Die enge Grenadierstraße war voller kleiner Läden: Fleischwaren, Kolonialwaren, Grünkram, zwei Bäckereien, na und die Fischhandlung. Die durfte auf keinen Fall fehlen. Denn was ist ein Sabbat ohne gefüllten Fisch? Eigene Handwerker, Schuster, Schneider, Trödler, Hausierer waren da. Und eine koschere Gaststätte mit einer vorzüglichen Küche. Doch im Mittelpunkt standen die zwei Bethäuser mit ihren beiden Rabbinern, den Vorbetern und den Schlattenschammes, den Synagogendienern.
Mischket Liebermann

Einmal kamen wir am Schüttel in die Nähe der Eisenbahnbrücke, die über den Donaukanal führte. Ein Zug hielt drauf, der mit Menschen vollgestopft war. Güterwagen waren mit Personenwagen zusammengekoppelt, in allen standen dicht gedrängt Menschen, die stumm, aber fragend zu uns heruntersahen. „Das sind galizische –" sagte Schiebl, unterdrückte das Wort „Juden" und ergänzte „Flüchtlinge". Die Leopoldstadt war voll von galizischen Juden, die vor den Russen geflohen waren. In schwarzen Kaftans, mit ihren Schläfenlocken und besonderen Hüten, hoben sie sich auffallend von anderen Leuten ab. Da waren sie nun in Wien, wo sollten sie hin, essen mußten sie auch und mit der Nahrung der Wiener stand es schon nicht mehr zum besten.
Ich hatte noch nie so viele von ihnen in Waggons zusammengepfercht gesehen. Es war ein schrecklicher Anblick, weil der Zug stand. Solange wir auch hinstarrten, er bewegte sich nicht von der Stelle. „Wie Vieh", sagte ich, „so quetscht man sie zusammen und Viehwaggons sind auch dabei." „Es sind eben so viele", sagte Schiebl, sein Abscheu vor ihnen war mit Rücksicht auf mich temperiert, er hätte nichts über die Lippen gebracht, was mich kränken konnte. Aber ich blieb wie festgewurzelt stehen, und während er mit mir stand, fühlte er mein Entsetzen. Niemand winkte uns zu, niemand rief ein Wort, sie wußten, wie ungern man sie empfing und erwarteten kein Wort der Begrüßung. Es

waren alles Männer und viele bärtige Alte darunter. „Weißt du", sagte Schiebl, „unsere Soldaten werden in solchen Waggons an die Front geschickt. Krieg ist Krieg, sagt mein Vater." Es war der einzige Satz seines Vaters, den er je vor mir zitierte, und ich wußte, daß er es tat, um mich aus meinem Schrecken zu reißen. Aber es half nichts, ich starrte und nichts geschah. Ich wollte, daß der Zug sich in Bewegung setzte, das Entsetzlichste war, daß der Zug auf der Brücke noch immer stand. „Kommst du nicht?" sagte Schiebl und zupfte mich am Ärmel. „Magst du jetzt nicht mehr?" Wir waren auf dem Weg zu ihm, um wieder mit Soldaten zu spielen. Ich ging nun doch, aber mit einem sehr schlechten Gefühl, das sich steigerte, als ich die Wohnung betrat und seine Mutter uns die Jause brachte. „Wo wart ihr so lang?" fragte sie. Schiebl zeigte auf mich und sagte: „Wir haben einen Zug mit galizischen Flüchtlingen gesehen. Er stand auf der Franzensbrücke." „Ach so", sagte die Mutter und schob uns die Jause zu. „Jetzt seid ihr aber sicher schon hungrig." Sie ging wieder, zum Glück, denn ich rührte die Jause nicht an und Schiebl, der einfühlende Bursche, hatte auch keinen Hunger. Er ließ die Soldaten stehen, wir spielten nicht, als ich ging, schüttelte er mir herzlich die Hand und sagte: „Aber morgen, wenn du kommst, zeig ich dir was. Ich hab' neue Artillerie bekommen."
Elias Canetti

Links oben: Wohnung einer jüdischen Arbeiterfamilie in Wien. Photographie von Anton und Hans Bock. Vor 1920

Oben: Absteige in der Dragonerstraße im Berliner Scheunenviertel. Um 1920

*S*ie gaben sich auf. Sie verloren sich. Ihre traurige Schönheit fiel von ihnen ab, und eine staubgraue Schicht von Gram ohne Sinn und niedrigem Kummer ohne Tragik blieb auf ihren gekrümmten Rücken. Die Verachtung blieb an ihnen kleben – früher hatten sie nur Steinwürfe erreicht. Sie schlossen Kompromisse. Sie veränderten ihre Tracht, ihre Bärte, ihr Kopfhaar, ihren Gottesdienst, ihren Sabbat, ihren Haushalt – sie selbst hielten noch an den Traditionen fest, aber die Überlieferung löste sich von ihnen. Sie wurden einfache, kleine Bürger. Die Sorgen der kleinen Bürger waren ihre Sorgen. Sie zahlten Steuern, bekamen Meldezettel, wurden registriert und bekannten sich zu einer „Nationalität", zu einer „Staatsbürgerschaft", die ihnen mit vielen Schikanen „erteilt" wurde, sie benutzten die Straßenbahnen, die Lifts, alle Segnungen der Kultur. Sie hatten sogar ein „Vaterland".
Joseph Roth

*F*ür die Juden, die in Berlin geboren und längst assimiliert waren, zeigte sich das Scheunenviertel genauso exotisch wie für ihre christlichen respektive „arischen" Mitbürger. Mit den Ostjuden, den „Planjes", wie man sie abschätzig nannte, hatte man kaum Berührungspunkte: Möglich, daß noch der eigene Vater oder Großvater aus dem einstmals peußischen oder russischen, später polnischen Osten stammte, den Bezug aber zwischen der eigenen Abkunft und denjenigen, die diese Abkunft noch so unverhohlen repräsentierten, ignorierte, ja verdrängte man.
Günter Kunert

*V*iele der Ostjuden hatten, manche wiederholt, versucht, die deutsche Staatsangehörigkeit zu erlangen. Sie hingen an Deutschland, nicht nur, weil sie dort ihre Existenz hatten. Ihre Kinder waren dort geboren und hatten deutsche Schulen besucht, so daß sie, zum mindesten in der zweiten Generation, immer „deutscher" in ihren Gewohnheiten und Gefühlen wurden. Man hatte ihnen jedoch, von ganz vereinzelten Ausnahmen abgesehen, die Staatsangehörigkeit weder für sich selbst noch für ihre Kinder je gewährt. Die segensreiche Bestimmung des amerikanischen Rechts, daß ein im Lande geborenes Kind unter allen Umständen als Bürger des Landes anerkannt ist, war in Deutschland unbekannt. Der Sohn und der Enkel des Ausländers blieben dort wiederum Ausländer, wenn sie nicht eingebürgert wurden. Ihre Einbürgerungsgesuche aber wies die Staatsverwaltung ohne Grundangabe zurück. Es gab keinerlei gesetzliche Bestimmung, die dies angeordnet hätte. Die Verwaltung übte nur ihr „Ermessen" im negativen Sinne aus.
Phillipp Löwenfeld

*D*ie deutschen Juden hatte ihr Konformismus beinahe schon ans Ziel gebracht – beinahe schon wurden sie für echte Deutsche gehalten. Und nun standen ihnen diese Ostjuden im Weg: Schmutzig, ungehobelt, unzivilisiert waren sie und vermasselten alles.
Theodore S. Hamerow

Gegenüberliegende Seite, oben:
Ecke Lazenhof-Judengasse in
Wien. Zwischen Firmen- und Stra-
ßenschildern der hebräische Wegweiser zum Bethaus. Photographie
von *Abraham Pisarek*. 1933
Gegenüberliegende Seite, rechts:
Kellerladen in der Grenadierstraße
im Berliner Scheunenviertel. Photographie von Hans Thormann.
Um 1928

Oben: Die erste Zeit im Westen
muß für die Neuangekommenen
aus dem Schtetl von Irritationen
und Ängsten geprägt gewesen sein:
Ankunft in Berlin. 1928

*Der Verfasser hegt die törichte Hoffnung,
daß es noch Leser gibt, vor denen man die
Ostjuden nicht zu verteidigen braucht; Leser,
die Achtung haben vor Schmerz, menschlicher Größe und vor dem Schmutz, der überall das Leid begleitet; Westeuropäer, die auf
ihre sauberen Matrazen nicht stolz sind; die
fühlen, daß sie vom Osten viel zu empfangen
hätten und die vielleicht wissen, daß aus
Galizien, Rußland, Littauen, Rumänien gro-*
*ße Menschen und große Ideen kommen; aber
auch (in ihrem Sinne) nützliche, die das feste
Gefüge westlicher Zivilisation stützen und
ausbauen helfen – nicht nur die Taschendie-
be, die das niederträchtigste Produkt des
westlichen Europäertums, nämlich der Lokal-
bericht, als „Gäste aus dem Osten" bezeichnet.*
Joseph Roth

Joachim Riedl
DIE GEBURT DER MODERNE AUS IHREM WIDERSPRUCH

Zwei Visitkarten-Bilder bürgerlicher Assimilation in Wien: Oben: Sigmund Freud im Alter von sechzehn Jahren mit seiner Mutter Amalie, geb. Nathanson. 1871

Gegenüberliegende Seite: Arthur Schnitzler im Alter von zwölf Jahren mit seinen Geschwistern Julius und Gisela. Der Vater *Johann Schnitzler*, aus Ungarn mittellos nach Wien zugewandert, wurde Universitätsprofessor. Um 1875

Sigmund Freud träumte: „Ich sitze auf dem Rand eines Brunnens und bin sehr betrübt, weine fast." Sein ältester Sohn erscheint, doch wird er schon von einem anderen Vater erwartet.

„Die Sorge um die Zukunft der Kinder, denen man ein Vaterland nicht geben kann", erkannte Freud später in diesem Traumbild. Träumend beobachtete er, wie seine Familie die Stadt verließ, und gestand sich ein, wie sehr er Verwandte beneidete, deren Kinder bereits „auf einen anderen Boden versetzt" worden waren.

Ein Spaziergang am Stadtrand an einem heißen Juli-Tag. Die Luft ist erfüllt vom Duft der Blumen, die Heckenrosen sind voll erblüht. Es sei plötzlich geschehen, behauptete er später: Dem Dr. Sigmund Freud enthüllte sich das Geheimnis der Träume. Neuland. Ein kühnes Konzept neuer Zusammenhänge, unbekannter Bedeutungen, verborgener Wahrheiten. Nichts ist, was es scheint; jedes Bild ein Code – nur wer den Code knackt, erlangt Klarheit und Kontrolle über sein Ich. „Das Träumen setzt sich an die Stelle des Handelns, wie sonst auch im Leben", heißt es nahezu versteckt in der „Traumdeutung".

Die offizielle Ablehnung war radikal. Es sollte acht Jahre dauern, bis die 600 Exemplare der ersten Auflage der „Traumdeutung" verkauft waren. Das Motto des Buches wählte Freud aus der „Aeneis", dem Epos des Reisenden, der seine Heimat verloren

hatte und nach einem Land suchen muß, in dem er sich niederlassen kann: „Flectere si nequeo superos, Acheronta movebo." („Kann ich die höheren Mächte nicht beugen, bewege ich doch die Unterwelt.") Ein beschwerlicher Weg: Freud verglich ihn mit einem Spaziergang durch einen finstern Wald, voller falscher Wegweiser, einen Abhang hoch, bis man schließlich am Gipfel den Panoramablick genießen kann. Erkenntnis endlich dem, der durch das Dickicht der menschlichen Natur gedrungen ist.

War das der „Weg ins Freie", den Arthur Schnitzlers Romanheld Hein-

rich Bermann suchte? „Ich glaube überhaupt nicht, daß solche Wanderungen ins Freie sich gemeinsam unternehmen lassen", sagt er, „denn die Straßen dorthin laufen ja nicht im Lande draußen, sondern in uns selbst. Es kommt nur für jeden darauf an, seinen inneren Weg zu finden."

Man war eine geschlossene Gesellschaft. „Weil ich Jude war, fand ich mich frei von vielen Vorurteilen, die andere im Gebrauch ihres Intellekts beschränkten", so erklärte Freud ein Vierteljahrhundert später das Rüstzeug, das ihn seinen Weg finden und beschreiten ließ: „Als Jude war ich dafür vorbereitet, in die Opposition zu gehen und auf das Einvernehmen mit der kompakten Majorität zu verzichten."

Er wäre es ja eingegangen, hätte die „kompakte Majorität" es zugelassen. Der Sohn eines jüdischen Wollhändlers aus dem mährischen Freiberg, als Kind nach Wien zugewandert, erfuhr die Ablehnung von Jugend an. Einer ganzen Generation, die zur kulturellen Elite der Stadt heranwachsen sollte, wurde ein Platz in der Gesellschaft verweigert. Freud studierte Medizin: eine der wenigen Studienrichtungen, in der junge Juden Zukunftschancen sehen konnten (1890 waren 48 Prozent der Medizinstudenten an der Wiener Universität Juden). Er ging nach Paris, wo Jean Charcot, der Napoleon der Neurosen, an der Salpetrière lehrte; zu gerne wäre der eifrige Schüler Charcots Statthalter in Wien geworden. Doch das medizinische Establishment erlaubte es nicht. So mußte Freud seinen eigenen Weg suchen, der ihn zu einem eigenen Gebiet führte, da die eingesessene Gesellschaft ihm, dem jüdischen Neuankömling, das gemeinsame Territorium verweigerte. Er hatte daher gar keine andere Wahl, als zum „Cäsar der Hysterie" (Mario Erdheim) zu werden.

Die Assimilation war fehlgeschlagen. Der Liberalismus hatte eine vernichtende Niederlage erlitten. Nun regierten die Antisemiten, ihre hetzerische Ablehnung gab den Ton an, ihr spießerischer Kulturmief füllte jeden Winkel der Öffentlichkeit aus. Es gab nur einen Weg, den gebildete Juden, die um die Jahrhundertwende in der Metropole groß wurden, gehen konnten: sie mußten eine Gegenwelt, ihre eigene Kultur gegenüber der tonangebenden Kultur aufbauen. Wo Plüsch und Pathos herrschten, waren sie nüchtern und konkret. Auf Schnörksel antworteten sie mit klaren Linien, auf Phrasen mit geraden Worten. Neuland eben. Nur dort konnten sie Platz finden, in einer Welt, die sie erst erschaffen, sich erst erobern mußten.

Die Vergangenheit hatten sie hinter sich gelassen, die Gegenwart blieb ihnen verschlossen, nur die Zukunft stand offen. Ähnlich wie die großen jüdischen Berliner Kaufhaus-Dynastien revolutionierten sie auch in Wien Handel und Wandel in der Metropole, die keine Kultur ihr eigen nannte, außer dem Beharrungsvermögen ihrer bräsigen Bewohner; weg von Krämerwesen und Kontorgeist. Weltoffen, elegant, großzügig.

Sie erdachten, erträumten und erschufen ihr neues Universum. Die Juden wären ein Volk, meint Schnitzlers Romanheld Bermann, in dessen „Seele sich die Zukunft der Menschheit vorbereitet".

Eine endlose Liste an Namen: Kraus, Hofmannsthal, Altenberg, Roth, Freud, Wittgenstein, Schnitzler, Eugenia Schwarzwald, . . . gegensätzlich, widersprüchlich, untereinander zerstritten. In Wien führte „Der Weg ins Freie" zur Entdeckung der Moderne. Dies war kein Wiener Phänomen, doch nirgendwo wurde es so deutlich wie in der Residenzstadt des Habsburger Vielvölkerstaates. Hier waren die Juden eine Minorität unter vielen, doch die einzige, die keine geographische Heimat besaß, sondern nur eine geistige.

In seiner Studie über das Wiener Judentum (Vienna and the Jews 1867–1938 – A cultural history. Cambridge University Press, 1989) nennt Steven Beller dieses intellektuelle Vater- und Mutterland die „Ethik der Außenseiter": „Ihre Taktik, sich mit den Ideen der Zukunft zu verbinden, war hauptsächlich ein verzweifelter Versuch, sich nicht als isolierte Außenseiter identifizieren zu müssen. Ihre Vorstellung der Zukunft war es, nicht mehr als verschieden angesehen zu werden, nicht mehr Juden zu sein; dies trieb sie voran, so wie es ihre Väter vorangetrieben hatte . . . Bei dem Versuch, dem Problem ihres Judentums zu entkommen, zogen sich die Juden allerdings in dieselbe Welt zurück, in der schon ihre Vorväter heimisch geworden waren: die Welt des Intellekts. So lebte die jüdische Tradition, fast gegen den Willen ihrer Erben, fort."

„Der Kastrationskomplex ist die tiefste unbewußte Wurzel des Antisemitismus", notierte Freud in einer Fußnote. War es jene Urangst, die, wie Freud meint, den grandiosen Judenhaß des Juden Otto Weininger beflügelte, der sich, in seiner Rolle als Überwinder von Tradition und Abstammung, gleich zum Religionsgründer berufen fühlte? „Jüdisch ist der Geist der Modernität", postulierte der falsche Prophet aus Wien: „Aber dem neuen Judentum entgegen drängt ein neues Christentum zum Licht . . . zwischen Unwert und Wert . . . hat abermals die Menschheit die Wahl." Wie sehr war doch diese radikale Anti-Moderne des verzweifelten Selbstmörders Weininger ebenso ein in die Irre geleiteter Weg ins Freie. Dort, wo er starb, in irrationaler Finsternis, lag der schwere Schatten der Moderne, die doch so klar, hell und aufklärerisch aus der Vergangenheit leuchtet.

Denn für die Moderne gab es keinen dauerhaften Platz. Die Stadt war, in Brochs berühmtem Wort, das europäische Zentrum des Wert-Vakuums. Anders als etwa die jüdischen Gründerväter von Hollywood – die Warners, Laemmles, Goldwyns, Selznicks oder Mayers, die, ähnlich wie ihre europäischen Gegenparts, eine neue Welt finden und erschaffen mußten, weil ihnen in der angenommenen Heimat ein gesellschaftlicher Platz verweigert wurde – hatte das moderne Universum der jüdischen kulturellen Elite keinerlei Fundament und Basis. Es war ein Wolkenkukkucksheim, ein Traumland, in dem spielerischer Gedankenflug Kunst schuf, und die Kultur zum Schleier wurde, der sich verdeckend über die Realität senkte. Nur für einen kurzen Augenblick konnte die Moderne zu einer „jüdischen Kunst des Überlebens" werden, wie ich das vor einigen Jahren in einem Referat (The Jewish Heritage – Vienna, Diaspora and the Jewish Art of Survival. Referat, Williams College, Williamstown, Massachusetts, 1985) genannt habe: „Nur aus Ignoranz, Ablehnung und weil ihnen die restliche Gesellschaft ihre Teilnahme verweigerte, wurden sie zu dem, was sie waren. Sie mußten zu einem neuen Selbstverständnis finden, sei es politisch, wirtschaftlich, kulturell oder wissenschaftlich, zu neuen Zielen, die es zu verfolgen galt, sie mußten wie Pfadfinder einen Weg aus einer hoffnungslosen Situation auskundschaften."

Der Weg, den sie wählten, war der des Zweifels am Bestehenden, des Bruches mit dem Akzeptierten, des zerstörerischen Griffs nach den Tabus: Nichts ist, wie es scheint.

Doch sie knackten nicht den Code, erkannten nicht die verborgene Wahrheit ihres Traumes. Die alte Form der Assimilation – Integration – sollte einer neuen weichen: der Konfrontation. Doch in ihrer ganzen trägen Macht entzog sich das Klein-bürgertum, das eben erst seine Herr-schaft etablierte, der Auseinanderset-zung. Die Blüte der Moderne – sie war nur ein trügerischer Nachsom-mer. Sie hielten ihre Gegenwelt für Realität – ein Irrtum, der Millionen das Leben kostete.

„Ich weiß nicht, ob es eine jüdische Eigenschaft ist, einen alten Schnaps-schänker im Kaftan für kulturvoller zu finden als ein Mitglied der deutsch-österreichischen Schriftstel-lergenossenschaft im Smoking", erei-ferte sich Karl Kraus 1913 in seinem Essay „Er ist doch ä Jud": „Es müßte denn eine jüdische Eigenschaft sein, keine zu haben. Das kann vorkom-men, so sind schon Religionen ent-standen, aber unsere Zeit ist vor sol-chen Weiterungen bewahrt."

Er irrte, sie war es nicht. Die Heimat der Luftmenschen: der Rauch, der aus den Schornsteinen der Krematorien zum Himmel stieg.

Die Wiener Leopoldstadt (Wien II.), wegen ihrer Lage zwischen Donau und Donaukanal auch „Mazzesinsel" genannt, und das Berliner Scheunenviertel waren für die jüdischen Einwanderer aus dem Osten die ersten Stationen zum Fußfassen.
Gegenüberliegende Seite: Jüdische Familie aus der Bukowina. Photographie von *Emil Mayer*. Um 1910
Rechts: Auf dem Markt im Werd (Karmelitermarkt) in der Leopoldstadt. 1915
Unten: Im Berliner Scheunenviertel. Um 1930

Die Kottbuser Straße führt uns zurück an den Kanal, und wir kommen in die Budenstadt eines Marktes, der das ganze Maybacher Ufer bedeckt. Hier scheint von Süden her ganz Neukölln herbeigekommen zu sein, um einzukaufen. Es gibt alles: Pantoffeln und Rotkohl, Ziegenschmalz und Schnürsenkel, Krawatten und Fettbücklinge. Neben der alten Jüdin, die Pelzfetzen breitet und Seide auspackt, ißt eine Nachbarin von ihrem Gemüsekarren eine rohe Karotte. Dem wüstesten Fischgestank gegenüber verheißen die Flaschen mit Maiglöckchenessenz billig süßen Duft. Und streifenweise unterbricht die anderen Auslagen immer wieder ein „Posten" Strümpfe aus Seidenflor oder aus unzerstörbarer „Panzerseide". Stellenweise münden die Läden der Straße in den Marktverkauf. Das Emailgeschäft baut seine Ware den Damm herüber. „Tulpenzwiebeln ausnahmsweise billig vor Feierabend", „Gelegenheitskauf, junge Frau", „Echte Beerblanche", ruft es. „Winterrote, alle mehlig", preist einer seine Kartoffeln. Neben ihm gibt es wahrhaf-

tig noch etwas zu sehen, was uns schon Museumsgegenstand scheint, richtige Haarnadeln wie in unserer Jugendzeit und runde Kämme, wie damals Frauen sie ins Haar steckten.
Franz Hessel

Die Emigranten assimilieren sich – leider! – nicht zu langsam, wie man ihnen vorwirft, sondern viel zu rasch an unsere traurigen Lebensbedingungen. Ja, sie werden sogar Diplomaten und Zeitungsschreiber, Bürgermeister und Würdenträger, Polizisten und Bankdirektoren und ebensolche Stützen der Gesellschaft, wie es die bodenständigen Glieder der Gesellschaft sind.
Joseph Roth

Durchschreitet man den Hof der Produktenbörse, der die Taborstraße an ihrer am stärksten begangenen Stelle mit der Großen Mohrengasse verbindet, so erblickt man gleich in der Einfahrt zur rechten Hand eine zwerghaft wesenlose Gestalt, den Schatten eines Menschen, den blinden Bettler von der Produktenbörse. Ihm zur Seite liegen auf dem Steinboden die irdischen Reste einer Fiedel und das internationale Wappen der von den Almosen der Straße lebenden Verworfenen, der sprichwörtlich gewordene Bettelstab. Um in dem Februarfrost die Eigenwärme des Körpers nicht zu verlieren, pendelt er mit dem Oberkörper vor und zurück und haucht seinen Atem auf die in Sackfetzen gesteckten Finger. Ein Sohn des Ahasver-Volkes, ein dreifach Ausgestoßener der menschlichen Gesellschaft.

Mein Weg führt häufig durch dieses Durchhaus, und so fiel er mir auf. Ich sah, wie von den Vorübergehenden, Besuchern der Börse und ihres Kaffeehauses, von all den glücklicheren Stammesbrüdern des blinden Fiedlers, ihn, den geduldig Wartenden, kaum jemand eines Blickes, geschweige denn eines Geschenkes würdigte. Er ist auch so unansehnlich, daß man ihn förmlich suchen muß, ehe man ihn erblickt. Mich lockte es zu erfahren, wo und wie lebt dieser Berufsbettler in den Stunden und Nächten, da er nicht mit ausgestreckter Hand auf milde Gaben wartet. Welches sind seine Schicksale, welches seine Freuden und Leiden? Ich beschloß, ihn anzusprechen . . .

Und er führte mich dahin, wo das Grauen haust: in ein schmutzstarrendes Massenquartier der Leopoldstadt.

Ein dunkler Raum, der sich alsbald als Küche

In den Quartieren des Elends . . .

Gegenüberliegende Seite: Küche in einem Massenquartier in der Wiener Leopoldstadt. Photographie von Hermann Drawe. 1904

Links: Blinder Bettler vor der Produktenbörse in Wien II., Taborstraße. Photographie von Anton und Hans Bock. Vor 1920

Unten: Massenquartier in der Wiener Leopoldstadt. Photographie von Hermann Drawe. 1904

entpuppt. Zwischen Herd und Kasten einige Fetzen als Bettstatt. Im Zimmer und in einer an die Küche grenzenden Kammer einige offene Betten. Eine alte russische Jüdin und ihr „Mann" sind die Inhaber der Wohnung. Nach den nichts weniger als glaubwürdigen Aussagen der Wirtin kommen bloß vier bis fünf – wie sie sagt – „ganz anständige Leute" zu ihr schlafen. Sie zahlt 50 Kronen monatlich Miete und nimmt 60 bis 80 Kronen ein. Die Männer, die im Zimmer wohnen, zahlen ihr K 3,50 und die in der Küche bloß K 3,– für die Woche. Soweit die Mitteilungen der Frau.

Nachbarinnen, Hausmeister und der Küchenschläfer Markus Seidenwurm – der Bettler von der Produktenbörse – erzählen aber ganz andere Geschichten: Außer den regelmäßigen Bettgehern genießen noch eine ganze Reihe von lichtscheuen Existenzen, über deren Zahl die Angaben schwanken, die allabendliche Gastfreundschaft der Vermieterin. Hier wird Nächte hindurch gespielt, gerauft und geschrien, und der müde Bettler, der blinde Markus Seidenwurm, findet, auf

seinem bezahlten Küchenlager kauernd, auch in der Nacht keine Ruhe. Er kann weggehen, wenn es ihm nicht gefällt, aber beschweren darf er sich nicht, es ist ja auch recht und billig so: er zahlt doch bloß K 3,– für die Woche, die anderen aber K 3,50. Unterschiede auch hier noch!

Und er erzählt mir von seinem Leben: In Lemberg hat er Frau und Kind, eine achtzehnjährige Tochter, beide krank, das Mädel im Spital. Er zeigt mir Jammerbriefe: „Fater, rete mich!" Solange er noch nicht ganz blind war, ging er in die Gasthäuser der Leopoldstadt fiedeln. Er kann wohl nur zwei Melodien und auch die herzlich schlecht, doch ging's ihm damals noch gut, er „verdiente" bis 30 Kronen die Woche. Jetzt geht's schlechter. Obwohl er seinen Posten wechselt, fällt seine krüppelhafte Gestalt dennoch auf, den Schutzleuten nämlich. Dann wird er auf 48 Stunden in den Arrest gesteckt, da kann er wenigstens seine Glieder ausstrecken. Er leidet nie Hunger, Bekannte helfen ihm stets irgendwie aus.

Bruno Frei

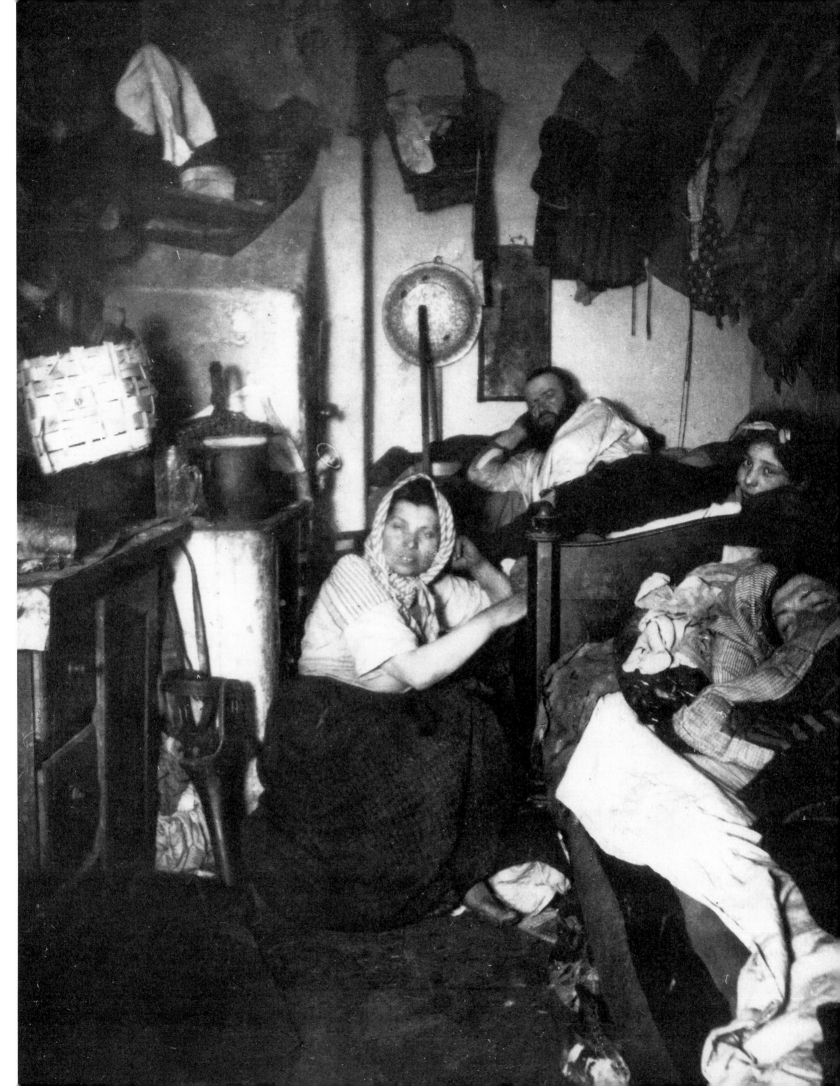

*Für diese souveräne Welt ist besonders cha-
rakteristisch das grenzenlose wirtschaftliche
Elend ihrer Bewohner. Diese aussichtslose
Not, die an Betteltum grenzt, hat ihre Eigen-
heiten und Besonderheiten, ist leicht vom
englischen Pauperismus zu unterscheiden und
hat wenig Gemeinsames mit dem russischen
Bauernelend. Von englischen Kollegen unterscheidet sich der jüdische Pauper durch die
Fähigkeit, seine Armut ungeschmälert auf
seine direkten Nachkommen zu überliefern,
und er selbst könnte mit größerer Leichtigkeit
als manch deutscher Baron eine weitver-
zweigte Genealogie seines Betteltums zusammenstellen. Der jüdische Pauper verdankt
seinen Ursprung ganz anderen historischen
Ursachen, er ist nicht der Verkommene, aus
höheren Schichten in die tieferen Hinabge-
schleuderte, sein Mutterboden ist die Kleinstadt und das Dorf nicht minder als die
Fabrikstadt. Ökonomisch mit dem köstlichen
Namen Lumpenproletarier gekennzeichnet,
hat er in den meisten Fällen von Fabrik- und
Industriezentren nicht die blasseste Ahnung.*
J. Eljashoff

*D*ie Not der Lumpen-
proletarier . . .

Links: Alteisensammler im Berliner Scheunenviertel. Photographie
von Hans Thormann. 1930

Oben: Bettelndes Ehepaar aus
Russisch Polen in Wien. Photogra-
phie von Anton und Hans Bock.
Vor 1920

Gegenüberliegende Seite: Verarm-
te Jüdinnen in der Berliner Grenadierstraße. Photographie von
Friedrich Seidenstücker. 1930

*B*ei uns war schreckliche Not, im Haus war
kein Kreuzer, und da lieh Onkel Mareček,
aber nur auf . . . Pfand. Wenn sich meine
selige Mutter einen Gulden ausborgen ging,
nahm sie als Pfand den Messingmörser und
den Stößel und die Messingkerzenleuchter

mit und wenn zwei Gulden gebraucht wur-
den, ergänzte sie das „Pfand" mit dem letzten
Gegenstand, der noch übrig blieb, einem
Hochzeitsgeschenk . . . der silbernen Zucker-
zange.
Alfred M. Havel-Ornstein

Oben: In der Berliner Grenadierstraße. Photographie von Walter
Gircke. 1928

Rechts: In der Wiener Judengasse
in der Inneren Stadt. 1915

*Zwischen dem proletarischen Osten Berlins
(Berlin O) und dem aristokratischen Westen
(Berlin W) liegt das Bellevueviertel (Berlin
NW, im jüdischen Volksmund „Nebbichwe-
sten" genannt). Berlin O war die Domäne
der Ostjuden, die seltsamerweise alle militä-
risch benannte Straßen besiedelten, wie Artil-
leriestraße, Grenadierstraße, Dragonerstraße, während im Westen in Charlottenburg,
Wilmersdorf oder dem besonders vornehmen
Grunewaldviertel die Arrivierten wohnten.
Ostjude und Westjude waren in Berlin nicht
so sehr geographische wie zeitliche Begriffe.
Gar oft kam es vor, daß aus dem Osten
eingewanderte Juden zunächst in den oben-
genannten Straßen ihr Quartier nahmen,
dann allmählich zu Wohlstand gelangten, in
das vornehmere Bellevueviertel zogen, der
Heimat des besseren Mittelstandes, und
dann, auf der sozialen Leiter aufsteigend,
ihren Wohnsitz nach Charlottenburg verlegten und Westjuden wurden, die dann oft mit
ungeheurer Verachtung auf die eingewander-
ten Elemente jenes östlichen Viertels herab-
sahen.*
Sammy Gronemann

*Erstaunlich war also die Umstellungsfähig-
keit, die innere Wachheit, Anpassung an die
jeweiligen Situationen, die dieser Generation
gemäß war. Die hektischen Situationen der
Zeit erforderten vom kleinen Mann, besonders wenn er Jude war, Adaptionsfähigkeit,
wenn er nicht zugrunde gehen wollte. Das
hatte die vorhergehende Generation nicht
gekannt.*
Conrad Rosenstein

Dann war es wichtig, was für eine Art von „Geschäft" man betrieb. Undeutlich scheint die Erinnerung, daß es schon damals „in der Judenstadt" Wechselstuben gab, wie die alten Häuser Lämel, Dormitzer, Löwenfeld etc., die in der Rangordnung am höchsten standen und den jetzigen Bankhäusern vorangingen. Dann kommen wohl die „Kolonial"-Händler und die Tuch- und Schnittwarenverkäufer. Auch Eisengeschäfte hatten einen gewissen Rang, d. h. so lange es sich um neue Ware bewegte, während die eigentlichen Trödler, die ebenso mit Alteisen, wie mit alten Kleidern und allerlei ähnlichen Abfällen handelten, gar nicht in gesellschaftliche Frage kommen und absolut zu keiner nobleren Bridge-partie der damaligen Zeit eingeladen worden wären.

Diese plebejischen Trödlergeschäfte wurden auch meist nur von den Frauen geführt, die in recht primitivem An- und Aufzug vor ihren „Gewölben" saßen und sich laut schwatzend und streitend mit ebensolchen Nachbarinnen unterhielten, denn die ganze Gasse und dazu die ganz winzigen, verwinkelten und geheimnisvollen Plätzchen, die sich da und dort einschoben, waren eigentlich wie eine einzige große Stube, in der alles durcheinander-lärmte.

Aber gerade die Ehemänner dieser betriebsamen und banalen Frauen repräsentierten meist, oder waren doch Mitglieder einer angesehenen, sozusagen graduierten Klasse. Sie lernten! D. h. sie grübelten und spintisierten Tag um Tag, Sommer und Winter, an dunklen und noch „ungeklärten" Talmudstellen herum und suchten aus Worten und Sätzen, deren hieroglyphenartige Bildung vielerlei Deutungen ermöglichte, immer wieder einen neuen Sinn zu bilden. Solchen verborgenen Deutungen und Auslegungen nachzuforschen galt als verdienstvolle Lebensaufgabe, obwohl man ziemlich genau orientiert darüber war, daß sich diesem Beruf des „Lernens" viele Familienväter widmeten, die zu untüchtig oder zu träge waren, um eine lebenvollere Aktivität zu entfalten ...

Ottilie von Kahler

Anfang der 20er Jahre war Berlin zu einem Zentrum jiddischen und hebräischen Buchhandels geworden.
Rechts: Jüdische Leihbibliothek in der Berliner Grenadierstraße. Photographie von Walter Gircke. 1928
Links: Hebräische Buchhandlung in der Berliner Grenadierstraße. Um 1925
Unten: Kleintierhandlung in der Berliner Hirtenstraße. 1928

*E*ine Kleinstadt weiß nicht viel Anerkennung herzugeben. Es deuchte Hugo Frank genug, daß in all den Horber Jahren weder er, noch seine Frau, noch seine Kinder den Antisemitismus zu spüren bekamen. Als er aber nach 25 Jahren, im Jahre 1899 mit der Familie nach Stuttgart verzog, machte nicht nur die jüdische Gemeinde eine Abschiedsfeier, sondern auch die christlichen Kreise und dankten dem Mann und der Frau für ihre Art und ihr Sein.
„Daß du a Jud bisch, brauch i dir ja net zu sage", sprach der Bürgermeister, „da bisch ja stolz drauf. Daß wir ons aber oft gesagt hent, wenn ihr wisse wollt, wie a Christ sei soll, dann gucket euch den Hugo Frank und sei Frau Sophie an, das möcht ich euch heut zum Abschied doch gsagt han."
In Frage zu ziehen, daß der Hugo Frank Deutscher, daß er Schwabe ist, daran hätte keine Sterbensseele gedacht.
Fritz Frank

*D*a fast alle diese Juden gesetzestreu waren und nur streng koscher lebten, mußten sie sich im Essen große Entbehrungen auferlegen, denn in den Bauerndörfern gab es keine koscheren Mahlzeiten. Von der spartanischen Lebensweise dieser Händler kann man sich kaum eine Vorstellung machen. Sie lebten fast die ganze Woche hindurch von Brot, Wurst, die sie mit auf die Reise nahmen, schwarzem Kaffee (Milch tranken sie unterwegs nicht) und Früchten. Selbstverständlich hatte jeder seine Tefillin bei sich, und die Bauern waren daran gewöhnt, daß ihre jüdischen Geschäftsfreunde bei ihnen Tefillin legten. Ich bin sicher, daß keiner dieser Viehhändler aus jener Generation sich je rasiert hat. Am Freitag wurde der Bart mit der Schere gezwickt oder mit dem bestialisch riechenden Schwefelbarium entfernt.
Samuel Spiro

*I*ch erinnere mich an meinen Großvater . . . Er war groß, dünn und wie alle Dorfleute glatt rasiert, aber nicht mit einer Rasierklinge, die durfte die Schläfen eines ehrlichen Juden nicht berühren, sondern mit einem Kalkpräparat . . . Neben seinen kleinen Feldern hatte er einen kleinen Laden, in den er vom nahen Bahnhof mit dem Schubkarren Waren brachte, und manchmal, wenn er Pferde hatte, benutzte er sie und sein Korbwägelchen für's Geschäft. Ich sah ihn manchmal am Morgen, als er sich die rituellen Riemen umband; er verstand sicher die hebräischen Gebete und konnte sogar hebräisch schreiben. Auf deutsch konnte er sich ganz anständig verständigen, und tschechisch sprach er wie alle anderen Leute im Dorf mit ihrem Gebirgsakzent.
Frantisek Langer

*D*ie Beziehung zwischen dem Bauern und dem jüdischen Händler seines Vertrauens entwickelte sich nicht selten zu einer Freundschaft, die auch in den folgenden Generationen Bestand hatte. In Hessen wurde aus den Geschäftsbeziehungen zu den großen Landeigentümern, den „Pächtern", wie sie hier genannt wurden, wirkliche Partnerschaften, auch wenn sie im streng juristischen Sinn nicht so genannt wurden. Das Vertrauen dieser großen Landbesitzer in ihre jüdischen Händler kannte fast keine Grenzen. In ihren Augen konnte so ein Jude nichts Unrechtes tun. Er war ihr Berater, ihr Vertrauter in allen Fragen, vom Geld bis zum Heiraten. Ich meine, er war – auf einer niedrigen sozialen Stufe – der direkte Nachkomme des „Hofjuden" vergangener Jahrhunderte.
Henry Buxbaum

*I*ch schätze, daß es kurz nach der Jahrhundertmitte drei- bis vierhundert solcher Gemeinden in Böhmen gab. Dann setzte die Landflucht der Juden, aus wirtschaftlichen, politischen und kulturellen Motiven, ein, sie zogen zuerst in die Bezirksstädtchen, dann in die Kreisstädte, zuletzt nach Prag. Die Landgemeinden verödeten; einer der letzten Juden in jeder Gemeinde war oft der Rabbiner, und so lange er lebte, bestand die Gemeinde; wenn er starb, wurde kein neuer mehr bestellt, die Geburts- und Sterbematriken, Thorarollen und gottesdienstlichen Geräte der

nächsten Judengemeinde übergeben (heute sind auch von diesen schon viele entvölkert).
Hugo Herrmann

*B*ezeichnend hierfür war, was sich kurz vor dem Tode von Sally Löwenstein ereignete, der Schwager meiner Schwester und Viehhändler in Echzell war. Als er schon todkrank lag und nicht mehr aufstehen konnte, kam ein Bauer, einer seiner alten Kunden, in sein Haus und bat um seinen Rat. Sallys Konkurrent, ein nichtjüdischer Viehhändler, wollte dem Bauern eine Milchkuh verkaufen und hatte diesem versichert, daß die Kuh einen erstklassigen Milchertrag bringen würde. Aber der Bauer fühlte sich ohne Sallys Rat verloren. Sally war wirklich zu schwach, um aufzustehen, aber der Bauer ging einfach nicht weg. Wenn Sally die Kuh nicht ansehen und beurteilen konnte, dann wollte er überhaupt nicht kaufen. Schließlich fand man einen Weg. Familie und Nachbarn schleppten das schwere Bett in den Wohnraum an ein Fenster, das sich zur Straße hin öffnete. Der Bauer führte die Kuh unter dieses Fenster und band sie dort fest. Mit der Hilfe aller Anwesenden wurde das schwere Bett mit dem kranken Mann darin unter größter Anstrengung auf die Höhe des Fenstersims gehoben, so daß der Kranke das Tier gründlich betrachten und sein Urteil abgeben konnte. Erst danach kaufte der Bauer diese Kuh.
Henry Buxbaum

Jüdisches Kleinbürgertum auf dem Land ...
Oben: Familie Meyer vor ihrem Haus in Bardewisch (Oldenburg). Um 1900

Gegenüberliegende Seite, oben: Metzgermeister Elias und Klara Laupheim aus Buchau (Württemberg). Um 1890

Gegenüberliegende Seite, unten: Wolf und Lina Hofheimer aus Buchau (Württemberg). Um 1890

Das jüdische Leben in den kleinen jüdischen Gemeinden, das ich durch die Erzählungen meines Vaters, oft aber auch persönlich, wenn ich ihn auf seinen Inspektionsreisen begleitete, kennenlernte, war kurios genug. Es war so ganz anders als etwa das der kleinen Gemeinden im Osten, wo noch Reste eines jüdischem Volksleben erhalten waren ... In den Gemeinden des Westens konnte von jüdischem Volksleben nicht die Rede sein, schon deshalb nicht, da es sich sehr oft um Zwerggemeinden handelte ... Es gab Gemeinden von zwei oder drei jüdischen Familien, in einem Falle sogar bildete nur eine einzige Familie die Gemeinde, was nicht hinderte, daß es die Institution eines Gemeindevorstehers, einer Gemeindeversammlung mit Statuten und Protokollen usw. gab. Gewöhnlich war ein großer jüdischer Friedhof vorhanden, der davon Zeugnis ablegte, daß früher einmal eine größere Gemeinde dort existiert hatte und dessen Erhaltung allein schon den Lebenden Sorge genug machte.
Sammy Gronemann

Seit Jahrzehnten waren zu jener Zeit die deutschen Juden emanzipiert, aber daß sie gesellschaftlich im allgemeinen weder damals noch später, als die Gleichberechtigung eine vollständige war, als vollwertige Glieder der Gemeinschaft angesehen wurden, hätte eigentlich jedem Juden zu denken geben müssen, es waren jedoch nur wenige, die dieser an sich unauffälligen Tatsache auf den Grund gingen und ihre Schlüsse daraus zogen. Die meisten beharrten, geblendet von dem Glanz der europäisch-christlichen Kultur, deren Leuchtkraft die von Druck und Enge befreiten Geister seit den Tagen des Gettos immer tiefer in ihren Bann gezogen hatte, in einem Zustand der Verzückung, daß sie, wie einem Gefängnis Entronnene, im Rausch errungener Freiheit nur daran dachten, die sich lockernden Fesseln des Judeseins möglichst gänzlich abzustreifen und sich ihrer christlichen Umwelt restlos anzupassen, in dem Glauben, auf diese Weise, sei es mit, sei es ohne Taufe, ein für alle Mal ihrem Judenschicksal entgehen zu können.
Paul Mühsam

Nur durch volle rückhaltlose Gleichberechtigung, welche wir übrigens keineswegs, wie Sie meinen, als Geschenk oder als Wohltat entgegengenommen, sondern auf welche wir sittlichen wie rechtlichen Anspruch haben, können sich die Schäden, welche Jahrtausende voll Druck und Schmach einer ganz edlen Rasse eingeprägt haben, ausgleichen. Indem Sie dahin wirken, daß die noch keineswegs geschlossene Kluft erheblich erweitert wird, indem Sie, ohne die rechtliche Gleichstellung anzutasten, doch deren tatsächliche Durchführung möglichst erschweren, die gesellschaftliche Assimilierung verhindern, laden Sie nach meiner Überzeugung einen schweren Vorwurf auf sich. Sie verhindern, was Sie wollen: die Entwicklung eines tüchtigen, patriotischen Bürgertums.
Levin Goldschmidt an Heinrich von Treitschke

Die Juden führten den Kampf um ihre Emanzipation – und das ist die Tragödie dieses Kampfes, die uns heute so bewegt – nicht im Namen ihrer Rechte als Volk, sondern im Namen ihrer Assimilation an die Völker, unter denen sie wohnten. Sie haben damit, indem sie ihr Volkstum aufzugeben bereit waren oder es verleugneten, nicht etwa ihr Elend beendet, sondern nur eine neue Quelle ihrer Leiden eröffnet. Denn die Assimilation hat die Judenfrage in Deutschland nicht etwa beseitigt, wie ihre Verfechter erhofften, sondern von einer neuen Position aus eher akuter gemacht. Je größer die Berührungsflächen zwischen diesen beiden Gruppen wurden, desto mehr nahmen auch die Reibungsmöglichkeiten zu. Das Abenteuer der Assimilation, in das sie sich so leidenschaftlich (und wie verständlich!) stürzten, mußte auch die Gefahren vermehren, die aus der wachsenden Spannung entstanden.
Gershom Scholem

*S*chätzungsweise betrug in der uns beschäftigenden Periode der Anteil der gesetzestreuen Juden, d. h. derjenigen, die sich in ihrer Lebensführung mehr oder weniger der jüdischen Tradition konform verhielten, 20 Prozent der Gesamtzahl der Juden in Deutschland. Die übrigen Juden hatten diese Tradition in ihrem persönlichen Leben ganz oder doch überwiegend abgeschafft. Gewisse Residuen dieser Tradition erhielten sich in verschiedenen Graden, besonders soweit sie das Familienleben betrafen . . .
Aber die ein gesetzestreues Leben wirklich bestimmenden Faktoren, die strikte Einhaltung des Sabbat, der Speisegesetze innerhalb und außerhalb des Hauses sowie der Einschränkungen im sexuellen Bereich durch die Bestimmungen über das rituelle Tauchbad der Frauen, wurden von einer im jüdischen Leben zwar durchaus sichtbaren, aber zahlenmäßig nur sehr kleinen Minorität befolgt.
Gershom Scholem

Oben links und rechts: Clementine Feldmann, geb. Wiener (1824–1860) und Dr. Siegmund Feldmann (1814–1864) aus Prag. Daguerreotypie von Wilhelm Horn. Um 1845
Rechts: Die Familie von Anselm Heinrich Dülken aus Deutz. Um 1860

Links: Das Stammhaus der Rothschilds („Zum grünen Schild") in der Frankfurter Judengasse. Mayer Amschel Rothschild (1744–1812) gründete das Bankhaus, das im 19. Jahrhundert Weltgeltung erlangte. Die Frankfurter Stammfirma erlosch 1901. Um 1860
Gegenüberliegende Seite, links: Das 1889 eröffnete Geschäftshaus der Leinenhandlung F. V. Grünfeld in der Leipziger Straße in Berlin. Um 1900
Gegenüberliegende Seite, rechts: Das Schreibwaren-Luxusgeschäft A. Liebmann in Berlin: Zum preußischen Hoflieferanten ging auch Kronprinz Wilhelm auf Einkaufstour. Um 1910

*I*n der Zeit vor 1914 gab es im damaligen
Deutschland etwa 620.000 Juden, die sich als
solche deklarierten. Die Zahl der Juden unter
den Dissidenten (Menschen, die sich als reli-
gionslos erklärten) ist nicht erfaßbar; man
geht aber kaum fehl, wenn man sie zahlenmäßig als sehr gering betrachtet – sie wuchs in
den 20er Jahren stärker an. Wesentlich höher
lag die Zahl der Getauften, und wenn man
die Kinder oder gar Enkel von getauften
Familien heranzieht, so wäre diese Kategorie
nach den in dieser Hinsicht halbwegs zutref-
fenden Statistiken der Nazis auf über 100.000
Menschen zu beziffern. Diese hatten zwar
mit dem Judentum offiziell und in ihrem
Leben völlig gebrochen, wurden aber von der
Umwelt noch immer weitgehend als Juden
betrachtet, meistens zu ihrem beträchtlichen
Mißvergnügen. In dieser Zeit blieben dem
Judentum etwa ein Viertel der Kinder aus
Mischehen, die ihm in den vorangegangenen
zwei Generationen so gut wie vollständig
verlorengegangen waren, erhalten. Austritte
aus dem Judentum und Taufen sind für
unsere Betrachtung insofern relevant, als sie
ein Zeichen für bewußte, unter Preisgabe
alles Jüdischen erfolgende Vollassimilation
darstellen, die zwar von allen versucht, aber
keineswegs von allen erreicht wurde.
Ein wichtiger Faktor ist ferner die Konzentration von mehr als der Hälfte aller Juden in
den zehn Großstädten des Reichs mit über
einer halben Million Einwohnern, wobei, von
Berlin mit seinen etwa 200.000 Juden abgesehen, die Ziffern immer noch erstaunlich gering blieben. Frankfurt am Main, mit der
vielleicht berühmtesten jüdischen Gemeinde
Deutschlands, hat niemals mehr als 30.000
Juden gezählt – und das im Jahre 1925, als sie
7 Prozent der Einwohnerschaft bildeten,
während sie 1875 mit 12.000 noch 11 Prozent
darstellten. Die meisten anderen Juden saßen
in Mittelstädten, und nur eine Minorität lebte
in Kleinstädten und Dörfern, in denen ursprünglich das Gros der Juden in Deutschland
angesiedelt war. Immerhin ist es bemerkenswert, daß um 1930 in Württemberg und
Bayern noch etwa 30 Prozent der Juden in
Kleinstädten und Dörfern wohnten.
Gershom Scholem

Viele jüdische Studenten stammten aus den östlichen Provinzen Deutschlands, nicht wenige aus frommen Häusern, von denen aber nur wenige gesetzestreu blieben; die meisten entstammten liberalen assimilatorischen Familien und waren ohne oder ohne tieferes jüdisches Wissen aufgewachsen; aber fast allen war die völlige Interesselosigkeit gegenüber jüdisch-nationalen Fragen gemeinsam.
Aron Sandler

Die meisten jüdischen Jungen besuchten das Friedrichs-Werdersche Gymnasium, während die 13. Realschule, die mit der Obersekundareife abschloß, verhältnismäßig wenige jüdische Schüler hatte. Eine besondere Stellung nahm die Kirschner-Schule ein, von der hier auch deshalb ausführlicher die Rede sein soll, weil über sie aus eigener Erfahrung gesprochen werden kann. Sie befand sich nicht im Hansaviertel, sondern in Moabit. Trotz der größeren Entfernung entschieden sich viele jüdische Eltern für diese Schule, weil sie den Unterrichtslehrgang mit seiner Verlagerung auf moderne Sprachen und Naturwissenschaften dem humanistischen System vorzogen; daß sich dies auch vorteilhaft auf eine spätere Auswanderung auswirken sollte, konnte man damals allerdings noch nicht voraussehen. Der Anteil der jüdischen Schüler, insbesondere im Realgymnasialzweig, belief sich bis zur Obersekundareife auf etwa ein Drittel oder ein Viertel, in den drei höheren Klassen war er geringer. Das Verhältnis zwischen jüdischen und nichtjüdischen Schülern war im allgemeinen nicht eng. Dies

Oben: Ein Accessoire der Assimilation: Der Matrosenanzug. Kinderbild aus einem Breslauer Photographenatelier. Um 1915

hatte seinen Grund darin, daß der Unterschied zwischen den beiden Gruppen nicht nur in der Verschiedenheit der konfessionellen Zugehörigkeit und Herkunft bestand, sondern auch in der wirtschaftlichen Situation. Die meisten jüdischen Schüler wohnten im Hansaviertel und gehörten dem Mittelstand an, während die meisten nichtjüdischen Schüler im kleinbürgerlichen Moabit wohnten, wobei es natürlich Überschneidungen nach beiden Richtungen gab. Es war daher zu verstehen, daß viele Nichtjuden die besseren Lebensumstände ihrer jüdischen Mitschüler beneideten, bei denen die größere Wohnung mit Hausangestellten und die jährlichen Sommerreisen oft Selbstverständlichkeiten waren, während die Lebensbasis der eigenen Familien (oft waren die Väter mittlere Beamte) schmal war. Dieser Unterschied, verbunden mit einem meist ohnehin vorhandenen Antisemitismus, wirkte sich auf die Atmosphäre aus, und viele nichtjüdische Schüler traten später der NSDAP bei. Die meisten Lehrer waren politisch rechts eingestellt. Als zum Beispiel bei einer Abiturientenfeier ein jüdischer Schüler in seiner Rede auf den Jahrestag der Märzrevolution von 1848 hinwies, verließen mehrere Lehrer unter Protest die Aula, und die Rede wurde abgebrochen. Interessant ist aber, daß einige dieser Lehrer sich nach 1933 konstant wehrten, mit den Nazis zu paktieren. Umgekehrt warfen sich einige Lehrer, die als verhältnismäßig fortschrittlich galten, später den neuen Machthabern begeistert in die Arme.
Werner Rosenstock

Im Osten wie im Westen, in der Jugend, auch der akademischen, wie bei den Alten erwartete man alles Heil für die Juden, besonders das völlige Verschwinden des Antisemitismus, von der fortschreitenden Humanität und der Festigung des Emanzipationsgedankens, sei es auf der Basis des politischen Liberalismus oder sei es des sozialdemokratischen Parteiprogramms. Diese Zuversicht, gepaart mit deutschem Patriotismus, machte Fromme wie Freie zu prinzipiellen Antizionisten.
Aron Sandler

Das Besondere an dieser mitteleuropäischen Lebenskultur liegt in der Tat in einer einzigartigen Synthese aus unerbittlich kritischem Geist und tadelloser bürgerlicher Korrektheit. Mit melancholischem Scharfblick werden alle traditionellen Tabus und alle konventionellen Lügen demystifiziert, und zugleich wird gerade wegen der Integrität dieser analytischen wissenschaftlichen Ernsthaftigkeit jede Geste bohemienhafter Revolte und eklatanten Avantgardismus abgelehnt. Menschen wie Freud und Schnitzler, die alle gesellschaftlichen Fetische vom Postament stürzen, schreiben diese schüchternen Briefe an die Braut (Freud) und tragen die traurigen Gesichter aus dem 19. Jahrhundert (Schnitzler).
Claudio Magris

Unten links und rechts: Alexandra Adler, die Schwester Alfred Adlers, des Begründers der Individualpsychologie, in Wien. Um 1870 Gustav Mahler im Alter von sechs Jahren in Iglau (Mähren). Um 1865

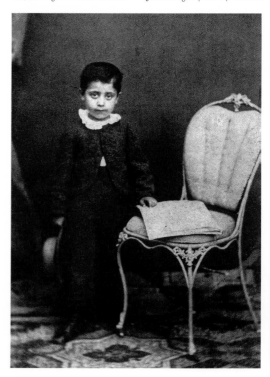

Oben: Die 1. Klasse der städtischen israelitischen Volksschule in Essen. 1922

Unten: Die „Octava" des Akademischen Gymnasiums in Wien, einer der Eliteschulen der Monarchie, die u. a. auch Peter Altenberg und Arthur Schnitzler besuchten. 1891/92.
In der 2. Reihe von oben 2. von links: Hugo von Hofmannsthal. Einer handschriftlichen Bemerkung eines Mitschülers auf dem Photokarton ist zu entnehmen, daß in der Klasse 14 Schüler katholischen, 3 evangelischen, 20 jüdischen Religionsbekenntnisses und „3 oder 4 Judenstämmlinge" waren.

Ich würde etwa zwischen folgenden Schichten unterscheiden:

1. Die ihrem Bewußtsein nach total „eingedeutschten", an der Grenze oder jenseits der Grenze des Jüdischen lebenden, getauften Juden oder Halbjuden und die mit Vorliebe in Mischehe lebenden, allem Jüdischen völlig entfremdeten Gruppen, die in der Literatur über diese Fragen einen ganz außerhalb aller Proportionen stehenden Platz einnehmen. Dazu gehören auch am inneren Rande solche total assimilierten Juden, die aus irgendeinem Ehrgefühl vor der Taufe zurückschreckten und Juden blieben. Das war eine kleine Randschicht, die sich etwa in der Organisation der sogenannten „nationaldeutschen Juden" zusammenfand. Für diese Gruppen stellte das Judentum überhaupt kein Problem mehr dar. Sie betrachteten sich als Deutsche schlechthin, die an dem jüdischen Erbe weder teilzunehmen brauchten noch ihm gegenüber irgendwelche Verpflichtungen hatten. Von ihrem Gesichtspunkt aus waren alle Probleme zwischen den Juden und den Deutschen gelöst. Sie suchten ihren Umgang so gut wie vollständig in einer Schicht gleichen Charakters oder von Deutschen, die sie im selben Geiste aufzunehmen bereit waren. Ihre Ahnungslosigkeit in allem Jüdischen war total. In einigen markanten Fällen machten sie sich antisemitische Einstellungen und Argumentationen zu eigen . . .

2. Am Übergang zu jener Hauptschicht, die meiner Meinung nach das eigentliche Interesse für unsere Betrachtung darstellt, steht die

Schicht der reichen Juden: Diese Schicht überschneidet sich mit der vorerwähnten insofern, als sie, mit nur wenigen Ausnahmen, vollständig assimiliert war und sich zu einem beträchtlichen Teil auf dem Weg zur Taufe befand sowie ihre jüdischen Bindungen weitgehend auf ein Minimum reduziert hatte. Es war die erwähnte Sicherheit dieser Gruppe, die den fundamentalen Irrtum erleichtert hat, sie als typisch für das deutsche Judentum anzusehen. Ihr Reichtum war großenteils jüngeren und jüngsten Datums, denn der überwiegende Teil der wohlhabenden oder sehr reichen Familien aus der ersten Hälfte des 19. Jahrhunderts war längst zur Schicht der vollassimilierten Juden übergegangen. Das machte diese Gruppe besonders verwundbar, da sie weitgehend die Züge der nouveaux riches zeigte . . .

Im allgemeinen den gemäßigten Liberalen politisch verbunden und sie finanziell unterstützend, hielten sie auf streng patriotische Erziehung ihrer Kinder . . .

3. die zahlenmäßig weitaus stärkste Gruppe war der liberale jüdische Mittelstand, das mittlere und kleine Bürgertum . . .

In dieser Schicht war, soweit es das Bewußtsein der einzelnen betraf, die Substanz des Judentums – seine religiösen Gehalte, die Praxis und die Gebräuche der Überlieferung – weitgehend verlorengegangen, ohne doch gänzlich aufgegeben worden zu sein . . .

Vereinzelte Stücke des Rituals wurden weitgehend praktiziert, wie die Einhaltung der hohen jüdischen Feiertage, die Feier des Frei-

Oben: Ausflug der Mediziner-Familie Werner mit befreundeten Ärzten in die Umgebung Wiens. Um 1910

Unten: Die Familie Fischer aus Wien auf einer Sonntagsexkursion. Vor 1914

tagabends und des Sederabends, der Synagogenbesuch der Frauen an denjenigen Feiertagen, an denen ein „Seelengedächtnis" zur Erinnerung an die verstorbenen Eltern oder Kinder stattfand. Auch die Bar-Mitzvah-Feier beim Eintritt der Söhne ins 14. Lebensjahr wurde in einem überwiegenden Teil dieser Gruppe beibehalten . . .

Die Bildung und Lektüre lagen ausschließlich im deutschen Kulturbereich . . .

Die Assimilation ging sehr weit.

Uns allen war die Grundüberzeugung gemeinsam, daß die überwiegende Majorität unserer jüdischen Umgebung in einem Vakuum und – schwieriger noch und für uns aufregender – in einer Selbsttäuschung lebte, in der sie ihre Wünsche für Realität hielt und ihre Augen bewußt an einem Trugbild der deutsch-jüdischen Harmonie weidete, dem nichts entsprach.

In der Rückschau bin ich überzeugter, als ich es in meiner von Leidenschaften des Protestes erfüllten Jugend sein konnte, daß bei vielen dieser Menschen Illusion und Utopie ineinanderflossen und das vielleicht antizipatorische Glücksgefühl weckten, zu Hause zu sein. Hierin lag auch wirklich Echtes, nämlich das Echte, das wir der Utopie zuerkennen müssen. Ich hege nicht wenige Zweifel im Blick auf das Maß der Echtheit dieses Gefühls; daß es bestand, möchte ich nicht leugnen. Je hinreißender der Traum, desto schrecklicher war das Erwachen. Ohne eine Würdigung dieser Mischung von echtem Glücksverlangen und Selbstbetrug kann man dem deutschen Judentum dieser Zeit nicht gerecht werden.

Gershom Scholem

Oben: Bürgerliche Großfamilie in Ostgalizien. Um 1910
Rechts: Bürgerliche Jugendliche in Warschau. 1938

*S*pinoza, Heine, Lassalle . . . das sind deine drei Helden", hielt Isaac seinem Vater vor. „Du gibst mir ihre Werke in die Hand, du liest sie mit mir und du vermittelst mir deine Begeisterung für ihre Philosophie und ihre Ideen. Alle drei haben das Judentum und die Religion verlassen oder transzendiert. Aber du möchtest, daß ich treu und gläubig an dem festhalte, was bereits für Spinoza im 17. Jahrhundert ein Anachronismus war und was Heine und Lassalle vor fast hundert Jahren lächerlich fanden. Du möchtest, daß ich demütig das Leben akzeptiere, das du für mich geplant hast. Aber deine Helden waren Rebellen, Abtrünnige, Umstürzler."
Isaac Deutscher

*I*ch war noch nicht drei Käse hoch, als mir mein Vater bereits sagte: „Du bist deiner Nationalität nach kein Pole, kein Ruthene, kein Jude – du bist ein Deutscher." Aber ebenso oft hat er mir schon damals gesagt: „Deinem Glauben nach bist du ein Jude."
Karl Emil Franzos

135

Die Ursachen – politischer, soziologischer und technischer Art – liegen auf der Hand. Das Stammpublikum dieser Kaffeehäuser war, wie das geistig und künstlerisch interessierte Publikum insgesamt, zu großem Teil jüdisch. Vor 1938 lebte in Wien fast eine Viertelmillion Juden. Heute zählen sie knappe Zehntausend. Das ist das eine, und daran ist nicht zu rütteln. Es macht sich wahrlich auch auf anderen Gebieten des öffentlichen Lebens geltend, aber auf keinem so nachhaltig und mit so einschneidenden Folgen wie hier. Was nicht etwa besagen soll, daß es in Wien keine Literaten, keine Intellektuellen, keine geistig und künstlerisch interessierten Menschen mehr gäbe. Natürlich gibt es sie. Aber sie sind nicht nur in ihrer Anzahl empfindlich reduziert, sie sind es auch in ihren Möglichkeiten zum Kaffeehausbesuch. Sie sind – und damit kommt die Soziologie ins Spiel – beschäftigt. Sie haben zu tun. Sie sind nur noch potentielle Kaffeehaus-Stammgäste, keine praktischen mehr. Sie bringen alle Erfordernisse eines Stammgastes mit, nur sich selber nicht. Sie haben keine Zeit. Und Zeithaben ist die wichtigste, die unerläßliche Voraussetzung jeglicher Kaffeehauskultur (ja am Ende wohl jeglicher Kultur). Auch die Stammgäste der früheren Literatencafés waren beschäftigt: zum Teil eben damit, im Kaffeehaus zu sitzen, zum Teil mit Dingen, die sie im Kaffeehaus erledigen konnten und wollten. Dort schrieben und dichteten sie. Dort empfingen und beantworteten sie ihre Post. Dort wurden sie telephonisch angerufen, und wenn sie zufällig nicht da waren, nahm der Ober die Nachricht für sie entgegen. Dort trafen sie ihre Freunde und ihre Feinde, dort mußte man hingehen, wenn man mit ihnen sprechen wollte, dort lasen sie ihre Zeitungen, dort diskutierten sie, dort lebten sie. (Kürschners Literaturkalender verzeichnete jahrelang als Peter Altenbergs Adresse: „Café Central, Wien I.") In ihrer Wohnung schliefen sie nur. Ihr wirkliches Zuhause war das Kaffeehaus.
Friedrich Torberg

Ein Stammtisch ist ein Tisch, an dem abends die Ungezogenheiten, Frechheiten und Egoismen der Nebenmenschen ins Unermeßliche auswachsen! Ein Spülwasser-Ausguß für alles, was die beschäftigte Lebensmaschine bei Tage belastet und irritiert hatte!
Ich habe daher zu meiner irgendwo möglichen Entlastung einen kleinen Tarif zu meinen Gunsten eingeführt.
Anekdoten aus der Kinderstube und wundersame Erlebnisse mit seinen Kleinen:
70 Heller!
Versuche des Mannes, die Gattin oder Geliebte zu blamieren, zu desavouieren oder als „Dummerl" hinzustellen: 1 Krone 20! Rache der beiden Geschlechter für irgend etwas, was

sie bei Tage gegiftet hatte: 80 Heller! Ostentativer Versuch eines Herrn, einer Dame bei allen Dummheiten, die sie sagt, rechtzugeben: 1 Krone 40! Gespräche über Hygiene, die nicht den Lehren meines „Prodromos" entsprechen: 90 Heller!
Versuche der Eroberung einer Seele, die, wie alle Seelen, mir gehört: 3 Kronen 80! Zu nahes Sitzen neben einer Dame, die mir gefällt: 5 Kronen! Am ersten Abende der Einführung meines Tarifes bezahlte mir Herr T.:

70 Heller
1 Krone 20 Heller
80 Heller
1 Krone 40 Heller
90 Heller
3 Kronen 80 Heller
5 Kronen – Heller

13 Kronen 80 Heller

Peter Altenberg

Was ist ein Kaffeehausliterat? Ein Mensch, der Zeit hat, im Kaffeehaus darüber nachzudenken, was die andern draußen nicht erleben.
Anton Kuh

Ich teile die Literatur ein in Tisch und Nebentisch.
Anton Kuh

Das Kaffeehaus sei eine „Weltanschauung, ... deren innerster Inhalt es ist, die Welt nicht anzuschauen", schrieb Alfred Polgar.
Unten: Das Grabencafé in Wien. Photographie von Emil Mayer. 1908

Gegenüberliegende Seite: Das Große Lesezimmer im Café Griensteidl in Wien, berühmt als Treffpunkt der Literatengruppe „Jung-Wien". 1897

Er überlegte, ob er ins Kaffeehaus gehen sollte. Er hatte keine rechte Lust dazu . . . die jungen Leute, meist jüdische Literaten, die Georg in der letzten Zeit flüchtig kennengelernt hatte, lockten ihn nicht eben an, wenn er auch manche von ihnen nicht uninteressant gefunden hatte. Im ganzen fand er den Ton der jungen Leute untereinander bald zu intim, bald zu fremd, bald zu witzelnd, bald zu pathetisch; keiner schien sich dem andern, kaum einer sich selbst mit Unbefangenheit zu geben . . . er für seinen Teil wußte, daß es weniger Freundschaft war, die ihn zu den jungen Schriftstellern hinzog als Neugier, einen seltsamen Menschen näher kennenzulernen; vielleicht auch das Interesse, in eine Welt hineinzuschauen, die ihm bisher ziemlich fremd geblieben war.
Arthur Schnitzler

Im Café gibt es keinen Geist, keine Laune, kein Wissen. Dort regiert einzig und allein Majestät Spleen.
Das Café tötet die Freundschaften und die Feindschaften, ein demoralisierendes Nebeneinanderhocken, eine traurige Kameradschaft im Schwachsinn.
Im Café handelt niemand, aber jeder spricht.
Berthold Viertel

Die Luft ist voll von Ziffern und Miasmen. Dem Eintretenden tönt ein großes Geschrei entgegen, aus dem er zunächst nur unartikulierte Laute hört, dann in allen Tonarten hervorgestoßene, gebrüllte, gepfiffene, geröchelte Rufe, die zumeist eine Bekräftigung bedeuten. Näher hinhorchend, vermag man erst genauer zu unterscheiden: Mir gesagt! – Ihm gesagt! – Unter uns gesagt! – Sag i c h Ihnen! – Sagen S i e! – No wenn ich Ihnen sag! – Also ich sag Ihnen! – Ich wer' Ihnen etwas sagen – No was soll ich Ihnen sagen? – was s a g e n Sie! – Sagt e r! – Auf ihm soll ich sagen! – Ihnen gesagt! –
Karl Kraus

Die zwei großen Straßen der Leopoldstadt sind: die Taborstraße und die Praterstraße. Die Praterstraße ist beinahe herrschaftlich. Sie führt direkt ins Vergnügen. Juden und Christen bevölkern sie. Sie ist glatt, weit und hell. Sie hat viele Cafés.
Viele Cafés sind auch in der Taborstraße. Es sind jüdische Cafés. Ihre Besitzer sind meist jüdisch, ihre Gäste fast durchwegs. Die Juden gehen gerne ins Kaffeehaus, um Zeitung zu lesen, Tarock und Schach zu spielen und Geschäfte zu machen.
Juden sind gute Schachspieler. Sie haben auch christliche Partner. Ein guter christlicher Schachspieler kann kein Antisemit sein.
In den jüdischen Cafés gibt es stehende Gäste. Sie bilden im wahren Sinn des Wortes

die „Laufkundschaft". Sie sind Stammgäste, ohne Speise und Trank einzunehmen. Sie kommen achtzehnmal im Lauf eines Vormittags ins Lokal. Das Geschäft erfordert es. Sie verursachen viel Geräusch. Sie sprechen eindringlich, laut und ungezwungen. Weil alle Besucher Menschen von Welt und guten Manieren sind, fällt niemand auf, obwohl er auffällig ist.
In einem echten jüdischen Kaffeehaus kann man den Kopf unter den Arm nehmen. Niemand kümmert sich darum.
Joseph Roth

Das Kaffeehaus ist das Laster des Wieners. Es gibt in Wien wenige Alkoholiker und noch weniger Morphinisten, aber viele tausend Kaffeehaussüchtige. Im Kaffeehaus verfliegt die Zeit. Man spielt dort Karten und Billard, man liest Zeitung, man raucht eine Zigarette, man plauscht, man schreibt Briefe, man trifft sich da mit Leuten, die so interessant sind, daß man sie nach Hause nie einladen könnte. Wenn man in Wien einen Bekannten geringschätzig beschreiben will, so sagt man: eine Kaffeehausbekanntschaft. In das Kaffeehaus flüchtet man vor der Familie, vor den Frauen, nach den Frauen . . .
Otto Friedländer

Ich fand in diesem Kaffeehaus viele Bekannte aus Wien. In Wien wurden viele Talente geboren, aber sie gingen später nach Berlin. Erst wenn sie in Berlin Erfolg gehabt hatten, wurden sie auch zu Hause anerkannt. So wimmelte es in Berliner Künstlerlokalen von jungen Österreichern. Dennoch fand ich bald heraus, daß zwischen der Wiener und der Berliner Bohème der Unterschied enorm war. Hier in Berlin war alles heftiger, greller, die Weltanschauungen, die Kunstmoden, die Laster. Der wilhelminische Militärstaat reizte rebellische junge Menschen ganz anders zur Opposition als Franz Josephs patriarchalisches Regime. In Österreich glaubten junge Bürgersöhne sich wer weiß wie radikal, wenn sie mit Victor Adler und der Sozialdemokratie sympathisierten. In Berlin waren sie Anarchisten und redeten vom Bombenwerfen. In Wien galt ein Verhältnis mit einem „süßen Mädel" aus der Vorstadt für den Gipfel der Libertinage. In Berlin gab es Strichjungen und Nachtlokale, in denen geschminkte Männer in Weibertracht tanzten. In Wien trank man Heurigen, in Berlin schnupfte man Kokain.
Arnold Höllriegel

Sehr wichtig war, daß man immer wieder, während Tagen, Wochen und Monaten gesehen wurde. Die Besuche im Romanischen Café (und auf gehobener Stufe die bei

Schlichter und Schwanecke), die gewiß auch ein Vergnügen waren, galten nicht diesem allein. Sie entsprangen auch der Notwendigkeit zu einer Selbst-Manifestation, der niemand sich entzog. Wer nicht vergessen werden wollte, mußte sich sehen lassen. Das galt in jedem Rang und jeder Schicht, auch für die Schnorrer, die im Romanischen Café von Tisch zu Tisch gingen und immer etwas bekamen, solange sie die Figur, die sie vorstellten, instand hielten und keine Entstellung an ihr duldeten.
Elias Canetti

Im Café Leu nun verkehrten Vorsitzende, Repräsentanten und Personal der Gemeindeverwaltung. Hier legte man sozusagen das Ohr an die Brust des Berliner Judentums. Hier erschien zuweilen Dr. Weiße, der würdige Kanzelredner der Großen Synagoge, eine Art Bischof mosaischer Herkunft. Der Talmudist Albert Katz philosophierte hier und wurde von Fabius Schach genasführt. Die Zionisten kämpften hier ihre Schlachten gegen die „Centralvereinler". Die Orthodoxen intrigierten gegen die Liberalen, die Liberalen fochten gegen die Orthodoxen. Die Westjuden lehnten hier jeden Verkehr mit den Ostjuden ab, und die Ostjuden provozierten ihre westlichen Brüder über den Tisch hinweg. Hier starteten wohltätige Sammlungen. Hier erfuhr man wie durch einen Telegraphen von antisemitischen Ausschreitungen. Hier karikierte Sammy Gronemann den ganzen „Sturm im Wasserglas" mit kaustischem Hohn und liebendem Herzen.
Conrad Rosenstein

Im wilhelminischen Deutschland wuchs der junge Nachwuchs heran, ohne die mindeste Verbindung mit den Realitäten des politischen und sozialen Lebens zu haben. Das Café Größenwahn in Berlin und sein Münchner Gegenstück, das Café Stefanie, waren wie Inseln in einem weiten, feindlichen Ozean, und ihre Bewohner kamen dem Rest des Volkes wie neurotische Wilde vor. Als eines Tages das wilhelminische Deutschland zusammenbrach und die oppositionelle Jugend zur Regierung gelangte, versagte sie völlig. Als im Jahre 1919 das Café Stefanie für einen Augenblick München beherrschte, bedeckten die Künstler des Cafés die Mauern der Stadt mit futuristischen Plakaten, die kein Münchner verstand, und die Literaten, manche von ihnen edle, gütige Idealisten, fanden die Sprache der Massen nicht, die sie aufrütteln und leiten sollten. Damals gab es in München schon den Mann, der die Sprache des Pöbels zu reden wußte: Hitler.
Arnold Höllriegel

Dieses Zusammentreffen der einzelnen seelischen Kraftfelder – moderne Theaterkultur der Nachkriegszeit, Toller, Brecht, gepfefferte Kabaretts, Politik im „Zwiebelfisch", das mehr und mehr sich entwickelnde Schiebertum in den Cafés am Kurfürstendamm und das . . . russische Emigrantenleben schufen eine betäubende Atmosphäre, die auf den sensiblen Menschen berauschend, verwirrend und gelegentlich persönlichkeitsgefährdend einwirkte. So ging es jedenfalls mir.
Bruno Ostrovsky

Zur Institution der Sommerfrische gehörten bestimmte Usancen wie das Ankunftstelegramm oder der Familienpfiff. Dieser, meistens ein Motiv aus einer Wagneroper, diente den Zusammengehörigen zur Standortbestimmung, wenn sie einander im Trubel eines Bahnhofs oder bei der Landung eines Ausflugdampfers zu verlieren drohten. Das Telegramm verständigte den vorerst zu Hause verbliebenen Familienvater vom glücklichen Abschluß der Reise und begann unweigerlich mit den Worten „wohlbehalten eingetroffen". Übrigens hatten Telegramme, von interurbanen Telephongesprächen ganz zu schweigen, damals noch etwas Aufregendes an sich, sei's feierlicher oder unheilkündender Art; sie achteten auf größte Sparsamkeit im Text und stellten im Bedarfsfall durch die Floskel „Brief folgt" genauere Mitteilung in Aussicht. (Berühmt gewordenes Beispiel eines solchen Bedarfsfalles: „seid besorgt brief folgt".) Aus alltäglichen Anlässen wurde niemals telegraphiert. Es mußte ein außergewöhnliches Ereignis sein. Und die Ankunft in der Sommerfrische war ein solches.
Friedrich Torberg

138

Rechts: Chassidische Juden in Krynica-Zdroj, dem berühmtesten Kurort Polens. Um 1930

Die Frühjahrssaison 1894 gestaltete sich wunschgemäß, so daß wir beschlossen, ins Bad zu reisen. Man mußte sich „sehen lassen"; vielleicht verliebte sich doch ein Mädchen mit Geld in uns. Joseph fuhr nach Westerland-Sylt, und ich fuhr auf acht Tage nach Helgoland. Damals galt der für reich, der sich eine Bäderreise erlaubte. Im allgemeinen wurde nicht gereist, Angestellte kannten keine Erholungsreise.
Isidor Hirschfeld

Also schaut's Kinder. Nicht daß Márienbad so scheen is – scheen is bald was. Aber es hat sehr gute Kaffeehäuser, wo man alle Zeitungen kriegt – in ein paar Restaurants kann man ganz anständig essen – das Theater ist gar nicht schlecht, besonders mit den Gastspielen im Sommer – man trifft Leute – und das bissel frische Luft muß man eben in Kauf nehmen."
Friedrich Torberg

Rechts: Rabbiner im böhmischen Karlsbad, dem elegantesten Badeort der österreichisch-ungarischen Monarchie. Um 1900

Auf den Heimabenden wurden neben den Themen Jüdische Geschichte, Zionismus, Palästinakunde auch zeitgenössische Literatur, Theater, Kunst besprochen. Unser intensives leichtathletisches Training spielte sich Donnerstag nachmittags und Sonntag vormittags auf dem Hochschulsportplatz im Grunewald ab. An den Sonntagvormittagen trainierten auf dem Platz auch Mitglieder des Jüdischen Turnvereins Bar Kochba und die Aktiven der Sportverbindung Jüdischer Studenten (Sport V. J. St.). Der prominenteste Vertreter des Sport V. J. St. war Ernst Simon, späterer Brandenburgischer Meister im 800-m-Lauf. Sehr beeindruckt von Simons Sieg, setzten wir alles daran, es ihm in sportlichem Können nachzutun. Herbert Treumann, der Längste in unserer Gruppe, tat sich dabei besonders hervor. Sohn der Filmdiva Wanda Treumann, stieg er bald zu einem der besten Jugendsportler, vornehmlich in der 400-m-Konkurrenz, auf.
Felix Simmenauer

Links: Mitglieder des „Jüdischen Turnvereins Bar Kochba" in Berlin. 1902
Gegenüberliegende Seite und unten: Leichtathleten des Wiener Sportklubs „Hakoah". Zu den erfolgreichsten männlichen Leichtathleten auf den langen Strecken gehörten Arpad Blödy (links) und Walter Frankl, der Ende der 20er Jahre mehrere Male österreichischer Meister wurde. Photographien von Lothar Rübelt. Um 1928

In der Reichshauptstadt Berlin entwickelte sich ein Zentrum des jüdischen Sports ... Neben dem Jüdischen Turn- und Sport-Club „Bar Kochba-Hakoah" gab es vier weitere Vereine, die Mitglied des Deutschen „Makkabi"-Kreises waren: Jüdischer Sport-Club „Hagibor" (hebräisch für „Der starke Jude"), Jüdischer Box-Club „Makkabi", Tennisclub „Bar Kochba" und Jüdischer Ruderclub „Iwria". Zu diesen sich mehr und mehr zionistisch orientierenden Vereinen müssen noch die vielen Gruppen des Sportbundes „Schild" vom Reichsbund jüdischer Frontsoldaten und die des Verbandes jüdisch-neutraler Turn- und Sport-Vereine (VINTUS) gezählt werden. Zu den genannten Vereinen stießen ab 1933 eine Reihe weiterer, die von ausgeschlossenen Mitgliedern der „arisierten" Vereine gegründet wurden.
Kurt Schilde

Mein Vater war in seiner Jugend in der Berliner Turnerschaft sehr aktiv, also in einer für das Kleinbürgertum der liberalen Periode durchaus repräsentativen Organisation. Auch mehrere Brüder und andere Verwandte gehörten ihr an.
Mit dem Aufkommen und Überhandnehmen antisemitischer Tendenzen in der Turnerschaft, vor allem seit den 1890er Jahren, zog er sich auf eine passive Mitgliedschaft zurück, während einer seiner Brüder in den ersten Jahren des 20. Jahrhunderts den ersten jüdischen Turnverein in Berlin mit begründete.
Gershom Scholem

Links: Favoritner A. C. gegen Hakoah auf dem FAC-Platz in Wien. Photographie von Lothar Rübelt. 1928
Die Fußballsektion von Hakoah gewann 1925 die österreichische Meisterschaft.
Rechts: Schwimmerinnen im Startraum des Dianabads in Wien. Photographie von Lothar Rübelt. 1926

Unten: Die erst 1922 aufgestellte Wasserball-Mannschaft von „Hakoah-Wien" errang in den Jahren 1926–1928 dreimal den österreichischen Meistertitel in ununterbrochener Folge. Photographie von Lothar Rübelt. Um 1925
Friedrich Torberg, der bei „Hakoah-Wien" debutiert hatte, wurde mit „Hagibor-Prag" 1928 tschechoslowakischer Meister. Er hat mit seinem Roman „Die Mannschaft" dem jüdischen Wasserballsport ein Denkmal gesetzt.

*D*ie Hakoah hatte auf dem Platz des Brigittenauer A. C. zum Frühjahrs-Meisterschaftsspiel gegen die Hausherren anzutreten, die in der Tabelle an vorletzter Stelle lagen, nur einen Punkt vor Vorwärts 06. Wenn die Brigittenauer gegen Hakoah verloren, hatte Vorwärts 06 noch eine Chance, sich vor dem Abstieg in die dritte Klasse zu retten. Infolgedessen erschien der gesamte Vorwärts-Anhang in der Brigittenau, um für Hakoah zu „drucken". Das Spiel stand die längste Zeit 0:0. Trotz ständiger Feldüberlegenheit konnte der Hakoah-Sturm gegen die massive Verteidigung der Brigittenauer keine richtigen Torchancen herausarbeiten. Da, endlich bekam Norbert Katz, der wieselflinke Hakoah-Linksaußen, einen weiten Vorleger, den er nur noch erlaufen mußte, um dann ungehindert auf das Brigittenauer Tor losspurten zu können. Gewaltiges Anfeuerungsgebrüll erhob sich, in das natürlich der Vorwärts-Anhang einstimmte. Besonders ein an der Barriere lehnender Vorwärts-Anhänger schrie sich die Kehle heiser. Nun pflegt man in solchen Situationen den angefeuerten Spieler beim Namen zu rufen – aber den kannte der Anfeuerer nicht. Und die übliche Bezeichnung, die er für Juden allgemein parat hatte – nämlich „Saujud" –, schien ihm in diesem Augenblick doch nicht recht am Platze. „Hoppauf!" brüllte er also, und nochmals „Hoppauf!" – und dann kam ihm eine Erleuchtung. Sein nächster Zuruf lautete: „Hoppauf, Herr Jud!"
Friedrich Torberg

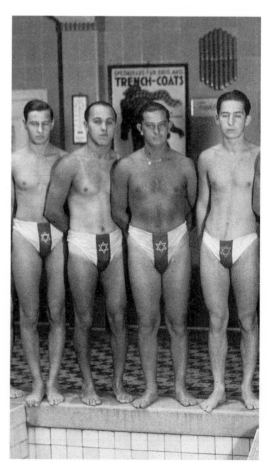

Ja, so war es nun eben. Juden war der Eintritt in die deutschen Rudervereine verwehrt. Gleiches galt für die Deutschen Burschenschaften, die Studentenverbindungen. Wohlgemerkt, wie zuvor im Deutschen Kaiserhaus hatte die Diskriminierung ihren Platz in der Weimarer Republik. Lange auch vor der nationalistischen Gewaltherrschaft. Mein Vater überlegte, die Angelegenheit dem Centralverein mitzuteilen, schlug gleichzeitig vor, ich solle mich den Kameraden anschließen. Der Jüdische Sport- und Wanderverein Kameraden war mir nicht unbekannt. Er war dem Centralverein deutscher Staatsbürger jüdischen Glaubens als Nachwuchsgeneration angeschlossen. Mein Vater zählte zu einem der ersten Angehörigen des im Jahre 1893 gegründeten Centralvereins. Gleich dem 1890 gegründeten Verein zur Abwehr des Antisemitismus, dem auch Nichtjuden, wie Hermann Sudermann, Gustav Freytag und der Nobelpreisträger Theodor Mommsen angehörten, kämpften beide Organisationen gegen die Ausbreitung des Antisemitismus an. Ein schier aussichtsloses Unterfangen, ist doch der Antisemitismus ein über tausendjähriges Übel.
Die Tendenz des C. V. war: „die deutschen Staatsbürger jüdischen Glaubens ohne Unterschied der religiösen und politischen Richtung zu sammeln, um sie in der tatkräftigen Wahrung ihrer staatsbürgerlichen und gesellschaftlichen Gleichstellung sowie in der unbeirrbaren Pflege deutscher Gesinnung zu bestärken." Der Ideologie des Centralvereins (Assimilation in weitestgehendem Maße) stand eine Bewegung gegenüber, deren Maxime hieß: Selbstemanzipation.
Felix Simmenauer

Da man aber den Juden immerfort und aufs Leichtfertigste diese körperliche Tüchtigkeit bestreiten will, muß man von Zeit zu Zeit darauf hinweisen, daß im Fechten und im Tennis Helene Mayer und Daniel Prenn für Deutschland (Olympia 28 und Davis-Cup 32) Weltsiege errangen, wie übrigens einige Zeit vorher Dr. Fuchs für Ungarn Säbelmeister wurde. Unter den Sportlern, die auf allen Gebieten sich für ihre Heimatländer ehrenvoll bewährten, trat die Fußballmannschaft der Hakoah oder der Segelflieger Kronfeld für Österreich hervor, Suzanne Lenglen und René Lacoste für Frankreichs Tennis, der Läufer Katz für Finnland und die Fliegerin Lena Bernstein wiederum für Frankreich. Daß das Boxen von Anfang an unter stärkster Beteiligung kämpfender Juden seine heutige Gladiatoren-Vormachtstellung erlangte, findet man in der Geschichte dieses Sports bestätigt, von Daniel Mendoza an, der 1790 in London das Boxen nach festen Kampfregeln und mit Handschuhen durchsetzte, bis zu dem Besieger Max Schmelings dem amerikanischen Boxer Max Baer. Käme es uns darauf an, jüdische Boxchampions zum Beweise jüdischen Mutes aufzuzählen – wir könnten schnell mit einem Dutzend berühmter Namen dienen.
Arnold Zweig

Elsa Galafrés (1879 Berlin, gestorben in der Emigration) wollte ursprünglich Klavierspielerin werden. Sie gab bereits 1893 ein Konzert in der Berliner Philharmonie. Früh entschloß sie sich für die Schauspielkunst und bekam ihr erstes großes Engagement am Hoftheater in Berlin 1895. Mit ihrem zweiten Mann – von dem berühmten Violinvirtuosen *Bronislaw Hubermann* ließ sie sich nach kurzer Ehe scheiden – übersiedelte sie 1904 nach Wien. Ernst von Dohnányi, Komponist und Pianist, erarbeitete mit seiner Frau Elsa musikalische „Pantomimen in Bildern", so den „Schleier der Pierrette" nach einer Erzählung von *Arthur Schnitzler*. Die zwanziger Jahre bis zu ihrer Emigration in die USA verbrachten Elsa und Ernst von Dohnányi in Budapest, wo die Pantomime „Die heilige Fackel" uraufgeführt wurde.
Links: Elsa Galafrés. Photographie von d'Ora. 1910

*Das Geheimnis Vezas lag in ihrem Lächeln. Sie war sich seiner bewußt und konnte es hervorrufen, aber wenn es einmal erschienen war, vermochte sie es nicht zu widerrufen: es verharrte und war dann, als wäre es ihr eigentliches Gesicht, dessen Schönheit täuschte, solange es nicht lächelte. Manchmal schloß sie im Lächeln die Augen, die schwarzen Wimpern reichten tief und streiften die Wangen. Dann war es, als besähe sie sich von innen, ihr Lächeln als Leuchte. Wie sie sich erschien, das war ihr Geheimnis, doch fühlte man sich, obwohl sie schwieg, nicht von ihr ausgeschlossen. Ihr Lächeln reichte, ein schimmernder Bogen, von ihr bis zum Betrachter. Es ist nichts unwiderstehlicher als die Lockung, den inneren Raum eines Menschen zu betreten. Wenn es einer ist, der seine Worte sehr wohl zu setzen vermag, steigert sein Schweigen die Verlockung aufs höchste. Man unternimmt es, sich seine Worte zu holen und hofft sie hinterm Lächeln zu finden, wo sie den Besucher erwarten.
Vezas Verhaltenheit war nicht zu lösen, denn sie war von Trauer gesättigt. Ihre Trauer nährte sie unaufhörlich, für jeden Schmerz war sie empfindlich, wenn es der Schmerz eines anderen war; unter der Demütigung*

*eines anderen litt sie, als wäre sie ihr selber widerfahren. Sie beließ es nicht bei diesem Mitgefühl, sondern überschüttete Gedemütigte mit Lob und Geschenken.
An solchen Schmerzen trug sie noch, wenn sie längst gestillt waren. Ihre Trauer war abgründig: sie enthielt und bewahrte alles, was ungerecht war. Ihr Stolz war sehr groß und es war leicht, sie zu verletzen. Aber sie billigte jedem dieselbe Verletzlichkeit zu und war in ihrer Vorstellung von empfindlichen Menschen umgeben, die ihres Schutzes bedurften und die sie niemals vergaß.*
Elias Canetti

In dieser einen Bewegung, mit der sie die Arme hob, lagen alle ihre Schönheiten. Ihre Bewegung erinnerte an ein Flehen, eine Entkleidung, eine Abwehr und eine Hingabe gleichzeitig, an alle Arten von Schönheit. Die Arme senkten sich wieder. Die rechte Hand begann über die linke den Handschuh zu streifen . . .
Joseph Roth

Die alteingesessene Modehandlung Ludwig Zwieback & Bruder eröffnete 1895 ihren neuen, fashionablen Hauptsitz in dem großzügig konzipierten Haus Ecke Weihburggasse-Kärntner Straße in Wien I. Sie unterhielt Filialen in den Städten Graz, Budapest und Karlsbad. In den Räumlichkeiten in der Kärntner Straße wurde der Dame von Welt jedes nur erdenkliche Service zuteil. Hunderte Verkäuferinnen bemühten sich um sie, Mannequins führten Modelle vor, die zum Teil in hauseigenen Ateliers angefertigt wurden. Auf Wunsch stellten Diener und Boten die erstandenen Damenkonfektionen und Damentoiletten feinster Ware zu. Zusätzlich boten ein Restaurant, ein Tea-Room und eine American-Bar Erfrischungen an.
Oben: Salon des Modehauses Ludwig Zwieback. Photographie von d'Ora. 1913

Oben: Edith Wohlgemuth aus
Agram (Kroatien). Um 1925
Unten: „Tante Toni" aus Breslau.
Um 1910

Rechts: Ida Coblenz. Um 1900. Sie
war die einzige Frau, die im Leben
des Dichters Stefan George
(1868–1933) eine Rolle spielte, und
heiratete später den Dichter Richard Dehmel (1863–1920).

Er sagte zu ihr: „Ich kenne die zehntausend Variationen auf deinem geliebten Antlitz. Ich kenne darauf die Schwächungen der Langeweile und die Stärkungen anregender Stunde! Ich kenne die Totenmaske der Enttäuschung und das verklärte Künstler-Antlitz traumversunkener Minuten. So bin ich deiner nie sicher, und du ersparst mir den schrecklichen Barbaren-Glauben, deiner sicher sein zu können!
Ewig kommen und versinken Welten auf deinem geliebtesten Antlitz, und ich stehe vor diesem brandenden Ozean, ohnmächtig und dennoch in Andacht versunken!"
Peter Altenberg

Rechts: Arbeitslose Näherin aus Bialystok (Polen). 1921

149

Oppenheim, Gabriele und Paul: Bekannt durch das samstags 12.30 bis 16 Uhr im Hause Schaumainkai 55 stattfindende „Déjeuner", wo zu hervorragendem Essen gewöhnlich zwei Dutzend Intellektuelle geladen wurden. Die Einladung erfolgte informell, d. h. telefonisch, und eingeladen wurden „Leute, die zusammenpaßten, aber nicht zu sehr zusammenpaßten" (Gabriele Oppenheim-Errera). Geachtet wurde auf wechselnde Teilnehmer, jedoch gab es einen festen Stamm von Gästen, zu dem u. a. Paul Tillich und Theodor Wiesengrund-Adorno und der Neurologe Kurt Goldstein gehörten. Die Unterhaltung war frei, stand jedoch oft unter einem Thema, etwa dem Bericht eines Teilnehmers von einer Konferenz, einer Reise, der Diskussion über ein neu erschienenes Buch etc. Gabriele Oppenheim geb. Errera (aus der Brüsseler Familie) „war eine sehr hübsche und kokette Blondine, die mit jedem männlichen Wesen, das in den Bereich ihrer blitzenden Augen kam, einen Flirt begann" (Max Born). Paul Oppenheim, der Sohn des Juwelenhändlers Moritz Oppenheim war Mathematiker und zeitweise Angestellter des I. G.-Farben-Konzerns.
Wolfgang Schivelbusch

Berta Zuckerkandl (1867 Wien–1945 Paris) war eine Tochter des Zeitungsherausgebers und Journalisten Moriz Szeps, eines der Begründer des modernen österreichischen Journalismus. Ihre Schwester Sophie heiratete René Clemenceau, einen Cousin des französischen Politikers Georges Clemenceau; Berthas Mann Emil Zuckerkandl war einer der bedeutendsten Anatomen der Zweiten Wiener Medizinischen Schule. Das Ehepaar Zuckerkandl führte einen der glänzendsten literarischen und kulturellen Salons in Wien, in dem Persönlichkeiten wie *Gustav Mahler, Arthur Schnitzler* und *Hugo von Hofmannsthal* verkehrten. Berthas schriftstellerische Neigung ließ sie früh Zeitungsbeiträge, wie Theater- und Kunstkritiken für die „Allgemeine Wiener Zeitung", veröffentlichen, in denen sie u. a. vehement für das moderne Kunsthandwerk der „Wiener Werkstätte" eintrat. 1907 gab sie eine Sammlung eigener Essays heraus („Zeitkunst"); postum erschien ihr Erinnerungsbuch „Österreich intim". 1938 emigrierte sie nach Frankreich.

Was zu Beginn des Jahrhunderts der Salon der Franziska v. Arnstein für das gesellschaftliche Leben Wiens bedeutete, das repräsentierte um die Zeit der reifenden Emanzipation das gastliche und freigebige Haus der Josefine von Wertheimstein, geborenen Gomperz. „Une reine poétique de la société viennoise" hat sie Taillendier genannt. Daß dies keine Übertreibung war, beweisen viele Briefe von Dichtern und Künstlern, die im Hause Wertheimstein ihr geistiges Heim gefunden hatten.
Franz Kobler

Dein letzter Brief ist erschrecklich traurig. Es zeigt sich eben, daß die arme Frau (Josefine v. Wertheimstein) von dem langen körperlichen Leiden ganz müde ist und keine Kraft mehr hat . . . Sie muß so krank sein, daß ihr Geist gegen die körperliche Gebrochenheit nicht mehr aufkommt, sonst würde sie gewiß den eigenen Kummer vergessen, schon aus Freundlichkeit gegen ihre Umgebung. Ich verhehle mir's nicht, daß das Äußerste zu fürchten ist, und hänge stundenlang der traurigen Betrachtung nach, wie traurig es sein wird, in Wien herumzugehen und zu arbeiten, ohne unsere liebe Freundin mehr zu sehen. Mit den frohen Stunden, die uns da sicher waren, ist es in Gottes Namen vorbei, das aber nichts, wir wollen gerne ihre Trauer teilen und stundenlang vergeblich versuchen, sie zu trösten – wenn sie überhaupt noch da ist. Es wäre mir alle Freude verdorben, das weiß ich . . .
Moritz von Schwind an Eduard von Bauernfeld

Ich will . . . Dir danken im Namen der Kunst, die Du . . . geliebt, hochgehalten – begriffen wie nur wenige . . . Wie tief war Dein Verständnis, wie geläutert Dein Geschmack . . . wie fein wußtest Du das Echte vom Unechten unterscheiden. Du konntest es . . . weil in Dir selbst der Funke glomm, der sich in anderen zur Flamme entzündete. Daher auch der Zauber, den Du auf alle Schaffenden ausgeübt hast. Sie waren glücklich in Deiner Nähe . . .
Es sind andere Zeiten gekommen. Wir wollen es nicht beklagen . . . Aber wünschen möchte ich, daß es in dieser und späteren Zeiten Frauen geben möchte, die gleich Dir, in ihrer Weise, nach allen Seiten segensvoll wirken – Frauen, so verehrt, bewundert und geliebt, wie Du es geworden bist . . .
Ferdinand von Saar am Grab Josephine von Wertheimsteins

Auch bei den Geschwistern der Frau Josephine von Wertheimstein waren die Musen zu Haus: bei der Baronin Sophie Todesco, der Seelenguten, die fast alle Freunde der Villa Wertheimstein auch in ihren kunstgeschmückten Räumen sah, beim Professor Theodor Gomperz, dem geistvollen Geschichtschreiber der griechischen Philosophie, bei Julius Gomperz, dem Brünner Fabrikanten, dessen Wiener Absteigeheim durch seine Frau, die Sängerin Karoline Bettelheim, für Monate ein echter Wiener Musiksalon ward.
Adolf Wilbrandt

Oben: Salon in der Villa Wertheimstein im vornehmen Wiener Cottage-Bezirk Döbling, in der Josefine von Wertheimstein das geistige Wien zu Gast hatte. Um 1900

Unten: Im Wiener Cercle-Club, links sitzend Baron Alfons Rothschild, der Chef des Wiener Hauses. Photographie von Lothar Rübelt. 1924

*F*ür mich existierte in Frankfurt einerseits das „jüdische Volk" (Ostjuden), andererseits der „jüdische Weltbürger", der seine Färbung aus seiner Orientierung an dem Frankfurter südwestdeutschen Volkscharakter mit zusätzlicher Kolorierung durch seine jüdische Familientradition erhielt. Gerade in Frankfurt findet man so etwas wie eine jüdische Aristokratie, alteingesessene jüdische Familien, die durch jahrhundertelanges Verbundensein mit Frankfurt und seiner Geschichte eine eigene Tradition erworben haben, an der diese Familien mit Stolz hängen und die sie unter allen Umständen weiter zu tradieren sich bemühen.
Bruno Ostrovsky

Rechts: Die großbürgerliche Familie Kulp aus Frankfurt am Main. Photomontage. 1891
Links: Die großbürgerliche Bankiersfamilie Warburg aus Hamburg, aus der auch berühmte Wissenschaftler und Philanthropen hervorgingen. 1884

*D*aß Deutschland in den letzten siebzig Jahren einen beispiellosen wirtschaftlichen Aufstieg durchflogen hat, weiß alle Welt. Und daß die Juden am wirtschaftlichen Aufstieg eines Landes hervorragend beteiligt sind, auch. Für die Meinung vieler Völker sind Juden ja überhaupt gleichbedeutend mit reichen Leuten; daß der größte Teil des jüdischen Volkes, kleinster Mittelstand, in schwerer Armut lebt, erfährt erst der, der staunend die Stätten jüdischer Massensiedlung durchstreift. Die deutschen Juden waren nie eine Masse, ihre Zahl hielt sich immer um ein Prozent der deutschen Gesamtbevölkerung, und am wirtschaftlichen Aufstieg waren von diesen sechshunderttausend wiederum höchstens 15 Prozent beteiligt . . .
Das deutsche Bankwesen hatte seit der Emanzipation einen jüdischen Sektor, der in seiner Breite freilich überschätzt wurde: von jeher saßen nichtjüdische Bankiers an allen wichtigen Handelsstädten Deutschlands. Dennoch wurde das Haus Rothschild ein überaus wichtiger Nervenstrang der interna-

tionalen Geschäftsbeziehungen deutscher Interessenten, besonders nachdem es sich von seinem Frankfurter Stammhaus auf die wichtigsten europäischen Hauptstädte verteilt hatte. Aus Moses Mendelssohns Familie ging das Bankhaus Mendelssohn hervor, das neben den später auftretenden Bleichröder zu den angesehensten, bestbeleumundeten Firmen Berlins gehörte . . .
Die Verbindung nach Amerika hielten Frankfurter Banken, wie Kahn, Speyer-Ellissen oder die Hamburger Warburgs, aufrecht. Max Warburg leistete den Deutschen auf der Friedenskonferenz von Versailles im Jahre 1919 ähnliche Dienste wie Gerson Bleichröder 1871 dem Grafen Bismarck. Während die Banken in den großen Landeshaupt- und Provinzstädten weiterhin in jüdischen Händen blieben, oft ausgesprochener Familienbesitz (wie die Aufhäuser oder Feuchtwanger in München), unterlagen die Großbanken schon vor dem Kriege einer Tendenz zur Entjudung . . .
Arnold Zweig

Oben: Baron Alfons Rothschild (mit grauem Zylinder) mit dem Sieger im Derby 1932 in der Wiener Freudenau. Photographie von Lothar Rübelt. 1932
Das in der Regel vom fashionablen, 1867 gegründeten Jockey-Club ausgerichtete Österreichische Derby gehörte zu den größten gesellschaftlichen Ereignissen Wiens.

Unten: Otto Pollack von Parnegg in der Wiener Freudenau. Um 1900. Der aus Böhmen stammende Textilgroßindustrielle war der Sohn der „wien-bekannten witzigen Frau von Pollack", die mit ihr angedichteten Aussprüchen in die Geschichte des antisemitisch gefärbten, parvenuhafte Manieren aufs Korn nehmenden Witzes eingegangen ist.

Rechts: Eduard Freiherr von Oppenheim, der bekannte Bankier, auf der Fahrt zum August-Meeting auf der Kölner Rennbahn. Um 1910

*D*iese Art Adel, den sich manche jüdische Familien aus eigener Machtvollkommenheit zulegten, hat mich und meinen Bruder schon als Kinder bald amüsiert und bald verärgert. Immer bekamen wir zu hören, daß dies „feine" Leute seien und jene „unfeine", bei jedem Freunde wurde nachgeforscht, ob er aus „guter" Familie sei und bis ins letzte Glied Herkunft sowohl der Verwandtschaft als des Vermögens überprüft. Dieses ständige Klassifizieren, das eigentlich den Hauptgegenstand jedes familiären und gesellschaftlichen Gesprächs bildete, schien uns damals höchst lächerlich und snobistisch, weil es sich doch schließlich bei allen jüdischen Familien nur um einen Unterschied von fünfzig oder hundert Jahren dreht, um die sie früher oder später aus demselben jüdischen Ghetto gekommen sind. Erst viel später ist mir klar

geworden, daß dieser Begriff der „guten" Familie, der uns Knaben als eine parodistische Farce einer künstlichen Pseudoaristokratie erschien, eine der innersten und geheimnisvollsten Tendenzen des jüdischen Wesens ausdrückt. Im allgemeinen wird angenommen, reich zu werden sei das eigentliche und typische Lebensziel des jüdischen Menschen. Nichts ist falscher. Reich zu werden bedeutet für ihn nur eine Zwischenstufe, ein Mittel zum wahren Zweck und keineswegs das innere Ziel. Der eigentliche Wille des Juden, sein immanentes Ideal ist der Aufstieg ins Geistige, in eine höhere kulturelle Schicht ... Darum ist auch fast immer im Judentum der Drang nach Reichtum in zwei, höchstens drei Generationen innerhalb einer Familie erschöpft, und gerade die mächtigsten Dynastien finden ihre Söhne unwillig, die Banken,

die Fabriken, die ausgebauten und warmen Geschäfte ihrer Väter zu übernehmen. Es ist kein Zufall, daß ein Lord Rothschild Ornithologe, ein Warburg Kunsthistoriker, ein Cassirer Philosoph, ein Sassoon Dichter wurde; sie alle gehorchten dem gleichen unbewußten Trieb, sich von dem freizumachen, was das Judentum eng gemacht, vom bloßen kalten Geldverdienen.
Stefan Zweig

Der Generation Isaak Hofmanns war eine Assimilation, die nicht am Judentum festhielt, schlechterdings undenkbar: daß die Rothschilds, Wertheimsteins, Sinas, Eskeles, Arnheims, denen sich nun auch die Hofmannsthal zugesellen sollten, gesellschaftlich oder zumindest halbgesellschaftlich von der Alt-Aristokratie akzeptiert wurden, beruhte nicht so sehr auf ökonomischen Motiven als auf dem ihres Judentums, d. h. auf ihrer Zugehörigkeit zu einem exotischen Volksstamm, der in ihnen seine Fürsten mit dem Anspruch auf adelige Gleichberechtigung zur Residenzstadt entsandt hatte; so fühlten sie sich, und das war die Ambition dieser Banquier-Barone, eine auf die Schaffung einer jüdisch-feudaloiden Adelsklasse gerichtete Ambition, verrückt als solche, verrückter noch in ihrer Erfüllung, dennoch eine der wenigen rein im Romantischen begründeten Sozialrealitäten, hier im besonderen von der Neigung fürs Internationale, fürs Fremdartige, fürs Exzeptionelle getragen, in der sich der Wiener Adel jener Tage gefiel. Kein Wunder, daß das Ende der Romantik auch hiefür das Ende bedeutete, umsomehr als der Zuzug der Juden nach Wien und ihre ständig zunehmende Einbürgerung – gerade die Gründung der „Kultusgemeinde" zeigte den entscheidenden Wendepunkt an – aus den Exoten einen sowohl ökonomisch wie sozial unerwünschten Fremdkörper gemacht hatte. Gewiß, die Rothschilds hatten sich ihre Sonderstellung bewahrt, aber das verdankten sie ausschließlich ihrer einzigartigen internationalen Familien- und Geschäftsstruktur; für die andern war, trotz allen Reichtums, der Traum von der sub-feudalen Schein-Assimilation sehr gründlich ausgeträumt.
Hermann Broch

Gegenüberliegende Seite und rechts unten: Villa von Albert Ballin (1857–1918) in der Feldbrunnenstraße in Hamburg. 1916 Ballin, dem die Weltgeltung der deutschen Handelsflotte zuzuschreiben ist, wurde 1899 Generaldirektor der Hamburg-Amerika-Line (HAPAG) und beriet Kaiser Wilhelm II., dessen Vertrauter er wurde, auch in seiner offensiven Flottenpolitik.

Rechts oben: Das Palais Itzig in der Neuen Friedrichstraße in Berlin. Photographie von F. Albert Schwartz. 1857
Mitte: Das Palais Todesco gegenüber der Hofoper in der Kärntner Straße in Wien. Um 1870 Das von Ludwig Förster und Theophil Hansen 1861–1864 erbaute Palais war Sitz der aus Mailand stammenden Industriellen- und Bankiersfamilie sephardischen Ursprungs, das in der Gründerzeit zu den Zentren des Wiener Gesellschaftslebens gehörte.

*U*nermeßlich ist der Anteil, den die jüdische Bourgeoisie durch ihre mithelfende und fördernde Art an der Wiener Kultur genommen . . .; neun Zehntel von dem, was die Welt als Wiener Kultur des neunzehnten Jahrhunderts feierte, war eine vom Wiener Judentum geförderte, genährte oder sogar schon selbstgeschaffene Kultur . . . Nirgends war es leichter, Europäer zu sein.
Stefan Zweig

Oben: Das Palais Ephrussi am Schottentor in Wien. 1870
Die sephardische Bankiersfamilie gehörte zu den großen Finanziers der Wiener Gründerzeit.
Links: Das Palais Rothschild in der Prinz-Eugen-Straße in Wien.
Um 1920

Rechts: Baron Franz Wertheim (1814 Krems–1883 Wien). Photographie von Ludwig Angerer.
Um 1865
Wertheim baute nach Wanderjahren in Frankreich und England eine Werkzeugfirma auf, in der er ab 1853 feuersichere Panzerschränke erzeugte, die weltweiten Ruf bekamen. Er residierte im Palais Wertheim am Wiener Kärntner Ring, das sogar über ein eigenes Theater verfügte.

Oben: Emma von Ephrussi, geborene Freiin Schey von Koromla. Um 1910

Unten: Eduard Freiherr von Todesco (1814–1887), Textilindustrieller und Eisenbahnmagnat. Um 1875

Links: Joseph Freiherr von Hirsch (1805 Würzburg–1885 München), dessen Vater von König Maximilian I. von Bayern bereits zum Hofbankier ernannt worden war, wurde Vertrauter des bayerischen Hofs in Geldangelegenheiten. Er finanzierte auch den Bau zahlreicher Eisenbahnstrecken in Bayern. Photographie von Franz Hanfstaengl. Um 1860

Rechts oben: Alexander Mendelssohn (1798–1871) führte das von seinem Vater Joseph in Berlin gegründete Bankhaus zu internationaler Bedeutung. Sein Großvater war der bedeutende Philosoph Moses Mendelssohn. Um 1860

Rechts unten: Carl Fürstenberg (1850 Danzig–1933 Berlin) verbrachte seine Lehrjahre in der Bankfirma R. Damme in Danzig, später bei *Gerson von Bleichröder* (1822–1893), dem Hofbankier Kaiser Wilhelms I. und Berater Bismarcks, in Berlin, dessen bevorzugtester Mitarbeiter er wurde.

1883 wurde er in die Berliner Handels-Gesellschaft berufen. Binnen kürzester Zeit sanierte er das Unternehmen, indem er die Bank zum Instrument für die Industrie machte. Fürstenberg wurde in der Folge zu einem der wichtigsten Finanziers der deutschen Schwerindustrie. Um 1910

Gegenüberliegende Seite: Karl Mayer Freiherr von Rothschild (1820 Neapel–1886 Frankfurt am Main) wurde als erstes „mosaisches" Mitglied von Kaiser Wilhelm I. in das Preußische Herrenhaus berufen. Als ältester Sohn von Carl Mayer Rothschild, einem der

„fünf Frankfurter", war er seit 1855 Chef des Stammhauses in Frankfurt am Main. Auf ihn geht unter anderem die Stiftung Carolinum zurück, die von der Frankfurter Universität verwaltet wird. Um 1880

Die moderne Finanzgeschichte der deut-schen Juden können wir wohl am ehesten von Mayer Amschel Rothschild (geb. 1743 in Frankfurt a. M.) und seinen Söhnen, den „fünf Frankfurtern", an datieren. Was sie für ihre Zeit bedeuteten, beweist ein Ausspruch, den Frau Gudula, die Mutter Mayer Amschel Rothschilds, getan haben soll, als sie einer besorgten Frau, die über Kriegsgefahr klagte, tröstend antwortete: „Ich werde meinem Sohne sagen, er soll den Fürsten kein Geld geben, dann können sie keinen Krieg ma-chen." Die Geschichte der Rothschilds ragt in der Tat aus der Epoche rühriger Hofjuden kleiner und größerer Potentaten unmittelbar hinein in die Zeit des Hochkapitalismus, von Mayer Amschel über den Baron Anselm Mayer zum Baron Mayer Carl, Mitglied des Preußischen Herrenhauses, und weiter bis in alle Verästelungen eines europäischen Ein-flusses, der aus den ökonomischen und gesell-schaftlichen Verhältnissen des Kontinents kaum noch wegzudenken war, obschon der Einfluß des Hauses gegen Ende des 19. Jahr-hunderts überall in langsamerem oder schnel-lerem Rückgang begriffen zu sein schien. Aber wichtiger als der Aufstieg einer einzel-nen jüdischen Familie ist die Entwicklung der Gesamtheit der deutschen Juden in der mo-dernen deutschen Wirtschaft. Sie begann mit dem Anbruch des Maschinenzeitalters und erreichte ihren Höhepunkt in den Jahren der wilhelminischen Ära, in denen sich Deutsch-land seinen Platz an der Sonne zu erobern anschickte. In demselben Umfang, in dem sich Deutschland vom reinen Agrarstaat zum mitteleuropäischen Industriezentrum umbil-dete, stieg auch die Bedeutung des deutschen Bankgewerbes und der deutschen Börse. Am Beginn dieser Entwicklung stand der deut-sche Privatbankier. Die ersten Privatbankfir-men in Deutschland sind nur selten als reine Finanzierungsunternehmen oder als Bankge-schäfte im heutigen Sinne errichtet worden. Sie entwickelten sich meist organisch, als die Verhältnisse die Gründung solcher Unterneh-men forderten.

So sind in Deutschland die ersten Privatbank-geschäfte, von denen einige noch bis zur Nazi-Zeit bestanden, erst während der drei Kriege Friedrichs des Großen entstanden. Es handelte sich dabei meistens um solche Fir-men, die Kriegsbedarf, in der Hauptsache Tuche, und so weit nicht requiriert wurde, auch Fourage für die Armeen zu beschaffen hatten. Notwendig ergaben sich dabei auch Finanzierungsgeschäfte, und noch bis in die neueste Zeit bestanden, besonders in den deutschen Provinzen, Getreidehandlungen, die sich gleichzeitig auf bankgewerblichem Gebiet betätigten. Ein Teil dieser Firmen ist von Juden gegründet worden und befand sich schon viele Jahrzehnte im Familienbesitz. Daneben gab es aber auch eine Reihe von mehr oder minder bedeutenden Bankgeschäf-ten, die sich ursprünglich mit dem Tuchhan-

del befaßten und sich erst nach und nach auf die reine bankgeschäftliche Tätigkeit umstell-ten. Die meisten dieser Firmen sind entweder der Ungunst der Verhältnisse oder der auf-saugenden Tätigkeit der Großbanken zum Opfer gefallen.
Daniel Bernstein

Und so wahr mir Gott alles Gute geben soll, Herr Doktor, ich saß neben Salomon Roth-schild und er behandelte mich ganz wie seinesgleichen, ganz famillionär.
Heinrich Heine

Die Bedeutung all der Konzerne, die im Verlauf der letzten dreißig Jahre von Juden aufgebaut worden sind – von den Wertheim, Tietz, Jandorf, Karstadt, Schocken. Um zu erläutern, was ein einziger dieser Konzerne in einer einzigen seiner Abteilungen an Waren einkauft und umsetzt, benutzen wir die Zahlen, die der Tietz-Konzern über seinen Lebensmittelhandel veröffentlicht, der doch der deutschen Landwirtschaft als Absatzgebiet diente. In dem gewiß schon schlechten Jahr 1932 verkaufte er an seine Kunden das Fleisch und Fett von 15.000 Rindern, 32.000 Kälbern, 101.000 Schweinen, 13.000 Hammeln, außerdem 9 Millionen Eier, 3,8 Millionen Kilo Käse, 16,3 Millionen Kilo Gemüse und 11,6 Millionen Kilo Obst – im ganzen für etwa 60 Millionen Mark Lebensmittel und andere landwirtschaftliche Erzeugnisse. Um das Bild zu ergänzen, das diese Zahlen geben, fügen wir hinzu, daß er im gleichen Jahre der Textilindustrie Waren für 30 Millionen Mark abnahm, der Bekleidungsindustrie 25 Millionen, im ganzen für 131,82 Millionen Mark Waren einkaufte, mit denen er fast allen deutschen Produzenten Arbeit schuf, von den Fabriken optischer Artikel oder von Gummiballons bis hinauf zu den Verlegern. Denn seine Antiquariate und Buchhandlungen gehörten zu den besten Berlins.

Auf der Basis eines jüdischen Gewerbes, nämlich der Schneiderei (über 14.000 jüdische Schneider allein in Deutschland), wurde von Juden die Herstellung fertiger Anzüge, Kleider und Mäntel zu einer wichtigen wirtschaftlichen Organisation gemacht, zur „Konfektion", die in Berlin ein ganzes Stadtviertel einnahm und zahllosen Heimarbeitern einen elenden Lebensunterhalt sicherte. Ebenfalls in Berlin organisierten Juden den Großverbrauch von Speisen und Getränken: die Namen Aschinger und Kempinski wurden weltbekannt. Der Handel mit Kohlen machte die Firmen Hultschinsky und Caesar Wollheim groß – die letztere, später in den Besitz der Arnholds überführt, ermöglichte das Mäzenatentum des Geheimen Kommerzienrates Eduard Arnhold.

Arnold Zweig

Der Ingenieur Emil Rathenau und der Fabrikant Felix Deutsch gründen ein Geschäft zur Erzeugung und zum Vertrieb von elektrischen Glühbirnen und Apparaten. Aus ihm entwickelt sich unter diesen beiden bedeutenden Intelligenzen eine Weltfirma: die AEG. Nach dem Tode seines Sohnes Walter Rathenau ist jüdischer Einfluß in dieser AEG fast verschwunden, und 1933 preist sie sich als arische Firma an. Die Glühlampenfabrik OSRAM geht einen ähnlichen Weg. Von Industrien, die jüdischer Initiative und jüdischem Kapital und Wagemut ihre Größe verdanken, seien diese beiden Beispiele aufgezählt. Man hätte viel zu tun, wollte man aus Berlin, Frankfurt, Nürnberg oder dem Rheinland weitere Beispiele häufen.
Arnold Zweig

So führt beispielsweise der Handel mit Metallen den Ahnherrn der Hirsch-Kupfer- und Messingwerke zur Metallindustrie. Der Metallhändler Aron Hirsch gründete aber schon 1820, also nur 8 Jahre nach der Emanzipation, einen Kupferhammer im Südharz und beteiligte sich 1823 an der Gründung der Kupferhammer-Betriebs-Gesellschaft in Ilsenburg. Erst der Enkel verschafft um die Jahrhundertwende dem Hause seinen Weltruhm, indem er die Hirsch-Kupfer- und Messingwerke in eine Aktiengesellschaft zusammenfaßt, die Firma an Bergbaubetrieben in Australien, Mittel- und Südamerika, Sibirien, Frankreich und Belgien beteiligt und gleichzeitig eigene Verkaufsniederlagen in fast allen Hauptstädten Europas errichtet. Während die Juden an der Entwicklung der rheinisch-westfälischen Schwerindustrie fast gar keinen Anteil haben – Paul Silberberg, der nur als Organisator der Rheinischen Braunkohlenwirtschaft Bedeutung erlangte, und Ottmar Strauss aus der Firma Wolff, sind Ausnahmen, die erst die Nachkriegszeit ermöglichte – sind sie fast die alleinigen Schöpfer der Oberschlesischen Schwerindustrie. Moritz Friedländer gründet schon zu Beginn des vorigen Jahrhunderts mit anderen zusammen die Minervahütte. Sein Sohn errichtet in den sechziger Jahren die Heinrichsgrube und die Moritzhütte, die heute als Julienhütte das größte Werk in Oberschlesien ist. Die Pringsheims fördern entscheidend den schlesischen Eisenbahnbau. Alle diese Werke gehören heute nicht mehr Juden, sondern sind in der Oberschlesischen Hüttenwerke-Aktien-Gesellschaft zusammengefaßt.
Arnold Zweig

Oben: Emil Rathenau mit Thomas Alva Edison anläßlich eines der zahlreichen Besuche des amerikanischen Erfinders vor einer AEG-Turbine in Berlin-Moabit. 1911

Emil Rathenau (1838 Berlin–1915 Berlin) installierte 1880 das erste Telephon in Berlin. Früh erkannte er die Bedeutung der Elektrotechnik. 1881 erwarb er die Patente

Edisons und gründete die Allgemeine Elektrizitäts-Gesellschaft (AEG). Die AEG stieg in der Folge zu einem der größten Konzerne Deutschlands auf.

Gegenüberliegende Seite: Trauerzug auf dem Berliner AEG-Werksgelände zu Emil Rathenaus Beisetzung. 1915

Marcel Reich-Ranicki
AUSSENSEITER UND PROVOKATEURE

Von Heinrich Heine bis Franz Kafka wurden Literaten jüdischer Herkunft zentrale Figuren der deutschen Literatur, obwohl bzw. weil sie Außenseiter waren . . .

Oben: Grabmal Heinrich Heines (1797 Düsseldorf – 1856 Paris) auf dem Friedhof Montmartre in Paris. Um 1910

Am 1. September 1772 veröffentlichte die Zeitschrift „Frankfurter gelehrte Anzeigen" die Besprechung eines Buches mit dem Titel „Gedichte von einem polnischen Juden". Dieser Titel habe auf den Rezensenten, versicherte er – es war der dreiundzwanzigjährige Praktikant am Reichskammergericht in Wetzlar, Johann Wolfgang Goethe –, „einen sehr vorteilhaften Eindruck" gemacht.

Indes haben die Verse jenes in deutscher Sprache dichtenden polnischen Juden – er hieß Isachar Bär Falkensohn und lebte von 1746 bis 1817 – den jungen Goethe tief enttäuscht: Er wirft ihnen „die Göttern und Menschen verhaßte Mittelmäßigkeit" vor, ihm mißfällt, daß einer auf seine „Judenschaft" verweist, wenn er doch „nicht mehr leistet als ein christlicher Etudiant en belles Lettres auch".

Gewiß war Goethe mit seinem abfälligen Urteil im Recht. Doch bemerkenswerter als dieses strenge Urteil ist, meine ich, die außergewöhnliche Erwartung, die er an die Person des jüdischen Poeten glaubt knüpfen zu dürfen. Goethe betrachtet ihn vor allem – und wiederum zu Recht – als Repräsentanten einer Minderheitsgruppe, und er geht von der Einsicht aus, daß die besondere Situation, in der sich ein Autor befindet, ihm auch eine besondere Perspektive ermöglicht, mehr noch: ihn zu einer solchen Perspektive sogar verpflichtet.

In jenem polnischen Juden, dessen

Gedichte er ohne Pardon und nicht ohne Ironie kritisierte, sah Goethe verständlicherweise einen Neuankömmling, einen Fremden, einen Andersartigen.

Daß die Zugehörigkeit zu einer bedrängten und verfolgten Minderheitsgruppe verschiedene menschliche Eigenschaften der Betroffenen steigert und potenziert, ja, ihre psychische Struktur in hohem Maße zu prägen vermag, ist sicher und gilt nicht nur für die Juden. Bei den Juden jedoch mit ihrer uralten intellektuellen und ethischen Tradition hat das jahrhundertelange Leben in abgeschlossenen und isolierten Bereichen, eine Art Inseldasein also in verschiedenen Teilen des europäischen Kontinents, außergewöhnliche Folgen gezeitigt.

Von Heine stammt das Bonmot: „Die Juden, wenn sie gut, sind sie besser als die Christen, wenn sie schlecht, sind sie schlimmer." Das mag eine höchst fragwürdige Verallgemeinerung sein; worauf sie aber

letztlich abzielt, ist so abwegig nicht. Denn Heine dürfte nichts anderes gemeint haben als die berühmte und berüchtigte Intensität der Juden, ihre bisweilen verblüffende und sogar als erschreckend empfundene Radikalität, ihre Neigung zur Kompromißlosigkeit und ihren gelegentlich bewunderten und häufig mißbilligten Hang zum Extremismus.

Solche und ähnliche Attribute machten viele Juden für die Umwelt einerseits attraktiv und andererseits nicht ganz geheuer. Sie ermöglichten manche ihrer Leistungen und Taten und verursachten zugleich zahllose ihrer Leiden und Opfer. Daß die Menschheit dieser außergewöhnlichen Intensität, in der sich immer wieder die Sehnsucht nach den Grenzen verbirgt, allerlei verdankt, ist bekannt. Aber für die Juden selber, die oft genug versucht haben, gegen ihre Eigenart anzukämpfen, schlug sie in der Regel zu ihrem Unglück aus – auch dann, wenn sie nicht vertrieben, nicht gekreuzigt oder vergast wurden.

Dies alles gilt auch und insbesondere für die Juden in der deutschen Literatur, für die Schriftsteller und Kritiker, für die großen Verleger. Manche von ihnen vermochten tatsächlich zu verwirklichen, was Goethe schon damals, 1772, gefordert hatte.

Ihnen, den Außenseitern und Neuankömmlingen, gelang es oft, das Bekannte und Gewohnte anders und neu zu sehen. Innerhalb und schließlich doch außerhalb der Welt stehend, mit der sie sich auseinandersetzten, konnten sie Vertraulichkeit und Intimität mit skeptischer Distanz verbinden: Gerade von der Peripherie her ließ sich das Zentrale oft mit besonderer Deutlichkeit erkennen und darstellen.

Freilich lebt aus der Spannung von Nähe und Ferne ein beträchtlicher Teil der gesamten Weltliteratur. Nur daß die schreibenden Juden zu ihrem Leidwesen immer wieder Gelegenheit hatten, die künstlerische Ergiebigkeit dieser Spannung zu erproben: Wer glaubt, eine Heimat gefunden zu haben, doch verstoßen oder zumindest eines anderen belehrt wird, sieht sie notwendigerweise mit ambivalenten Gefühlen und aus verschiedenen Perspektiven.

Vor allem aber: Goethe hatte ja gehofft, jener polnische Jude würde mit seinen Gedichten die deutschen Leser aus ihrer „wohlhergebrachten Gleichgültigkeit reißen", ihm sollten „hundert Sachen, die ihr *so gut* sein laßt, unerträglich sein". Einen Ruhestörer und womöglich einen Provokateur wollte er willkommen heißen. Damit hatte aber der junge Goethe die Aufgabe und die Rolle der Juden in der deutschen Literatur und im literarischen Leben des deutschen Sprachraums vorausgeahnt: Sie übten in hohem Maße einen relativierenden und irritierenden, einen *par excellence* provozierenden Einfluß aus – und eben das brachte ihnen viele Bewunderer ein und freilich noch mehr Gegner und Feinde.

Der Jude – schrieb Thomas Mann 1937 – bilde mit „seiner Leidenserfahrung, seiner geprüften Geistigkeit und ironischen Vernunft ein heimliches Korrektiv unserer Leidenschaften". In der Tat wurden die Juden in dieser Eigenschaft – als irritierendes und provozierendes Element also, als ständiges Ferment und „heimliches Korrektiv" – wohl am meisten benö-

tigt und bestimmt am wenigsten geliebt.

Eine solche Funktion nahmen einzelne Juden – nolens volens – noch zu Goethes Lebzeiten auf sich: Ich meine natürlich Ludwig Börne und Heinrich Heine. Beide kamen sie aus dem Ghetto, beide hofften, mit dem Taufzettel „das Entréebillett zur europäischen Kultur" erwerben zu können, für beide gilt Heines Bekenntnis: „Ich mache kein Hehl aus meinem Judentume, zu dem ich nicht zurückgekehrt bin, da ich es niemals verlassen habe", beide stiegen zu außerordentlichem Ruhm im deutschen Geistesleben auf, beide wurden gehaßt, bekämpft und vertrieben, beide schließlich starben sie im Exil.

Börne und Heine konnten der deutschen Literatur ihrer Epoche geben, wovon sie nie zuviel hatte und was sie dringend benötigte: Weltläufigkeit und Urbanität, Witz und Esprit, Charme und Leichtigkeit.

Zugleich sind im Werk Börnes und Heines einige der wichtigsten Motive vorgezeichnet, die wir später bei vielen deutschen Schriftstellern jüdischer Herkunft wiederfinden. Schon hier haben wir die so charakteristische Verbindung von luzider Skepsis mit dem Vertrauen zur Vernunft. Bereits hier fällt das eigentümlichambivalente Verhältnis zu Deutschland auf und jene Sicht, die auf maximale Intimität schließen läßt, doch gleichzeitig von der Entfernung profitiert, die den Horizont erweitert und den Überblick ermöglicht.

Unverkennbar ist im Werk beider, was sie oft mit Spott und Ironie, mit Zorn und sogar mit Hochmut kaschieren wollten: die Enttäuschung der Abgewiesenen und der Schmerz der Verstoßenen, die Sehnsucht der Vertriebenen und die Trauer der Heimatlosen.

Beide waren sie der Zugehörigkeit bedürftig, beide sehnten sie sich nach Geborgenheit, beide wollten sie eine

Heimat haben – und beide mußten sie mit aller Deutlichkeit erkennen, daß sie dies alles in dem meist rückständigen jüdischen Milieu, dem sie entstammten, nicht finden konnten. Denn von der jüdischen Welt, die, trotz der Bemühungen einzelner bedeutender Männer, immer noch in mittelalterlichen Vorstellungen befangen war, hatten sie sich mit gutem Grund entfernt, sie waren ihr ganz und gar entwachsen.

Und konnten sie, Börne und Heine, als deutsche Patrioten gelten? Mit Sicherheit wollten sie es sein, und dies um beinahe jeden Preis. Sie hatten viel erreicht, sie wurden von jenen, die sie für ihre Landsleute hielten, ohne Zweifel respektiert. Aber hatte man sie auch akzeptiert? Deutschland war eher bereit, die beiden Juden zu bewundern als sie zu integrieren. Sie konnten sich nicht beschweren: Sie wurden reichlich gefeiert – und zugleich unmißverständlich abgewiesen. Und so litten Heine und Börne an unerwiderter Vaterlandsliebe.

Beide sind sie auch insofern für viele ihrer Nachfolger in der deutschen Literatur exemplarisch, als sie, die Einzelgänger und Heimatlosen, geglaubt hatten, in den radikalen politischen Bewegungen ihrer Epoche eine Art Heimat gefunden zu haben.

Aber eben weil Börne und Heine von bequemen Illusionen nichts wissen wollten, haben sie unter ihrer Einsamkeit und Isolierung, ihrer Heimatlosigkeit, genauer gesagt unter ihrer Nichtzugehörigkeit immer mehr leiden müssen.

So waren Börne und Heine exzeptionelle und dennoch exemplarische Figuren; sie standen an der Peripherie und doch im Zentrum. Sie mußten Außenseiter der deutschen Literatur ihres Zeitalters bleiben, und sie konnten trotzdem ihre typischen Repräsentanten werden. Indes: gilt dies nur für Börne und Heine? Gewiß, sie waren noch im achtzehnten Jahrhundert geboren und lebten in einer Epoche, in der die Emanzipation der deutschen Juden erst begonnen hatte. Aber sind nicht auch andere bedeutende Juden der deutschen Literatur Außenseiter und Randgestalten und zugleich zentrale und repräsentative Figuren gewesen?

Zunächst einmal: Auf die Schriftsteller jüdischer Herkunft, die durch die schnelle Anerkennung ihrer Leistungen ihre gänzliche staatsbürgerliche und gesellschaftliche Gleichberechtigung zu erlangen hofften, mußte die Reaktion ihrer nichtjüdischen Umwelt einen besonders starken Einfluß ausüben, der allerdings nicht in jedem Fall wahrzunehmen ist.

Im wesentlichen sind hier zwei Tendenzen bemerkbar. Einerseits wurde der Jude, der sich in Deutschland literarisch betätigen wollte, lange Zeit hindurch direkt oder zumindest indirekt genötigt, sich taufen zu lassen; bekanntlich haben sich hierzu nicht nur Börne und Heine entschlossen, sondern auch manche ihrer Nachfolger im neunzehnten und zwanzigsten Jahrhundert. Andererseits aber sah die nichtjüdische Umwelt in diesen Schriftstellern, ob sie sich taufen ließen oder nicht, doch die Vertreter der jüdischen Minderheit, deren tatsächliche und vermeintliche Eigenschaften und Charakterzüge, gute ebenso wie schlechte, fast automatisch in ihren Werken gesucht wurden.

Daß dies bei vielen der Betroffenen eine besonders gereizte, möglicherweise übertriebene und bisweilen auch trotzige Reaktion ausgelöst hat, ist nur allzu verständlich. Manche von ihnen haben versucht, ein derartiges Verhältnis ihrer Umwelt, das nicht unbedingt böswillig zu sein brauchte, zu ignorieren – und keinem konnte dies ganz gelingen, zumal alle als Angehörige einer jahrhundertelang diskriminierten Minorität mit

zahlreichen und sehr verschiedenen Traumata und Komplexen belastet waren.

„Es war nicht möglich, insbesondere für einen Juden, der in der Öffentlichkeit stand, davon abzusehen, daß er Jude war, da die anderen es nicht taten, die Christen nicht und die Juden noch weniger. Man hatte die Wahl, für unempfindlich, zudringlich, frech oder für empfindlich, schüchtern, verfolgungswahnsinnig zu gelten. Und auch wenn man seine innere und äußere Haltung so weit bewahrte, daß man weder das eine noch das andere zeigte, ganz unberührt zu bleiben war so unmöglich als etwa ein Mensch gleichgültig bleiben könnte, der sich zwar die Haut anaesthesieren ließ, aber mit wachen und offenen Augen zusehen muß, wie unreine Messer sie ritzen, ja schneiden, bis das Blut kommt." So Arthur Schnitzler in seiner erst 1968 publizierten Autobiographie „Jugend in Wien".

Für nahezu alle deutschen Schriftsteller jüdischer Herkunft wurde das Judentum im ersten Drittel unseres Jahrhunderts zu einer Last, die sie abwerfen wollten oder resigniert mitschleppten oder wie ein Banner zu tragen versuchten. Fast alle haben unter ihrem Judentum gelitten, fast alle haben mit ihm jahrzehntelang gehadert, was man übrigens – wie im Fall Schnitzler – häufiger und deutlicher ihren nicht für die Veröffentlichung bestimmten Briefen und Tagebüchern, Erinnerungen und autobiographischen Aufzeichnungen entnehmen kann als ihren Romanen, Dramen oder Gedichten.

Nicht wenige dieser Schriftsteller haben sich früher oder später vom Judentum getrennt oder distanziert – und sind schließlich zu der Einsicht gekommen, daß sich dies im Grunde nicht realisieren läßt, weil es nicht von der Entscheidung des Individuums abhängt.

In einem Brief, den Kurt Tucholsky aus seinem schwedischen Exil im Dezember 1935 – wenige Tage, bevor er Selbstmord beging –, an Arnold Zweig richtete, bekannte er: „Ich bin im Jahre 1911 ‚aus dem Judentum ausgetreten', und ich weiß, daß man das gar nicht kann."

Aber ob diese Schriftsteller das Judentum verlassen wollten oder nicht, ihre Herkunft, ihre Lage und ihre Rolle innerhalb der nichtjüdischen Gesellschaft haben ihre Eigenart, ihre Komplexe und ihren Ehrgeiz mitgeprägt – und somit natürlich auch ihr Werk. Das Judentum oder, genauer gesagt, die durch die jüdische Herkunft bedingte Außenseiterposition und Abwehrhaltung trieben Franz Kafka in Einsamkeit und Trauer, Joseph Roth und Ernst Toller in Schwermut und politische Schwärmerei, Carl Sternheim, Alfred Kerr und Kurt Tucholsky in Agressivität und Provokation, Else Lasker-Schüler und – allem Anschein zum Trotz – auch Anna Seghers in Mystizismus und Ekstase.

Judentum – freilich im weitesten Sinne dieses Begriffes – beeinflußte die Mentalität der großen Wiener Feuilletonisten von Peter Altenberg über Egon Friedell bis zu Alfred Polgar und so verschiedener österreichischer Schriftsteller wie Richard Beer-Hofmann, Arthur Schnitzler und Joseph Roth.

Der Anteil der Juden am literarischen Leben Österreichs war enorm: „Neun Zehntel von dem, was die Welt als Wiener Kultur des neunzehnten Jahrhunderts feierte, war eine vom Wiener Judentum geförderte, genährte oder sogar schon selbstgeschaffene Kultur" – schrieb Stefan Zweig in seiner aufschlußreichen Autobiographie. Hilde Spiel hat in ihren Ausführungen über die Dichtergruppe „Jung-Wien", der die österreichische Literatur des ausgehenden Jahrhunderts ihren europäischen

Rang verdankte, verständlicherweise darauf verzichtet, immer wieder auf die jüdische Herkunft ihrer Mitglieder hinzuweisen: Sie macht es umgekehrt, sie sagt, dieser berühmten Gruppe habe nur ein einziger Autor nichtjüdischer Herkunft angehört, nämlich Hermann Bahr. Zugleich erinnert sie daran, daß die großen Österreicher der vorangegangenen Generation – so Grillparzer und Johann Strauß – ebenfalls jüdische Vorfahren hatten.

Wenn in diesem Zusammenhang von einer glücklichen, einer einzigartigen und unwiederholbaren Symbiose die Rede ist, dann sollte man doch nicht vergessen, worauf Stefan Zweig treffend hingewiesen hat – daß nämlich das Wiener Judentum „keineswegs in einer spezifisch jüdischen Weise" produktiv wurde, „sondern indem es durch ein Wunder der Einfühlung dem Österreichischen, dem Wienerischen den intensivsten Ausdruck gab". Und es ist natürlich kein Zufall, daß das Berlinische seine deutlichste und stärkste Widerspiegelung in der Prosa von Juden gefunden hat – in den Romanen Georg Hermanns, in den Feuilletons Kurt Tucholskys und, vor allem, in Alfred Döblins Meisterwerk „Berlin Alexanderplatz".

Da die Haltung der Juden innerhalb der nichtjüdischen Umwelt eine Abwehrhaltung einschloß und einschließen mußte, war auch die Position der Juden in der deutschen Literatur, will mir scheinen, fast immer und ihm hohen Grade eine Gegenposition. Das gilt für Stefan Zweig, der lange Jahre vorgab, diese Frage überhaupt nicht zu kennen, wie andererseits für Max Brod, den konsequenten Zionisten, davon zeugt die elitäre und esoterische Dichtung eines Alfred Mombert und eines Karl Wolfskehl ebenso wie der erzkonservative deutsche Traditionalismus Rudolf Borchardts und die geradezu rühren-

de Preußenliebe Bruno Franks und auch Arnold Zweigs.

Eine Gegenposition und bisweilen sogar eine Trotzreaktion läßt ebenfalls die ostentative Hinwendung mancher Schriftsteller zu jüdischen Themen und Figuren erkennen – so der Else Lasker-Schüler, Lion Feuchtwangers, Max Brods und wiederum Arnold Zweigs. Und schließlich: Erst die jüdische Herkunft und das jüdische Schicksal machen vollauf die außerordentliche und sehr besondere Faszination begreiflich, die katholische Ideen und Motive Jahrzehnte hindurch auf solche Schriftsteller auszuüben vermochten wie Alfred Döblin, der sich gegen Ende seines Lebens taufen ließ, und Franz Werfel, der sich nicht taufen ließ.

Daß derartige Faktoren auch im Werk der Literaturforscher und Essayisten – von Moritz Heimann und Friedrich Gundolf bis zu Walter Benjamin – zum Vorschein kommen mußten, versteht sich von selbst. Der Fall Benjamin ist besonders aufschlußreich. Erst seine 1966 veröffentlichten Briefe zeigten in aller Deutlichkeit, was man in seinen Schriften oft nur zwischen den Zeilen finden kann – nämlich sein Verhältnis zum Judentum und die eminente Bedeutung, die einige jüdische Grundbegriffe für sein Denken hatten.

In einem 1921 geschriebenen Brief an Max Brod spricht Kafka von „dem Verhältnis der jungen Juden zu ihrem Judentum" und von „der schrecklichen inneren Lage dieser Generation" und meint: „Weg vom Judentum, meist mit unklarer Zustimmung der Väter (diese Unklarheit war das Empörende), wollten die meisten, die deutsch zu schreiben anfingen, sie wollten es, aber mit den Hinterbeinchen klebten sie noch am Judentum des Vaters und mit den Vorderbeinchen fanden sie keinen neuen Boden. Die Verzweiflung darüber war ihre Inspiration."

Bezeichnet ist damit, was nicht wenigen jüdischen Schriftstellern – gerade ihnen! – ermöglicht hat, sehr früh, oft schon vor dem Ersten Weltkrieg, die sich abzeichnende Vereinsamung und Entfremdung des Intellektuellen innerhalb der bürgerlichen Gesellschaft Deutschlands und Österreichs zu spüren und wahrzunehmen und mit besonderer Schärfe zu artikulieren. Schnitzler und Karl Kraus, Döblin, Broch und Werfel, Albert Ehrenstein, Alfred Lichtenstein und Ernst Toller, Tucholsky und Benjamin haben an „der schrecklichen inneren Lage dieser Generation" gelitten und sich von ihr – mehr oder weniger bewußt – inspirieren lassen. Freilich sind bei manchen dieser Autoren derartige Motive – Wurzellosigkeit und Entfremdung des Individuums, seine Einsamkeit und Isolation als Folge einer konkreten gesellschaftlichen Realität – nur angedeutet und skizziert. Sie dominieren hingegen – um mich hier auf das größte Beispiel zu beschränken – in der Prosa Franz Kafkas.

Max Brod wies schon zu Lebzeiten Kafkas mit Recht darauf hin, daß in dessen Romanen und Erzählungen zwar das Wort „Jude" überhaupt nicht vorkomme, aber immer wieder das Leiden der Juden dargestellt werde. K.s „Fremdheitsgefühl" im „Schloß" sei – äußerte Max Brod – „das besondere Gefühl des Juden, der sich in einer fremden Umgebung einwurzeln möchte, der aus allen Kräften seiner Seele danach strebt, den Fremden sich anzunähern, gänzlich ihresgleichen zu werden – und dem diese Verschmelzung doch nicht gelingt".

So könnte man sagen: War Heine eine zentrale und repräsentative Figur, obwohl ein Außenseiter, so wurde Kafka eine zentrale und repräsentative Figur der deutschen und der europäischen Literatur, weil er ein Außenseiter war.

169

Die europäischen Juden sind mit keiner Sprache so verwachsen wie mit der deutschen, und wer Sprache sagt, sagt Geist . . .
Ludwig Bamberger

Die Sprache meines Geistes wird die deutsche bleiben, und zwar weil ich Jude bin. Was von dem auf jede Weise verheerten Land übrig bleibt, will ich als Jude in mir behüten. Auch ihr Schicksal ist meines; aber ich bringe noch ein allgemein menschliches Erbteil mit. Ich will ihrer Sprache zurückgeben, was ich ihr schulde.
Elias Canetti

Seit Beginn des 20. Jahrhunderts haben folgende Schriftsteller – Juden, Halbjuden und Vierteljuden („semitischer Herkunft", um in der Sprache des Dritten Reiches zu reden) – ihren Beitrag zur deutschen Literatur geleistet!
Der Wiener Peter Altenberg, *ein Troubadour des 20. Jahrhunderts, der feinfühlige Dichter der unaufdringlichsten und verschwiegensten Frauenschönheit, der seit langem von den Barbaren der Rassentheorie als „dekadenter Pornograph" beschimpft wird;* Oscar Blumenthal, *der Verfasser feinsinniger Komödien ohne Größe, aber voll Geschmack;* Richard Beer-Hofmann, *ein nobler Schmied der deutschen Sprache, Erbe und Interpret der biblischen Überlieferung;* Max Brod, *der selbstlose Freund Franz Kafkas, ein Erzähler aus großer Tradition, voll Eifer und Gelehrsamkeit, der die großartige Gestalt des Tycho Brahe wiederbelebte;* Alfred Döblin, *der als erster in der deutschen Literatur den Typus des volkstümlichen Berliners entdeckt und verkörpert hat, eine der originellsten Schöpfungen der intellektuellen Welt;* Bruno Frank, *ein gewissenhafter Handwerker des Wortes, ein erfahrener Dramatiker, ein Pazifist und Sänger von Preußens Vergangenheit;* Ludwig Fulda, *ein lyrischer Dichter und Verfasser von Komödien voll Charme und Scharfsinn;* Maximilian Harden, *der unermüdliche und vielleicht einzige wirkliche deutsche Publizist;* Walter Hasenclever, *einer der glühendsten Dramatiker;* Georg Hermann, *ein einfacher und wahrhaftiger Erzähler des Kleinbürgertums;* Paul Heyse (Halbjude), *der erste deutsche Nobelpreisträger;* Hugo von Hofmannsthal, *einer der edelsten Lyriker und Prosaiker, der klassische Erbe der katholischen Schätze des alten Österreich;* Alfred Kerr, *ein Theaterkritiker, der von Phantasie überströmte;* Karl Kraus, *der große Polemiker, ein Meister der deutschen Literatur, ein Fanatiker der Reinheit der Sprache, ein fast unangreifbarer Apostel des Stils;* Else Lasker-Schüler, *eine Dichterin; man wagt nicht, ihr ein anderes Epitheton zu geben, dieses genügt;* Klaus Mann (Halbjude, Sohn von Thomas Mann), *ein verheißungsvoller*

junger Erzähler, begabt mit einem beachtlichen stilistischen Talent; Alfred *und* Robert Neumann, *beachtenswerte epische Schriftsteller;* Rainer Maria Rilke (Vierteljude), *einer der größten Lyriker Europas;* Peter Panter [Pseudonym von Kurt Tucholsky. Anm. d. Hg.], *der vor Geist sprühende Polemiker;* Carl Sternheim, *einer der scharfsinnigsten Erzähler und Dramatiker;* Ernst Toller, *der Dichter des Schwalbenbuches, ein revolutionärer Dramatiker, der, weil er die Freiheit des deutschen Volkes liebte, sieben Jahre in einer bayerischen Festung verbrachte;* Jakob Wassermann, *einer der ersten Romanschriftsteller Europas;* Franz Werfel, *ein lyrischer Dramatiker, Erzähler, ein großartiger Dichter;* Karl Wolfskehl, *der große und noble Bearbeiter der Mythen;* Carl Zuckmayer, *ein kraftvoller Dramatiker;* Arnold Zweig, *der Verfasser vom großartigen „Sergeant Grischa" und von „De Vriendt kehrt heim", ein Romancier und Essayist von Gottes Gnaden. Eine ganz unvollständige Liste der Soldaten des Geistes, die vom Dritten Reich geschlagen wurden! Der Leser braucht von ihnen nicht Name für Name Kenntnis zu nehmen. Er begnüge sich gleich uns damit, sie zu grüßen, jene und andere jüdische Schriftsteller, die zu meinen liebsten Freunden zählen und die meine Freundschaft mit einem Epitheton zu schmücken fürchtet:* Stefan Zweig, Hermann Kesten, Egon Erwin Kisch, Ernst Weiss, Alfred Polgar, Walter Mehring, Siegfried Kracauer, Valeriu Marcu, Lion Feuchtwanger, *der verstorbene* Hermann Ungar *und der verehrte Prophet und Seher* Max Picard. *Die anderen deutsch-jüdischen Schriftsteller, deren Namen sich nicht auf dieser Liste fin-*

Die literarische Entwicklung in Deutschland und Österreich wurde von der Jahrhundertwende bis in die dreißiger Jahre wesentlich von Schriftstellern jüdischer Herkunft bestimmt . . .
Oben: *Eine Sitzung der Sektion für Dichtkunst der Preußischen Akademie der Künste in Berlin. Sitzend von links nach rechts:* Alfred Mombert, Eduard Stucken, Wilhelm von Scholz, Oskar Loerke, Walter von Molo, Ludwig Fulda, Heinrich Mann. *Stehend von links nach rechts:* Bernhard Kellermann, Alfred Döblin, Thomas Mann, Max Halbe. *Photographie von* Erich Salomon. 1929

den, mögen mir verzeihen, daß ich sie vergessen habe. Mögen diejenigen, die hier vorgestellt wurden, sich der Nachbarschaft des einen oder anderen Feindes nicht widersetzen. Sie alle sind auf dem Ehrenfelde des Geistes gefallen. Sie alle haben in den Augen der deutschen Mörder und Brandstifter einen gemeinsamen Makel: das jüdische Blut und der europäische Geist.
Joseph Roth

Als habe ein lange zurückstauender Damm nachgegeben, so traten mit einem Mal auf fast allen Gebieten der Literatur, der Lyrik, der Novelle, des Romans, des Essays, der Dramatik Juden hervor mit Leistungen, die zumindest von einer gewissen Schicht geistiger Menschen als Merkmale der Epoche empfunden wurden.
Hans Tramer

Vse poéty židy
Alle Dichter sind Juden (Marina Zwetajewa)
Paul Celan

Berthold Auerbach (1812 Nordstetten – 1882 Cannes), eigentlich Moyses Baruch, sollte Rabbiner werden, studierte aber Jura und Philosophie. Durch seine „Schwarzwälder Dorfgeschichten" (1843–1854) und „vaterländische" Romane wurde er zum Heimatdichter. Jüdische Themen beschäftigten ihn nur in seiner Jugend. In „Das Judentum und die neueste Literatur" (1836) verteidigte er die Dichter des „Jungen Deutschland" wie *Heine* und *Börne* und trat für liberale Ideen, geistige Emanzipation und Kulturbewußtsein des Judentums ein. Zuletzt erkannte Auerbach das Scheitern der Integration der Juden in die deutsche Gesellschaft.
Gegenüberliegende Seite, links: Berthold Auerbach. Photographie von F. Brandseph. Um 1875

*E*s ist aber ganz bestimmt, daß es mich sehnlichst drängt, dem deutschen Vaterland Valet zu sagen. Minder die Lust des Wanderns als die Qual persönlicher Verhältnisse (z. B. der nie abzuwaschende Jude) treibt mich von hinnen.
Heinrich Heine

*D*as unverdiente Glück . . . zugleich Deutscher und ein Jude zu sein, nach allen Tugenden der Deutschen streben zu können, und doch keine ihrer Fehler zu teilen. Ja, weil ich als Knecht geboren, darum liebe ich die Freiheit mehr als Ihr. Ja, weil ich die Sklaverei gelernt, darum verstehe ich die Freiheit besser als Ihr. Ja, weil ich keinem Vaterlande geboren, darum wünsche ich ein Vaterland heißer als Ihr, und weil mein Geburtsort nicht größer war als die Judengasse, und hinter den verschlossenen Toren das Ausland für mich begann, genügt mir auch die Stadt nicht mehr zum Vaterlande, nicht mehr ein Landgebiet, nicht mehr eine Provinz; nur das ganz große Vaterland genügt mir, so weit seine Sprache reicht.
Ludwig Börne

*W*ie gern wäre ich heute bei dir, lieber Jakob [Auerbach], und freute mich mit dir, daß wir das noch erlebt: die Art, wie im ungarischen Reichstag die Juden-Emanzipation einstimmig angenommen wurde ohne Debatte. Das ist doch etwas, was wir nicht zu erleben glaubten. Daß unser heißes und

schweres Drängen, so zum Einmaleins der Humanität geworden – wer will da noch je sagen, man dürfe am Siege des reinen Gedankens zu irgend einer Zeit verzweifeln? Und dazu jetzt die Nachricht, daß Winterstein Handelsminister wird. Ich wünsche eigentlich gar nicht, daß Juden so in höchste Stellen eintreten, sie müssen sich in kleinen unscheinbaren Stellungen bewähren, nicht immer nach Kapellmeisterstellen ausschauen, sondern takthaltende, ins Allgemeine aufgehende Orchestermitglieder sein . . .
Berthold Auerbach

*A*ls ich noch Bauernbursche in Obersteiermark war, hatte ich schon Gelegenheit, die „Schwarzwälder Dorfgeschichten" zu lesen; ich schöpfte schon damals tiefe Verehrung für den Verfasser derselben, welcher das Bauernleben so gut kennt und es so wunderbar anziehend wiederzugeben weiß.
Peter Rosegger

Oben: Ein deutscher Männerchor singt am Grab Heinrich Heines auf dem Friedhof Montmartre in Paris „Ich weiß nicht, was soll es bedeuten . . .". 1901

*M*oritz Gottlieb Saphir (1795 Lovas-Benény bei Pest – 1858 Baden bei Wien), eigentlich Moses Saphir, studierte Theologie und klassische Philologie, bevor er

Kritiker an Adolf Bäuerles „Allgemeiner Theaterzeitung" in Wien wurde. Nach seiner Ausweisung 1825 ging er nach Berlin, wo er als Theaterrezensent und Gründer kurzlebiger Zeitungen (u. a. „Berliner Schnellpost") tätig war. Mit seinem boshaften, damals sehr gefürchteten Witz – er mußte aus diesem Grund 1827 Berlin, 1834 München verlassen – gab er, 1834 nach Wien zurückgekehrt, von 1837 bis 1855 die satirische Zeitschrift „Der Humorist" heraus. Rechts: Moritz Gottlieb Saphir. Daguerreotypie von *Hermann Biow*. 1843

*I*n dem hochtragischen Schicksal dieser Nation liegt die Essigmutter ihres Witzes. Das Alter ihres Schmerzes hat das sarkastische Weinsteinlager an ihre Gehirnwände abgesetzt . . . Klagen und Worte kann man ersticken, aber lachen, fürchterlich lachen, gräßlich lachen kann auch der Geknebelte. Die Juden haben zu dem Witz gegriffen, weil das jener Waffendienst ist, bei dem sie es mit der Zeit zum Offizier bringen können, bevor ein Armeebefehl den Taufschein und nicht das Verdienst in Betracht zieht . . .
Moritz Gottlieb Saphir

Das Café Griensteidl befand sich im Herbersteinschen Palais Ecke Herrengasse–Schauflergasse in Wien I. Bereits bald nach seiner Eröffnung wurde es zum Sammelplatz junger Literaten, Schauspieler und sonstiger „Schöngeister". In den neunziger Jahren des 19. Jahrhunderts erlangte das Caféhaus literarische Bedeutung durch den älteren Schriftstellerkreis „Iduna", besonders aber als Treffpunkt für die Vertreter von „Jung Wien". Das „Griensteidl" mit seinem Künstler- und Lese-zimmer wurde zum Forum für neue künstlerische Ideen. Diese „Kaffeehausliteraten" leiteten eine der schöpferischsten Epochen der Wiener Literatur ein.
Als das Café am 21. Jänner 1897 zusperrte, begrüßte nur ein Stammgast ironisch, daß „Wien jetzt zur Großstadt demoliert" werde: *Karl Kraus*, der mit der „Kaffeehausdekadenzmoderne" abrechnete.
Links: Das Café Griensteidl, Photographie auf einer Neujahrsspende. Um 1895

Der Treffort für alle Jungwiener Literaten war das Café Griensteidl auf dem Michaelerplatz . . .
Richard Beer-Hofmann stieß eines Tages zu uns. Seine Kleidung war von einer exzessiven Noblesse, von einer mit subtilstem Geschmack ausgesuchten Eleganz, die immer etwas leise Herausforderndes hatte. Er trug jeden Tag eine andere stimmungsmäßig und raffiniert gewählte Knopflochblume. Er war (und ist es geblieben) von einer derartig hinreißenden Beredsamkeit, von einem so durch und durch dringenden lichtvollen Geist, daß ich ihm damals den Titel „Mäzen des Verstehens" gab. Selbst schreiben schien er im Anfang gar nicht zu wollen, ja es schien, als sei er sich dafür zu kostbar. . .
Die Begeisterung von uns allen aber errang Loris, der noch nicht sechzehnjährige Gymnasiast Hugo v. Hofmannsthal, der den Einakter in Versen „Gestern" geschrieben hat. Nicht nur die formale musikalisch klingende Sprachschönheit Hofmannsthalscher Verse, auch ihr tiefsinniger Gedankeninhalt wirkte auf uns wie eine Art von edlem Rausch.
Felix Salten

Unmöglichkeit völliger Intimität; – mit Loris wegen Intoleranz, mit Richard wegen Maniertheit, wegen Unverläßlichkeit mit Salten.
Arthur Schnitzler

Alles Dogmatische, von welcher Kanzel es auch gepredigt und in welchen Schulen es gelehrt wurde, war mir durchaus widerwärtig . . . Und ich hatte zum sogenannten Glauben meiner Väter – zu dem, was in diesem Glauben eben wirklich Glaube war – nicht

Erinnerung, Tradition und Atmosphäre – so wenig innere Beziehung als zu einem anderen.
Arthur Schnitzler

In diesen Blättern wird viel von Judentum und Antisemitismus die Rede sein, mehr als manchem geschmackvoll, notwendig und gerecht erscheinen dürfte. Aber zu der Zeit, in der man diese Blätter möglicherweise lesen wird, wird man sich, so hoffe ich wenigstens, kaum mehr einen rechten Begriff zu bilden vermögen, was für eine Bedeutung, seelisch fast noch mehr als politisch und sozial, zur Zeit, da ich diese Zeilen schreibe, der sogenannten Judenfrage zukam. Es war nicht möglich, insbesondere für einen Juden der in der Öffentlichkeit stand, davon abzusehen, daß er Jude war, da die andern es nicht taten, die Christen nicht und die Juden noch weniger.
Arthur Schnitzler

Sie fragen mich in welchem meiner Werke außer im „Weg ins Freie" ich jüdische Probleme, Personen und Verhältnisse behandelt habe. Hierauf muß ich antworten, daß wohl in manchen anderen meiner Bücher Anspielungen auf die Stellung der Juden innerhalb der modernen Kultur und Gesellschaft vorkommen, daß auch episodisch hier und dort Figuren, die direkt als Juden bezeichnet sind, auftreten, daß aber von einer eingehendern Behandlung des Problems oder der Probleme, sowohl nach der sozialen als nach der psychologischen Seite hin kaum die Rede sein kann.
Arthur Schnitzler

Was nun im besonderen Arthur Schnitzler betrifft, so scheint hier zwar nicht die Gelegenheit gegeben, ihn literarisch zu werten, aber immerhin zu bemerken, daß er repräsentativ für eine Epoche, ein Land, eine Monarchie war und ist; daß seine dramatische und epische Leistung mit den lächerlichen privaten Konfessionen und Reportagen der „jungen Generation" nicht zu vergleichen ist; daß seine Sprache der dichterische Reiz der Melancholie auszeichnet und nicht der blanke, nackte Schimmer einer Tatsachenhäufung und nicht das Rufzeichen-Pathos politischer Anklagen.
Joseph Roth

Die eigentliche Welt seiner Stücke ist die Welt eines bestimmten gebildeten, oder um es richtiger zu sagen intellektuellen Bürgertums: . . . es handelt sich um eine ganz bestimmte soziale und mentale Nuance zugleich –, die sehr charakteristisch bleiben wird für die Zeit zwischen 1890 und dem großen Krieg, und die man vielleicht später einmal kurzweg die Schnitzlersche Welt nennen wird, wie man eine gewisse Gesellschaft der Louis-Philippe-Zeit, die nie genau so in der Realität existiert hat, die Balzacsche Welt nennen muß.
Hugo von Hofmannsthal

Schnitzlers berühmte Verszeile „Wir spielen alle, wer es weiß, ist klug" gibt den Extrakt seines Weltgefühls. Auch was Wahrheit heißt, galt ihm nur als fragwürdiger Sinn, solchem Spiel – einem Vernunft-Bedürfnis folgend – unterlegt, ohne daß es dadurch andres würde als Spiel; ein Spiel, in dem der Masken mehr sind als der Gesichter, der leidenschaftlichen Gebärden mehr als der Leidenschaften, und in dem die Spieler mehr Blut und Geist fatieren, als sie haben.
Er blickte auf das Leben heiter, weil es immerzu wieder aus dem Tod entspringt, und mit Resignation, weil es immerzu wieder in den Tod mündet. Er betrachtete die Welt liebevoll und gestaltete liebevoll, was er sah. Aber als sie ins Wanken kam, kamen schlechte Zeiten für geruh- und empfindsame Be-

trachter, und im Angst- und Wutgeschrei
einer von Panik ergriffenen Welt verhallte
das Wort des Dichters, der, trotzdem die
Konjunktur so dringend dazu riet, nicht aufhören mochte, einer zu sein.
Alfred Polgar

*D*as einzige, was mir eine gewisse Sicherheit
gibt, ist eigentlich nur das Bewußtsein, in
menschliche Seelen hineinschauen zu können . . . tief hinein, in alle, in die von Schur-
ken und ehrlichen Leuten, in die von Frauen
und Männern und Kindern, in die von Heiden, Juden, Protestanten, ja selbst in die von
Katholiken, Adeligen und Deutschen, obwohl
ich gehört habe, daß gerade das für unserei-
nen so unendlich schwer, oder sogar unmöglich sein soll.
Arthur Schnitzler

*I*ch habe mich oft verwundert gefragt, woher
Sie diese oder jene geheime Kenntnis nehmen
konnten, die ich mir durch mühselige Erfor-
schung des Objektes erworben, und endlich
kam ich dazu, den Dichter zu beneiden, den
ich sonst bewundert.
Sigmund Freud

*E*r hat bereits zu einer Zeit, wo diese Lehren
noch im Werden begriffen waren, die Psychoanalyse dramatisiert. Und er hat in seinen
Romanen und Theaterstücken das Wien des
Fin de siècle eingefangen und für spätere Geschlechter konserviert: eine ganze Stadt mit
ihrer einmaligen Kultur, mit dem von ihr
genährten und entwickelten Menschenschlag,
wie er sich in einem bestimmten Zeitpunkt
der Reife und Überreife auslebte, ist in ihnen
klingend und leuchtend geworden.
Egon Friedell

*W*ir müssen es uns eingestehen, Poldy, wir
haben eine Heimat, aber kein Vaterland – an
dessen Stelle nur ein Gespenst. Daß man für
dieses Gespenst vielleicht einmal das Blut seiner Kinder wird hingeben müssen, ist bitter
zu denken.
Hugo von Hofmannsthal

*W*ährend er nach außen hin den deutsch-
jüdischen Einklang zu verkörpern schien wie
selten einer, krankte er innen an den Stoffen,
aus denen er gebildet war . . . Er riß an seinen
Wurzeln, duldete aber nicht, daß ein anderer
an sie rührte. Und selbst, wenn keiner ihn in
seiner doppelten Abkunft verletzte, blieb ihm
sein Judentum wie sein Deutschtum eine bald
verketzerte, bald gehegte, immer aber eine
sakrosante Unbehaglichkeit.
Heinz Politzer

Arthur Schnitzler (1862 Wien – 1931 Wien) studierte wie sein Vater Johann Medizin und arbeitete 1885–1888 als Arzt am Wiener Allgemeinen Krankenhaus und 1888–1893 als Assistent an der Poliklinik. Zunehmend widmete er sich literarischen Arbeiten. Mit *Richard Beer-Hofmann*, Hermann Bahr, *Felix Salten* und *Hugo von Hofmannsthal* gehörte er dem Literatenzirkel „Jung Wien" an, der sich im Café Griensteidl traf. Zu den typischen Vertretern des Wiener Impressionismus zählend, war er ein ausgezeichneter Beobachter mit psychologischem Einfühlungsvermögen. Die von ihm geschaffenen Figuren des Wienertums an Anfang des 20. Jahrhunderts sind in ihrer künstlerischen Aussage von zeitloser Gültigkeit.

Den inneren Monolog wendete er als einer der ersten in „Leutnant Gustl" und „Fräulein Else" an. Einen Skandal verursachte der „Reigen", in dem er spielerisch erotische Situationen, eine damals tabuisierte, darum faszinierende Welt, schildert.
„Professor Bernhardi" ist eine fast klinische Bestandsaufnahme des Antisemitismus österreichischer Prägung. In dem Roman „Der Weg ins Freie" durchleuchtet Arthur Schnitzler vor allem die Wiener jüdische Gesellschaft in ihrer Identitätssuche zwischen Assimilation und Zionismus. Seine Autobiographie „Jugend in Wien" vermittelt seine Gedanken zu Themen der Zeit, unter anderem dem Antisemitismus.

Hugo von Hofmannsthal (1874 Wien – 1929 Rodaun) entstammt einer jüdisch-böhmischen Seidenfabrikantenfamilie. Schon mit 17 Jahren veröffentlichte er in der „Neuen Freien Presse" seine ersten Gedichte unter dem Pseudonym Loris. Später wurde er in den Literatenzirkel im Café Griensteidl am Wiener Michaelerplatz eingeführt.
Als Dramatiker hat Hugo von Hofmannsthal sich vor allem auch für antike Vorbilder interessiert. Durch die Nachdichtung „Elektra" wurde der Komponist Richard Strauss auf den Dichter aufmerksam. Es kam zu einer langen fruchtbaren Zusammenarbeit („Der Rosenkavalier", „Ariadne auf Naxos" etc.). Mit *Max Reinhardt* rief er die Salzburger Fest-

spiele ins Leben, für die er „Das Salzburger große Welttheater" und den „Jedermann" schuf.
In seinen Theaterstücken „Der Schwierige" und „Der Unbestechliche" erweist er sich als österreichischster der österreichischen Dichter der Jahrhundertwende.
Oben: *Otto Brahm* (1856–1912), der einflußreiche Berliner Theaterleiter, zu Besuch auf dem Semmering mit (von rechts nach links) *Arthur Schnitzler, Hugo von Hofmannsthal* und *Felix Salten*. 1905

Wir stehen unter anderen Gesetzen der Beurteilung als andere Völker; ob wir nun wollen oder nicht – was wir Juden tun, vollzieht sich auf einer Bühne – unser Los hat sie gezimmert. Art und Unart anderer Völker wird selbstverständlich hingenommen. Aber alle Welt darf auf Publikumssitzen lümmeln und die Juden anstarren. Blick, Stimme, Haltung, die Farbe der Haare, die Masse des Körpers – alles soll gehässigen Richtern Rede stehen – und wehe, wenn wir nicht als Halbgötter über die Szene schreiten.
Richard Beer-Hofmann

Wenn ich nicht mehr bin und wenn die, die dann Deutsch lesen, mich zu den ihren zählen wollen, dann werde ich eben ein deutscher Dichter gewesen sein. Eines aber werde ich vor vielen anderen voraushaben: daß ich mich anlehnen kann an eine so lange Reihe von Vorfahren, die unter Bedrängnissen aller Art ihren Gott nie preisgegeben haben.
Richard Beer-Hofmann

Ich bin kein Jude gewesen, da ich ein Knabe war. Als Jude geboren, bin ich erst später, erst als Jüngling mit aufgewachtem Denken und aufgerütteltem Gefühl Jude geworden. Mein Vater gehörte mit allen seinen Anschauungen und Meinungen der liberalen Ära an. Er war ein wunderbar begabter Mann, von hinreißender Leidenschaftlichkeit erfüllt. Er glaubte inbrünstig an die Versöhnung der Menschen, an das Aufhören der Gehässigkeit von Volk zu Volk, an das Aufgehen der Juden in der Gemeinschaft der Nationen. Er nannte konfessionelle Unterschiede lachend überlebten Unsinn, warf seine jüdische Erziehung, die ihm als Sohn eines Rabbiners zuteil geworden, warf sein jüdisches Bekenntnis mit dem ganzen Ungestüm seiner impulsiven Natur beiseite, und weil er, der liberalen Epoche gemäß, der er angehörte, in seiner Gesinnung ein Kosmopolit war, ergab er sich auch einem unbestimmten, durch keine religiöse Regel oder Tradition gebundenen Pantheismus. Er kümmerte sich wenig darum, ob wir Kinder in Religion unterrichtet wurden oder nicht. Und meine Mutter, still, sanft und kindlich mädchenhaft bis in ihr spätes Alter, verfuhr natürlich ganz wie ihr Gatte. Wir Kleinen beteten wohl zum lieben Gott: „Vater, laß die Augen Dein – über unserm Bette sein." Aber wir hätten nicht zu sagen gewußt, was für ein Gott das ist, ein Judengott, ein Christengott oder ein Gott der Moslims.
Felix Salten

Richard Beer-Hofmann (1866 Wien – 1945 New York) schloß das Studium der Rechtswissenschaften 1890 in Wien ab. Im selben Jahr kam er auch erstmals ins Café Griensteidl und zählte sehr bald zu den engeren Freunden *Arthur Schnitzlers, Hugo von Hofmannsthals* und *Felix Saltens*. Das berühmte, 1897 für seine Tochter geschriebene Gedicht „Schlaflied für Mirjam" gibt bereits die weitere Richtung seines schmalen dichterischen Werks an: Gestaltung des Schicksals und Auftrags des jüdischen Menschen, des religiösen Ereignisses der Erwählung. Ein biblischer Vorwurf führte zu dem Gedanken des Zyklus „Die Historie von König David", an dem Beer-Hofmann schon bald nach der Jahrhundertwende zu arbeiten begonnen hat, von dem aber vollendet nur das Vorspiel „Jaakobs Traum" und die sieben Bilder „Der junge David" vorliegen.
Oben: Richard Beer-Hofmann. Photographie von d'Ora. 1909

Als junge Menschen waren wir fasziniert von der Idee, der schalen und banalen Welt des äußeren Scheins die „innere" Welt gegenüberzustellen, die in den Tiefen der Seele wurzelt, im „unerforschlich tiefen Grund" (Tristanbegeistert waren wir auch), bei den „Müttern", im Geheimnis der Vergangenheit, und überwältigt von Bubers erster Rede 1909, der es „das Blut" nannte. Wir standen im Banne von Richard Beer-Hofmanns „Schlaflied für Mirjam", „Blut von Gewesnen – zu Kommenden rollt's, Blut unsrer Väter voll Unruh und Stolz" . . . dieser mystische Begriff war in uns ebenso mächtig wie der des Traums, beide gespiegelt in der Wiener Literatur vor 1914. Viele Worte von Hofmannsthal („. . . und meine Ahnen, die im Totenhemd mit mir verwandt sind wie mein eignes Haar . . .") und Schnitzler („. . . wer die Zusammenhänge versteht, lebt ewig . . .") und anderen erschienen uns als Bestätigung unseres Lebensgefühls.
Robert Weltsch

Meiner Substanz nach bin ich durchaus Jude, funktionell durchaus Österreicher.
Richard Beer-Hofmann

Felix Salten (1869 Budapest – 1945 Zürich), mit bürgerlichem Namen Siegmund Salzmann, kam schon als Kind nach Wien und begann sich bereits 1887 literarisch zu betätigen. Er wurde 1891 Mitarbeiter an der „Allgemeinen Kunst-Chronik" und bald darauf Burgtheater- und Kunstreferent der „Wiener Allgemeinen Zeitung". Er gehörte mit *Arthur Schnitzler, Richard Beer-Hofmann, Hugo von Hofmannsthal* und Hermann Bahr dem Literatenzirkel „Jung Wien" an, der sich im Café Griensteidl traf. 1901 gründete er nach dem Vorbild des Berliner „Überbrettl" und der Münchner „Elf Scharfrichter" eines der ersten Wiener Kabaretts, das „Jungwiener Theater Zum lieben Augustin". 1906 wurde er Leiter des Kulturteils der „Neuen Freien Presse", für die er rund drei Jahrzehnte arbeitete. Saltens Œuvre ist so reichhaltig, daß es schwer einzuordnen ist. Vor allem sind seine Kritiken, Essays und Feuilletons zu nennen, von denen die besten schon früh in Sammelbänden erschienen sind. Den größten literarischen Erfolg hatte Salten jedoch als Prosaschriftsteller mit Romanen, Novellen und Erzählungen. Anonym erschien der ihm zugeschriebene Roman „Josefine Mutzenbacher", einer der besten des erotischen Genres in deutscher Sprache. Besonders populär und weltberühmt wurde Salten durch seine Tierromane, vor allem „Bambi" (1923), das von Walt Disney verfilmt wurde.

Das Palästinabuch „Neue Menschen auf alter Erde" (1925) ist ein Bekenntnis zum Zionismus.
<u>Links:</u> Felix Salten mit seinen Kindern. Photographie von *d'Ora.* 1911

175

Peter Altenberg im Café Central

907

Peter Altenberg (1859 Wien – 1919 Wien), eigentlich Richard Engländer, erfand gleichsam mit einem Geniestreich ein Genre und eine Sprache, mit der er die Stimmung des Wiener Fin-de-siècle traf. Der Poet, Bohemien und Exzentriker gilt mit seinen skizzenhaften Schilderungen des Alltags und dessen Merkwürdigkeiten als einer der Hauptvertreter des literarischen Impressionismus in Wien.
Links: Peter Altenberg im Café Central in Wien. 1907

Alfred Polgar (1873 Wien – 1955 Zürich) verfaßte seit 1925 Theaterkritiken für die „Weltbühne" und das „Tagebuch" in Berlin. 1933 zog er sich nach Wien zurück, 1938 emigrierte er über Paris in die USA (1940). Er war vor allem als satirischer Feuilletonist bedeutend und gilt durch seine kultur- und literarkritischen Skizzen, seine geistreichen Glossen und Aperçus (z. B. „An den Rand geschrieben") als Meister der kleinen Form.
Gegenüberliegende Seite, unten: Alfred Polgar. Um 1950

Anton Kuh (1891 Wien – 1941 New York) gehörte zu den geistreichsten Köpfen der Wiener Kaffeehausliteraturszene. Artikel für Wiener und Berliner Zeitungen schreibend, wurde er – von seinem Freund *Egon Friedell* als „Sprechsteller" bezeichnet – durch seine originellen Stegreifreden berühmt. Seine bekanntesten Werke sind „Von Goethe abwärts" (1922), „Der unsterbliche Österreicher" (1931) und das auf einem Stegreifpamphlet gegen *Karl Kraus* basierende „Der Affe Zarathustra". <u>Links:</u> Anton Kuh. Photographie von Albert Hilscher. 1931

Gerade an den geringen Anlässen zeigt er [Alfred Polgar] seine Meisterschaft. Er poliert das Alltägliche so lange, bis es ungewöhnlich wird. Was soll er noch mit dem Ungewöhnlichen? Es ist ihm nicht gewachsen. Was soll er mit spannenden „Ereignissen"? Jeder seiner Sätze enthält sensationelle Sprachereignisse. Seine Form ist so subtil, daß sich kein grober Stoff, keine handgreifliche Handlung in sie trauen. Die Sensationen gehen behutsam mit dem Dichter um und meiden seine Nähe. Sie fürchten ihn. Er könnte sie verspotten, und – wehe ihnen! – sie wären keine Sensationen mehr! Seine Form besticht die Wahrheit. Wenn er eine schwere Tragik in einem Witz münden läßt, merkt man nicht einmal, daß dieser willkürlich war und jene schwer. Wenn er über etwas schreibt, hat er doch das „Etwas" geschrieben. Nirgends gibt es noch einen Beobachter (deutscher Sprache), der so einem Gestalter gliche, der so hundert Gestalter überträfe.
Joseph Roth

Polgar Alfred – heute Klassiker – von so provokant in sich gekehrter Sanftmut, daß dieses Piano seines Wesens die Tassen erklirren machte, spielte Tarock; es war aber nicht das Tarockspiel eines Bürgers, es war Buddhas Flucht ins Tarock; sah man ihn so stundenlang sitzen, dann war gewiß der Gedanke kaum unterdrückbar: „Herrgott, was könnte aus dem Mann werden, wenn er hier nicht stundenlang tarockspielend säße!" Diesethalben saß er und spielte.
Anton Kuh

Ein ganz besonderes Charakteristikum des Wiener Feuilletons ist die jokose Mischung von Urjudentum und Urariertum. Von synagogaler Wehmut und Grinzinger Alkohollaune. Ist der Kummer über die tausendjährige Diaspora am besten in Wiener Heurigen zu ersäufen? Es scheint so. Das Drah'n, das ist mein Leben – so wahr ich lebe! Die Mischung zeigt sich durchaus in Bau und Art des Wiener Feuilletons. Es hat einen gefühlvollen Intellekt und ein bemerkenswert intelligentes Gefühlsleben. Es übt verschnörkelte logische Denkspiele mit Empfindungen, und hat andererseits immer eine Portion Rührung weich im Gehirn sitzen. Das Wiener Feuilleton hat eine resignierte Weltanschauung, wo ihm die Gedanken fehlen, und cerebrale Geschäftigkeit, wo es mit der Empfindung nicht nach kann.
Alfred Polgar

Altenberg war ein Urwiener und doch heimatlos, der Boden unter seinen Füßen grüßte ihn nicht. Er war ein Jude. Ahasverisch lief sein Leben von Hotelzimmer zu Hotelzimmer, von Café zu Café. Sein Witz war jüdisch, antithetisch, umfallend, sich preisgebend – aber sein Zorn war prophetisch, sein Grimm alttestamentarisch. Peter Altenberg war ein starker Beweis für die Konstanz der jüdischen Rasse. Sein Wort ist unvergänglich wie das irgendeines biblischen Dichers.
Albert Ehrenstein

Wie Peter Altenberg die Frau immer sieht, so hat sie jeder Mensch mindestens einmal in seinem Leben schon gesehen: als er liebte.
Egon Friedell

Kurfürstendamm-Theater; gesteckt voll . . . Anderthalb Stunden geht er herum, sprechend, ringend. Vom Tisch zu den Fußlichtern, von der Rampe zur Flasche zurück. Jetzt in Abschweifungen, jetzt stockend, jetzt mit neuem Einfall. Katzbuckelt nicht vor den Versammelten, sondern wird „unpleasant". Ohne Furcht vor dem Peinlichen. Sich sofort anpackend, sich die Hüllen abreißend, wo er nur den eigenen Verdacht einer Beschönigung wittert.
Alfred Kerr über Anton Kuh

Er [Egon Friedell] war – man muß sich das immer wieder vergegenwärtigen – von einer schier unglaublichen Vielseitigkeit, er war ein durchaus ernstzunehmender Kulturphilosoph und ein brillanter Essayist, ein Liebhaber und Kenner des Theaters, für das er auch geschrieben und auf dem er sich als Schauspieler betätigt hat, er konnte mit seinen kabarettistischen Improvisationen, die denen eines Anton Kuh um nichts nachstanden, den mieselsüchtigsten Menschen zum Lachen bringen, aber er konnte . . . auch selber lachen, unbändig und von Herzen.
Friedrich Torberg

In der Hölle des deutsch-jüdischen Schrifttums ist Karl Kraus der große Aufpasser und Zuchtmeister . . . Nur vergißt er dabei, daß er selbst in diese Hölle, unter die zu Züchtigenden mithineingehört.
Franz Kafka

Alfred Kerr war geistreich, genießerisch, subjektiv, von Fall zu Fall urteilend, ein Impressionist, für den die Kritik eine Nachdichtung des Theaterabends war: er liebte die Illusion, den schönen Schein, das Augen- und Gedankenfest.
Hans Sahl

Es sprach unser letzter Europäer von Ruf [Maximilian Harden]. Es sprach ein Mann, mit dem noch einmal eine verklungene Welt aufstand, der Repräsentant einer fast verschollenen Epoche, einer, der noch an Recht, an fair play, an Sitte und Anstand auch im Kampf der Meinungen glaubte. „Ich habe den Kaiser immer bekämpft, vom ersten Tage an – aber getötet wurde doch unter seiner Regierung nicht.“ Er wuchs weit über sich hinaus. Über die Köpfe dieser Kleinbürger hinweg, die da um ihn herumsaßen, sprach einer, der die Sprache der Welt, nicht die Sprache dieses Deutschland redete. Er sprach davon, wie eine Nation zu seiner Lebensarbeit idiotisch lallend den Refrain „Isidor!“ anstimmte. (Und dabei hieß er niemals Isidor, sondern früher einmal Felix.) Er sprach von dem unverjährbaren Delikt seines Judentums und von der unverjährbaren Dummheit eines Regimes.
Kurt Tucholsky

Maximilian Harden (1861 Berlin – 1927 Montana, Schweiz), eigentlich Maximilian Felix Ernst Witkowski, befand sich als linksgerichteter Gesellschaftskritiker und Satiriker stets in Opposition zum Establishment des Wilhelminischen Kaiserreichs. 1923 zog er sich nach einem mißglückten Attentat auf ihn in die Schweiz zurück.
Unten:
Maximilian Harden. Photographie von Rudolf Dührkoop. Um 1905

Maximilian Harden und Karl Kraus, Siegfried Jacobsohn, Stefan Großmann und Leopold Schwarzschild: sie alle hätten für ihre Zeit- und Streitschriften den Untertitel wählen dürfen, den der unglücklichste von allen, der im Zuchthaus von Sonnenburg gequälte Erich Mühsam seinem „Kain“ gab: „Zeitschrift für Menschlichkeit“. In den Jahrgängen und -bänden der „Zukunft“, „Fackel“, „Weltbühne“, des „Pan“ (Kerr) oder des „Tagebuch“ findet man, für immer festgehalten, alles, was seit 1890 zwischen Berlin und Wien als geistiges Leben flutete. Auch das Vergängliche und gerade das. Gepackt und in einer Sprache ausgedrückt, die mancher Schriftsteller abstrus, mancher wieder klassisch und schlagend zu prägen verstand, ziehen, wenn wir in ihnen blättern, die vierzig Jahre an uns vorüber, die unser Leben bisher erfüllten.
Arnold Zweig

Daß man mit den Worten anderer alles machen kann, erfuhr ich von Karl Kraus. Er operierte mit dem, was er las, auf atemberaubende Weise. Er war ein Meister darin, Menschen in ihren eigenen Worten zu verklagen. Das bedeutete nicht, daß er ihnen dann seine Anklage in seinen ausdrücklichen Worten ersparte. Er lieferte beides und erdrückte jeden. Man genoß das Schauspiel, weil man das Gesetz anerkannte, von dem diese Worte diktiert waren. . . Keines dieser Erlebnisse mochte man missen, keines von ihnen ließ man sich je entgehen. In diese Vorlesungen ging man auch krank und mit hohem Fieber. Man frönte damit auch dem Hang zur Intoleranz, der von Haus aus stark war und sich nun sozusagen legitim auf beinah unvorstellbare Weise steigerte.
Elias Canetti

Alfred Kerr (1867 Breslau – 1948 Hamburg), mit bürgerlichem Namen Alfred Kempner, studierte Philosophie und Germanistik in Breslau und Berlin, wo er sich niederließ. In den Jahren 1895 bis 1920 war er der einflußreichste und maßgebendste Theaterkritiker Berlins. 1900 bis 1919 arbeitete er als Kritiker am „Tag", Berlin, seit 1920 am liberalen „Berliner Tageblatt", der bevorzugten Zeitung des jüdischen Bürgertums. In virtuosem, maniriertem Stil, durchsetzt mit geistreichen Pointen, kommentierte er den glanzvollen Aufstieg Berlins zur Theaterstadt und das „Stilduell" zwischen Erwin Piscator und *Max Reinhardt*, den er scharf kritisierte. Geniale Intuition und zergliedernder Intellekt prägten seine Darstellungen, sein geistiger Boden war Lessings „Hamburger Dramaturgie" und die Romantik. „Die Welt im Drama" (1917), sein Hauptwerk, ist ein bedeutendes, dramen- und kulturgeschichtliches Zeugnis der Zeit.
In „Die Diktatur des Hausknechts und Melodien" geht er auf sein Schicksal als emigrierter jüdischer Schriftsteller ein.
Rechts: Alfred Kerr. Photographie von *Lotte Jacobi.* Um 1930

Karl Kraus (1879 Wien – 1936 Wien) trat 1898 aus der jüdischen Religionsgemeinschaft aus und konvertierte 1911 zum Katholizismus. Er bekämpfte mit seinen gnadenlos scharfen Essays, Glossen, Satiren und Gedichten – vor allem in der von ihm 1899 gegründeten „Fackel" – die Auswüchse der literarischen Cliquen und des Journalismus seiner Zeit. In der Verwilderung der Sprache erkannte er die Deformation des Zeitgeistes. Er griff in der antizionistischen Streitschrift „Eine Krone für Zion" (1898) und in verschiedenen Aufsätzen der „Fackel" das Judentum an.
Gegenüberliegende Seite, links: Karl Kraus. Photographie von *d'Ora.* 1908

Ich bin ein Deutscher und ich bin ein Jude, eines so sehr und so völlig wie das andere, keines ist vom anderen zu lösen.
Jakob Wassermann

Wie hat sich dieser Mensch gequält! Gequält mit sich, mit der Umgebung, mit dem Schicksal, mit Hunger, Kälte und Arbeitslosigkeit, mit dem Unvermögen, sich in die rohe Welt des platten Geldverdienens hineinzufinden und in die verlogene der unordentlichen Bürger mit der Samtjacke oder der Hornbrille – Qual und Unschlüssigkeit, Verzweiflung und Selbsthaß, Verlorenheit innen und Hohn außen . . . Man hat ihm vorgeworfen, daß er, der Jude, deutscher sei als die Deutschen – sicher ist, daß er der deutschen Seele zu einem Ausdruck ihrer selbst verholfen hat, und daß er so weit fort ist von dem Deutschtum dieser Tage. Wie die dunkle Landschaft unter seinen Händen zu singen anfängt –! Wie Musik, Wälder, Maschinen, Bauernwirtschaft und steinerne Straßen aussagen, was sie sind, was sie ihm sind, und was sie uns sind –! Er hat das Unsagbare gesagt, er ist das, was der Franzose „bourdon" nennt, die tiefe, große Kirchenglocke.
Kurt Tucholsky

Zwei Denk- und Erfahrungssträhnen zu einem unauflöslichen Geflecht, die zuweilen gesondert, zuweilen parallel, zuweilen verschlungen Wassermanns ganzes Leben und Trachten durchziehen: die Auseinandersetzung mit dem Schicksal der Juden in der deutschen Welt und der Kampf um Gerechtigkeit in der menschlichen Gesellschaft. Gerechtigkeit und Judentum – sie sind für Wassermann unlöslich miteinander verklammert.
Peter de Mendelssohn

Als ich das letztemal Jakob Wassermann sah – es war in Zürich –, hatte ihn der Tod noch nicht gezeichnet. Er sprach mit Eifer, ja zuweilen mit Leidenschaft. Von Deutschland sprach er, seinem Vater- und Mutterland, dem Lande seines Herzens. Denn er war Jude, wie man weiß, und ein deutscher Jude gehört zweifach Deutschland an: er gehört in selbstloser und wirklich tragischer Liebe Deutschland an. Er sprach auch mit Bitterkeit: ja, mit Bitterkeit. Noch nicht der Tod, aber schon die Bitterkeit, die Vorläuferin des Todes, hatte ihn gezeichnet. Er war seinen Weg als Deutscher und Jude nicht zu Ende gegangen. Dieser Weg führte zu keinem Ziel. Er führte vor eine plötzlich aufragende Mauer aus Haß und Brutalität. Vor dieser Mauer mußte Jakob Wassermann umkehren, den alten jüdischen Wanderstab in der Hand, und das Exil aufsuchen.
Joseph Roth

Jakob Wassermann (1873 Fürth – 1934 Altaussee, Steiermark) bewegte sich als Autor des S. Fischer Verlages – und seit 1898 in Wien ansässig – im Kreis um *Arthur Schnitzler* und *Hugo von Hofmannsthal.* In seinen von der Psychoanalyse beeinflußten, teilweise kolportagehaften Romanen formulierte er die Suche nach Gerechtigkeit und den Kampf gegen die „Trägheit des Herzens". In

„Die Juden von Zirndorf" (1897) schilderte er das jüdische Leben seiner Geburtsstadt. 1921 stellte er – als Reaktion auf den erstarkenden Antisemitismus – sein Leben in „Mein Weg als Deutscher und Jude" dar. Nach der Machtergreifung Hitlers trat er in „Selbstbetrachtungen" (1933) für den Zionismus ein.
Oben: Jakob Wassermann. Photographie, Atelier Kolliner. Vor 1933

Stefan Zweig (1881 Wien – 1942 Petropolis, Brasilien, Selbstmord) begann als Lyriker des Wiener Impressionismus, entwickelte sich durch seine Freundschaft mit Emile Verhaeren und Romain Rolland zum pazifistisch-humanistischen Schriftsteller. Ähnlich wie *Hugo von Hofmannsthal* fühlte er sich als einer der letzten der bürgerlich-europäischen Kultur, die er in zahlreichen Novellen, Romanen

und seiner Autobiographie „Die Welt von gestern" (1942) beschrieb. In der Sammlung „Kaleidoskop" (1924) und dem kurzen Roman „Der begrabene Leuchter" (1937) beschäftigte er sich eingehender mit dem Judentum, nachdem er vor dem aufkommenden Nationalismus aus Salzburg geflohen war (1934).
Gegenüberliegende Seite: Stefan Zweig. Um 1925

Ich glaube nicht, daß wir eine „jüdische", eine nationale Literatur zu gründen haben, sondern nur das zu schreiben, was es uns drängt. Und da wir eben Juden sind, und es nicht verleugnen, so wird in sich schon dies Werk einen jüdischen Charakter annehmen. Alles Gewaltsame dagegen und bewußt Akzentuierte scheint mir überflüssig.
Stefan Zweig

Was ich zuvor dumpf schon empfand und durch zehn Jahre wanderndes Leben bestätigte, die absolute Freiheit zwischen den Nationen zu wählen, sich überall als Gast zu fühlen, als Teilnehmer und Mittler, dieses internationale Gefühl der Freiheit vom Wahnsinn einer fanatischen Welt, hat mich in dieser Zeit innerlich gerettet, und ich empfinde dankbar, daß es das Judentum ist, das mir diese übernationale Freiheit ermöglicht hat.
Stefan Zweig

Aber von all ihren Lügen ist vielleicht keine verlogener, gemeiner und wahrheitswidriger als diejenige, daß die Juden in Deutschland jemals Haß oder Feindseligkeit geäußert hätten wider die deutsche Kultur. Im Gegenteil, gerade in Österreich konnte man unwidersprechlich gewahren, daß in all jenen Randgebieten, wo der Bestand der deutschen Sprache bedroht war, die Pflege der deutschen Kultur einzig und allein von Juden aufrechterhalten wurde. Der Name Goethes, Hölderlins und Schillers, Schuberts, Mozarts und Bachs war diesen Juden des Ostens nicht minder heilig als der ihrer Erzväter. Mag es eine unglückselige Liebe gewesen sein und heute gewiß eine unbedankte, das Faktum dieser Liebe wird doch nie und niemals wegzulügen sein aus der Welt, denn sie ist in tausend einzelnen Werken und Taten bezeugt.
Stefan Zweig

Nie habe ich mich durch das Judentum in mir so frei gefühlt wie jetzt in der Zeit des nationalen Irrwahns – und von Ihnen und den Ihren – trennt mich nur dies, daß ich nie wollte, daß das Judentum wieder Nation wird und damit sich in die Concurrenz der Realitäten erniedrigt. Daß ich die Diaspora liebe und bejahe als den Sinn seines Idealismus, als seine weltbürgerliche allmenschliche Berufung. Und ich wollte keine andere Vereinigung als im Geist, in unserem einzigen realen Element, nie in einer Sprache, in einem Volke, in Sitten, Gebräuchen, diesen ebenso schönen als gefährlichen Synthesen.
Stefan Zweig

181

*Und es brodelt und werfelt und kafkat und
kischt.*
Anton Kuh

*Die meisten der deutschprager Autoren wa-
ren Juden, aber sie waren von ihrer jüdischen
Zugehörigkeit nur fallweise durchdrungen.
Ihr deutsches Sprachbewußtsein bestimmte
ihr Geschichtsbewußtsein stärker, als dies
etwa ihr Stammesbewußtsein vermochte . . .
Die deutschsprachigen Dichter und Schriftsteller hatten gleichzeitig Zugang zu minde-*

*stens vier ethnischen Quellen: dem Deutsch-
tum selbstverständlich, dem sie kulturell und
sprachlich angehörten; dem Tschechentum,
das sie überall als Lebenselement umgab;
dem Judentum, auch wenn sie selbst nicht
Juden waren, da es einen geschichtlichen,
allenthalben fühlbaren Hauptfaktor der
Stadt bildete; und dem Österreichertum, darin sie alle geboren und erzogen waren und
das sie schicksalhaft bestimmte, sie mochten es
nun bejahen . . . auch dieses oder jenes daran
aussetzen.*
Johannes Urzidil

*Prag wird durchflossen von der Nebbich, die
sich schließlich doch in die Elbe ergießt",
heißt es bei Gustav Meyrink, der bekanntlich
nur ein Wahl-Prager war und sich infolgedessen oder trotzdem eine gewisse kritische Einstellung zum goldenen Moldau-Mütterchen
bewahrt hatte, als einziger auf weiter Prager
Literatenflur. Kein Prager, ob Literat oder
nicht – aber im Grunde war jeder ein Literat
oder hielt sich dafür, auch wenn er nie eine
Zeile veröffentlicht hatte, hielt sich sogar für
einen besseren als die öffentlich anerkannten
– bitt' Sie, wer ist schon der Werfel, sein Vater
hat ein Handschuhgeschäft in der Mariengas-
se –, kein Prager, sage ich, hat jemals an Prag
das geringste auszusetzen gefunden (indessen
im vorgeblich gemütlichen Wien die böseste
Selbstkritik zu Hause war, von Nestroy über
Karl Kraus bis zum Qualtinger), kein Prager
hat jemals gezögert, Prag für den Nabel der
Welt und sich selbst für den Nabel Prags zu
halten.*
Friedrich Torberg

*Was habe ich mit Juden gemeinsam? Ich
habe kaum etwas mit mir gemeinsam und
sollte mich ganz still, zufrieden damit, daß
ich atmen kann, in einen Winkel stellen.*
Franz Kafka

*Denn so wie K. im Dorf am Schloßberg lebt
der heutige Mensch in seinem Körper; er
entgleitet ihm, ist ihm feindlich. Es kann
geschehen, daß der Mensch eines Morgens
erwacht, und er ist in ein Ungeziefer verwandelt. Die Fremde – seine Fremde – ist seiner
Herr geworden.*
Walter Benjamin

*Weg vom Judentum, meist mit unklarer
Zustimmung der Väter (diese Unklarheit war
das Empörende), wollten die meisten, die
deutsch zu schreiben anfingen, sie wollten es,
aber mit dem Hinterbeinchen klebten sie
noch am Judentum des Vaters und mit den
Vorderbeinchen fanden sie keinen neuen Boden. Die Verzweiflung darüber war ihre
Inspiration.*
Franz Kafka

*Aber was war das für ein Judentum, das ich
von Dir bekam! . . . Als junger Mensch
verstand ich nicht, wie Du mit dem Nichts
von Judentum, über das Du verfügtest, mir
Vorwürfe deshalb machen konntest, daß ich
. . . nicht ein ähnliches Nichts auszuführen
mich anstrenge. . . . Du gingest an vier Tagen
im Jahr in den Tempel, warst dort den
Gleichgültigen zumindest näher als jenen, die
es ernst nahmen, erledigtest geduldig die
Gebete als Formalität . . . So war es im
Tempel, zuhause war es womöglich noch*

Egon Erwin Kisch (1885 Prag–1948 Prag) wandte sich bereits 1904 der Journalistik zu. 1913/14 arbeitete er am „Berliner Tageblatt" mit. Um diese Zeit hatte er bereits Kontakte zu sozialrevolutionären Gruppen aufgenommen, die im Gegensatz zu seiner gutbürgerlichen Herkunft standen. 1918 stürmte er mit der Roten Garde die Redaktion der „Neuen Freien Presse" in Wien.

Er begann mit Lokalreportagen, schrieb dann Kriminalreportagen und seine großen Reiseberichte. Als Schriftsteller jüdisch-böhmischer Abstammung war Deutsch seine Schriftsprache. Der Titel seines Buches „Der rasende Reporter" wurde ihm zum zweiten Namen.

In „Geschichten aus sieben Ghettos" schildert er mit viel Liebe und Ironie jüdisches Leben in Europa um 1930.

Rechts: Egon Erwin Kisch. Photographie von *Lotte Jacobi*. Um 1930

Franz Kafka (1883 Prag – 1924 Kierling bei Wien), einer Kaufmannsfamilie entstammend, wurde von der „magischen Wirklichkeit" Prags geprägt. In seinen Romanen und Erzählungen („Der Prozeß" 1923, „Das Schloß" 1926) entwarf er das Bild des an seiner Existenz verzweifelnden Menschen der Neuzeit.

Gegenüberliegende Seite: Franz Kafka als Student. Um 1905

ärmlicher und beschränkte sich auf den ersten Sederabend, der immer mehr zu einer Komödie mit Lachkrämpfen wurde . . . Das war also das Glaubensmaterial, das mir überliefert wurde . . . Wie man mit diesem Material etwas Besseres tun konnte, als es möglichst schnell loszuwerden, verstand ich nicht; gerade dieses Loswerden schien mir die pietätvollste Handlung zu sein . . .
Franz Kafka an seinen Vater

D*as menschlich Wahre kann niemals in der Ausnahme liegen, nicht einmal in der Ausnahme des Verfolgten, sondern nur in dem, was die Regel ist oder die Regel sein sollte. Aus dieser Erkenntnis entsprang Kafkas Neigung zum Zionismus. Er schloß sich derjenigen Bewegung an, welche die Ausnahmestellung des jüdischen Volkes liquidieren, welche es zu einem „Volk wie alle Völker" machen wollte. Er, der vielleicht der letzte der großen europäischen Dichter war, konnte wahrlich nicht wünschen, ein Nationalist zu werden.*
Hannah Arendt

I*ch war also Jude! Ich war ein Andrer! Ich war nicht ein Mensch wie alle! . . . Fremd hier und fremd dort! Fremd über jede Vorstellung! Fremdheit, das Erzgefühl meines Lebens.*
Franz Werfel

M*usil wollte wissen, ob Kisch immer noch so ein militanter Kommunist sei. „Natürlich", sagte Roth, „der wird immer dabei bleiben." – „Merkwürdig, daß er ein guter Reporter ist", meinte Musil. „Ist er ein guter Reporter?" fragte Roth. „Ich kann das nicht beurteilen. Ich hab' ihn zu gern."*
Soma Morgenstern

I*n der „Erfreulichkeit" ging mein Judentumserlebnis vor sich. Ich schämte mich meiner Abstammung nicht; nie wäre ich auf den Einfall gekommen, daß es da etwas gäbe, was einen kleinmachen könnte. Ich war auch nicht etwa besonders stolz auf mein Volk. Es war eine Atmosphäre der Selbstverständlichkeit, die mich umgab. Lange Zeit beschäftigten mich jüdische Dinge überhaupt nicht, aber ich hatte sie nicht etwa vergessen. Ganz fern lag mir jegliche Empfindlichkeit, die manchen Westjuden packt, wenn man nur im entferntesten auf seine Volkszugehörigkeit anspielt – diese Überempfindlichkeit, die ein besonders unangenehmes Zeichen von Schwäche und Unsicherheit ist.*
Max Brod

Alfred Wolfenstein (1888 Halle – 1945 Paris) verfaßte neben expressionistischer Lyrik, Dramen und Novellen auch theoretische Essays, so „Jüdisches Wesen und neue Dichtung" (1922). Ständig auf der Flucht vor dem Nationalsozialismus, nahm er sich 1945 das Leben.
<u>Oben:</u> Alfred Wolfenstein. Photographie von *Lotte Jacobi.* Um 1930

Franz Werfel (1890 Prag – 1945 Beverly Hills) war als Schriftsteller sowohl in Prag als auch in Wien zu Hause. Er begann als Lyriker und entwickelte sich zum Romancier und Dramatiker, dessen Werke von barocker Wortfülle, opernhaftem Pathos und religiöser Tiefe getragen sind. Der Ruf nach „religiöser Erneuerung in einer materialistischen Welt" bestimmte vor allem seine späteren Bücher.
<u>Unten:</u> Franz Werfel. Photographie von *d'Ora.* Um 1922

D*as Geheimnis der jüdischen Energie ist das Wissen vom nahen Untergange. Seit zweitausend Jahren steht das Volk ständig am Rande der Vernichtung. Seit die Konservenbüchse, wie ein witziger Kopf das Ghetto nannte, gesprengt ist, liegt es frei, allen Gefahren offen und seine Energie ist darum seither von so besonders explosiver Aktivität auf allen Gebieten. Die kaum mehr abzuwendende Gefahr des Unterganges, die jeder bis tief ins Unbewußte hinab mit sich herumträgt, stachelt auf.*
Oskar Baum

I*ch bin ein deutsch-jüdischer Schriftsteller, d. h., ein in deutscher Sprache schreibender Jude, ich habe von Anfang an gewußt, daß ich es bin, und dieses Wissen ist seither höchstens um die Wahrscheinlichkeit vermehrt worden, daß ich der letzte sein werde . . . Wenn ich überhaupt noch eine jüdische Funktion habe, dann ausschließlich die, mein öffentliches Wirken so zu gestalten, daß möglichst viele Nichtjuden den Tod des letzten deutsch-jüdischen Schriftstellers als Verlust empfinden.*
Friedrich Torberg

D*ie gesellschaftliche Position jüdischer Expressionisten scheint so exemplarisch für die Isolationserfahrung und das Außenseitertum moderner Künstler überhaupt.*
Thomas Anz/Michael Stark

D*as Absolut-Gute, das „Paradies auf Erden" wird kein Gesellschaftssystem schaffen, es handelt sich einzig darum, für das relativ beste, das der Mensch finden und verwirklichen kann, zu kämpfen.*
Ernst Toller

G*laubst du wirklich", fragte ich Stanislaus, „daß die Juden in Konitz einen Christenjungen geschlachtet haben? Ich werde nie mehr Mazzen essen."*
„Quatsch! Gib sie mir!"
„Warum rufen die Jungen Jude, hep, hep?"
„Rufst Du nicht auch Polack?"
„Das ist etwas anderes."
„Ein Dreck! Wenn Du's wissen willst, Groß-

mutter sagt, die Juden haben unsern Heiland
ans Kreuz geschlagen."
Ich laufe in die Scheune, verkrieche mich im
Stroh und leide bitterlich. Ich kenne den
Heiland, er hängt bei Stanislaus in der Stube,
aus den Augen rinnen rote Tränen, das Herz
trägt er offen auf der Brust, und es blutet,
„Lasset die Kindlein zu mir kommen", steht
darunter.
Wenn ich bei Stanislaus bin und niemand
aufpaßt, gehe ich zum Heiland und bete.
„Bitte lieber Heiland, verzeih mir, daß die
Juden Dich totgeschlagen haben."
Abends im Bett frage ich Mutter:
„Warum sind wir Juden?"
„Schlaf, Kind, und frag nicht so töricht."
Ich schlafe nicht. Ich möchte kein Jude sein.
Ich möchte nicht, daß die Kinder hinter mir
herlaufen und „Jude" rufen.
Ernst Toller

*S*oll ich dem Wahnwitz der Verfolger verfallen und statt des deutschen Dünkels den
jüdischen annehmen? . . . wenn mich einer
fragte, wohin ich gehöre, ich würde antworten: eine jüdische Mutter hat mich geboren,
Deutschland hat mich genährt, Europa mich
gebildet, meine Heimat ist die Erde, die Welt
mein Vaterland.
Ernst Toller

*E*r ist schön und klug
Und gut.
Und betet wie ein Kind noch:
Lieber Gott, mach mich fromm,
Daß ich in den Himmel komm.

Ein Magnolienbaum ist er
Mit lauter weißen Flammen.
Die Sonne scheint –
Kinder spielen immer um ihn
Fangen.
Else Lasker-Schüler. Ernst Toller

*W*ie zum Sinnbild einer späten Vereinigung
begegnen sich im neuen Gedicht jüdisches
Wesen und deutsche Sprache.
Unter den westeuropäischen Sprachen scheint
sich die deutsche anders als die übrigen zum
jüdischen Wesen zu verhalten: In ihr bewahrt
es sich selbst, es bleibt lebendig, in die romanischen Sprachen eher spurlos aufgelöst (sic!).
Hier bewegt es sich souverän, ihr verbunden
wie ein Schwimmer seinem Element. So geschieht es nicht deshalb, weil die deutsche
Sprache nachgiebiger und freier ist und über
die feststehenden Dinge weicher hinweg-
strömt. Wir sehen, an allen Unterschieden
vorbei, in eine seltsame Verwandtschaft.
Manchmal, wenn Gegensatz und Liebe zwischen ihnen hervortritt, erscheint der Jude
wie ein Doppelgänger des Deutschen.
Alfred Wolfenstein

*W*alter Hasenclever
(1890 Aachen – 1940 Lager Les
Milles, Frankreich) war Lyriker
und Dramatiker, dessen rebelli-
scher „Sohn" (1914) als erstes ex-
pressionistisches Theaterstück
1916 über die deutschen Bühnen
ging. Revolutionäre Gedanken,
der Wunsch, den Geist zu politi-
sieren und zum Pazifismus zu be-
kehren, bestimmten seine Werke,
denen er in späterer Zeit unterhalt-
same, geistreiche Komödien hin-
zufügte.

*E*rnst Toller (1893 Samot-
schin, Posen – 1939 New York)
wurde wie Hasenclever durch das
Grauen des Ersten Weltkriegs zum
überzeugten Pazifisten. Seine
Freundschaft mit *Kurt Eisner* und
Gustav Landauer führte ihn zu
einem „ethischen" Sozialismus, für
den er in der Novemberrevolution
und der Räterepublik eintrat. 1919
wurde er zu fünf Jahren Haft in
Niederschönenfeld verurteilt. Literarischen Erfolg hatte Toller vor
allem als Dramatiker und politischer Essayist. Seine Stücke
(„Hoppla, wir leben noch!" 1927,
„Hinkemann" 1923) sprechen für
eine sozialrevolutionäre Lösung
des gesellschaftlichen Dilemmas.
Oben: Walter Hasenclever (links)
und Ernst Toller. 1928

185

Else Lasker-Schüler (1869 Elberfeld – 1945 Jerusalem) entstammte einer religiösen Familie. Kurze Zeit war sie mit *Herwarth Walden* verheiratet. Sie hielt sich meist in Berlin auf, wo sie bald zum Mittelpunkt der Boheme wurde. 1933 erhielt sie Publikationsverbot und floh zunächst nach Zürich, 1937 ging sie nach Jerusalem. Die „Hebräischen Balladen" (1913) und die Prosaschrift „Hebräerland" (1937) verweisen auf ihre starke Verwurzelung in der jüdischen Tradition.
Links: Else Lasker-Schüler. 1912

Mascha Kaléko (1912 Schydlow, Polen – 1974 Zürich) wuchs in Berlin auf. 1938 emigrierte sie in die USA, zeitweise lebte sie in Jerusalem. Sie schrieb witzig-melancholische Gedichte („Stenogrammheft" 1933, „Verse für Zeitgenossen" 1945).
Unten: Mascha Kaléko. 1932

Der kleistpreis so oft geschändet sowohl durch die verleiher wie durch die prämierten wurde wieder geadelt durch die verleihung an sie ein glückwunsch der deutschen dichtung.
Gottfried Benn

Plötzlich wurde es dunkel und Frau Lasker-Schüler trat vor die Bühne. Sie hatte ein blaues Seidengewand an. Weite Hosen, silberne Schuhe, eine Art weite Jacke, die Haare wie Seide, tiefschwarz, wild zuweilen, dann wieder sinnlich sanft . . . Jussuf war so ganz Weib, sie war so schön, voller Sinnlichkeit, ich hätte das gar nicht gedacht, da sie schon 38 Jahre alt war.
Wieland Herzfelde

Mich besternend betrachtete ich als Kind so gerne das ehrfurchtsvolle künstlerische Priesterantlitz meines Urgroßvaters, der Oberrabbuni vom Rheinland und Westfalen in religiösem und politischem Heile seiner Gemeinde Oberhaupt, so weihevolle Jahre Frieden brachte.
Else Lasker-Schüler

Wer das gelobte Land nicht im Herzen trägt, der wird es nie erreichen.
Else Lasker-Schüler

Der Fels wird morsch,
Dem ich entspringe
Und meine Gotteslieder singe . . .
Jäh stürz ich vom Weg
Und riesele ganz in mir
Fernab, allein über Klagegestein
Dem Meer zu.

Hab mich so abgeströmt
Von meines Blutes
Mostvergorenheit.
Und immer, immer noch der Widerhall
In mir.
Wenn schauerlich gen Ost
Das morsche Felsgebein,
Mein Volk,
Zu Gott schreit.
Else Lasker-Schüler. Mein Volk

Nicht oft genug kann diese taubstumme Zeit, die die wahren Originale begrinst, durch einen Hinweis auf Else Lasker-Schüler gereizt werden, die stärkste und unwegsamste lyrische Erscheinung des modernen Deutschland . . .
Karl Kraus

Else Lasker-Schüler ist die jüdische Dichterin. Was Deborah! Sie hat Schwingen und Fesseln, Jauchzen des Kindes, der seligen Braut fromme Inbrunst, das müde Blut verbannter Jahrtausende und greiser Kränkungen . . . Ihr Dichtgeist ist schwarzer Diamant, der in ihrer Stirn schneidet und wehetut. Sehr wehe. Der schwarze Schwan Israels, eine Sappho, der die Welt entzwei gegangen ist. Strahlt kindlich, ist urfinster. In ihres Haares Nacht wandert Winterschnee. Ihre Wangen feine Früchte, verbrannt vom Geiste. Sie tollt sich mit dem alterernsten Jahve, und ihr Mutterseelchen plaudert von ihrem Knaben, wie's sein soll, nicht philosophisch . . . nein . . . aus dem Märchenbuch.
Peter Hille

Ausgesetzt
In einer Barke von Nacht
Trieb ich
Und trieb an ein Ufer.
An Wolken lehnte ich gegen den Regen.
An Sandhügel gegen den wütenden Wind.
Auf nichts war Verlaß.
Nur auf Wunder.
Ich aß die grünenden Früchte der Sehnsucht,
Trank von dem Wasser das dürsten macht.
Ein Fremdling, stumm vor unerschlossenen
Zonen,
Fror ich mich durch die finsteren Jahre.
Zur Heimat erkor ich mir die Liebe.
Mascha Kaléko. Die frühen Jahre

Bin ja niemals eine Dichterin gewesen, was man vielleicht als solche darunter versteht. Habe nie einen Schreibtisch bis zum Augenblick besessen – meine Manuskripte liegen hier im Küchenschrank. In Deutschland noch vor Hitler war ich zu Hause bei meinen Eltern. Trug an einem schweren Schicksal und besorgte Häusliches, pflegte, wo Krankheit war, und begann, wenn das Atmen zu schwer wurde für mich, dann und wann einige Zettel zu bekritzeln . . .
Aber dieses Leben in den Nächten viele Jahre ohne Schlaf und immer wieder hineingeworfen in ein „Außerhalb", eigentlich jede Nacht den Tod neu gelernt, da ich das letzte mir gebliebene geliebte Wesen so weit fort umfangen sah, zwang mir immer im Angesicht der Leidenden die Worte auf, die dann später meine Gedichte und dramatischen Versuche hießen.
Nelly Sachs

Was Ihr fragtet, ist gut und richtig, denn es betrifft den Herzpunkt. Ein Mensch, selbst ein unentwirrbares Universum von blutdurchlaufenen Sternstraßen, wird immer schuldig werden auf Erden, das ist seine Tragik. Warum? Darum! Der Grad seines Schuldanteils ist verschieden – je feiner veranlagt, je zerreißender sein eigenes Schuldgefühl.
Nelly Sachs

Ob wir vor diesen Gedichten bestehen können oder nicht. Keine Ehrung und kein Ansehen in der Gesellschaft werden uns helfen können, wenn wir vor diesen Versen versagen.
Walter Jens

Walter Mehring (1896 Berlin – 1981 Zürich) gründete 1920 das linksradikale „Politische Cabaret" in Berlin und war einer der Mitbegründer der Berliner Dada-Gruppe. Seine satirisch-aggressiven Chansons übten scharfe Kritik am Bürgertum, ebenso wie sein Drama von einem Inflationsgewinnler („Der Kaufmann von Berlin" 1929). In „Die verlorene Bibliothek" (1952) analysierte er skeptisch die geistig-politische Entwicklung dieses Jahrhunderts. Oben: Walter Mehring. Photographie von Lotte Jacobi. Um 1929

Mehring hat in seinen Versen einen völlig neuen Ton in die Literatur eingeführt; das ist an manchen Ecken vom Französischen beeinflußt, aber das erklärt den Ton nicht. Diese Verse sind seltsam irreal, gläsern, manchmal würgt einen eine Papierwendung, die ganz bewußt gesetzt ist, den Hals zu; manchmal reißt der Rhythmus – dieser Dichter kann noch den Herzschlag seiner Leser beeinflussen, wenn er will.
Kurt Tucholsky

Sie haben es mir immer und immer wieder bestätigt, daß das neue falsche Pathos Sie ebenso angeekelt hat wie das alte. Es ist, um einem noch die Emigration zu verleiden! Sie haben es hinter sich!
Und wir wissen nicht, was wir vor uns haben! Aber eins weiß ich, daß noch einmal – in zehn, in zwanzig Jahren dieselben Leute, die Ihnen diese Konsequenz Ihres unbeirrbaren Verstandes heute ankreiden möchten, entdecken werden: wie prophetisch recht hat Peter Panter damals gehabt, als er schrieb: „Und dann wieder alles, wie wenn nichts gewesen wäre? und so: ‚Ach wissen Sie, ich war ja im Herzen immer gegen Hitler – aber sehnsemah die Umstände – – –‘."
Walter Mehring

Bei antisemitischen Attacken verhalte ich mich besonders schweigsam – denn hier liegt noch ein besonderer Grund vor. Mich hat die Frage des Judentums niemals sehr bewegt. Sie ersehen aus meinen Schriften, daß ich höchst selten diesen Komplex überhaupt berühre; meine Kenntnisse auf diesem Gebiet sind nicht sehr groß, ich weiß nicht, ob die Zionisten recht oder unrecht haben, und ich schweige. Die Leute, die in mir den Juden treffen wollen, schießen zunächst daneben. Mein Herzschlag geht nicht schneller, wenn mir jemand „Saujud" nachschreit; mir ist das so fern, wie wenn er sagte: „Du Kerl fängst mit einem T an – was kann da an dir schon Gutes sein." Ich sage nicht, daß ich damit recht habe; ich stelle dieses Gefühl fest, und nicht einmal öffentlich. Mich bewegt die Frage nicht.
Kurt Tucholsky

Ich bin im Jahre 1911 „aus dem Judentum ausgetreten", und ich weiß, daß man das gar nicht kann.
Kurt Tucholsky

Und da kam Ihr [Tucholsky] Brief, und er handelte von nichts als von Juden oder hauptsächlich von ihnen. Ich hatte geschrieben, wir haben eine Schlacht verloren. Dieses Wir meinte ein weit umfassenderes Kollektiv als den Sektor der deutschen Judenheit. Wir, das war die Linke der Welt, die Gesittung der Welt, die Demokratie der Welt, die Freiheit, der Anstand, die Atembarkeit der Welt.
Arnold Zweig

Nicht zufällig überdies, daß es mir eine der fragwürdigsten Kunstfiguren des Peter Panter angetan hatte: der Herr Wendriner. Das war eine „idealtypische" Erscheinungsform des Berliner jüdischen Bourgeois, vermutlich aus der Konfektionsbranche, irgendwo in der Nähe des Spittelmarkts, aber man wohnte natürlich im Bayerischen Viertel. Zugezogen wohl vor einigen Jahrzehnten aus Posen, das damals noch preußische Provinzhauptstadt gewesen war, oder aus Breslau. . . . Hier in Berlin hatte ich sie immerfort vor Augen: ihre überhebliche Unsicherheit; das ewige Besserwissen aus Unkenntnis; das Nachschwätzen der Leitartikel von Theodor Wolff aus dem „Berliner Tageblatt"; Anbetung aller Erfolge, gleich welcher. Der jüdische Selbsthaß hatte Tucholsky zu dieser Kreation verholfen; ein bißchen hatte er den Herrn Wendriner sogar nach seinem Ebenbild entworfen. Auch das hatte der kluge Mann natürlich gewußt.
Hans Mayer

Ich hörte zu Hause, schon in Stettin, meine Eltern wären jüdischer Abkunft und wir bildeten eine jüdische Familie. Viel mehr merkte ich innerhalb der Familie vom Judentum nicht. Draußen begegnete mir der Antisemitismus, wie selbstverständlich.
Alfred Döblin

Dieser Linke Poot kitzelt mit dem Florett, wo Heinrich Mann zugestoßen hat – und er hat mehr Witz als das ganze Preußen Brutalität, und das will etwas heißen. Er beschäftigt sich sanft, prägnant, spaßig, „ausverschämt" und inbrünstig mit dem neuen Deutschland. Es ist eine ganz neuartige Sorte Witz, die ich noch nie in deutscher Sprache gelesen habe.
Kurt Tucholsky

In der ersten Hälfte der zwanziger Jahre ereigneten sich in Berlin pogromartige Vorgänge, im Osten der Stadt, in der Gollnowstraße und Umgebung. Das geschah auf dem Landsknechtshintergrund dieser Jahre; der Nazismus stieß seinen ersten Schrei aus. Damals luden Vertreter des Berliner Zionismus eine Anzahl Männer jüdischer Herkunft zu Zusammenkünften ein, in denen über jene Vorgänge, ihren Hintergrund und über die Ziele des Zionismus gesprochen wurde. Im Anschluß an diese Diskussionen kam dann einer in meine Wohnung und wollte mich zu einer Fahrt nach Palästina anregen, was mir fremd war. Die Anregung wirkte in anderer Weise auf mich. Ich sagte zwar nicht zu, nach Palästina zu gehen, aber ich fand, ich müßte mich einmal über die Juden orientieren. Ich fand, ich kannte eigentlich Juden nicht. Ich konnte meine Bekannten, die sich Juden nannten, nicht Juden nennen. Sie waren es dem Glauben nach nicht, ihrer Sprache nach nicht, sie waren vielleicht Reste eines untergegangenen Volkes, die längst in die neue Umgebung eingegangen waren. Ich fragte also mich und fragte andere: Wo gibt es Juden? Man sagte mir: In Polen. Ich bin darauf nach Polen gefahren.
Alfred Döblin

Döblin sah die Juden mit der großen Unbestechlichkeit, welche eine Tugend der Liebe ist. . . . Er hätte sein Buch „Reise zu den Juden" nennen müssen. Er erkannte sie besser als die westeuropäischen „Glaubensgenossen" französischer, deutscher, britischer „Nationalität", die aus Mitleid mit den fernen Vettern wohltätig an ihnen werden und saubere Kragen und Aufklärung unter den „dumpfen Massen" verbreiten.
Joseph Roth

Kurt Tucholsky (1890 Berlin – 1935 Hindås, Schweden) studierte Jura in Berlin, Jena und Genf. 1911 begann er seine journalistische Tätigkeit mit kultur- und zeitkritischen Glossen im sozialdemokratischen „Vorwärts". *Siegfried Jacobsohn* holte ihn 1913 an die kulturpolitische Zeitschrift „Schaubühne" (seit 1918 „Weltbühne"), deren Herausgabe er nach Jacobsohns Tod 1926 für ein Jahr übernahm. 1926 bis 1933 folgte ihm Carl von Ossietzky als Chefredakteur der „Weltbühne". Aus Enttäuschung über die Politik der Weimarer Republik zog Tucholsky 1924 nach Paris. 1929 übersiedelte er nach Schweden, wo er seinen einzigen Roman („Schloß Gripsholm" 1931) schrieb. Er wurde 1933 in Abwesenheit ausgebürgert, seine Bücher wurden verbrannt. Aus Verzweiflung beging er Selbstmord.
Da oft mehrere Beiträge Tucholskys in einer Nummer erschienen, erfand er vier Pseudonyme (Kaspar Hauser, Peter Panter, Theobald Tiger, Ignaz Wrobel). In vier Egos aufgespalten, führte er mit beißender Ironie und bestechendem Witz einen erbitterten Kampf gegen jede Art von Spießertum, Reaktion, Nationalismus und Nationalsozialismus.
Oben: Kurt Tucholsky. Um 1930

Außen jüdisch und genialisch, innen etwas unmoralisch, nie alleine, stets à deux: – der neveu! –
K. –
Kurt Tucholsky

Selbsthaß ist der erste Schritt zur Besserung.
Kurt Tucholsky

Ein kleiner dicker Berliner wollte mit der Schreibmaschine eine Katastrophe aufhalten.
Erich Kästner

Alfred Döblin (1878 Stettin – 1957 Emmendingen bei Freiburg i. B.) stammte aus einer jüdischen Kaufmannsfamilie. 1888 zog er mit seiner Mutter nach Berlin, wo er Medizin studierte und später als Nervenspezialist arbeitete. Früh folgte er seinen literarischen Neigungen. 1910 begründete er mit *Herwarth Walden* die expressionistische Zeitschrift „Der Sturm". Seinen ersten großen Erfolg als Autor erlebte er mit dem rscheinen des Romans „Die drei Sprünge des Wang-lun" (1915). Im Jahr 1918 bekannte er sich zur Revolution und übte in der Folge als Journalist unter dem Pseudonym „Linker Poot" scharfe Kritik an den reaktionären Mächten der Weimarer Republik. Einen Tag nach dem Reichstagsbrand verließ er Deutschland; seine Flucht führte ihn über Zürich nach Paris und New York.

Sein bekanntestes Werk ist „Berlin Alexanderplatz" (1929), der bedeutendste deutsche Großstadtroman. Seiner späteren Neigung zur katholischen Weltanschauung ging die Entdeckung des Judentums voran. Vor dem Hintergrund pogromartiger Zustände im Berliner Osten unternahm Döblin 1924 eine Reise nach Polen, der ein Bericht in Buchform folgte („Reise in Polen").

Rechs: Alfred Döblin. Photographie von *Lotte Jacobi.* Um 1930

Hermann Broch war ein Dichter wider Willen; daß er ein Dichter war und ein Dichter nicht sein wollte, war der Grundzug seines Wesens, inspirierte die dramatische Handlung seines größten Werkes und wurde der Grundkonflikt seines Lebens. Seines Lebens, nicht etwa seiner Seele, denn dies war nicht ein psychologischer Konflikt, der sich in Seelenkämpfen hätte äußern können und dann nichts zur Folge gehabt hätte, als was Broch selbst halb ironisch, halb angeekelt mit „Seelenlärm" bezeichnete.
Hannah Arendt

Der Adel hat eine Familiengeschichte, der jüdische Bourgeois eine Neurosengeschichte . . .
Hermann Broch

Die Deutschen sind wohl das merkwürdigste Volk Europas, diese hysterische Mischung von Gewalttätigkeit und Sentimentalität, die immer wieder durchbricht und die dabei für das ganze europäische Schicksal bedeutungsvoll sein wird, hat mich völlig aus der Fassung gebracht. Man kann doch nicht bloß ästhetischer Zuschauer bleiben! Menschen wie Sie, wie ich, müssen schließlich eine feste Stellung beziehen.
Hermann Broch

Und lassen Sie sich hiezu eine Geschichte aus dem „Buch der Väter" (aus dem Jahre 100 n. Chr.) erzählen . . . Zum Rabbi X kommt ein Fremder und fragt: „Rabbi, was steht höher, das Erkennen oder die Güte?" Antwortet Rabbi X: „Selbstverständlich das Erkennen, denn es ist die Mitte des Lebens. Freilich, wenn einer bloß das Erkennen hat und nicht auch die Güte, so ist's als ob er den Schlüssel zur innersten Kammer besäße, aber den zum Vorraum verloren hätte.
Hermann Broch

Elias Canetti (1905 Rustschuk) entstammt einer sephardischen Familie. Seit seiner Emigration aus Österreich (1938) lebte er in London und in Zürich. Sein erstes Buch „Die Blendung" (1936) blieb sein einziges episches Werk, das schon das Leitmotiv seines gesamten Œuvres, das Phänomen der Macht, aufnimmt. Das Verhalten von Gesellschaften untersuchte er in „Masse und Macht" (1960). Die drei Bände seiner Autobiographie beschreiben seine Kinder- und Jugendjahre und enden mit dem Anschluß Österreichs an das nationalsozialistische Deutschland. Canetti erhielt 1981 den Nobelpreis für Literatur.
Oben: Elias Canetti. Um 1935

Hermann Broch (1886 Wien – 1956 New York) gab 1927 die Leitung des väterlichen Textilbetriebes auf und studierte Mathematik, Philosophie und Psychologie in Wien (bis 1931). Aus der Verhaftung durch die Nationalsozialisten (1938) wurde er durch Intervention ausländischer Freunde (u. a. James Joyce) befreit. Er emigrierte nach New York. Als Erzähler, Kulturphilosoph und Essayist zeichnete er in seinen Romanen, der Trilogie „Die Schlafwandler" den Wertzerfall der Gesellschaft um die Jahrhundertwende. In „Hofmannsthal und seine Zeit" durchleuchtete er die Rapidität des Assimilierungs-Prozesses am Beispiel der Familie Hofmann und lieferte eine Analyse der Kultur des Wiener Bürgertums im 19. Jahrhundert.
Links: Hermann Broch. 1937

Als ein geschichtlich beschreibbares und geradezu fixierbares Phänomen finden wir die Menschlichkeit im Sinne der Brüderlichkeit eigentlich bei allen verfolgten Völkern und allen versklavten Menschengruppen, und es muß im Europa des achtzehnten Jahrhunderts sehr nahe gelegen haben, sie gerade bei den Juden zu erfahren.
Diese Menschlichkeit ist das große Vorrecht der Pariavölker, sie ist das, was die Parias dieser Welt immer und unter allen Umständen vor allen anderen voraushaben können.
Hannah Arendt

Judentum gibt es nicht außerhalb der Orthodoxie auf der einen, dem jiddisch sprechenden, Folklore produzierenden jüdischen Volk auf der anderen Seite. Was es außerdem gibt, sind Menschen jüdischer Abstammung, für die es jüdische Inhalte im Sinne irgendeiner Tradition nicht gibt und die aus bestimmten sozialen Gründen und weil sie sich als eine Clique innerhalb der Gesellschaft befanden, so etwas produzierten wie einen „jüdischen Typ".
Hannah Arendt

Ich war mehr als fünfzig Jahre lang einer ihrer Freunde, seit sie [Hannah Arendt] mit achtzehn Jahren als Erstsemesterstudentin der Philosophie unter den vielen jungen Leuten auftauchte, die aus ganz Deutschland in Scharen nach Marburg strömten . . . Scheu und in sich gekehrt mit auffallenden, schönen Gesichtszügen und einsamen Augen ragte sie sofort als „außergewöhnlich", als „einzigartig" in einer bisher undefinierbaren Weise heraus. Intellektueller Glanz war damals kein seltener Artikel. Aber bei ihr war es eine Intensität, eine innere Richtung, ein Instinkt für Qualität, eine Suche nach dem Wesentlichen, ein Eindringen in die Tiefe, das einen Zauber um sie herum verbreitete. Man spürte eine absolute Entschlossenheit, sie selber zu sein, mit der Zähigkeit, es trotz der eigenen Verwundbarkeit durchzusetzen . . .
Sie war leidenschaftlich moralisch, aber überhaupt nicht moralistisch. Was sie auch immer zu sagen hatte, war wichtig, oft provokativ, manchmal auch falsch, aber nie trivial, nie gleichgültig, nie mehr zu vergessen. Selbst ihre Irrtümer waren lohnender als die Wahrheiten vieler weniger bedeutender Geister. Sie hatte natürlich gern recht und konnte gelegentlich ganz furchtbar streitsüchtig werden, aber glaubte nicht, wie sie mir gestand, daß wir heutzutage im Besitz der „Wahrheit" sein könnten. Sie glaubte vielmehr an den ständigen und immer nur vorläufigen Versuch, diejenige Facette zu erblicken, die sich uns zufällig unter den heutigen Verhältnissen zeigt. Das bis zu Ende zu denken, darin liegt die Belohnung selbst, denn wir werden danach mehr verstehen als vorher. Wir werden mehr Licht, aber noch nicht die „Wahrheit" haben.
Hans Jonas

Walter Benjamin (1892 Berlin – 1940 Port Bou, Spanien, Selbstmord) lebte nach seiner philosophischen Promotion als freier Schriftsteller und Übersetzer in Berlin. Als Essayist, Literatur- und Zeitkritiker wandte er sich, ausgehend von antibürgerlichen Ideen, dem Marxismus zu. Während sein engster Freund Gershom Scholem als Zionist bereits 1923 nach Palästina auswanderte, emigrierte Benjamin 1933 nach Frankreich. 1935 wurde er Mitglied des nach Genf und später nach New York verlegten Instituts für Sozialforschung (Frankfurter Schule). Sein Bemühen galt vor allem der Begründung einer neuen Ästhetik, die sich mit Geschichtsphilosophie verbinden sollte.
<u>Rechts</u>: Walter Benjamin. Photographie von *Gisèle Freund*. Um 1930

Hannah Arendt (1906 Hannover – 1975 New York) studierte zunächst Philosophie bei Martin Heidegger und Theologie bei Rudolf Bultmann in Marburg, später Philosophie bei *Edmund Husserl* in Freiburg und Karl Jaspers in Heidelberg. 1933 floh sie nach Frankreich, 1941 in die USA, wo sie politische Philosophie lehrte. Ihre wichtigsten Bücher sind: „Elemente und Ursprünge totaler Herrschaft" (1965), „Vita activa oder Vom tätigen Leben des Geistes" (1960). In ihrem Buch „Eichmann in Jerusalem" (1964) verwendete sie den Begriff „Banalität des Bösen", der zu hitzigen Debatten, vor allem in Israel und New York führte. In „Rahel Varnhagen" (1959) beschrieb sie das Leben einer deutschen Jüdin, in deren Salon die besten Köpfe der damaligen Zeit verkehrten.
<u>Unten</u>: Hannah Arendt in Paris. Nach 1933

Deutscher und Jude stehen sich gleich den verwandten Extremen gegenüber.
Walter Benjamin

Ich habe nie anders forschen und denken können als in einem, wenn ich so sagen darf, theologischen Sinn – nämlich in Gemäßheit der talmudischen Lehre von den neunundvierzig Sinnstufen jeder Thorastelle. Nun: Hierarchien des Sinns hat meiner Erfahrung nach die abgegriffenste kommunistische Platitüde mehr als der heutige bürgerliche Tiefsinn, der immer nur den einen der Apologetik besitzt.
Walter Benjamin

Meine Erfahrung brachte mich zu der Einsicht: die Juden stellen eine Elite dar in der Schar der Geistigen . . . Denn das Judentum ist mir in keiner Weise Selbstzweck, sondern ein vornehmster Träger und Repräsentant des Geistigen.
Walter Benjamin

Zu den jüdischen Kategorien, die er [Walter Benjamin] als solche einführte und bis zuletzt hochhielt, gehört außer der messianischen Idee – nichts falscher als die Vorstellung, sie stamme bei ihm aus dem Werk von Ernst Bloch, wenn er sich auch in ihr mit ihm auf jüdischem Boden begegnete – vor allem die Idee des Eingedenkens.
Gershom Scholem

Die Juden hatten durch zwei Jahrtausende nur ein Gemeinsames: ihr Buch. Dieses Buch war ihnen Staat, Land, Geschichte, Sinn ihres Leidens, einziger Zusammenhalt, dies Buch, nur dies, machte sie zum Volk. Was Wunder, daß sie es kommentierten, jeden Buchstaben hin- und herwendeten, ihr Leben darauf bezogen? Daß Menschen, deren Sinn, Inhalt, Leben ein Buch war, „literarisch" wurden? An seinem höchsten Feiertag ruft der Jude zu seinem Gott: „Nichts ist uns geblieben, nur dies Buch." Sein Ritualgesetz verlangt von ihm, daß er lesen und schreiben kann. Auch in den trübsten Zeiten gab es unter den Juden nur ganz wenige Analphabeten . . . Das Leben, das Schicksal der Juden mußte in ihnen alle die Fähigkeiten großzüchten, die den Literaten machen.
Lion Feuchtwanger

Ich habe mich oft mit größter Sorgfalt in die Werke deutscher Autoren jüdischer Herkunft vertieft, um irgendein sprachliches Merkmal zu finden, das eindeutig auf ihre jüdische Abkunft hinwiese. Es ist mir trotz emsigsten Studiums nicht geglückt, in irgendeinem Werk der großen deutschen Dichter jüdischer Abstammung, von Mendelssohn bis Schnitzler und Wassermann, von Heine bis Arnold und Stefan Zweig, irgendein solches Merkmal zu entdecken.
Lion Feuchtwanger

Streben nach Erkenntnis um ihrer selbst willen, an Fanatismus grenzende Liebe zur Gerechtigkeit und Streben nach persönlicher Selbständigkeit – das sind die Motive der Tradition des jüdischen Volkes, die mich meine Zugehörigkeit zu ihm als ein Geschenk des Schicksals empfinden lassen.
Arnold Zweig

Sie wissen, wie leidenschaftlich, ja mit welchem Glück ich Jude bin.
Arnold Zweig

Lion Feuchtwanger (1884 München – 1958 Los Angeles) begann als Theaterkritiker. 1908 gründete er die Kulturzeitschrift „Der Spiegel" mit. 1918 nahm er an der Novemberrevolution in Berlin teil. Ab 1933 fand er Asyl in Sanary-sur-Mer in Südfrankreich. 1939 wurde er ins Lager Les Milles interniert, 1940 konnte er über Spanien und Portugal in die USA fliehen. Er gab gemeinsam mit Bertolt Brecht und Willi Bredel die Literaturzeitschrift „Das Wort" heraus, die von 1936 bis 1939 in Moskau erschien.
Er war ein Dramatiker und Erzähler mit zeitkritisch politischem Anliegen. Bedeutende Erfolge hatte er als Erneuerer des historischen und kulturhistorischen Romans („Jud Süß", „Erfolg", „Josephus-Trilogie").
Oben: Lion Feuchtwanger. Photographie von *Lotte Jacobi.* Um 1930

Mein Hirn denkt kosmopolitisch, mein Herz schlägt jüdisch. . . Judentum ist eine gemeinsame Mentalität, eine gemeinsame geistige Haltung. Es ist das Einverständnis aller dieser Gruppe Zugehörigen, der consensus omnium, in allen entscheidenden Problemen. Es ist die Übereinstimmung, das Einverständnis einer dreitausendjährigen Tradition über das, was gut ist und was schlecht, was Glück und Unglück, wünschenswert und hassenswert, ein Einverständnis in den Elementaranschauungen über Gott und Menschlichkeit.
Lion Feuchtwanger

Arnold Zweig (1887 Groß Glogau, Schlesien – 1968 Berlin) studierte Philosophie, Germanistik und Sprachen. Danach lebte er als freier Schriftsteller am Starnberger See, seit 1923 in Berlin. 1933 emigrierte er über die Tschechoslowakei, die Schweiz und Frankreich nach Palästina. 1948 kehrte er nach (Ost-)Berlin zurück. Dort wurde er Mitglied des SED-Kulturrats und war von 1950 bis 1953 Präsident der Deutschen Akademie der Künste, seit 1957 als Nachfolger Bertolt Brechts Präsident des Deutschen PEN-Zentrums Ost und West. Zweigs Dramen, Erzählungen und Essays beschäftigen sich bewußt mit dem Judentum; gegen den Antisemitismus schrieb er „Caliban oder Politik der Leidenschaft" (1927). Es folgten „Bilanz des deutschen Judentums 1933" (1934) und, gemeinsam mit Lion Feuchtwanger, „Die Aufgabe des Judentums" (1933).
Gegenüberliegende Seite: Arnold Zweig. Photographie von *Lotte Jacobi.* Um 1930

Ich bin ein Ostjude, und wir haben überall dort unsere Heimat, wo wir unsere Toten haben.
Joseph Roth

Ich habe viele Meilen zurücklegen müssen. Zwischen dem Ort, in dem ich geboren bin und den Städten, Ländern, Dörfern, durch die ich in den letzten zehn Jahren komme, um in ihnen zu verweilen, und in denen ich nur verweile, um sie wieder zu verlassen, liegt mein Leben, eher nach räumlichen Maßen meßbar als nach zeitlichen. Die zurückgelegten Straßen sind meine zurückgelegten Jahre.
Joseph Roth

Er [Joseph Roth] gehörte zu den ersten Verzweifelten jener Zeit. Seine Gestalten waren auf der Flucht, und er sah die Flucht aller voraus. Seine Bücher sind nur Abglanz dessen, was er während solcher Nachtstunden im Gespräch hervorbrachte. In visionären Bildern malte er uns aus, was wir fürchteten, um dann in sich zu versinken. Wenn er einmal aufblickte, konnte er beiläufig sagen: „Ist ja alles Quatsch, Kinder. Nehmt doch nicht so ernst, was mich quält, ich verstehe eben einfach nicht zu leben."
Max Tau

Joseph Roth (1894 Schwabendorf bei Brody, Galizien – 1939 Paris) meldete sich im Ersten Weltkrieg freiwillig zur österreichisch-ungarischen Armee. Ab 1918 arbeitete er als Journalist in Wien, ab 1921 in Berlin. 1923 bis 1932 war er Korrespondent der „Frankfurter Zeitung". Nach Hitlers Machtergreifung emigrierte er nach Wien, Marseille, Nizza und Paris. Anfangs revolutionär gesinnt, trauerte er als Heimatloser, „Unbehauster" in seinen Werken der österreichisch-ungarischen Monarchie als Idee nach. Die altösterreichische, übernationale Gesellschaft und das Leben der Offiziere und Beamten im Vielvölkerstaat werden mit feiner Ironie, Skepsis und Melancholie beschrieben. Besondere Aufmerksamkeit galt den Charakteren des Ostjudentums seiner galizischen Heimat, die er u. a. im Roman „Hiob" eindringlich schilderte. In seinem Essay „Juden auf Wanderschaft" (1926) verteidigte er die sich auflösende, religiös verankerte Welt der Ostjuden gegen die Arroganz der Assimilation.
<u>Oben</u>: Joseph Roth. Um 1925

Schauend und schreibend fuhr er [Joseph Roth] durch ganz Europa, von Moskau bis Marseille, ja bis in die finstersten Winkel von Albanien und Germanien. Er wurde rasch Deutschlands berühmtester Feuilletonist, ein Prosaist ersten Ranges, ein Meister der kurzen Prosa und der deutschen Sprache. Die besten seiner Artikel und Feuilletons, die er durch mehr als zwanzig Jahre schrieb, verdienen in jeder Anthologie „klassischer" deutscher Prosa ihren besonderen und schönen Platz. Er sah mit neuen Augen und schrieb mit der Kraft des Dichters und dem Mut des Moralisten, mit dem beißenden, zuweilen tiefen Witz des pessimistischen Skeptikers und mit der sanften Bitterkeit des melancholischen Romantikers.
Hermann Kesten

Mir persönlich . . . ist mein Judentum etwa das, was einem chassidischen Wunderrabbi: eine metaphysische Angelegenheit, weit, hoch über allem, was mit „Juden" auf dieser Erde passiert.
Joseph Roth

Bertaux erinnert sich in seinen Memoiren an einen Sonntag bei uns im Grunewald im Februar 1928, an dem er viele unserer Freunde bei uns traf: Jakob Wassermann, Alfred Döblin, Ernst Toller, Alfred Kerr, George Grosz und Joseph Roth, der sagte: „In zehn Jahren wird a) Deutschland gegen Frankreich Krieg führen, b) werden wir, wenn wir Glück haben, in der Schweiz als Emigranten leben, c) werden die Juden auf dem Kurfürstendamm geprügelt werden." Keiner schenkte dem verzweifelt lächelnden Roth Glauben. Aber sehr bald sollten diese prophetischen Worte sich bewahrheiten.
Brigitte B. Fischer

Acht Bücher bis heute, mehr als 1000 Artikel, seit zehn Jahren jeden Tag zehnstündige Arbeit, und heute, wo mir die Haare ausgehen, die Zähne, die Potenz, die primitivste Freudefähigkeit, nicht einmal die Möglichkeit, einen einzigen Monat ohne finanzielle Sorge zu leben. Und diese Canaille von Litteratur!
Joseph Roth

Ich hatte viele Freunde im Leben, aber nur Joseph Roth nannte mich Freund seiner Seele.
Józef Wittlin

Nachfolger inspirierte wie es Peretz gelang. Peretz förderte die Karriere etlicher Schüler, zu denen David Pinski (1872–1959), Hirsch David Nomberg (1874–1927), Abraham Reisen (1876–1953), Schalom Asch (1880–1957), I. M. Weissenberg (1881–1938), Peretz Hirschbein (1880–1948), Solomon Bloomgarden (1870–1927), der unter dem Pseudonym Jehoasch schrieb, und Menachem Boraischa (1888–1949) gehören.
Helmut Dinse/Sol Liptzin

*D*ie Ohnmacht der Juden, das Erdulden der Heimsuchung mit einem chassidischen „bitochn", einem Gemisch aus Resignation und Zuversicht, geben Scholem Alejchems Werk seine spezifische Tönung. Sein Lachen ist das des Helden jenes passiven Widerstandes, der dem Volk im Ansiedlungsrayon die Kraft gab, sich trotz des beispiellosen Elends zu behaupten.
Jacob Allerhand

*U*nser Programm heißt Erziehung. Wir wollen das Volk erziehen: Narren in Weise verkehren, intelligente Menschen aus Fanatikern machen; aus Müßiggängern und Luftmenschen – Arbeiter, nützliche, ehrliche Leute, die für sich arbeiten und der Gesellschaft dadurch förderlich sind . . . Wir sagen einfach: wir Juden sind so menschlich wie alle menschlichen Wesen! Wir sind weder Halbgötter noch Dämonen, nichts anderes, nur menschlich. Und menschliche Wesen sollten sich erziehen, weiser, besser, freier mit jedem Tag werden.
Jizchak Leib Peretz

*D*ie Essenz der Jüdischkeit an allen Orten, zu allen Zeiten, in allen Teilen des zerstreuten Weltvolkes . . . zu finden und sie vom prophetischen Traum der menschlichen Zukunft erhellt zu sehen – das ist die Aufgabe eines jeden jüdischen Künstlers.
Jizchak Leib Peretz

*S*cholem Alejchem (1859 Perejaslav – 1916 New York), eigentlich Schalom Rabinowitsch, war der beliebteste der großen drei Klassiker der jiddischen Literatur (Mendele Mojcher Sforim, Jizchak Leib Peretz). 1905 nach dem Kiewer Pogrom, wanderte er über die Schweiz in die USA aus. Scholem Alejchems Welt ist die des armen osteuropäischen Schtetls. Seine bedeutendste Schöpfung wurde die Figur des „Tewje der Milchiger", der trotz aller Prüfungen zwischen Resignation und Zuversicht sein Gottvertrauen nicht aufgibt.
Oben: Scholem Alejchem. Um 1900

*S*cholem Aleichem lehrte die Juden, die sich stets in Schwierigkeiten befanden und einer feindseligen Umwelt ausgesetzt waren, über ihre Bedrängnis zu lachen. Er sprach sie an als Mitglieder einer großen Familie, die in Klatsch und Streit, doch ohne Boshaftigkeiten miteinander lebten, erfüllt von einem tiefen Verantwortungsbewußtsein für den Mitmenschen und immer bereit, einander im Notfall zu helfen. Sie fühlen den Schmerz der ganzen Menschheit, obwohl die Menschheit keine Notiz von ihnen nimmt; sie tragen farblose, schäbige Kleider, ihre Seelen jedoch leuchten voller Farbe und sind lebendig. – Scholem Aleichem liebte sie mit allen ihren Torheiten und Schwächen.
Helmut Dinse/Sol Liptzin

*E*r lehrte sie, wie man durch Spaß dem Schmerz entflieht – und wie man Freude am Leben gewinnen kann, indem man die traditionellen und zeitlosen Gebräuche des Judentums achtet. Sein Humor erhellt den grauen, langweiligen Alltag, sein Lachen hallt überall dort wider, wo Jiddisch gelesen und verstanden wird. Mit ihm – und mit Peretz – erreichte die jiddische Literatur ihren Höhepunkt; bedauerlich bleibt nur, daß er keine

*S*chalom Asch (1880 Kutno, Polen – 1957 London) lebte 1906 bis 1910 in Palästina, dann in den USA und seit 1923 in England. 1955 ließ er sich in Israel nieder. Seine Romane, Dramen und Erzählungen geben ein lebensnahes, zum Teil romantisiertes Bild vom jüdischen Kleinstadtmilieu und Glaubensleben des Ostens wieder („A Schtetl", „Mottke der Dieb", „Petersburg – Moskau – Warschau"). Seine Bühnenstücke bedeuteten einen Höhepunkt in der Entwicklung des jiddischen Dramas. Max Reinhardt führte 1910 seinen „Gott der Rache" in Berlin auf und machte ihn so der Welt bekannt. Seine Romane um die großen Gestalten des Christentums stießen auf heftige Ablehnung in der jüdischen Leserschaft.

*J*izchak Leib Peretz (1851 Zamosc – 1915 Warschau) schrieb ursprünglich, unter dem Einfluß der Haskala (Aufklärung), in Hebräisch; zur jiddischen Sprache fand der studierte Rechtsanwalt über sein kulturpolitisches Engagement. In seinen Erzählungen schilderte er, oft voll Ironie, das jüdische Leben in den Kleinstädten Osteuropas. Doch bleibt sein Name mit der Einführung des Chassidismus in die jiddische Literatur verbunden.
Rechts: Schalom Asch (links), Jizchak Leib Peretz (Mitte), Hirsch David Nomberg (liegend) und der Sohn von Peretz (rechts). Um 1900

Samuel Fischer (1859 Liptó Szt. Miklós, Slowakei – 1934 Berlin) gründete 1886 in Berlin den S. Fischer Verlag. Er förderte die deutsche Literatur seit dem Naturalismus. Die unter verschiedenen Titeln seit 1890 erschienene kulturpolitische Zeitschrift „Die Neue Rundschau" übte großen Einfluß auf das deutsche Geistesleben aus. Zu ihren Redakteuren gehörten *Otto Brahm, Oscar Bie* und *Samuel Sänger.* Im Herbst 1935 wurde die damalige AG aufgelöst und teilte sich in die S. Fischer KG, Berlin, und den von Gottfried Bermann-Fischer weitergeführten „Exil"-Verlag (Wien, Stockholm, New York, Amsterdam). Beide Verlage wurden 1950 wieder vereinigt.
<u>Links:</u> Samuel Fischer. Photographie von Rudolf Dührkoop. 1911

Moritz Heimann (1868 Werder – 1925 Berlin) entdeckte und förderte als Lektor des S.-Fischer-Verlages (seit 1906) die moderne deutschsprachige Literatur. Er selbst verfaßte Gedichte, Essays, Komödien, Dramen und meisterhafte Aphorismen.
<u>Gegenüberliegende Seite, oben links:</u> Moritz Heimann. Vor 1933

Salmann Schocken (1877 Margonin, Posen – 1959 Jerusalem) war Mitbegründer des Schokken-Konzerns, der über dreißig Warenhäuser besaß. Gemeinsam mit seinem Bruder Simon gründete er 1931 den Schocken-Verlag in Berlin. Salmann Schocken emigrierte 1933 nach Palästina.
<u>Gegenüberliegende Seite, oben rechts:</u> Salmann Schocken. Photographie von *Lotte Jacobi.* Um 1950

Der Jüdische Verlag wurde im Oktober 1902 von Martin Buber, Ephraim Moses Lilien, Berthold Feiwel, Chajim Weizmann und Davis Trietsch in Berlin gegründet. Er verlegte vor allem Werke der kulturzionistischen Richtung, so z. B. von Achad Haam, Simon Dubnow, Chajim Nachman Bialik, weiters von Theodor Herzl, Max Nordau und Arthur Ruppin.
<u>Gegenüberliegende Seite, unten:</u> Die Gründer des Jüdischen Verlages in Berlin. Sitzend von links: Berthold Feiwel, Martin Buber. Stehend von links: Ephraim Moses Lilien, Chajim Weizmann, Leo Motzkin. 1902

Und so sehen wir uns noch als etwas Abgeschlossenes und Beendetes das Lebenswerk der bedeutenden jüdischen Verleger an, der Albert Langen, Paul Cassirer, G. H. Meyer (in Firma Kurt Wolff-Verlag), Jacob Hegner, zusammengefaßt in der schon klassisch anmutenden Gestalt des greisen Samuel Fischer. Die Firma S. Fischer-Verlag war fast vierzig Jahre lang Bürge für eine bestimmte Qualität, Geschmackshöhe, künstlerische Gediegenheit und neues Lebensgefühl. Nicht die Bahnbrecher verlegte Samuel Fischer, die, wie Heinrich Mann, Wedekind, Strindberg, Hamsun, Alfred Mombert, Peter Hille oder Detlev von Liliencron zuerst bei Schuster & Löffler, Berlin, oder Albert Langen, München, ihren Verleger fanden. Aber mit seiner Zeitschrift „Die Neue Rundschau", seinen ausgezeichneten Lektoren und Kritikern, Mitarbeitern und Herausgebern, Moritz Heimann, Alfred Kerr, Oskar Bie, Samuel Saenger, hielt er einer ganzen, neu anhebenden Literaturepoche die Treue und führte sie zur öffentlichen Geltung, aus dem, was er an seinen Erfolgen verdiente, immer wieder auf der Suche nach neuen, ruhigen, meist nichtjüdischen Talenten. Für die allgemeine Kenntnis ist er vor allem der Verleger Henrik Ibsens, Gerhart Hauptmanns, Bernhard Shaws, Hermann Bangs, Thomas Manns, Arthur Schnitzlers . . .
Er hat den vornehmsten deutschen Erzähler der Vorkriegszeit verlegt, den Grafen Eduard Keyserling, Meister des kleinen Formats, und hat das Gesamtwerk Hugo von Hofmannsthals, Jakob Wassermanns und Joseph Conrads erworben und fortgeführt, die, wie auch René Schickele, Annette Kolb oder Alfred Döblin zunächst bei kühneren Verlegern begonnen hatten. Von den begabten Schweizern brachte er vor allem Hermann Hesse und Jacob Schaffner, von den modernen Franzosen die vornehmeren, gesänftigten. Und eine Menge kulturvoller Bücher verdankten wir auf unserem Bildungsgang diesem Verlag, Briefe der Brownings oder Hans von Bülows, die gesammelten Schriften Alfred Kerrs, die Essayisten von Meier-Graefe bis Lytton Strachey. Und in diesem reichhaltigen und verschiedenartigen Katalog sind jüdische Schriftsteller verschwindend gering vertreten. Für sie standen Rütten & Loening in Frankfurt eher zur Verfügung oder Bruno und Paul Cassirer; für sie setzten sich ein die Nichtjuden Kurt Wolff und Ernst Rowohlt, Gustav Kiepenheuer und Georg Müller, München, oder der Insel-Verlag in Leipzig – viele beraten von jüdischen Lektoren oder jüdischen Schriftstellerfreunden, aber bedenkenloser gegen das linke und rebellierende Geistesgut als S. Fischer selbst. Zu nennen wäre als Beispiel für viele auch der Verleger Erich Reiss, der Georg Brandes in Deutschland vertrat, oder Georg Bondi, der den schwierigen und aristokratischen Hochmut Stefan Georges und seines Kreises langsam

und beharrlich durchsetzte – eines Kreises, der vorwiegend jüdische Geister in der Anbetung des großen Stefan versammelte, als der völkische Literarhistoriker Adolf Bartels noch stur behauptete, dieser George sei eigentlich Jude und heiße Abeles. Aber Rudolf Borchardt, ein jüdisch-deutschnationaler Recke, entstammte diesem Kreise genau so wie die treuen Schüler Friedrich Gundolf, Friedrich Wolters, dessen Vater noch Wolfsohn hieß, oder Karl Wolfskehl, dessen Leidenschaft die Erneuerung alt- und mittelhochdeutscher Gedichte war, und der mit George bei Georg Bondi die beste Auswahl älterer deutscher Gedichte herausgegeben hat.
Arnold Zweig

Ich glaube, man sollte überhaupt nur Bücher lesen, die einen beißen und stechen. Wenn das Buch, das wir lesen, uns nicht mit einem Faustschlag auf den Schädel weckt, wozu lesen wir dann das Buch? Damit es uns glücklich macht, wie Du schreibst? Mein Gott, glücklich wären wir eben auch, wenn wir keine Bücher hätten, und solche Bücher, die uns glücklich machen, könnten wir zur Not selber schreiben. Wir brauchen aber die Bücher, die auf uns wirken wie ein Unglück, das uns sehr schmerzt, wie der Tod eines, den wir lieber hatten als uns, wie wenn wir in Wälder verstoßen würden, von allen Menschen weg, wie ein Selbstmord, ein Buch muß die Axt sein für das gefrorene Meer in uns.
Franz Kafka

Leopold Ullstein (1826 Fürth – 1899 Berlin) gründete 1877 in Berlin den gleichnamigen Verlag. Die Umwandlung des Verlages in einen der modernsten und größten Presse- und Buchverlage vollzogen seine fünf Söhne Hans, Louis, Franz, Rudolf und Hermann. Die von ihnen 1898 begründete „Berliner Morgenpost" hatte ebenso hohe Auflagen wie die „Berliner Zeitung" (erworben 1878, seit 1904 „B. Z. am Mittag") und die „Vossische Zeitung" (erworben 1914), das älteste Blatt Berlins. 1907 entstand auch ein Buchverlag, der seit 1919 die Klassikerausgaben des Propyläen-Verlags herausgab. 1934 mußten die Ullsteins den Verlag für ein Spottgeld an einen „Unbekannten", hinter dem sich die Nationalsozialisten versteckten, verkaufen.
<u>Links:</u> Leopold Ullstein.
Um 1860

Nicht regelmäßig nahm Dr. Ullstein, der zugleich Generaldirektor des Verlages war, an den Redaktionskonferenzen teil. Wenn er im Konferenzzimmer erschien, galt er nicht mehr als jeder andere Teilnehmer. Es ist mir kein Fall bekanntgeworden, in dem Dr. Ullstein – die anderen Verleger kamen mit den Redaktionen kaum direkt in Berührung – den Versuch gemacht hätte, seine Autorität gegenüber der Redaktion geltend zu machen. Dazu war er, obgleich er selbst selten eine Zeile geschrieben hat, zu sehr passionierter Journalist, dazu achtete er die Freiheit der Meinung und der Meinungsäußerung zu hoch. Ich kam einmal zufällig in sein Zimmer, als er einen Prokuristen ziemlich ungnädig behandelte: „Sie sind nicht dazu engagiert, mir nach dem Munde zu reden. Meine Ansicht kenne ich bereits, ich will die Ihre wissen!"
Max Rainer

Der Journalismus ist keine jüdische Erfindung, aber seine Wesensfarbe, sein Lebensgesetz, sein Blut, seine Seele hat er – wenigstens in Deutschland – von Juden empfangen. Für die andern war das Schreiben ja nur eine Betätigungsmöglichkeit unter vielen, für den begabten Juden war es der einzige Beruf, der ihm ein Partikelchen eingebildeter oder wirklicher Macht sicherte.
Paul Mayer

Es handelt sich um die Gründung von Zeitungen, die auf einem Geschäft mit Anzeigen basieren, ja zumeist aus einer Druckerei hervorgegangen sind. So gründete sich das Haus Rudolf Mosse, so auch das Haus Ullstein und die Frankfurter Zeitung Leopold Sonnemanns . . . So haben die Frankfurter Zeitung als Ganzes, das Berliner Tageblatt und die Vossische Zeitung durch ihre führenden jüdischen Journalisten Theodor Wolff und Georg Bernhard und durch eine Fülle von international angesehenen Mitarbeitern und Sonderbeiträgen die europäische Kultur in Deutschland vertreten.
Arnold Zweig

Die Frankfurter Zeitung betrachte ich nicht als Sprungbrett, höchstens als eine Sprungmatratze, ähnlich der, die wir im Varieté gesehn haben, mit den zebragestreiften Springern. Sie ist mein einziger heimatlicher Boden und ersetzt mir so etwas wie ein Vaterland und ein Finanzamt.
Joseph Roth

Aber noch eine andere und tiefe Seelenverwandtschaft band ihn an Frankfurt: die Frankfurter Zeitung. Er hielt sie von ihrem Gründungsjahr an. Er las sie nicht nur, er glaubte ihr, er traute ihr, er liebte sie. Sie von Anfang bis Ende durchzulesen war ihm tägliche Pflicht, schabbatliche und festtägliche Freude. Sie schuf mit den Jahren so sehr und ausschließlich seine politische Gesinnung, daß er beglückt war, in der Frankfurter immer seine Meinung bestätigt zu finden.
Fritz Frank

Der Leiter der „Presse", Karl Etienne, machte dieses Blatt zum Sprachrohr des Liberalismus im weitesten Sinne des Wortes und insbesondere zum Leibblatt der gebildeten jüdischen Kreise. Sein Nachfolger Moriz Benedikt, der „Sklavenhalter" Theodor Herzls, ist in unserer Zeit viel bekannter, aber er war nur ein Epigone . . . Mein Vater hat wiederholt mit einem gewissen Stolz darauf hingewiesen, daß unsere Familie von dem Tage der

Auch als Verleger bedeutender Zeitungen spielten Juden eine entscheidende Rolle. Als „gute" Blätter galten die „Frankfurter Zeitung" (1856 von *Leopold Sonnemann* gegründet und seit 1866 unter diesem Namen herausgegeben) und die Wiener „Neue Freie Presse" (1864 gegründet, seit 1881 unter Moritz Benedikt als Herausgeber).
Oben: Zeitungskiosk in Berlin. Photographie von Friedrich Seidenstücker. 1928

Arthur Koestler (1906 Budapest – 1983 London) brach sein Ingenieurstudium ab und ging 1926 in einen Kibbuz nach Palästina. Durch einen glücklichen Zufall wurde er Auslandskorrespondent des Ullstein-Verlages und verbrachte die Jahre 1926 bis 1931 im Nahen Osten, Paris und Berlin. Im Sommer 1931 begleitete er als einziger Journalist Graf Zeppelin auf dessen Nordpolflug. 1931 bis 1937 Mitglied der Kommunistischen Partei, nahm er 1936 als Beobachter am Spanischen Bürgerkrieg teil und wurde gefangengenommen. Seine Begnadigung erwirkte die ausländische Presse. Seit 1942 lebte er in London. Seine Berichte und Romane behandeln ethische und politische Probleme und Konflikte, wie seine Auseinandersetzung mit dem Kommunismus und totalitären Gesellschaften. In seinem Spätwerk wandte er sich vor allem psychologischen Fragen zu. Für den Freitod plädierend, vollzog er ihn gemeinsam mit seiner Frau.
Links: Arthur Koestler als Journalist bei der spektakulären Polarfahrt des Luftschiffes „Graf Zeppelin". 1931

Gründung an zu den Abonnenten und Lesern der „Presse" gehörte. Vor dem Weltkriege und auch noch nach seinem Ausbruch hatte ich wiederholt Auseinandersetzungen deswegen mit meinem Vater; ich war sicherlich von Herzls verzweifeltem (damals nur sehr unvollkommen bekannten) Kampf gegen Benedikt und von der wütenden Polemik, die Karl Kraus (ein aus Jičín stammender böhmischer Jude) in seiner „Fackel" gegen die „Neue Freie Presse" führte, beeinflußt und warf der Presse vor, daß sie käuflich und kriegshetzerisch sei, während mein Vater sie mit Wärme verteidigte. Als ich dann etwa 1916 aus dem Felde auf Urlaub nach Hause kam, fand ich die „Presse" durch das „Prager Tagblatt" ersetzt, und mein Vater gab mir eine fast feierliche Erklärung darüber ab, daß er nunmehr die Richtigkeit meiner Vorwürfe gegen jene Zeitung eingesehen habe. Immerhin hatte sie durch fast fünfzig Jahre einen gar nicht gering anzuschlagenden Einfluß auf die Bildung politischer und anderer Anschauungen aller Mitglieder unserer Familie.
Hugo Hermann

Es gibt zwei schöne Dinge auf der Welt: Der „Neuen Freien Presse" anzugehören oder sie verachten. Ich habe nicht einen Augenblick geschwankt, wie ich zu wählen hätte.
Karl Kraus

199

Hier handelt es sich um Kennzeichnung der merkwürdigen Tatsache, daß die deutschen Juden das Vorurteil zu bestätigen schienen, nach welchem den Juden überhaupt das Vermögen zur bildenden Kunst nur verkümmert zu Gebote stände. In der Tat: verglichen mit der Fülle wichtiger literarischer und musikalischer Talente spielten sie in der Malerei und Plastik Deutschlands, ja Europas eine Rolle zweiten Ranges. Sie hatten zwar in Holland einen Meister wie Joseph Israels hervorgebracht, in Frankreich den wundervollen Impressionisten Pissaro [sie] und in Deutschland die klassische Gestalt des Altmeisters Max Liebermann, der noch heute, langlebig wie viele große Maler zwischen Tizian und Renoir, mit seinen 86 Jahren in unverminderter Frische und Kraft die reife Schönheit seiner Portraits und Landschaften gestaltet. Aber selbst so anständige und ernste Künstler wie Hermann Struck, Eugen Spiro, Philip Franck oder die Jüngeren Ludwig Meidner, Jakob Steinhardt, Joseph Budko verkörperten nicht jenen mächtigen Durchbruch aus dem anschauenden Erlebnis in die gestaltete und belebte Materie . . .

Da brach mit dem Anfang des 20. Jahrhunderts in die Starrheit des europäischen Kunstlebens jene Befreiung ein, die man Expressionismus nannte . . . Und sogleich standen auch Juden in der vorderen Reihe der modernen Kunst. Nicht aber deutsche Juden, sondern Söhne und Töchter jenes großen russischen Judentums, das kulturell so lange zurückgestaut gewesen war . . .

Es ist nicht die Aufgabe dieses Buches, all die Künstler zu charakterisieren, die vor allem in Paris ihre Geltung errangen und bewiesen, die Modigliani und Chagall, Sjutin und Channa Orlowa, Altmann und Menkes, Ryback und Gottlieb, Kisling und Zach und die kulturvollen Wiener wie Josef Floch, Georg Ehrlich, Eisenschitz oder den Czernowitzer Reder . . .

Jetzt verweisen wir nur noch darauf, daß in der Reihenfolge: Publikum, Kennerschaft, Schöpfertum die deutschen Juden die zweite dieser Stufen auf alle Fälle schon erreicht hatten, als die Hitlersche Kunstdiktatur jüdisches Kunstleben in Deutschland in die Vergangenheit hinunter stieß . . . Wir nennen etwa den klassischen Ordinarius der Kunstgeschichte an der Berliner Universität Adolf Goldschmidt, Typus des unerbittlich wissenschaftlichen Gelehrten von vorbildlicher Exaktheit, dem die Erkenntnis der mittelalterlichen Kunst in Deutschland Unendliches verdankt, ob er nun über Elfenbeinschnitzereien, Miniaturen oder Plastiken arbeitete. Wir verweisen auf Max I. Friedländer, der das Berliner Kupferstichkabinett lange Jahre leitete, bevor ihm das Kaiser-Friedrich-Museum übergeben wurde – unbestritten der beste Kenner der niederländischen Malerei im 15. Jahrhundert. Unter den moderneren Köpfen in dieser Disziplin ragt Kurt Glaser hervor,

einst Direktor der staatlichen Kunstbibliothek Berlin, deren hohen Rang er aufrecht erhielt, ja erhöhte. Seine Ausstellungen im Lichthofe des alten Kunstgewerbe-Museums regten das geistige Leben Berlins durch den Anstoß an, der oft von einer kühn und klug gewählten Schau ganz fremder Gestaltungen – Frobeniussche Höhlenzeichnungen, russische Ikone –, ausgehen kann. Der bedeutendste Mann der jüngeren Generation aber, Erwin Panofsky, wurde seiner jüdischen Herkunft wegen schon nicht mehr nach Berlin berufen. So behielt ihn Hamburg, das durch die weltberühmte Bibliothek Aby Warburgs und ihren Bibliothekar Saxl beste Voraussetzungen für seine besonderen Entdeckungen bot . . .

. . . richtet sich unser Blick schließlich auf jene Kritiker und Redner, die das Verständnis für Kunst in die Menge trugen – also Kunst erst wirklich zum Allgemeingut machten . . . Der älteren Generation war der Kunstkritiker Fritz Stahl, der das Talent hatte, sich immer wieder zu verjüngen, ein entscheidender Berater; der neuen diente Paul Westheim, der erst in der Frankfurter Zeitung und dann in seinem „Kunstblatt" mit feinster Einfühlung gerade diejenigen Maler und Plastiker würdigte, die ohne seinen Mut dank ihres neuen Sehens und Gestaltens den Deutschen noch heute fremd wären. Erwähnen wir jetzt noch . . . Dr. Max Deri und jenen Schriftsteller Carl Einstein, dessen unbestreitbares Verdienst es ist, die Bedeutung der exotischen Plastik und ihre Schönheit entdeckt und beschrieben zu haben, so scheint uns der Aufzählungen genug.
Arnold Zweig

Zwar gibt es nur Kunst schlechthin: sie kennt weder religiöse noch politische Grenzen. Was anderes aber sind die Künstler, die sowohl durch ihr Vaterland wie ihre Religion miteinander verbunden sind. Und wenn ich mich durch mein ganzes Leben als Deutscher gefühlt habe, es war meine Zugehörigkeit zum Judentum nicht minder stark in mir lebendig.
Max Liebermann

Ich habe während meines langen Lebens mit allen meinen Kräften der deutschen Kunst zu dienen gesucht. Nach meiner Überzeugung hat Kunst weder mit Politik noch mit Abstammung etwas zu tun, ich kann daher der Preußischen Akademie der Künste, deren ordentliches Mitglied ich seit mehr als 30 Jahren und deren Präsident ich durch zwölf Jahre gewesen bin, nicht länger angehören, da dieser mein Standpunkt keine Geltung mehr hat. Zugleich habe ich das mir verliehene Ehrenpräsidium der Akademie niedergelegt.
Max Liebermann

Emil Orlik (1870 Prag – 1932 Berlin) gehörte den Berliner Sezessionisten um *Max Liebermann*, Max Slevogt und Lovis Corinth an. Bedeutung erlangte er als Graphiker, als hervorragender Radierer und Lithograph. Die Graphik kam seinem zeichnerischen Improvisationstalent entgegen. Orliks umfangreiches Werk umfaßt Bildnisse, Illustrationen und Reiseskizzen. Seine technischen Kenntnisse vermittelte er seit 1905 als Professor an der Berliner Akademie. Es existieren zahlreiche Portraits jüdischer Freunde und Persönlichkeiten.
Oben: Emil Orlik. Photographie von Nicola Perscheid. Vor 1905

Trotz solcher Hemmungen sind aus den jüdisch-bürgerlichen Kreisen Prags einige sehr bekanntgewordene Maler hervorgegangen. So zum Beispiel Emil Orlik. Er war der Sohn eines bekannten Prager Maßschneiders. Der andere Prager jüdische Schneider gleicher Qualität in seinem Gewerbe hatte selber einen tiefen Hang zur Kunst. Das war Herr Klimpel, der eine der Hauptstützen und aktives Mitglied des Prager deutschen Dilettantentheaters war.
Bruno Kisch

Max Liebermann (1847 Berlin – 1935 Berlin) studierte Malerei und Graphik in Paris, Holland und München, seit 1884 lebte er in Berlin. Unter dem Einfluß von Jozef Israëls, einem der führenden Realisten der holländischen Kunst im 19. Jh., schloß er sich dem Naturalismus an, entwickelte sich aber davon ausgehend zum „Meister" des deutschen Impressionismus. 1894 begründete er die Berliner Sezession. Als Präsident der Preußischen Akademie der bildenden Künste (1920–1933) bekam er den Orden „Pour le mérite". Reichspräsident von Hindenburg verlieh ihm 1927 den „Adlerschild des deutschen Reiches".
In seinen frühen Bildern finden sich biblische Motive und Genreszenen. Das Gemälde „Jesus vor den Schriftgelehrten" führte 1878 zu einem Skandal. Antisemitische Proteste wurden laut. Von da an hielt er sich von biblischen Themen fern; jüdische Motive behandelte er in seinen Bildern nur selten. 1933 legte er sein Amt als Präsident der Akademie der Künste nieder.
Gegenüberliegende Seite: Max Liebermann in seinem Atelier in Berlin. Um 1900

Die Mauern der Synagoge waren kahl und
abweisend, selbst wenn unter ihrem Dach
sehr zarte liturgische Dichtungen und Gesänge erklangen. Die kleine Stadt im jüdischen
Siedlungsgebiet Osteuropas, das Schtetl, hatte
wundervolle Vorsänger und Musiker, seine
Barden, Poeten und volkstümlichen Erzähler; aber es hatte keine Maler und Bildhauer.
Selbst die chassidische Revolte gegen die
talmudische Scholastik hat die Jahrtausend
alte Abscheu vor dem „Bildnis" nicht ge-
schwächt; und die chassidische Wiederbele-
bung versteinerte nur allzu schnell zu einer
neuen rabbinischen Orthodoxie.
Es geschah also unter Mißachtung dieser
Tradition, außerhalb der Synagoge und in
Opposition zu ihr, wenn ein russischer oder
polnischer Jude zu malen begann; und damit
begonnen hat er erst kurz vor dem Ende des
19. Jahrhunderts.
Isaac Deutscher

Für einen Juden bedeutete das Malen Rebel-
lion und ein Stück Emanzipation.
Isaac Deutscher

Führen mich meine eifrigen Bemühungen
wirklich auf den richtigen Weg, bringen sie
mich dem Ziel näher? Wie gern möchte ich
alle Vorurteile gegen meine Glaubensgenossen beseitigen! Wie gerne möchte ich den
Haß, der sich gegen das leidende Volk erhebt,
ausrotten! Wie gerne möchte ich die Polen
und die Juden versöhnen, denn die Geschichte beider Völker ist doch eine Leidensgeschichte!
Nicht wahr, es ist ein recht unbescheidener
Anspruch, daß ich mich zum Apostel berufen
fühle? Aber wenn ich auch nicht genügend
Kräfte besitze, um das Ziel zu erreichen, so
bezeugen doch die mir von den Landsleuten
erwiesenen Sympathien und die Beschreibun-
gen meiner Persönlichkeit in polnischen Ta-
geszeitungen, daß ich mich eigentlich auf dem
richtigen Wege zu diesem Ziel befinde.
Moritz Gottlieb

In dem Zeichner E. M. Lilien, dem Sohn
eines armen orthodoxen Drechslermeisters
aus Drohobycz, begegnete ich zum erstenmal
einem wirklichen Ostjuden und damit einem
Judentum, das mir bisher in seiner Kraft,
seinem zähen Fanatismus unbekannt gewesen.
Stefan Zweig

Jankel Adler (1895 Tuszyn
bei Lodz – 1949 Aldbourne bei
London) absolvierte in den Jahren
1906 bis 1912 eine Lehre als Gra-
veur und arbeitete anschließend
beim königlichen Postgraveur in
Belgrad. Nach dem Studium bei
Gustav Wiethüchter an der Kunstgewerbeschule Barmen-Wuppertal
(1913/14) zog er kurz nach Polen
und 1920 nach Berlin, wo er *Marc
Chagall* und *Else Lasker-Schüler*
kennenlernte. Er war Mitglied der
Novembergruppe, einer progressiven Künstlergemeinschaft, die im
Dezember 1918 in Berlin gegründet worden war. 1922 bis 1933
lebte und arbeitete Jankel Adler in
Düsseldorf, blieb aber auch dort
ein eigenwilliger Einzelgänger im
Kreis um Otto Dix. Trotz seiner
Liebe zu Deutschland verlor er nie
das Gefühl für seine ostjüdischen
Wurzeln. 1933 mußte Adler als
Jude und sogenannter „entarteter"
Künstler Deutschland verlassen und
ging über Paris nach England.
Links: Jankel Adler. Photographie
von August Sander. 1928

Moritz Gottlieb (1856 –
1879 Krakau) studierte in München Malerei. Trotz seiner Jugend
galt er als der weitaus bedeutendste
der ostjüdischen Künstler (neben
Johann Goldstein und Emil Lö-
wenthal). Er schuf hervorragende
Portraits; das Monumentalgemälde
„Die betenden Juden" befindet
sich heute im Museum in Tel Aviv.
Unten: Moritz Gottlieb. Um 1875

*B*indeglied zwischen Köln und Düsseldorf war Jankel Adler, der in Düsseldorf wohnte, aber gleichzeitig zu den Progressiven gehörte. Dieser junge Pole mit seinen glühenden schwarzen Augen, ein nimmermüder Diskutierer, wirkte belebend und zeitweilig sogar beunruhigend im behaglich gewordenen Düsseldorfer Malerkreis. In seiner Kunst verband er die strenge Bildordnung der Kölner mit der poetischen Stimmungswelt seines Landsmanns Chagall. Seine freskoartige Behandlung der Bildoberfläche war etwas durchaus Neues, mancher Kollege unterlag seinem Einfluß. Adler lebte nach seiner Emigration in London; als er 1950 starb, stand er an der Schwelle des Ruhms.
Anna Klapheck

*M*an nennt ihn überall den lieben Jankel.
Wir sind aus einer Stadt und gingen in dieselbe Schule
Und schlidderten mit Vorliebe über zugefrorene Gassen.

Der liebe Jankel hatte damals schon zwei Knospen im Gesicht,
Die tun sich heute auf verklärt und bibelvoll
Erzählt er uns vom Balchem.

Im Traum zur Nacht trägt man ihn feierlich
Wie seinen Urrabunivater einst auf Zweig und Blatt
vom stillen Walde in die Hallelujastadt.

Weiht er doch jedes Bildnis, das er malt,
Mit dichterischer, großer Harfenschrift
Seinem jungen Gotte Zebaoth.

. . .

In dieser Bildeshöhe zeitlosem Geschmeide
Wird Jankel Adler der hebräische Rembrandt.
Else Lasker-Schüler. Jankel Adler

*M*ela Koehler-Bormann (1885 Wien – 1960 Stockholm) besuchte von 1905 bis 1910 die Wiener Kunstgewerbeschule bei Kolo Moser. Noch während ihrer Schulzeit wurden ihre Arbeiten häufig publiziert. Sie illustrierte Märchenbücher für den Verlag Konegen und war Mitarbeiterin an der Zeitschrift „Wiener Mode". Als Mitglied des Österreichischen Werkbundes und der Wiener Frauenkunst nahm sie an zahlreichen Ausstellungen teil, z. B. an der Kunstschau Wien 1909. Für die Wiener Werkstätte entwarf sie Postkarten, Bilderbögen, Stoffe und Gebrauchsgraphik. 1934 emigrierte Mela Koehler nach Schweden.
Rechts: Mela Koehler-Bormann. Photographie von *d'Ora*. 1912

Alfred Flechtheim (1878 Münster – 1937 London) galt als einer der wichtigsten Kunsthändler der Moderne in Deutschland, mit Galerien in Düsseldorf und Berlin. Er führte unter anderem Picasso in Deutschland ein. Flechtheim machte vor allem Max Beckmann, Carl Hofer und Paul Klee bekannt, zudem die Kunst Schwarzafrikas. Alfred Flechtheim gründete auch die legendäre Zeitschrift „Der Querschnitt", die als „Magazin der aktuellen Ewigkeitswerte" ab 1924 vom Haus Ullstein verlegerisch betreut wurde.

Links: Alfred Flechtheim. Um 1928

Herwarth Walden (1878 Berlin – 1941 Saratow, UdSSR), mit bürgerlichem Namen Georg Levin (den er auf Anraten seiner ersten Frau *Else Lasker-Schüler* änderte), studierte Musikwissenschaft in Italien und Berlin. Er verfaßte zudem expressionistische Dramen und war Redakteur literarischer Zeitschriften. Im Jahr 1910 gründete er die Zeitschrift „Der Sturm" und eröffnete 1912 seine „Sturm"-Galerie mit der Ausstellung „Der Blaue Reiter". 1913 organisierte er die Ausstellung „Herbstsalon" mit Künstlern der europäischen Avantgarde, für die er sich begeistert einsetzte. Sein Kunstsalon und Verlag „Der Sturm" wurden zum Zentrum des Expressionismus; mit ihnen entwickelte er sich zum bedeutenden Förderer moderner Kunst. Man konnte in seiner Galerie Werke von *Marc Chagall*, Paul Klee, Oskar Kokoschka, Lyonel Feininger, Wassily Kandinsky, *Franz Marc* und August Macke sehen. In den zwanziger Jahren wandte er sich dem Bolschewismus zu und ging 1931 als Sprachlehrer nach Moskau.

Gegenüberliegende Seite, unten: Herwarth Walden mit seiner Frau Nelly in seinem Haus in Berlin. 1920

*D*iese Kunsthändler und ihre Genossen auf dem Gebiet des Buchantiquariats, die Goldschmidt (Frankfurt), Rosenberg, Bernheimer (München), Martin Breslauer und Paul Graupe in Berlin wie ihre vielen Kollegen im ganzen Reich, oft Gelehrte auf ihrem Gebiet und bessere Fachleute als namhafte Kunsthistoriker, gaben dem deutschen Geschmack im Luxus jenes sichere Niveau, das ihm noch zu Bismarcks Zeiten und denen des jungen Kaiser Wilhelm fehlte. Durch sie und die Filialen, die sie in den großen Städten der Welt gründeten, erhielt das Kunstsammeln in Deutschland Antrieb und Unterstützung, bis es zu jener Höhe kam, die etwa die Sammlung von der Heydt in Berlin auszeichnete, die Galerien von Markus Kappel, Harry Fuld und James Simon, die zahllosen kleinen oder größeren Bildersammlungen, die den deutschen Reichtum geistig und geschmacklich so würdig repräsentierten. Und die Bilderhändler vom Typus Paul Cassirers oder Alfred Flechtheims taten das Gleiche für die moderne Kunst vom Auftreten der Impressionisten an bis zu den Schöpfungen etwa des großen Holzplastikers Ernst Barlach, der in seinem mecklenburgischen Städtchen Güstrow ohne Paul Cassirer verhungert wäre. Denn alles, was wagemutig um neuen Ausdruck rang, alle die Künstler der „Brücke" (Nolde, Kirchner, Schmidt-Rotluff [sie]), die Rohlfs und Beckmann, die Kokoschka, Hofer, Klee, Lehmbruck, Kandinsky, die Franz Marc (gefallen 1915) und Kubin – lauter nichtjüdische Bahnbrecher modernen Formwillens und malerischer oder plastischer Erneuerns: wenn sie ehrlich sind, werden sie zugeben müssen, daß sie nur zum kleinen Teil von nichtjüdischen Händlern ausgestellt, Schriftstellern verstanden, Käufern gekauft wurden. Dieselben Schichten, zu allermeist Juden oder jüdischen Ursprungs, die die französischen Impressionisten und später Cézanne und van Gogh verstehen gelernt hatten, ermöglichten auch ihnen, nicht nur zu leben und zu reisen, sondern immer weiter ins Ungeformte vorzudringen und ihren persönlichen Rhythmus immer reiner auszugestalten. Die Juden als Bilderkäufer waren im Deutschland der letzten dreißig Jahre ebensosehr das Rückgrat der Malerei, wie sie die Theater füllten und die Auflagen kauften, die von deutschen Büchern jeder Art gedruckt wurden.

Arnold Zweig

*D*ie Galerie Thannhauser in München, vormals Thannhauser & Brakl, eröffnete 1909 einen neuen Kunstsalon. Sie veranstaltete 1909 die erste Ausstellung der von Wassily Kandinsky, Alexej Jawlensky, Alfred Kubin u. a. gegründeten „Neuen Künstlervereinigung München", und im Dezember 1911 die erste Ausstellung der von Kandinsky und *Franz Marc* ins Leben gerufenen Gruppe „Der Blaue Reiter".
Oben: Galerie Thannhauser in München während der ersten Ausstellung der Künstlergruppe „Der Blaue Reiter". 1911

Mit dem wachsenden Handel, der Industrie und dem Bankwesen stieg in Deutschland nach dem siegreichen Kriege von 1870/71 der allgemeine Wohlstand. Dieser, an dem auch weite jüdische Kreise teilhatten, ermöglichte es deutschen Juden, in den Friedensjahren vor dem ersten Weltkrieg bedeutende Kunstsammlungen anzulegen. Ganz allgemein stieg das Kunstinteresse, das auch zur Förderung der lebenden Künstler beitrug. So waren es insbesondere viele jüdische Sammler, die durch Spenden und Stiftungen zur Mehrung von Museen und zur Förderung wissenschaftlicher Institute beitrugen. Wenn auch viele Sammlungen später wieder unter den Hammer kamen und wertvolle Kunstwerke, hauptsächlich nach Amerika, abwanderten, so kann doch nicht bestritten werden, daß ihr, wenn auch vorübergehendes, Vorhandensein eine reiche Kunstblüte hervorrief. Die nach 1933 einsetzende Katastrophe, die dem jüdischen Sammlertum im deutschen Sprachgebiet ein Ende bereitete, hat damit auch einen Niedergang der gesamten deutschen künstlerischen Kultur herbeigeführt.

Wenn hier nur die größeren Privatsammlungen genannt werden können, so beweisen schon diese, daß das jüdische Sammelwesen eine wichtige Rolle in Deutschland und im deutschen Sprachgebiet gespielt hat. Sammeln ist nicht bloß eine Geldangelegenheit, sondern eine Leidenschaft, die, wenn sie richtig genährt und geleitet wird, zur Kennerschaft führt. Der seriöse Sammler beschränkt sich meistens auf ein Spezialgebiet, das er sorgsam

studiert und in dem er hinsichtlich der zu erwerbenden Objekte immer wählerischer wird. Er sammelt nicht nur des Besitzes halber, sondern aus Liebe zur Kunst, die er auch darin bekundet, daß er die Allgemeinheit daran teilnehmen läßt. So wird er zum Kulturträger und Mäzen. Und meistens veranlassen ihn nur zwingende Gründe, sich wieder von seinen Schätzen zu trennen. Oftmals läßt er sie schon bei seinen Lebzeiten oder nach seinem Tode der Öffentlichkeit zugute kommen.
Karl Schwarz

Einzig gegenüber der Kunst fühlten in Wien alle ein gleiches Recht, weil Liebe zur Kunst in Wien als gemeinsame Pflicht galt, und unermeßlich ist der Anteil, den die jüdische Bourgeoisie durch ihre mithelfende und fördernde Art an der Wiener Kultur genommen. Sie waren das eigentliche Publikum, sie füll-

ten die Theater, die Konzerte, sie kauften die Bücher, die Bilder, sie besuchten die Ausstellungen und wurden mit ihrem beweglicheren, von Tradition weniger belasteten Verständnis überall die Förderer und Vorkämpfer alles Neuen. Fast alle großen Kunstsammlungen des neunzehnten Jahrhunderts waren von ihnen geformt, fast alle künstlerischen Versuche nur durch sie ermöglicht; ohne das unablässige stimulierende Interesse der jüdischen Bourgeoisie wäre Wien dank der Indolenz des Hofes, der Aristokratie und der christlichen Millionäre, die lieber sich Rennställe und Jagden hielten als die Kunst zu fördern, in gleichem Maße künstlerisch hinter Berlin zurückgeblieben wie Österreich politisch hinter dem deutschen Reich. Wer in Wien etwas Neues durchsetzen wollte, wer als Gast von außen in Wien Verständnis und ein Publikum suchte, war auf diese jüdische Bourgeoisie angewiesen.
Stefan Zweig

Denn in der Signatur dieser Zeitenwende steht, daß dem Wohnen im alten Sinne, dem die Geborgenheit an erster Stelle stand, die Stunde geschlagen hat. Giedion, Mendelssohn, Corbusier machen den Aufenthaltsort von Menschen vor allem zum Durchgangsraum aller erdenklichen Kräfte und Wellen von Licht und Luft. Was kommt, steht im Zeichen der Transparenz: nicht nur der Räume, sondern, wenn wir den Russen glauben, die jetzt die Abschaffung des Sonntags zugunsten von beweglichen Feierschichten vorhaben, sogar der Wochen.
Walter Benjamin

Erich Mendelsohn (1887 Allenstein, Ostpreußen – 1953 San Francisco) studierte 1907 bis 1911 Architektur in Berlin und München, wo er bis 1914 als Freier Architekt und Designer tätig war. 1919 eröffnete er ein Architekturbüro in Berlin und beteiligte sich an der Gründung der Novembergruppe. Seine Vorstellungen von Klarheit in der „kompromißlosen Anwendung" der Materialien Eisenbeton, Stahl und Glas brachte er z. B. im Einstein-Turm in Potsdam (1920/21) oder in den Schokken-Kaufhäusern in Stuttgart (1927) und Chemnitz (1928) zum Ausdruck. Unter anderem konzipierte er eine Friedhofsanlage für die jüdische Gemeinde in Königsberg.
1933 verließ er Deutschland und fand für einige Zeit in England ein neues Betätigungsfeld. Auch in Palästina verwirklichte er einige Pläne, so das Hadassa-University Medical Center in Jerusalem (1938).
<u>Links:</u> Erich Mendelsohn. Photographie von *Tim Gidal*. Um 1927

Albert Figdor (1843 Baden bei Wien – 1927 Wien), Bankier, sammelte sechzig Jahre lang – vor allem Gegenstände aus dem Kunstgewerbe. Dazu wurde er von dem Kunsthistoriker Alois Riegl und durch die Bestände des Österreichischen Museums für Kunst und Industrie angeregt. Figdors Sammlung, dem Charakter nach ganz dem Historismus des 19. Jh.s angehörend, umfaßte Gemälde, Plastiken, Wandteppiche und Kleinkunst von der Antike bis ins 19. Jh. Sie galt als bedeutendste und vielseitigste Sammlung Österreichs vor dem Zweiten Weltkrieg.
<u>Gegenüberliegende Seite, oben:</u> Albert Figdor. Um 1920

Geheimrat Eduard Arnhold (1849 Dessau – 1925 Neuhaus), Bankier, Reeder und Inhaber der Kohlenfirma Cäsar Wollheim, war einer der fundiertesten Sammler moderner französischer und deutscher Malerei. Erst durch ihn und andere jüdische Sammler wurden die französischen Impressionisten in Deutschland bekannt. Aufgrund seiner Position und seines Kunstverstandes ernannte man ihn zum Ehrenmitglied der Akademie der bildenden Künste in Berlin. 1910 erwarb er die Villa Massimo in Rom und vermachte sie der Berliner Akademie. Großzügigerweise stiftete er zu gleicher Zeit ein Stipendium für die Aufnahme von Künstlern.
<u>Gegenübeliegende Seite, unten:</u> Eduard Arnhold in seinem Haus in Berlin. Um 1920

Oskar Strnad (1879 Wien – 1935 Bad Aussee) zählte zu den Vertretern moderner Architektur in Wien und hatte zusammen mit *Josef Frank* und *Oskar Wlach* großen Anteil am modernen Wiener Wohnbau der Zwischenkriegszeit, z. B. der Werkbundsiedlung. 1914 beteiligte er sich an der Gestaltung des Österreich-Hauses auf der Kölner Werkbundausstellung. Im selben Jahr baute er die Villa des Dichters *Jakob Wassermann* in Wien. Ab 1918 schuf Strnad Bühnenentwürfe für zahlreiche Theaterinszenierungen, vor allem von *Max Reinhardt*, und war so erfolgreich damit, daß er eine „Schule" um sich bildete. In den letzten Jahren seines Lebens fand er noch zum Film und entwarf Bühnenbilder für „Maskerade" und „Episode".
<u>Links:</u> Oskar Strnad. Um 1930

Erich Salomon (1886 Berlin – 1944 Vernichtungslager Auschwitz) verstand es, als Photograph in Schnappschüssen und Einzelbildern von mitunter „Daumierscher Ausdruckskraft" *(Nachum T. Gidal)* Atmosphäre und Inhalt diplomatischer Sitzungen, künstlerischer und gesellschaftlicher Ereignisse festzuhalten. Seine Aufnahmen entstanden in einer Zeit, als in vielen Bereichen des öffentlichen Lebens Photographieren als verboten galt. So war er spezialisiert auf „unbewachte Augenblicke", wie ein erstmals 1931 erschienener Bildband hieß. Erich Salomon gilt als Pionier des modernen Photojournalismus.
Der moderne Bildjournalismus, wie er in Deutschland bahnbrechend ab 1928/29 entstand, ist vor allem mit den Namen zweier Zeitungen, der „Berliner Illustrierten Zeitung" (B. I. Z.) und der „Münchner Illustrierten Presse", ihrer Redakteure, zu denen u. a. *Kurt Korff* in Berlin und Stefan Lorant in München gehörten, und ihrer Photographen verbunden, die meist erst in der Emigration Weltkarriere machten: *Alfred Eisenstaedt, Martin Munkacsi, Felix H. Man, Umbo* und die Brüder *Georg und Ignaz (Tim) Gidal.*
Zu den Vorläufern der Live-Photographie bzw. Pionieren sozialdokumentarischer Photographie gehörten vor allem die Amateure und Juristen *Dr. Emil Mayer* (1871 Neu Bytschow, Böhmen – 1938 Wien, Selbstmord) und *Dr. Hermann Drawe* (1867 Wien – 1925 Wien). In der Zwischenkriegszeit machten sich um die Sozialdokumentation der jüdischen Welt in Polen bzw. Berlin vor dem Holocaust vor allem *Roman Vishniac* und *Alter Kacyzne* bzw. *Abraham Pisarek* verdient.
<u>Rechts</u>: Erich Salomon. Photographie von Lore Feininger. 1928

Lotte Jacobi (1896 Thorn, Westpreußen) studierte Kunstgeschichte und Literatur in Posen, von 1925 bis 1927 in München. Nach einer Ausbildung an der Bayerischen Staatslehranstalt für Lichtbildwesen betätigte sich Lotte Jacobi ab 1927 im väterlichen Photoatelier und entwickelte sich in den dreißiger Jahren zu einer der bedeutendsten Portraitphotographinnen. 1935 emigrierte sie in die USA, wo sie 1940 den Berliner Verleger *Erich Reiss* heiratete. Zu den großen Meistern der Portraitphotographie des 20. Jahrhunderts gehören auch die beiden Wienerinnen *Madame d'Ora* (1881 Wien – 1963 Frohnleiten, Steiermark), eigentlich *Dora Kallmus*, und *Trude Fleischmann* (1895 Wien).
<u>Gegenüberliegende Seite</u>: Lotte Jacobi. Selbstportrait. Um 1930

Fritz Lang (1890 Wien – 1976 Los Angeles) hatte seinen ersten großen Erfolg mit „Der müde Tod" (1921), den die mit der Decla-Bioskop *(Erich Pommer)* fusionierte UFA *(Paul Davidson)* produzierte. Seine Monumentalfilme – „Dr. Mabuse, der Spieler" (1922), „Die Nibelungen" (1923/24), „Metropolis" (1926) etc. – gaben dem deutschen Stummfilm entscheidende Impulse. Für den Tonfilm „M" (1931) engagierte er erstmals *Peter Lorre.* Der Film „Das Testament des Dr. Mabuse" (1932) wurde in Deutschland nicht mehr gezeigt. Fritz Lang emigrierte 1933 in die USA.
<u>Gegenüberliegende Seite:</u> Fritz Lang bei der Regiearbeit zum Film „Metropolis". 1926

Erich Pommer (1889 Hildesheim – 1966 USA) produzierte in seinem 1919 gegründeten Filmkonzern Decla-Bioskop die berühmten Filme „Das Kabinett des Dr. Caligari" (1920) und Fritz Langs „Der müde Tod" (1921). Im Jahr 1921 fusionierte die Firma mit der UFA (Universal-Film AG) von *Paul Davidson* und *Hermann Fellner.* Unter Pommers Leitung entstand u. a. „Metropolis" (1926) von Fritz Lang. Nach einem kurzen Aufenthalt in Hollywood brachte er die Filme „Der Kongreß tanzt" mit Lilian Harvey und „Der blaue Engel" mit Marlene Dietrich heraus, die mit der Rolle der Lola Weltruhm erlangte.
<u>Rechts:</u> Erich Pommer (links) mit Joe May. Um 1925

Ernst Lubitsch (1892 Berlin – 1947 Hollywood) war Schüler *Max Reinhardts* in Berlin und wandte sich bald der Regiearbeit zu. Er wurde zunächst durch monumentale Kostümfilme wie „Madame Dubarry" (1919) bekannt. In Filmlustspielen und -operetten wie „Lady Windermeres Fächer" (1925), „Krach im Paradies" (1932) oder „Ninotschka" (1939) fand er zu seinem Stil, dem „Lubitsch-touch". Bereits 1922 ging er nach Hollywood.
<u>Oben:</u> Ernst Lubitsch mit Pola Negri. Nach 1922

Josef von Sternberg (1894 Wien – 1969 Hollywood) lebte seit 1901 in den USA. Sein früher Film „Salvation Hunters" wurde von *Charles Chaplin*, Mary Pickford und Douglas Fairbanks für United Artists angekauft. Den eigentlichen Erfolg brachte ihm der in Deutschland gedrehte Tonfilm „Der Blaue Engel" mit Marlene Dietrich. Sie war seine „persönliche Entdeckung".
Oben: Josef von Sternberg. Um 1925

Peter Lorre (1904 Rosenberg, Ungarn – 1964 Hollywood), eigentlich Laszlo Löwenstein, kam über Wien und Breslau nach Berlin. Er wurde durch seine Darstellung eines pathologischen Verbrechers in *Fritz Langs* Tonfilm „M" (1931) weltweit berühmt. 1933 emigrierte er nach England, 1935 in die USA, wo er seine Karriere fortsetzte.
Unten: Peter Lorre in Fritz Langs Film „M". 1931

Und Pallenberg?
Bei ihm wird die Methode Wahnsinn. Er zerrupft, zerzupft, zerzaust die Sprache mit einer strohtrockenen Bosheit wie ein Kind die Puppe. Er reißt ihr Arme und Beine aus, bricht ihr den Kopf, schüttelt die Sägspäne aus ihrem leimduftenden Leib. Er hat sich das boshafteste Mittel ersonnen: das Plappern. Er plappert selig, unschuldig, blauäugig, hemmungslos, ohne Gewähr auf ein Ende, ein offengebliebener Wasserleitungshahn, aus dem Subjekte, Prädikate, Attribute wahllos tröpfeln, ein phonetischer Eilzug, dem nichts mehr Halt gebieten kann. Der liebe Kleine: er spielt Sprechen. Läßt sich sein Spielzeug nicht nehmen. Es macht ihm zuviel Freude! Pallenberg demoliert die Sprache von keinem Dialekt aus, sondern aus dem eigenen Gehör. Die anderen bezeugen ihr einen scheinheiligen Respekt, der als Komik wirkt. Er aber bringt ihr weitestgehende Verständnislosigkeit entgegen. Wie die Klänge auf ihn niederregnen, so gibt er sie wieder zurück. Diese Systemlosigkeit ist der Bosheitsgipfel.
Anton Kuh

Max Pallenberg (1877 Wien – 1934 Karlsbad) trat seit 1904 als Charakterkomiker in Wien, München und Berlin auf. Unter *Max Reinhardts* Regie lieferte er, oft zusammen mit seiner Frau *Fritzi Massary*, künstlerische Höhepunkte. „Pallenberg konnte alles, das ist ohne Übertreibung gesagt", schrieb *Fritz Engel* in „Juden im deutschen Kulturbereich". Er spielte komische wie tragische Rollen, sang und trat im Kabarett auf – berühmt sind seine zeitkritischen Extempores. Seine erste Filmrolle hatte er in „Der brave Sünder" (1931) unter der Regie von *Fritz Kortner* und nach einem Drehbuch von *Alfred Polgar*.
Gegenüberliegende Seite, rechts: Max Pallenberg. Um 1925

Der jiddische Film kommt aus dem jiddischen Theater. Die großen Bühnenschauspieler spielten auch darin eine entscheidende Rolle. Das Repertoire, das aus volkstümlichen Stücken und rührseligen Geschichten bestand, blieb gleich. In den dreißiger Jahren wurden weiters Wochenschauen über Ereignisse des jüdischen Lebens hergestellt. *Zygmont Turkow* und seine Frau *Ida Kaminska* produzierten 1923/24 bis 1938 Klassiker in Jiddisch und original-jiddische Theaterstücke, die sie auch verfilmten. Ihre Truppe nannte sich WJKT („Warschawer jiddischer kunstteater"). Sie trat zusätzlich in polnischen Filmen auf.
In Warschau schuf der in Lodz geborene *Joseph Green* seinen ersten großen Erfolg „Jidl mit dem Fidl" (1936) mit Molly Picon. Alle folgenden – „Der Purimschpiler" (1937), „Mamele" (1938) und „A Brivele der Mamen" (1938) – drehte er in Warschauer Studios und auf dem Lande.
Bevor Polen an die Nazis fiel, entstanden noch mehrere Filme. Darunter „Der Dibbuk" (1838) und „On a Heim" (1938). Jiddische Filme wurden natürlich auch in Amerika gedreht, doch haben die polnischen die Authentizität der Kultur und des Ortes voraus.
Oben: Dreharbeiten zum Film „Freileche kabzonim" („Glückliche Paupers") nach einer Geschichte von Mosche Broderson. Um 1924
Links: Szene aus dem Film „Auf dem jüdischen Ball". Um 1924

Wie Moses Mendelssohns Enkel der erste Deutsche war, der hundert Jahre nach der Erstaufführung, im Jahre 1829, die Matthäus-Passion wieder entdeckte, nachdem er selbst unsterbliche Musik gemacht, so haben als Komponisten und als Kapellmeister Juden dankbar und mit Wucherzinsen der deutschen Musik zurückgezahlt, was sie ihr schuldeten. Welch ein Tanz europäischer und jüdischer Heiterkeit und Melancholie in Jacques Offenbach, dem unsterblichen Meister von Hofmanns Erzählungen! Welch ein Aufschwung ins Spirituelle und Fromme in Gustav Mahlers reiner Gestalt und Musik, dessen Genie im „Lied von der Erde" eine vor ihm unbetretene Höhe erreichte, und der seinen Weg durch den Wust und Schmutz der Befeindung ging, uns allen ein Vorbild! Wie streng und kühn die umstrittene Vortrabrolle Arnold Schönbergs, in dem die abstrakte, neue Tonsprache suchende Gegenwartsmusik ihren Bahnbrecher fand! Und welche Schlagkraft in der Wendung zum Packenden und Volkstümlichen, zum Sing- und Sprechbaren in den prachtvollen Strophen Kurt Weills und des Halbjuden Hanns Eisler, wenn sie die großen Songs und Choräle ihres Dichters Brecht vertonten! Diesen Neuerern gegenüber stelle man jetzt die Reihe der Traditionsträger, all der Dirigenten, die die große deutsche und europäische Musik am Leben erhalten halfen, damit sie, den Tod überwindend, weiterlebe und zeuge, beglücke und erhebe. Joseph Joachim und Siegfried Ochs, Hermann Levy, Arthur Nikisch und Bruno Walter, Leo Blech, Oskar Fried, Heinz Unger und Otto Klemperer, um die Generationen nur anzudeuten, standen mit rückhaltloser Hingabe für die Vollkommenheit von Beethoven, Brahms, Bruckner, von Mozart, Schubert und Bach ein . . .
Die großen jüdischen Geiger und Pianisten, die Quartettspieler und Opernsänger, alle müßten hier genannt werden, und doch vergäße man immer noch irgendeinen Mann oder eine Frau, die uns früher oder vor kürzerer Zeit entzückten und rührten . . .
Wieviel gute Geiger allein! Wieviel vortreffliche Pianisten!

Arnold Zweig

Giacomo Meyerbeer (1791 Berlin – 1864 Paris), mit bürgerlichem Namen Jakob Liebmann Meyer Beer, erhielt schon sehr früh Klavierunterricht, wandte sich aber während eines Italienaufenthaltes der Opernkomposition zu. In Paris, wo er seit 1826 lebte, schrieb er seine erste französische Oper, „Robert der Teufel", mit der er großen Erfolg hatte. Den Stil der „französischen Prunkoper" behielt er weiterhin bei und bestimmte mit einer Mischform aus deutschen, italienischen und französischen Elementen das Operntheater seiner Zeit. Nach einer Inszenierung der „Hugenotten" in Berlin wurde Meyerbeer 1842 von König Friedrich Wilhelm IV. zum Generalmusikdirektor der Berliner Oper ernannt.
Links: Giacomo Meyerbeer. Photographie von L. Haase. Um 1860

Pauline Lucca (1841 Wien – 1908 Wien) wurde bereits 1861 an die Berliner Oper engagiert, an der sie in Mozart-Opern, aber auch in „Carmen" von Georges Bizet brillierte. Die als „Wiener Nachtigall" gefeierte Sopranistin wurde u. a. von Kaiser Wilhelm I. und Otto Fürst von Bismarck protegiert. 1874 ging sie an die k. k. Hofoper in Wien. Pauline Lucca war eine der berühmtesten Sängerinnen ihrer Zeit.
Rechts: Pauline Lucca. Photographie von H. Lehmann. Um 1865

*I*m Jahre 1864 starb, schon zu Lebzeiten „bewundert viel und viel gescholten", der Komponist Giacomo Meyerbeer. Sein Werk hat den nach seinem Tode – insbesondere infolge der 1869 erschienenen Schrift „Das Judentum in der Musik" von Richard Wagner – erst recht entbrannten Kampf um Echtheit und Wert seiner Musik überdauert. Und doch ist selbst heute – im achten Jahrzehnt nach dem Tode des Schöpfers der „Hugenotten" – ein abschließendes Urteil über dessen Schaffen nicht erlaubt. Noch ruht der reiche handschriftliche Nachlaß gemäß dem letzten Willen des Meisters uneröffnet im Archiv der Berliner Staatsbibliothek. Erst nach Veröffentlichung dieser Manuskripte wird Meyerbeer auch als religiöser Tondichter gewürdigt werden können. Denn zu dem verschlossenen Schatz gehören unter anderem auch zwölf doppelchörige Psalmen.
Über seine starke persönliche Verbundenheit mit der jüdischen religiösen Gefühlswelt liegt allerdings ein mündliches Vermächtnis aus Meyerbeers letztem Lebensjahr vor. In einer Unterredung mit Heines Freund Alexander Weill äußerte Meyerbeer, weder das französische „Dieu" noch das deutsche „Herr" oder „Ewiger" entspreche seinem religiösen Bedürfnis so sehr wie die Folge der vier hebräischen Buchstaben, in denen Vergangenheit, Gegenwart und Zukunft beschlossen sind.
Franz Kobler

*B*ei der ersten Station, am Kaasgraben, stieg Zemlinsky ein, den ich als Dirigent, nicht als Komponisten kannte, ein schwarzer Vogelkopf, mit vorspringender Dreiecksnase, dem jedes Kinn fehlte. Ich sah ihn sehr oft, er beachtete mich nicht, er war wirklich in Gedanken, in Ton-Gedanken wohl versunken, während ich nur zum Schein las. Ich sah ihn nie, ohne nach seinem Kinn zu suchen. Erschien er in der Tür des Tramwagens, fuhr ich leicht auf und begann mit der Suche. Hat er es jetzt, hat er es nicht, hat er es endlich gefunden? Er hatte es nie und führte auch ohne Kinn sein sehr aktives Leben. Er galt mir als der Stellvertreter des Mannes, der zu meiner Zeit nicht in Wien war, Schönberg. Nur um zwei Jahre jünger als Zemlinsky war Schönberg sein Schüler gewesen und hatte ihm mit der Verehrung gedankt, die das Tragende seiner Natur war und die seine eigenen Schüler Berg und Webern dann ihm entgegenbrachten. Wie hatte Schönberg, der arm war, in Wien leben müssen! Während langer Jahre hatte er Operetten instrumentiert, zum billigsten Glanz Wiens hatte er zähneknirschend beitragen müssen, er, der den Weltruhm Wiens als Geburtsort großer Musik von neuem begründete. In Berlin hatte er offiziell Komposition lehren dürfen. Dann war er als Jude entlassen worden und nach Amerika emigriert. Nie sah ich Zemlins-

*A*lexander Zemlinsky (1871 Wien – 1942 Larchmond, USA) studierte 1884 bis 1892 am Konservatorium der Gesellschaft der Musikfreunde in Wien. Er wurde als Komponist von Orchesterwerken, Klavier- und Kammermusik bald anerkannt und mit Preisen ausgezeichnet. Die entscheidenden Impulse seiner künstlerischen Entwicklung verdankte er der Freundschaft mit *Gustav Mahler* und *Arnold Schönberg*, der 1895 sein Schüler und 1901 sein Schwager wurde. Als Kapellmeister an der Volksoper und der Hofoper in Wien (1907/08) setzte er sich mit maßgebenden Interpretationen für die Werke der Wiener Schule ein. 1911 bis 1927 war er Operndirektor am deutschen Landestheater in Prag. Danach holte ihn *Otto Klemperer* an die Berliner Krolloper. 1933 kehrte er nach Wien zurück und emigrierte 1938 in die USA.
<u>Oben:</u> Alexander von Zemlinsky. Um 1905

ky, ohne an Schönberg zu denken, seine Schwester war während 22 Jahren Schönbergs Frau gewesen. Ich sah ihn nie ohne Scheu, ich spürte die Konzentration dieses sehr kleinen Kopfes, von puren geistigen Abläufen gezeichnet, streng, beinah karg, nichts von der Aufgeblasenheit des Dirigenten, der er doch schließlich war. Unermeßlich war das Ansehen, das Schönberg bei jüngeren, ernstzunehmenden Menschen genoß, damit mag es zusammenhängen, daß von Zemlinskys eigener Musik nie die Rede war, ich ahnte nicht, wenn ich ihn ansah, daß es Musik von ihm gab. Wohl aber wußte ich, daß Alban Berg ihm seine „Lyrische Suite" gewidmet hatte. Berg war nicht mehr am Leben, Schönberg nicht in Wien, ich war immer davon berührt, wenn Zemlinsky, der Stellvertreter, am Kaasgraben einstieg.
Elias Canetti

Die jüdischen Nerven Mahlers zu empfinden, ist nicht schwer; aber an ein Urteil über seine Musik gehört der Begriff Jüdisch nicht, es ist nur nach der Leistung zu fragen.
Otto Flake

Von allen Musikern, die heute schaffen – und manche von ihnen sind mir wahrhaft wert –, hat keiner mir mehr gegeben als Gustav Mahler; – Freude und Ergriffenheit, wie ich sie nur den Größten verdanke. Mir über die letzten Ursachen starker künstlerischer Erlebnisse ästhetisch-kritische Rechenschaft abzufordern, habe ich kaum je den Drang verspürt; und aussichtsloser noch als anderswo dünkt mich solches Beginnen dem Tongebild gegenüber, dessen Urgesetze in die starren Wurzeltiefen mathematischer Formeln gegründet sind und dessen letzte Wirkungen innerhalb der fernsten, im Metaphysischen verschwimmenden Grenzen sich entscheiden. Mir bleibt also – was oft auch pedantischeren Genießern als letzte Ausflucht winkt – nichts andres übrig als meinem eingeborenen Gefühle zu vertrauen, – und zu danken, wo ich empfangen habe.
Arthur Schnitzler

Vom ersten Tag an ist das so gewesen. Er [Gustav Mahler] hat sofort gewirkt, aufwiegelnd, provokant, alarmierend – gleichviel: er gehört eben zu den elektrischen und elektrisierenden Naturen, die beim leisesten Anrühren Funken geben oder zünden. Im Anfang freilich hat ihn nur seine frenetische Unbeliebtheit populär gemacht. Getragen von der Gunst des Hasses, sorgsam beleuchtet vom Neid, diesem ewig schlaflosen und mächtigen Protektor aller Wirklichen, vom Spott, vom Mißwollen und übler Nachrede, also von den lautesten Schallträgern an jeder Straßenecke ausgerufen, ist er berühmt geworden.
Felix Salten

Gustav Mahler (1860 Kalischt, Böhmen – 1911 Wien) stammte aus einer Kaufmannsfamilie. Von 1875 bis 1878 besuchte er das Konservatorium der Gesellschaft der Musikfreunde in Wien. Nach Anstellungen als Kapellmeister in Olmütz, Kassel, Prag und Leipzig leitete er von 1888 bis 1891 das Königlich Ungarische Opernhaus in Budapest. 1897 wurde Mahler zum Wiener Hofoperndirektor bestellt. Davor war er zum katholischen Glauben übergetreten. In den zehn Jahren seiner Tätigkeit (bis 1907) erneuerte er die Wiener Opernszenerie: Er holte junge Begabungen an das Haus (z. B. die Sängerin Anna Bahr-Mildenburg, den Bühnenbildner Alfred Roller), schulte konsequent das Opernorchester und führte szenische Neugestaltungen ein. Fanatische Werktreue kennzeichneten seine Tätigkeit als Dirigent. Gustav Mahler schuf unter anderem zehn Symphonien und Liederzyklen, wie die „Lieder eines fahrenden Gesellen" und die „Kindertotenlieder". Mit seinem Werk, z. B. dem „Lied von der Erde", schlug er eine Brücke zur Moderne.
Gegenüberliegende Seite: Gustav Mahler. 1907

Denn was ich im letzten Jahre zu lernen gezwungen wurde, habe ich nun endlich kapiert und werde es nicht wieder vergessen. Daß ich nämlich kein Deutscher, kein Europäer, ja vielleicht kaum ein Mensch bin (wenigstens ziehen die Europäer die schlechtesten ihrer Rasse mir vor), sondern, daß ich Jude bin.
Ich bin damit zufrieden! Heute wünsche ich mir gar nicht mehr, eine Ausnahme zu machen; ich habe gar nichts dagegen, daß man mich mit allen anderen in einen Topf wirft.
Arnold Schönberg

Arnold Schönberg (1874 Wien – 1951 Los Angeles) gilt zusammen mit seinen Schülern Alban Berg und Anton Webern als Begründer der sogenannten Wiener Schule, die für die Entwicklung der modernen Musik richtungsweisend war. Allen drei Komponisten ist gemeinsam, daß sie „konservativ" zu schreiben begannen. 1911 stellte er in seiner „Harmonielehre" die bisher üblichen Regeln in Frage. Seine frühen atonalen Werke (George-Lieder, Klavierstücke op. 11) gelten als Pendant zur expressionistischen Malerei. Etwa Anfang der zwanziger Jahre entwickelte er als neues Ordnungsprinzip die Zwölftontechnik. Als Maler schuf er eine Reihe dem Expressionismus angehörende Gemälde, die ihn als Gesamtkünstler auszeichnen.
Oben: Arnold Schönberg. Um 1920

*Lieber Kandinsky, so schreibe ich Ihnen, weil Sie schreiben, daß mein Brief Sie erschüttert habe. Das habe ich von Kandinsky erhofft, obwohl ich noch nicht den hundertsten Teil dessen gesagt habe, was die Phanatasie eines Kandinsky ihm vor Augen führen muß, wenn er mein Kandinsky sein soll! Weil ich noch nicht gesagt habe, daß ich zum Beispiel, wenn ich auf der Gasse gehe und von jedem Menschen angeschaut werde, ob ich ein Jud oder ein Christ bin, weil ich da nicht jedem sagen kann, daß ich derjenige bin, den der Kandinsky und einige andere ausnehmen, während allerdings der Hitler dieser Meinung nicht ist . . .
Ich frage: Warum sagt man, daß die Juden so sind, wie ihre Schieber sind?
Sagt man auch, daß die Arier so sind wie ihre schlechtesten Elemente? Warum mißt man einen Arier nach Goethe, Schopenhauer und dergleichen? Warum sagt man nicht, die Juden sind so wie Mahler, Altenberg, Schönberg und viele andere? . . .
Jeder Jude offenbart durch seine krumme Nase nicht nur seine eigene Schuld, sondern auch die aller eben abwesenden Krummnasigen. Wenn aber hundert arische Verbrecher beisammen sind, so wird man von ihren Nasen nur die Vorliebe für Alkohol ablesen können, sie aber im übrigen für Ehrenmänner halten . . .*
Arnold Schönberg

Wozu aber soll der Antisemitismus führen, wenn nicht zu Gewalttaten? Ist es so schwer, sich das vorzustellen? Ihnen genügt es vielleicht, die Juden zu entrechten. Dann werden Einstein, Mahler, ich und viele andere allerdings abgeschafft sein. Aber eines ist sicher: Jene viel zäheren Elemente, dank deren Widerstandsfähigkeit sich das Judentum 20 Jahrhunderte lang ohne Schutz gegen die ganze Menschheit erhalten hat, diese werden sie doch nicht ausrotten können. Denn sie sind offenbar so organisiert, daß sie die Aufgabe erfüllen können, die ihnen ihr Gott angewiesen hat: Im Exil sich zu erhalten, unvermischt und ungebrochen, bis die Stunde der Erlösung kommt! . . .
Arnold Schönberg

Arnold Rosé (1863 Jassy, Rumänien – 1946 London), mit bürgerlichem Namen Arnold Rosenbaum, erhielt mit sieben Jahren den ersten Violinunterricht und studierte 1874–1877 am Konservatorium der Gesellschaft der Musikfreunde in Wien. 1881 bis 1938 war er Konzertmeister des Wiener Hofopernorchesters und Mitglied der Wiener Philharmoniker, später Konzertmeister des Bayreuther Festspielhaus-Orchesters. Bereits 1882 hatte er gemeinsam mit seinem Bruder Eduard (1859 Jassy, Rumänien – 1943 Theresienstadt) das Rosé-Quartett gegründet. Es trat 1883 erstmals in Wien auf, unternahm zahlreiche internationale Konzerttourneen und erlangte Weltruhm. Arnold Rosé, der seit 1902 mit *Gustav Mahlers* Schwester Justine verheiratet war, emigrierte 1938 nach London.
Rechts: Das Rosé-Quartett. Photographie von d'Ora. 1915

d'Ora
1915

Joseph Joachim (1831 Kittsee bei Preßburg – 1907 Berlin) wurde bereits im Jahr 1845 von *Felix Mendelssohn-Bartholdy* der Leipziger Öffentlichkeit als musikalisches Wunderkind vorgestellt. Mit seinem Violinspiel, das er in Wien bei Joseph Böhm studierte, prägte er eine ganze Generation von Geigern, so z. B. *Bronislaw* *Hubermann*. 1868 wurde er Direktor der Hochschule für Musik in Berlin und gründete sein Quartett, mit dem er vor allem Beethovens späte Streichquartette pflegte. Joachim komponierte unter anderem „Hebräische Melodien".
Oben: Joseph Joachim (stehend) und Johannes Brahms. Um 1865

*S*elbst auf die Gefahr hin, Ihnen [Joseph Joachim] lästig zu fallen, kann ich es nicht unterlassen, Ihnen zu sagen, wie dankbar ich Ihnen für den Genuß bin, den Sie mir und vielen, vielen Anderen heute Abend bereitet haben. So sehr ich auch die unglaubliche Ausdauer Ihrer virtuosen Technik bewundere, so zieht mich doch die Erhabenheit der reinen Kunst, das musikalisch Schöne immer wieder mit Zaubergewalt zu Ihnen. Was soll ich Ihnen von der höchsten Vollendung der Darstellung und dem künstlerischen Stil sagen, das Sie nicht schon tausendmal gehört hätten! Aber Sie haben Momente musikalischer Verklärung in Ihren Tönen, die den Hörer in fast abstrakte übersinnliche Zustände versetzt. „Die Träne quillt", doch nicht die Erde hat uns wieder, sondern „wir sehen den Himmel offen". Die ewige Jugend der Schönheit, wie wir sie träumen, scheint in solchen Momenten uns eigen zu sein – wir empfinden reinstes, schönstes, höchstes Glück! Freiheit! – Licht! – Wonne!
Theodor Billroth

219

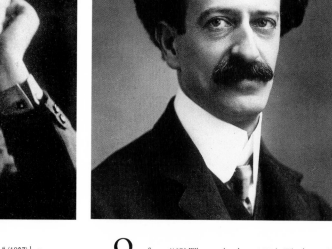

Leo Fall (1873 Olmütz – 1925 Wien) war der Sohn des Militärkapellmeisters Moritz Fall. Er studierte am Wiener Konservatorium und begann als Theaterkapellmeister. Seit 1906 lebte er als freischaffender Komponist in Wien. Mit der Operette „Die Dol-

larprinzessin" (1907) hatte er durchschlagenden Erfolg. Mit Franz Lehár, *Oscar Straus* und *Emmerich Kálmán* zählt er zu den besten Operettenkomponisten des 20. Jahrhunderts.
Oben links: Leo Fall. Um 1913

Oscar Straus (1870 Wien – 1954 Bad Ischl) studierte in Wien und Berlin und begann als Theaterkapellmeister in Preßburg, Brünn, Teplitz, Mainz und Hamburg. 1900 wurde er von Ernst von Wolzogen als Pianist an das „Überbrettl" in Darmstadt engagiert, wo er mit Chansons wie „Der Ehemann kommt" Erfolg hatte. Die Operette „Ein Walzertraum"

brachte er 1907 in Wien heraus. Er gehört zu den wichtigsten Vertretern der „Silbernen" Wiener Operette. 1939 emigrierte er nach New York und Hollywood. Nach seiner Rückkehr (1945) wohnte er hauptsächlich in Bad Ischl und schrieb Filmmusik, u. a. zu *Max Ophüls* „Reigen" (1950).
Oben Mitte: Oscar Straus. Um 1910

Emmerich Kálmán (1882 Siófok, Ungarn – 1953 Paris) begann als Wunderkind eine Karriere als Pianist. Nach einer Krankheit wandte er sich dem Kompositionsstudium zu. 1906 wurde sein erstes Lustspiel „Das Erbe von Pereszlény" uraufgeführt, zwei Jahre später übersiedelte er nach Wien. Mit

„Herbstmanöver" gelang ihm der Durchbruch, „Die Csardasfürstin" (1915) und „Gräfin Mariza" (1924) festigten seinen Ruhm. 1938 emigrierte Kálmán über Zürich nach Paris und New York und kehrte 1948 nach Europa zurück.
Oben rechts: Emmerich Kálmán. Um 1916

Bruno Walter (1876 Berlin – 1962 Beverly Hills), eigentlich Bruno Walter Schlesinger, wurde 1902 von *Gustav Mahler* als Kapellmeister an die k. k. Hofoper in Wien geholt, an der er bis 1912 blieb. Mit Mahler und dem Bühnenbildner Alfred Roller führte er Reformen auf der Opernbühne ein, die bahnbrechend waren. 1913 bis 1922 war er Generalmusikdirektor an der Oper in München. 1934 bis 1936 leitete er die Wiener Staatsoper. Bruno Walter lebte seit 1940 in den USA, seit 1948 dirigierte er wieder in Europa. Er setzte sich für das Werk bedeutender Musiker wie Anton Bruckner, *Gustav Mahler* und Hans Pfitzner ein. International berühmt wurde er durch seine Mozart- und Mahler-Interpretationen.

Otto Klemperer (1885 Breslau – 1973 Zürich) ist in einer Reihe mit berühmten Dirigenten wie *Gustav Mahler*, Arturo Toscanini und *Bruno Walter* zu nennen. 1927 bis 1931 war er Dirigent an der Krolloper in Berlin, bis 1933 an der Deutschen Staatsoper in Berlin. 1933 wurde er zur Reformierung des Konzertlebens nach Los Angeles an die dortige Philharmonie berufen. Nach einem Engagement an der Budapester Oper 1947 bis 1950 lebte er vornehmlich in London, wo er 1959 Chefdirigent und Ehrenpräsident des Londoner „New Philharmonia Orchestra" wurde. Im Jahr 1970 wurde er israelischer Staatsbürger. Otto Klemperer setzte sich sowohl für klassische Musik als auch sogenannte moderne Komponisten wie Ernst Krenek, Paul Hindemith und Igor Strawinsky ein.
Rechts: Bruno Walter, Arturo Toscanini, Erich Kleiber und Otto Klemperer (von links nach rechts) in Berlin. 1930

Leo Blech (1871 Aachen – 1958 Berlin) war ein Schüler Engelbert Humperdincks und seit 1906, mit Unterbrechungen bis 1937, Dirigent an der Berliner Staatsoper. In dieser Funktion war er, wie *Bruno Walter*, von *Gustav Mahler* geprägt. 1937 emigrierte er nach Riga, 1941 nach Stockholm, 1949 bis 1953 kehrte er nach Berlin zurück.
Oben: Leo Blech. Um 1930

Erich Kleiber (1890 Wien – 1956 Zürich) studierte in Prag Musik sowie Philosophie und Geschichte und begann 1911 seine Karriere am Landestheater Prag. 1912 ging er als Kapellmeister nach Darmstadt, 1922 wurde er Operndirektor in Düsseldorf, ein Jahr später, bis 1935, Generalmusikdirektor der Deutschen Staatsoper und Chefdirigent der Staatskapelle in Berlin. Sensationelle Uraufführungen, wie von Alban Bergs Oper „Wozzeck" 1925, und eine unkonventionelle Spielplangestaltung bestimmten seinen internationalen Ruf. 1935 verließ Erich Kleiber Deutschland und dirigierte in Nord- und Südamerika. Das Teatro Colon in Buenes Aires, Argentinien, erlebte in dieser Zeit seine Hochblüte.

Bernhard Paumgartner (1887 Wien – 1971 Salzburg) war der Sohn von *Rosa Papier*, einer der großen Sängerinnen der k. k. Hofoper in Wien. Er studierte zunächst Jura, dann Dirigieren bei *Bruno Walter*, Klavier, Horn und Musikwissenschaft. Lange Zeit war er Direktor des Salzburger Mozarteums (1917 bis 1938, 1945 bis 1953), bis 1959 dessen Präsident. Seit 1960 fungierte er als Präsident der Salzburger Festspiele. Schon früh setzte er sich für eine betont salzburgische Mozart-Pflege ein. Paumgartner war auch als Autor und Publizist bekannt, z. B. für „Mozart, eine Biographie" (1927).
Rechts: Bernhard Paumgartner. Photographie von *d'Ora*. 1911

*Für jede Frau ist eigentlich ein ganz beson-
derer Laut charakteristisch, den sie und nur
sie hat: Manche müssen kneifen, um ganz sie
selbst zu sein, manche trällern und manche
leise seufzen. Wenn man an diese Massary
denkt, stellt sich gleich diese Vorstellung eines
tiefen Kehllautes ein, der alles Mögliche bedeuten kann: vor allem so viel Ironie. Es
wäre ein Hauptspaß, einmal mit anzuhören,
wie dieses Bündel überlegener Nerven auf
acht verschiedene Liebeserklärungen reagiert
. . .*

*Ja, also die Massary kann Alles, macht Alles –
und mit welcher Leichtigkeit macht sie es!
Einmal hebt und senkt sie die Schultern und
wackelt im Lied so ein bißchen mit – eine
entzückende Parodie auf allen Operettentanz
der Welt. Wofür man ihr immer wieder zu
danken hat, das ist ihre Diskretion, die nie,
nie über die Rampe haut.*
Kurt Tucholsky

Richard Tauber (1891
Linz – 1948 London) begann als
Tamino in Chemnitz, Böhmen,
und wurde rasch zu einem der
besten Mozart-Tenöre an den
Opern von Dresden, Wien und
Berlin und bei den Salzburger Fest-
spielen. Seit den zwanziger Jahren
trat er in fast allen Operetten Franz

Lehárs auf, die, für ihn geschrieben, beide populär machten. Tauber versuchte sich als einer der
ersten im Tonfilm. 1938 emigrierte
er nach London und sang vor allem
an der Covent Garden Opera.
Unten: Richard Tauber. Photographie von *d'Ora*. Um 1920

Fritzi Massary (1882 Wien – 1969 Hollywood), eigentlich Friederike Masarek, war in den zwanziger Jahren die gefeierte Diva des Operettentheaters. 1904 bis 1933 spielte und sang sie in Berlin, wo sie 1918 *Max Pallenberg* heiratete. „Plötzlich stand diese Sendbotin aus dem Operettenzentrum Wien mitten im Berliner Theatertrubel und riß hier . . . auf der Bühne des Metropol-Theaters die Massen zu Jubel und Begeisterung hin . . . Darüber besaß sie das Geheimnis, gesprochenen oder gesungenen Dialog durch eine erstaunliche Fülle mimisch-gestischer Details, oft durch einen kaum merkbaren Unterton von Sarkasmus, Ironie oder Satire zu durchgeistigen." (Rudolf Kastner, Nachschaffende Musiker, in: Juden im deutschen Kulturbereich)
<u>Links:</u> Fritzi Massary. Photographie von *d'Ora.* 1923

Lotte Lenya (1900 Wien – 1981 New York), eigentlich Karoline Blamauer, wurde berühmt als Interpretin der Songs ihres Mannes, des Komponisten *Kurt Weill.* Ihren Durchbruch erfuhr sie als Seeräuber-Jenny in der „Dreigroschenoper" von Bertolt Brecht/ Kurt Weill. Sie emigrierte mit ihrem Mann 1935 in die USA. Seit 1955 trat sie wieder in Europa auf.
<u>Rechts:</u> Lotte Lenya. Photographie von *Lotte Jacobi.* 1930

Kurt Weill (1900 Dessau – 1950 New York) studierte bei Engelbert Humperdinck und Ferruccio Busoni in Berlin und wandte sich 1926 dem zeitkritischen Musiktheater zu. Seine angriffslustigen Songs in Bertolt Brechts „Dreigroschenoper" (1928) und „Aufstieg und Fall der Stadt Mahagonny" (1927, 1930) setzten sich zusammen aus zeitgenössischer Tanz- und Unterhaltungsmusik wie Jazz und der Form der Moritat, des Chansons und des Chorals. Nach seiner Emigration 1933 schuf er mit Bertolt Brecht in Paris „Die sieben Todsünden der Kleinbürger", ein Ballett mit Gesang. 1935 emigrierte er in die USA. Seine kongeniale Interpretin war seine Frau *Lotte Lenya.*
<u>Links:</u> Kurt Weill. Photographie von *Lotte Jacobi.* Um 1920

Selten zuvor hat das Theater eine so bedeutende Rolle im Bewußtsein der Menschen gespielt wie zur Zeit der Weimarer Republik.
Hans Sahl

Das Wiener Naturell revoltierte theatralisch gegen das berlinische. Aber die sozialen und wirtschaftlichen Bedingungen gestatteten in Wien den Aufschwung eines neuen, führenden Theaters nicht mehr, und so führte der Österreicher Reinhardt sein durchaus süddeutsches Theater, sein Schauspielertheater, in Berlin zum Triumph.
Julius Bab

Inmitten des eklektizistischen Stilkonglomerats, das den Un-Stil des 19. Jahrhunderts ausmachte, war die Theater- oder richtiger die Schauspielkunst der einzige Bereich, in dem noch echte Stiltradition fortwirkte, und weil es Tradition war, war es kein Eklektizismus. Es war barocke Kunst; sie hatte in der klassizistischen Zeit sicherlich noch an Einfachheit und Großzügigkeit dazugewonnen, und sie war es, die an der Comédie Française und am Wiener Burgtheater mit einer beinah erhabenen Strenge geübt wurde.
Hermann Broch

Max Reinhardt (1873 Baden bei Wien – 1943 New York), eigentlich Max Goldmann, wurde 1894 als Schauspieler an das Deutsche Theater in Berlin unter *Otto Brahm* engagiert. 1901 gründete er mit Schauspielerkollegen und Mitgliedern des Künstler-stammtischs „Die Brille" das literarische Kabarett „Schall und Rauch", das er 1919 unter gleichem Namen wiedereröffnete. Als Direktor des Deutschen Theaters in Berlin (1905 bis 1920, 1924 bis 1933) und der Kammerspiele Berlin reformierte er das Theater. Seine „zauberische", sinnliche Regie stand ganz im Gegensatz zu Erwin Piscator, mit dem er sich auf künstlerischer Ebene „duellierte". 1920 begründete er zusammen mit *Hugo von Hofmannsthal* die Salzburger Festspiele. Seit 1924 führte er am Theater in der Josefstadt in Wien Regie. Besonderen Erfolg hatte er mit seinen Shakespeare-Inszenierungen. 1933 ging Reinhardt von Berlin nach Österreich, 1937 emigrierte er in die USA. Gegenüberliegende Seite, unten: Max Reinhardt bei der Probenarbeit in Salzburg. Um 1922

Die Theatergebäude der k. u. k. Monarchie und des Deutschen Reiches ähnelten sich in ihrem gründerzeitlichen Pomp; ihr „Archetypus" fand sich in einer der großen Metropolen, in Berlin, Wien, Budapest oder Prag, und setzte sich auch bis in die kleinen Provinzstädte fort.

Oben: Das Königliche Schauspielhaus auf dem Gendarmenmarkt in Berlin, links im Bild der Deutsche Dom. Photographie von Hermann Rückwardt. 1879.
Unten: Das Theater in Lemberg (Galizien). Um 1895

Kein europäischer Staat besaß eine solche Menge guter, lebenerfüllter Theater wie das deutsche Reich. Gute Bühnen fanden sich in Königsberg und Hamburg, in Hannover und Bochum, in Leipzig, Dresden und Frankfurt, in Mannheim, Darmstadt, Nürnberg, sogar in München, und vier oder fünf in Berlin. In allen diesen Städten wirkten jüdische Direktoren auf ein mit Juden stark durchsetztes Publikum, das von der örtlichen kulturellen Atmosphäre ganz durchtränkt war.
Arnold Zweig

Rückschauend dürfen wir uns freuen, in einer Stadt gelebt zu haben, in der Otto Brahm, Max Reinhardt, Leopold Jessner Theaterepochen bestimmten, und in der der Nichtjude Erwin Piscator wie der russische Jude Alexej Granowsky neue Wege wiesen. Und welche Fülle von Regisseuren, von schauspielerischen Talenten, stärksten und feinsten Grades! Was für unvergeßliche Abende noch in den letzten Jahren, als das Starwesen und die Riesengagen des Films das literarische Theater bereits schwer geschädigt hatten! Noch Menschen sehr gemischter Art wie die unglücklichen Brüder Rotter, von jüdischen wie von nichtjüdischen Kritikern aufs schärfste befehdet, vermochten blendende Bühnenabende zu veranstalten. Vom Wallner-Theater im Berliner Osten bis zur Städtischen Oper Charlottenburg, welches Leben auf den Bühnen! Welche Anstrengung, neu, reizvoll, eindringlich zu inszenieren! Und der Film, der sich ja in Deutschland nie frei von Zensur entfalten durfte, hatte davon auch einen Vorteil: die schauspielerischen Talente und die Regisseure, die das Theater entdeckt und erzogen hatte. Max Pallenberg und Ernst Deutsch, der verstorbene Rudolf Schildkraut und der sehr lebendige Fritz Kortner, der greise Max Pohl und der junge Peter Lorre, alle Abschattungen von Männlichkeit schritten über jene Bretter, die nicht mehr die Welt bedeuten. Man konnte gleichzeitig Alexander Moissis Faust und Alexander Granachs Mephisto sehen und in komischen Rollen drei, vier Künstler nebeneinander, die des Juden Fähigkeit zu mimischem Witz und Humor herrlich verkörperten. Frauen aber, Jüdinnen jeden Ranges und Stils, ließen ihre Kunst und ihren Reiz der deutschen Theaterkultur zufließen: Ilka Grüning und Frida Richard genau so stark wie Elisabeth Bergner und Sybille Binder, die Schwestern Mosheim, Helene Weigel oder Lucie Mannheim. Und unvergeßlich mit Ibsen, Wedekind und der modernen Operette verschwistert, bereicherten uns Irene Triesch, Maria Orska und die große Fritzi Massary.
Arnold Zweig

*R*einhardt war ein Zauberer, der mit Illusionen arbeitete und aus jeder Aufführung ein Schauspielerfest machte, Piscator ein Ingenieur der Bühne, der das Prinzip der Bewegung, der Veränderung in seine Inszenierungen einbezog und mit Kränen, laufenden Bändern, mit Scheinwerfern und Projektionen arbeitete. Reinhardt und Piscator, das waren die zwei Richtungen im deutschen Theater der zwanziger Jahre, die einander auszuschließen schienen. Das eine war bürgerlich, liberal, ästhetisch, unpolitisch, das andere revolutionär, antibürgerlich, politisch engagiert. Dennoch ergänzten sich beide vortrefflich.
Hans Sahl

*D*ie Direktion Achaz-Neft des Deutschen Theaters hat nach einer Besprechung mit dem Kommissar zur besonderen Verwendung Hinkel vom preussischen Kulturministerium die Entscheidung getroffen, daß Max Reinhardt nichts mehr mit der künstlerischen Leitung des Deutschen Theaters zu tun hat, und daß die Leitung des Deutschen Theaters künftig den Erfordernissen der deutschen Kultur Rechnung tragen wird . . . Es ist kein Zweifel, daß die in der Mitteilung gewählte Formel andeuten sollte, daß Max Reinhardt als Jude die Erfordernisse der deutschen Kultur nicht zu erfüllen vermag. Sie ist gewissermaßen das Aburteil über sein ganzes Lebenswerk.
Jüdische Rundschau

*D*ie Idee zur Gründung der Salzburger Festspiele im Jahr 1920 existierte schon länger: Bereits 1905 führten Hermann Bahr und *Max Reinhardt* intensive Gespräche darüber. 1917 wurde in Wien die „Salzburger Festspielhausgemeinde" gegründet, der neben Max Reinhardt und *Hugo von Hofmannsthal* noch Franz Schalk und Richard Strauss angehörten. Von Hofmannsthal erhielt die Initiative ein ideelles Konzept, das über die künstlerische Bedeutung

*I*ch habe es immer für einen großen Irrtum gehalten . . . den Massen nur den flachen Kitsch zu bieten. Gerade das Beste ist für sie gut genug . . . Man muß ihnen auch die geistigen Güter erschließen und man wird ein stärkeres Echo bei ihnen finden als bei den abgestumpften Leuten im Parkett.
Max Reinhardt

*M*ax Reinhardt: ein genialer Verschwender des Theaters. Ein Genießer seiner Wirkungen. Ein Nachschmecker seiner Reize. Max Reinhardt, die farbigste Theaterbegabung aller Zeiten, intuitiv, zwanglos improvisierend, Anregungen aufnehmend. Anregungen ausstreuend, Max Reinhardt spielte für Menschen, die Theater als Luxus empfanden, als Kostbarkeit, als schönsten Schmuck des Daseins. Max Reinhardt, der geniale Vollender des großbürgerlichen Theaters, vergleichslos in seinen Leistungen, unerschöpflich in seiner künstlerischen Wandelbarkeit – Max Reinhardt und die Volksbühne?
Erwin Piscator

Aber Sonnenthal ist der vollkommenste Herzensspieler. Bei ihm hat die Phrase: „mit ganzem Herzen bei der Sache" ihren ehrlichen Sinn. Diese große zärtliche Hingabe, die man bei ihm verspürt, schlägt gleich alle Zuhörer, besonders die gütigeren Menschen unter ihnen, in Bann. Man fühlt sich da stets nicht nur eines künstlerischen, sondern auch eines wahrhaftig menschlichen Ereignisses Zuschauer. In der fast mütterlichen Wärme seines Gefühles schmilzt die Bühnenlüge, die trennt, dahin, und man ist einem natürlichen Empfinden unmittelbar gegenüber, das als solches befreiend, in Melancholie tauchend oder zu Tränen drängend wirken kann. Keiner spielt Treue, Mitleid, Wärme, Resignation, kurz: alle Adeligkeiten des Herzens besser als Sonnenthal. Nie ist er größer als in Rollen, in denen es Schmerzen gibt. Solcher Rollen Seelen erlöst er, indem er ihre Schmerzen ganz auf sich nimmt, sie nicht spielt, sondern leidet. Seine schönste Technik – ist seine Natur, seine beste Kunst – seine Güte.
Alfred Polgar

Adolf von Sonnenthal (1834 Pest – 1909 Prag) spielte seit 1856 am Wiener Burgtheater. Seit 1884 fungierte er zusätzlich als Oberregisseur, von 1887 bis 1890 auch als Direktor. Glanzrollen waren der Wallenstein und in der Spätzeit Nathan der Weise.
<u>Rechts:</u> Adolf von Sonnenthal als „Nathan der Weise" am Wiener Burgtheater. Um 1900.
<u>Unten:</u> Max Reinhardt als Roter Itzig in *Richard Beer-Hofmanns* „Der Graf von Charolais". 1904

Fritz Kortner (1892 Wien – 1970 München) spielte seit 1911 an *Max Reinhardts* Deutschem Theater in Berlin. 1919 engagierte ihn *Leopold Jessner* an das dortige Staatliche Schauspielhaus. Bis 1933 hielt er sich meist in Berlin auf. Größte Erfolge feierte er mit Shakespeare- und Wedekind-Rollen; sein Shylock ist legendär.
<u>Gegenüberliegende Seite:</u> Fritz Kortner als Shylock in William Shakespeares „Der Kaufmann von Venedig". Um 1924

Alexander Granach (1890 Wierzbowce, Galizien – 1945 New York) hatte erste Auftritte an jiddischen Bühnen. Nach einem Jahr am Berliner Reinhardt-Seminar wurde er an das Deutsche Theater in Berlin engagiert. 1919/20 spielte er am Münchner Schauspielhaus, ab 1921 an verschiedenen Berliner Bühnen (Lessing-Theater, Piscator-Bühne, Deutsches Theater, Volksbühne, Junge Bühne). 1933 emigrierte er zuerst nach Polen und trat im Jiddischen Theater in Warschau, später in Kiew auf. 1938 ging er in die USA, wo er u. a. in dem Film „Joan of Paris" (1942) mit Paul Henreid spielte. Auf der Bühne war er einer der jüngsten Shylocks.

<u>Oben:</u> Alexander Granach als Shylock in William Shakespeares „Der Kaufmann von Venedig". 1936

Nein, da waren die Rollen der Reihe nach aufgezählt, wie im Buch, nur war der Name des Spielers hinzugefügt. Meine kleinste Rolle war genauso angeführt wie die der Hauptdarsteller, in demselben kleinen bescheidenen Druck. Da stand es: Ein Kellner: Jessaja Granach. – Ach ja, ich war sehr glücklich. Fast konnte ich's nicht begreifen. Dann, nach einigen Tagen, war mein Name geändert: Hermann Granach. Das gefiel mir nicht. Ich ging zum Sekretär des Theaters und protestierte – ich wollte nicht Hermann heißen. „Ja", sagte der Sekretär, „aber Jessaja geht auch nicht. Fürs Deutsche Theater klingt es zu jüdisch." „Das schon", murmelte ich, „aber Hermann mag ich nicht. Ich will nicht Hermann heißen. Es liegt mir nicht." „Aber mein lieber Junge", beschwichtigte mich der diplomatische Sekretär, „Sie nehmen alles zu ernst, zu wichtig. Glauben Sie mir, ein Name bedeutet gar nichts, Name ist Schall und Rauch." „Nicht mir", meinte ich. „Na, wie wollen Sie denn heißen?" „Stefan", sagte ich. Er dachte nach und meinte: „Nein, das geht auch nicht. Stefan ist zu ungarisch wieder. Was halten Sie von Alexander? Alexander Granach, da haben Sie vier A's in Ihrem Namen, Moissi hat nur zwei! Abgemacht?" „Abgemacht."
Alexander Granach

*Was ich damals [in Ernst Tollers „Wand-
lung"] spielte, war ich selber: ein junger
deutscher Jude und Rebell, im Konflikt mit
der Welt um sich herum. Ernst Toller, wie
aufgescheuchtes Jung-Juden-Wild, hatte
schon damals die Witterung für noch ferne
Jäger.*
Fritz Kortner

*D*er berühmte, aus dem Osten der ehemaligen Monarchie stammende Tragöde Rudolf
Schildkraut (dessen Sohn Joseph später zum
Hollywood-Star wurde) gastierte in Wien als
König Lear, als Nathan der Weise und in
einigen anderen Paraderollen. Seine Vorliebe
für das Tarockspiel paarte sich mit einem
genießerischen Sinn für Humor, und als man
ihm von Dr. Sperber erzählte, brannte er
darauf, den kauzigen Gesellen kennenzulernen. Nun war aber Sperber, wie das bei
Käuzen häufig geht, im Verkehr mit Unbekannten schüchtern und verschlossen, und
vollends in Gegenwart von Berühmtheiten
brachte er kaum ein Wort hervor, schon gar
nicht ein witziges. So geschah es denn auch
bei der endlich zustande gekommenen Begegnung mit dem großen Mimen. Zu Schild-
krauts Enttäuschung beschränkte sich Sperber
auf nichtssagende, verlegene Phrasen: „Wo
haben Sie Ihre ständige Partie, verehrter
Meister? . . . Im Café Reichsrat, so so . . .

Therese Giehse (1898
München – 1975 München), eigentlich Therese Gift, trat 1925 bis
1933 und ab 1950 an den Münchner Kammerspielen auf. Mit Erika
und Klaus Mann gründete sie 1932
das politisch-satirische Kabarett
„Die Pfeffermühle", mit dem sie
noch im selben Jahr nach Zürich
emigrierte. 1937 wurde Giehse an
das Zürcher Schauspielhaus engagiert, wo sie unter anderem in der
Uraufführung von Bertolt Brechts
„Mutter Courage" spielte. 1949/50
war sie Mitglied des Berliner En-
sembles, das von Bertolt Brecht
gegründet worden war und seine
Frau Helene Weigel leitete. Berühmt sind Therese Giehses Solo-
abende, an denen sie Texte von
Brecht vortrug.
Unten: Therese Giehse als Mutter
Wolffen in Gerhart Hauptmanns
„Der Biberpelz" in den Münchner
Kammerspielen. 1928
Rechts: Paul Baratoff (links) als der
ostjüdische Kaufmann Kaftan und
Reinhold Schünzel als der deutsch-
nationale Rechtsanwalt Müller in
der Uraufführung von *Walter
Mehrings* „Der Kaufmann von
Berlin" auf der Piscator-Bühne in
Berlin. 1929

*Immer am Nachmittag, vermute ich . . . Und
wie sind Sie sonst mit Ihrem Aufenthalt
zufrieden?"* Schildkraut antwortete dementsprechend, und die Unergiebigkeit der Kon-
versation nahm allmählich ein lähmendes
Ausmaß an.
Um ihr ein Ende zu bereiten, schritt man
zum Spiel. Es wurde ausgeteilt. Dr. Zeisel,
der das Treffen arrangiert hatte, nahm die
Partie auf und wurde somit von Schildkraut
und Sperber gemeinsam bekämpft. Schildkraut, vor Sperber sitzend, mußte ausspielen.
Natürlich konnte er beim erstenmal nicht
wissen, welche Farbe seinem Partner willkommen wäre und welche nicht. Unglückse-
ligerweise entschied er sich für eine Farbe, die
in Sperbers Blatt fehlte, so daß er ihn mitten
ins Tarock-Gekröse traf. Im selben Augenblick war es mit Sperbers Verhemmtheit
radikal vorbei:
„O Sie ostjüdische Mißgeburt!" röhrte er.
„Welches Ghetto hat Sie ausgespien?"
Der Bann war gebrochen, und Schildkraut
hat dann noch viel zu lachen bekommen.
Friedrich Torberg

Wir sahen vor zwei Jahren das Wilnaer
Jiddische Theater. Echt, meine Herren!
Goldecht, hundertprozentig. Ihr lacht:
„Ghettokunst". Meinetwegen, aber hundert-
prozentig echt.
Alfred Döblin

Eine arme Wandertruppe von Ostjuden, in
den Westen versprengt, die gerade in einem
kleinen Caféhaus Prags auftrat, wurde, wie
schon erwähnt, zum Angelpunkt meiner
Wandlung. Es war alles falsch und elend, was
da gezeigt wurde, aber überall blickte das
Richtige durch, das Traditionelle, Ehrwürdi-
ge, Zärtliche und Gewaltige, das Shakespea-
risch-Rüpelhafte, das Neue, das mich (und
bald nachher auch Kafka) anging . . . Ich
lernte die gute Überlieferung von der östlichen Operette unterscheiden, die auch bereits
ein Verfallsprodukt war, wenn auch kein so
grausiges wie die „Unterhaltungskunst" von
Wien und Budapest; doch ihre gefällige
Seichtheit war ganz angetan, die eben erst
gesichteten Grenzen wieder zu verwi-
schen . . .
Max Brod

Die hebräische Bühne Moskaus gibt Proben
einer bezwingend intensiven Szenenkunst. In
uralte jüdische Lebens-Form ist der neue
russische Geist gefahren. Ritus und Theater
finden einander in leidenschaftlicher Umar-
mung. Das Heimliche, das Unheimliche einer
besonderen Gefühls- und Gedankenwelt, Komik, Seelen-Bindendes, Bizarrerie und Pathos dieser Welt sind heraufbeschworen und
in starken szenischen Zeichen festgebannt.
Das Habima-Theater gibt: großartigen Er-
satz für Schauspielkunst.
Das kommt schon, symbolisch, in den Masken
zum Ausdruck. Gesichter von eindeutiger,
physiognomischer Schärfe, entlarvende Lar-
ven des Ich, das sie decken. Herrliche Masken
– aber sie erlauben, starr durch Farbe und
Schminke, kein Mienenspiel.
Auf ein solches hat das Einzel-Antlitz in
dieser bewundernswerten Truppe keinen Anspruch.
Es kommt ihm nur die Rolle eines Zuges im
Kollektiv-Gesicht zu.
Alfred Polgar

Impulse zu einem jiddi-
schen Theater im modernen Sinn –
Vorläufer waren die Purimspiele,
die seit dem 16. Jahrhundert existierten – gab der Dichter *Abraham Goldfaden* (1840–1908) mit
der Gründung der ersten jiddischen Theatergruppe 1877 in Jassy
(Rumänien). Im Jahr 1883 wurden
alle bis dahin entstandenen

Gruppen durch einen zaristischen
Ukas verboten. Zahlreiche Schauspieler wanderten nach Westeuropa und Amerika aus. Im österreichischen Lemberg gründete *Jakob
Beer Gimpel* eine Theatergruppe,
die bis 1938 bestand.
Vor dem Hintergrund einer selb-
ständigen jiddischen Theaterlitera-
tur, die sich um 1900 gebildet hat-

te, formierte sich die „Wilnaer
Truppe" (1916), die sich 1921 in
das „Jüdische Künstlertheater"
(Amerika) und das „Wilnaer Thea-
ter" (Polen, Rumänien) spaltete.
Daneben gab es in Rußland das
Moskauer „Jüdisch-akademische
Theater", hervorgegangen aus den
1918 in Leningrad gegründeten
„Jiddischen Kammerspielen". 1934

gab es allein in Polen 15 jiddische
Theatergruppen. Eines der bevorzugten Stücke war „Der Dibbuk"
von *Salomon Anski*.
Oben: Die Wilnaer Operetten-
truppe in der musikalischen Komödie „Kawkaser liebe" („Kauka-
sische Liebe"). 1927

Die hebräische Theater-
gruppe „Habima" wurde 1916 von
Naum Zemach in Moskau gegründet. In ihren Aufführungen beein-
druckten die Schauspieler durch
ihren eigenartig spukhaften Stil,

der in jahrelanger Probenarbeit
von dem Stanislawski-Schüler
Wachtangow einstudiert worden
war. Auf Tourneen durch Europa
und die USA zeigten sie ihre Er-
folgsstücke, den „Dibbuk" von *Salomon Anski* in der hebräischen
Übersetzung von *Chajim Nachman Bialik* und „Die Nacht auf
dem alten Markt" von *Jizchak Leib
Peretz*.
1927 blieb ein Teil der Truppe in

den USA, der andere ging nach
Palästina (seit 1956 „National
Theater").
Oben: Szenenbild aus „Der Dib-
buk". Gastspiel der Habima am
Wiener Carltheater. 1926

ritz Grünbaum (1880 Brünn – 1941 KZ Dachau) schloß ein Jurastudium ab und begann danach als Conférencier im Wiener Theater-Kabarett „Hölle". 1907 wurde er an das Berliner Kabarett „Chat noir" engagiert. 1914 kehrte er nach Wien zurück. Nach dem Weltkrieg trat er im „Simplicissimus" in Wien auf und entwickelte 1922 mit *Karl Farkas* die Doppelconférence. Er verfaßte unter anderem kabarettistische Nummern und mit Farkas zusammen die Revue „Wien lacht wieder". Seine Schlager wurden sehr populär („Ich hab' das Fräulein Helene baden sehn").

Egon Friedell (1878 Wien – 1938 Wien, Selbstmord) promovierte 1904 zum Dr. phil. Von 1908 bis 1910 war er künstlerischer Leiter des Cabaret Fledermaus in Wien. Neben literarhistorischen Arbeiten („Kulturgeschichte der Neuzeit" etc.) verfaßte er gemeinsam mit *Alfred Polgar* parodistische Einakter für das Kabarett, in denen er gern selbst auftrat. Berühmt wurden die Skizzen und Anekdoten seines Freundes *Peter Altenberg* in seiner Interpretation auf der Kabarettbühne. Als Schauspieler trat er seit 1924 abwechselnd in Wien und Berlin auf einer der *Max-Reinhardt*-Bühnen auf. Links: Fritz Grünbaum (links) und Egon Friedell (rechts) mit ihren Büsten auf der Cabaret-Bühne in Wien. Photographie von Lothar Rübelt. Um 1925

Denn das Kabarett unterscheidet sich von allen sonstigen Bedürfnisanstalten der Menschheit dadurch, daß man sich in ihm nichts vorlügen läßt. Die Menschen, die hinkommen, machen niemandem weis, daß sie für ihr Geld sittlich geläutert werden wollen. Dafür gibt es Sperrsitze im Burgtheater. Was man sich im Burgtheater aber aus Feigheit nicht einzugestehen traut, verlangt man vom Kabarettkünstler: er möge die Muse hinausschmeißen und dem Publikum, dem bei den heutigen Zeiten mies genug zumute ist, ein paar vergnügte Stunden bereiten . . .
Fritz Grünbaum

Wenn man so näher betrachtet die Welt,
Die ganze Schöpfung: den Wald und das Feld,
Die Ochsen zu Land und im Wasser die Fischel,
Die Christen in Linz und die Juden in Ischl,

Die Sonn', die bei Tag ist, und den Mond, der bei Nacht ist –
Kurz, wenn man bedenkt, wie schön das gemacht ist,
Und weiß, daß das Ganze mit Haut und Haar
Doch eigentlich nur eine Postarbeit war,
Weil alles, der Körper, der Geist und die Seele,
Die Hunde, die Pferde, das Schwein, die Kamele,
Die Antisemiten und Israeliten,
Die Rosen, die Lilien und die Banditen,
Die Bankdirektoren, die Schuster und Affen,
Kurz, alles in nur sieben Tagen geschaffen –
Da kann man nur sagen, bewundernd die Pracht:
„Besser, pardon, hätt' ich's auch nicht gemacht!"
Fritz Grünbaum

Fritz Grünbaum – eine einmalige Erscheinung in einer einmaligen Brettlzeit: der kleine Mann mit den ganz großen Pointen, die immer ins Schwarze trafen, ohne zu verwunden – weil ihre ätzende Wirkung durch Güte entschärft wurde. Er dachte mit dem Herzen, ein rührender Philosoph als drastischer Komiker.
15 Jahre wirkten wir gemeinsam im In- und Ausland, auf großen Bühnen und kleinen Brettln. In dieser Zeit lernte ich ihn bewundern und lieben. Aus der scheinbaren Pointenfehde, die wir allabendlich vor dem Publikum ausfochten, entwickelte sich ein neuer Stil des bereits monoton gewordenen Nummernkabaretts. Wir fanden eine Art des Wortgeplänkels, die seither zum Erbgut sämtlicher Kleinkunststätten geworden ist: die Doppelconférence . . .
Karl Farkas über Fritz Grünbaum

*Bleiben wir gleich bei Egon Friedell in Berlin. Es dürften die späten Zwanzigerjahre gewesen sein, als er dort im Eröffnungsprogramm eines neugegründeten literarischen Cabarets auftrat. Ich habe ihn noch in dem von Fritz Grünbaum geleiteten Wiener „Simplicissimus" seine berühmten Altenberg-Anekdoten vortragen hören und kann somit aus eigener Wahrnehmung versichern, daß er die Originalität seines Witzes und seiner Persönlichkeit auch auf dem Cabaret vollgültig einzusetzen wußte. Die Berliner Kritik war jedoch andrer Meinung und verriß ihn so unbarmherzig, wie's ihm noch nie widerfahren war. Auf einen dieser Verrisse, der ihn u. a. einen „versoffenen Münchner Dilettanten" nannte, reagierte Friedell mit einem offenen Brief ungefähr folgenden Inhalts: „Es stört mich nicht, als Dilettant bezeichnet zu werden. Dilettantismus und ehrliche Kunstbemühung schließen einander nicht aus. Auch leugne ich keineswegs, daß ich dem Alkoholgenuß zugetan bin, und wenn man mir daraus einen Strick drehen will, muß ich's hinnehmen. Aber das Wort ‚Münchner' wird ein gerichtliches Nachspiel haben!"
In diesem Brief steckt der ganze Friedell, steckt sein Sarkasmus, seine Bereitschaft zur Selbstironie mitsamt der daraus resultierenden Überlegenheit, seine Freude an pointierten Auseinandersetzungen, seine Freude am Dasein überhaupt.*
Friedrich Torberg

Man wird dieses „Näää-bich!" nicht mehr hören. Auch nicht in waschechter Kopierung. Denn Eisenbach unterschied sich von den großen Art- und Ranggenossen seiner volkstümlichen Kunst in der Unkopierbarkeit. Seine Wirkung bestand nämlich, mehr als die ihre – und um so mehr als er außer dem Zug von Vorwitz und Trauer um den vorgewölbten Mund nichts augenfällig Eigenartiges hatte –, in der ganz besonderen Intensität seines Typus: sagen wir, des Leopoldstadt-Wieners. Oder um in der zionistischen Terminologie zu reden: des Assimilationsjuden niedriger Gattung. Ihn stellte er mit solcher Reinheit hin, daß sie – entgegen mancher papierenen Volksempfindlichkeit – geradezu als Reinlichkeit wirkte. Er gab da zumeist den hineingelegten Allerweltshineinleger. Nämlich: Sein parodistisches Hirn legte hinein, sein (eitelkeits-, angst-, haß- und liebevolles) Gemüt war hineingelegt. Er hatte die ganze Welt in der Tasche – und saß ihr dennoch auf.
Anton Kuh

So war der Parodist Eisenbach, dieser Geniereprräsentant der Gattung „Schlieferl", ein wahrhaftig völkerversöhnendes Element der alten Monarchie: er gab den Juden die Wiener preis, den Wienern die Juden und beiden (als Einlage): Ungarn, Tschechen, Polen. Aber er spielte, indem er ihnen ins Blatt sah, seine eigene Partie ehrlich. Diese Ehrlichkeit lag in einer, nach unten wie nach oben, nach der humilen Kläglichkeit wie nach der souveränen Frechheit hin schamfreien Vehemenz.
Anton Kuh

Wie nötig hat die Menschheit diese im kleinen, mosaischen Eisenbach-Kommis verkörperte Mischung: respektlos im Durchschauen – fromm vor dem Lebenswunder!
Anton Kuh

Er [Armin Berg] stammte, gleich etlichen anderen Sternen des Wiener Theater- und Cabarethimmels, aus Brünn („aus bei Brünn", wie sein Kollege Fritz Grünbaum in echtbürtiger Brünner Arroganz zu beharren liebte), und er genoß allüberall, wo im einstmals habsburgischen Bereich die von ihm gepflegte Abart der deutschen Sprache verstanden wurde, höchste Popularität.
Friedrich Torberg

Noch am 10. März 1938 witzelt Grünbaum in seiner letzten Revue auf der finster gehaltenen Bühne: „Ich sehe nichts, absolut gar nichts, da muß ich mich in die nationalsozialistische Kultur verirrt haben."
Pierre Genée/Hans Veigl

Heinrich Eisenbach (1870 Krakau – 1923 Wien) wurde mit 16 Jahren Artist. Nach einem Aufenthalt in Budapest avancierte er zum Direktor des „Budapester Orpheums" in Wien. Um die Jahrhundertwende trat er in dem Wiener Theater-Kabarett „Hölle" neben *Fritz Grünbaum* auf.
<u>Unten:</u> Heinrich Eisenbach. Um 1910

Valeska Gert (1892 Berlin – 1978 Kampen auf Sylt), eigentlich Gertrud Valesca Samosch, ist die „Erfinderin der modernen Tanzpantomime". Nach einem Schauspielunterricht bei Maria Moissi debütierte sie 1916 als Tänzerin in Berlin und trat bald allein auf („Tanz in Orange" etc.). Nach Engagements an den Münchner Kammerspielen und dem Deutschen Theater in Berlin wirkte sie 1920 im Kabarett „Schall und Rauch II" mit, in der Fritz-Hollaender-Revue „Laterna magica" 1926 u. a. Neben ihren solistischen Tanzabenden trat sie zunehmend in Filmen auf („Die freudlose Gasse" 1925 u. a.). 1938 emigrierte sie nach New York, 1947 kam sie nach Europa zurück.
<u>Oben:</u> Valeska Gert in ihrer Pantomime „Boxen". Um 1925

*Wenn einer bei uns einen guten politischen Witz macht, dann sitzt halb Deutschland auf dem Sofa und nimmt übel.
Satire scheint eine durchaus negative Sache. Sie sagt: „Nein!" Eine Satire, die zur Zeichnung einer Kriegsanleihe auffordert, ist keine. Die Satire beißt, lacht, pfeift und trommelt die große, bunte Landsknechtstrommel gegen alles, was stockt und träge ist.
Satire ist eine durchaus positive Sache. Nirgends verrät sich der Charakterlose schneller als hier, nirgends zeigt sich fixer, was ein gewissenloser Hanswurst ist, einer, der heute den angreift und morgen den.
Der Satiriker ist ein gekränkter Idealist: er will die Welt gut haben, sie ist schlecht, und nun rennt er gegen das Schlechte an.
Die Satire eines charaktervollen Künstlers, der um des Guten willen kämpft, verdient also nicht diese bürgerliche Nichtachtung und das empörte Fauchen, mit dem hierzulande diese Kunst abgetan wird.*
Kurt Tucholsky

jüdischen Osterfestes kennenlernen wollte, mußte ich mich ja für den Vorabend des Passahfestes von einem alten Verwandten, einem Schwager meiner Mutter, dazu einladen lassen; ich habe so einen der hübschesten und ältesten jüdischen Bräuche nur das eine Mal kennengelernt und ganz so neugierig wie ein Außenstehender. Wie ein „Goj" hätte ich dabeigesessen, sagte dieser Onkel nachher.
Fritz Mauthner

Ich fühle mich nur ein Deutscher; weiß dabei, daß mein Gehirn irgendwie einen Ductus hat, den man jüdisch nennt; um so schlimmer oder um so besser, ich kann und will es nicht ändern. Deine Conclusio ist anders und nur darin gehen wir auseinander.
Fritz Mauthner

Die Aufgabe der Philosophie ist es, der Fliege den Weg aus dem Fliegenglas zu zeigen.
Ludwig Wittgenstein

So hat die Legende sein Leben abgelöst noch zur Zeit, als er lebte, eine Legende von freiwilliger Entbehrung, vom Versuch eines heiligmäßigen Lebens, vom Versuch, dem Satz zu gehorchen, der den Tractatus beschließt: „Wovon man nicht sprechen kann, darüber muß man schweigen." Und es war . . . der Versuch, die Philosophie schweigend zu vollziehen, ein absurder Versuch, wie es scheint, aber der einzig legitime für ihn, nachdem er alles Sagbare klar dargestellt hatte (wie er es von der Philosophie forderte), alles Denkbare, das das Undenkbare von innen begrenzt und so auf das Unsagbare deutet.
Ingeborg Bachmann

Das Unaussprechbare gibt vielleicht den Hintergrund, auf dem das, was ich aussprechen konnte, Bedeutung bekommt.
Ludwig Wittgenstein

Alle Philosophie ist Sprachkritik.
Ludwig Wittgenstein

Fritz Mauthner (1849 Horitz, Böhmen – 1923 Meersburg) studierte 1869 bis 1873 Jura und besuchte daneben Vorträge über Philosophie, Archäologie, Kunstgeschichte, Theologie und Medizin. Bald wandte er sich der Schriftstellerei und dem Journalismus, besonders dem Theaterjournalismus, zu. Er zählte zu den Mitbegründern der Berliner „Freien Bühne" (1889). Bis zuletzt beschäftigten den Autodidakten Probleme der Sprachphilosophie und -kritik; mit den „Beiträgen zu einer Kritik der Sprache" (1901/1902) und dem „Wörterbuch der Philosophie" (1910) schuf er grundlegende Werke.
Oben: Fritz Mauthner. Um 1909

Ich verstehe es gar nicht, wenn ein Jude, der in einer slawischen Gegend Österreichs geboren ist, zur Sprachforschung nicht gedrängt wird. Er lernte damals genau genommen drei Sprachen zugleich verstehen. Deutsch als die Sprache der Beamten, der Bildung, der Dichtung und seines Umgangs; Tschechisch als die Sprache der Bauern und Dienstmädchen . . . ein bißchen Hebräisch als die heilige Sprache des Alten Testaments und als Grundlage für das Mauscheldeutsch, welches er von Trödeljuden, aber gelegentlich auch von ganz gut gekleideten jüdischen Kaufleuten seines Umgangs oder gar seiner Verwandtschaft hörte.
Fritz Mauthner

So viel ich auch zurückdenke, ich kann mich nicht erinnern, meinen Onkel oder meinen Vater auf der Übung [sic] eines jüdischen Gebrauchs ertappt zu haben. Nach jüdischer Anschauung ist Zugehörigkeit zum Judentum ohne Kenntnis der hebräischen Sprache nicht denkbar; mein Vater aber kannte keinen hebräischen Buchstaben. An hohen jüdischen Feiertagen pflegte er mit einem gewissen Selbstvorwurfe zu sagen: „Ihr wachst ja auf wie die Heiden"; darin bestand die ganze religiöse Erziehung, die er uns zuteil werden ließ. Als ich einmal die alten Zeremonien des

Ludwig Wittgenstein (1889 Wien – 1951 Cambridge) studierte ursprünglich Ingenieurwissenschaft, danach Mathematik und Logik bei Bertrand Russell in Cambridge. Sein Hauptwerk „Tractatus logico-philosophicus" erschien 1922 auf Englisch und Deutsch. 1920 bis 1926 unterrichtete er an Volksschulen in Niederösterreich, 1929 kehrte er nach Cambridge zurück, wo er 1939 bis 1947 als Professor lehrte. Seine philosophischen Theorien über Möglichkeit und Wesen der Sprache und des Denkens beeinflußten den „Wiener Kreis", zu dem u. a. *Otto Neurath* gehörte. Um 1933 nahmen die Gedanken eine neue Wendung. Seine kritische Sprachphilosophie fand zunächst vor allem in den angelsächsischen Ländern große Beachtung.
Rechts: Ludwig Wittgenstein. Um 1920

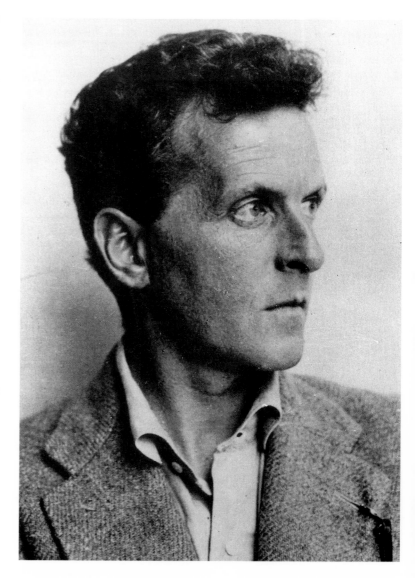

Nur sanft sein, heißt noch nicht gut sein. Und die vielen Schwächlinge, die wir haben, sind noch nicht friedlich. Als häufiges Gemisch von Limonade und Phrase wäre Pazifismus nicht das, was er für viele Demokraten zu sein hat: Widerstand der sozialhumanen Vernunft, aktiv, ohne Ausrede. Um dazu nicht entmannt zu sein, muß zwischen Kampf und Krieg dringend unterschieden werden.
Ernst Bloch

Denn immer noch sind die Juden nicht müde. Sie werden nicht aussetzen, sie sind wie Herzzellen und lassen sich nicht entspannen.
Ernst Bloch

Denn es ist so, wie der Baalschem sagt, und seine Worte deuten auf das Apriori des sozialen Wesens überhaupt: daß erst dann der Messias kommen kann, wenn sich alle Gäste an den Tisch gesetzt haben; dieser aber ist zunächst der Tisch der Arbeit, und dann erst, dann aber sogleich der Tisch des Herrn.
Ernst Bloch

Ich möchte Ernst Bloch, einem alten, zum Weisen gewordenen, unruhigen Kopf meine Ehrfurcht bezeugen, obwohl ich eher zu denen gehöre, an deren Beifall ihm wenig gelegen sein konnte und deren Tadel ihm kaum Anlaß zu kritischer Besinnung hätte geben können. Die Wasser, die uns trennten, waren viel zu flach, als daß sie die Tiefe hergegeben hätten, in der eine wirkliche Begegnung sich vollzieht.
Und doch gehört die erste Begegnung, die wir 1919 in Interlaken in den Tagen hatten, als ich schon entschlossen war, mein forschendes Leben der Erkenntnis des Judentums zu widmen – ein nächtliches, vielstündiges, teilweise stürmisch verlaufenes Gespräch –, zu den unvergessenen Stunden meiner Jugend. Ihr Auftakt verdient hier festgehalten zu werden, weil er mir in den ersten Minuten, in denen ich Bloch traf, einen unerwarteten Blick gerade in meine eigene geistige Welt eröffnete.
Der junge Bloch, eine in seiner Leiblichkeit und Geistigkeit überwältigende Erscheinung, war ein das Barocke nicht scheuender Stürmer in die Apokalypse und in die Vision, in der die mystischen Bilder, in denen er so schwelgte, starben. Der Neunzigjährige ist ein blinder Seher geworden, ein Meister, der den Kampf mit dem Drachen, in dem er 40 Jahre stand, überlebt und ein Weiser geworden ist, im Sinn der alten jüdischen Definition des „Alten Mannes" als desjenigen, der da „Weisheit erworben hat", ein Gut, über dessen Unerfindlichkeit sich schon Hiob beschwert hat.
Gershom Scholem

Ernst Bloch (1885 Ludwigshafen – 1977 Tübingen) wurde durch seine Bücher „Geist der Utopie" (1918), „Thomas Münzer" (1922) und vor allem durch sein Hauptwerk „Das Prinzip Hoffnung" (1954–1959) als Philosoph bekannt. Als Marxist hat er eine eigenwillige Geschichtsphilosophie entworfen, die ohne Theologie nicht auskommt. In den 60er Jahren wurde er einer der wichtigen Inspiratoren der linken Studentenbewegung.
Rechts: Ernst Bloch. Photographie von *Lotte Jacobi*. Um 1937

Im Jahre 1923 begründete F. Weil das Institut für Sozialforschung in Frankfurt am Main und gab damit der sogenannten „Frankfurter Schule" einen Mittelpunkt. Zu diesem Kreis von Sozial- und Kulturwissenschaftlern, deren kritische Gesellschaftsanalyse auf den Theorien von *Karl Marx* und *Sigmund Freud* fußte, gehörten *Karl Mannheim, Siegfried Kracauer, Theodor W. Adorno, Max Horkheimer* u. a. Von der Frankfurter Schule wurden unter anderem auch *Ludwig Marcuse, Walter Benjamin* und *Erich Fromm* beeinflußt.

Vom Judentum wußte ich als meinem Religionsbekenntnis, vom Deutschen Reich als meinem Heimatland.
Max Horkheimer

Daß die Juden durch die langen Jahrhunderte der Verfolgungen hindurch ihre Lehre bewahrten, bei der weder der Lohn individueller Seligkeit noch die ewige Bestrafung des Einzelnen entscheidend war, daß sie einem Gesetz loyal blieben, nachdem der Staat verschwunden war, der es hätte erzwingen können, nur auf Grund der Hoffnung, die den Gerechten aller Völker in der Zukunft galt, ist der Widerspruch, der sie mit der großen Philosophie in Deutschland, ja mit allem verbindet, was populär und ironisch Idealismus heißt.
Max Horkheimer

Gerechtigkeit und Freiheit sind nun einmal dialektische Begriffe. Je mehr Gerechtigkeit, desto weniger Freiheit; je mehr Freiheit, desto weniger Gerechtigkeit. Freiheit, Gleichheit, Brüderlichkeit, das ist eine wundervolle Parole. Aber wenn Sie die Gleichheit erhalten wollen, dann müssen Sie die Freiheit einschränken, und wenn Sie den Menschen die Freiheit lassen wollen, dann kann es keine Gleichheit geben.
Max Horkheimer

Im zwanzigsten Jahrhundert ist das Objekt des Gelächters nicht die konform gehende Menge, sondern vielmehr der Sonderling, der es immer noch wagt, autonom zu denken.
Max Horkheimer

War etwas an den berühmten zwanziger Jahren daran, so ließ es in diesem Kreis sich erfahren. Wir sind oft wie die wilden Tiere übereinander hergefallen; man kann sich das kaum vorstellen, in einer Rückhaltlosigkeit, die auch vor den schärfsten Angriffen auf den anderen: daß er ideologisch sei oder umgekehrt, daß er bodenlos dächte oder was immer das war, nicht haltgemacht hat, aber ohne daß das der Freundschaft . . . den leisesten Abtrag getan hätte.
Theodor W. Adorno

M artin Buber (1878 Wien – 1965 Jerusalem) studierte in Wien, Berlin, Leipzig und Zürich und gründete 1901 gemeinsam mit *Berthold Feiwel, Ephraim Moses Lilien, Chajim Weizmann* u. a. den „Jüdischen Verlag" in Berlin. Früh schloß er sich der Richtung des Kulturzionismus an und entwickelte *Achad Haams* Idee eines geistig-kulturellen Zentrums für das jüdische Volk in Palästina weiter. Geistig und seelisch wurzelte er im Chassidismus, den er in seinen Sammlungen und Arbeiten für den Westen entdeckte („Die Geschichte des Rabbi Nachman" 1906, „Mein Weg zum Chassidismus" 1918 u. a.). Die Beziehung von Mensch zu Mensch war Ausgangspunkt für seine pädagogischen, religiösen und politischen Anschauungen („Ich und Du" 1922). Buber war Herausgeber mehrerer Zeitschriften, u. a. von „Der Jude" (1916 bis 1924). In den Jahren 1924 bis 1933 lehrte er Religionswissenschaft an der Universität Frankfurt am Main, übersetzte zusammen mit *Franz Rosenzweig* die Bibel neu und war Leiter des „Jüdischen Lehrhauses" und der Mittelstelle für Erwachsenenbildung ebendort. 1938 bis 1951 unterrichtete er als Professor für Sozialphilosophie in Jerusalem.
Rechts: Martin Buber. Photographie von *Lotte Jacobi.* 1928

T heodor Lessing (1872 Hannover – 1933 Marienbad, ermordet), ein bedeutender Kultur- und Geschichtsphilosoph, war umstrittener Dozent an der Technischen Hochschule in Hannover. Er übte in seinen Arbeiten Kritik an der Zivilisation; unter anderem setzte er sich für die Gleichstellung der Frau ein. Als einer der ersten analysierte er das Phänomen des jüdischen Selbsthasses.
Unten: Theodor Lessing. 1932

E dmund Husserl (1859 Proßnitz, Mähren – 1938 Freiburg i. Br.) war 1887 Privatdozent an der Universität Halle, 1901 außerordentlicher und seit 1906 ordentlicher Professor an der Universität Freiburg i. Br. Er begründete die philosophische Richtung der Phänomenologie.
Oben: Edmund Husserl. Um 1930

D ieser jüdische Denker (Edmund Husserl, gebürtig aus Mähren und getauft), mit dem neben Dilthey und Nietzsche das moderne Philosophieren neu anhebt, machte erst Göttingen, dann Freiburg zum philosophisch lebendigsten Orte Deutschlands und neben Paris, wo Henri Bergson lehrte, der Erde. In seiner Schule bemühten sich Moritz Geiger und Alexander Pfänder, Max Scheler (Halbjude) und Adolf Reinach (1915 getauft, 1916 gefallen) um die Probleme gesicherter Evidenz, apriorischer Grundlegung der Lehre vom Willen, um Ästhetik und Logik; das Reich der ethischen Werte war Max Schelers Hauptgebiet . . . In Marburg lehrte damals Hermann Cohen, das temperamentvolle Haupt der neukantischen Schule, ein mächtiger geistiger und jüdischer Faktor; neben ihm Ernst Cassirer, der sich später in Berlin und Hamburg auszeichnete. Viel zu früh und zu Unrecht vergessen, trug erst in Berlin, dann in Straßburg Georg Simmel (1858–1918) seine geistreiche und bedeutende Philosophie vor . . .
Unter den jüngeren Talenten versprach vieles Adolf Lask (gefallen 1915) und Otto Weininger, der aus wilden, ungelösten Affekten ein Gedankensystem zur Entwertung des Jüdischen und des Weibes destillierte . . . Von Frankfurt her aber drängte das Temperament und der gesellschaftliche Wille von Franz Oppenheimer, dessen Soziologie, von vielen Schülern teils erweitert, teils ergänzt, aus den theoretischen Schichten der Wissenschaft immer in die praktische Sphäre des gesellschaftlichen Experiments hinüberstrebte. Sein Nachfolger Karl Mannheim ging mit einer neuen Generation andere Wege. Der Geist, der allen diesen Wissenschaften zugrunde liegt, ist der unerschrockene und zuversichtliche unseres Jahrhunderts.
Arnold Zweig

I ch bin Deutscher! Und wenn ich sage: ich bin Deutscher, so ist das kein Bekenntnis des Mundes und kommt nicht aus Menschenfurcht und nicht aus Zugeständnissen an den nationalen Irrsinn der Zeit. Es ist das Bekenntnis des Tropfens zu seiner Quelle. Des Baumes zu seinen Wurzeln. Bekenntnis zu der Sprache, die aus mir bricht. Des Seelenbrotes, davon ich lebe. Der Erde, darin alle ruhen, die mich liebten; daraus alle wuchsen, die ich liebe.
Theodor Lessing

*A*lle echten religiösen Bewegungen wollen nicht etwa dem Menschen die Lösung des Weltgeheimnisses darbieten, sondern ihn ausrüsten, aus der Kraft des Geheimnisses zu leben; sie wollen ihn nicht über Gottes Wesen belehren, sondern ihn den Weg weisen, auf dem ihm Gott begegnen kann.
Martin Buber

*G*eist ist nicht im Ich, sondern zwischen Ich und Du. Er ist nicht wie das Blut, das in dir kreist, sondern wie die Luft, in der du atmest. Der Mensch lebt im Geist, wenn er seinem Du zu antworten vermag. Er vermag es, wenn er in die Beziehung mit seinem ganzen Wesen eintritt. Vermöge seiner Beziehungskraft allein vermag der Mensch im Geist zu leben.
Martin Buber

*D*as Judentum ist ein geistiger Prozeß, der sich in der inneren Geschichte des Judenvolkes und in den Werken der großen Juden dokumentiert hat . . . Der geistige Prozeß des Judentums vollzieht sich in der Geschichte als das Streben nach einer immer vollkommeneren Verwirklichung dreier untereinander zusammenhängender Ideen: der Idee der Einheit, der Idee der Tat und der Idee der Zukunft.
Martin Buber

*U*nter allen Verbindungen mit den Völkern, die das Judentum in dieser Problematik eingegangen ist, hat trotz allem keine eine so tiefe Fruchtbarkeit gehabt wie die deutschjüdische.
Martin Buber

*D*en stärksten Einfluß auf uns hatte Martin Buber. Seine chassidischen Geschichten von den Wunderrabbis eröffneten uns ein ganz anderes Judentum als das des ungeduldig ertragenen Religionsunterrichts und der als fremd empfundenen Traditions-Gottesdienste der hohen Feiertage: ein Judentum, voller Heiterkeit und messianischer Hoffnung. Wenn ich mich recht erinnere, war es eine von Buber herausgegebene Sammlung der Äußerungen und Schriften „ekstatischer Denker", der ich die erste Kenntnis der Schriften des Meister Ekkehard verdanke: Ein Vermittler jüdischer Tradition führte mich zu einem der tiefsten deutschen Mystiker, dem er sich und dem bald auch ich mich verwandt fühlte. Damals – wie heute – wurde jüdisches Denken vorwiegend als rationales Denken begriffen, das die Heiligkeit der Vernunft repräsentiert in einer Epoche, da dunkle Träume und emotionales Handeln die mühsam errichteten Konstruktionen von Geist und Gesetz gefährden. Die andere, zugleich hoffnungsvolle wie gefahrvolle Strömung des Visionären lebt aber ebenfalls im Judentum und durch das Judentum mit einer Kraft, die selten anerkannt, oft gar verleugnet wird. Sie aber hat mich – zuerst durch Buber – zum Judentum zurückgeführt, das ich wie die Generation der Eltern und Großeltern bis dahin eher als Belastung empfunden hatte, nun jedoch als Chance schätzen lernte, als unverdiente Bevorzugung.
Robert Jungk

*M*oritz Lazarus (1824 Filehne, Posen – 1903 Meran) hielt seit 1860 Vorlesungen in Bern, seit 1873 in Berlin. Mit dem Philosophen Heymann Steinthal begründete er die wissenschaftliche Völkerpsychologie und gab 1859/60 eine gleichnamige Zeitschrift heraus. Lazarus hat darüber hinaus ein Buch über die „Ethik des Judentums" geschrieben.
<u>Oben</u>: Moritz Lazarus. 1898

*D*en Begriff der „Wissenschaft des Judentums" prägte *Leopold Zunz*. 1819 begründete er mit *Eduard Gans, Moses Moser* u. a. den „Verein für Cultur und Wissenschaft des Judentums" in Berlin. 1823 gab er eine entsprechende Zeitschrift heraus. Er und *Abraham Geiger* in Deutschland, *Nachman Krochmal* und *Salomo Juda Rapoport* in Galizien und *Salomon David Luzzatto* in Italien entwickelten zu gleicher Zeit den Gedanken, alle Richtungen des Judentums „modern" zu erforschen. Hauptvertreter im 19. Jahrhundert waren *Zacharias Frankel, Heinrich Graetz* u. a. Eine eigentliche Hochschule konnte erst 1872 in Berlin gegründet werden. *Ismar Elbogen* (1874 Schildberg, Posen – 1943 New York) unterrichtete 1902 bis 1933 an der Lehranstalt für die Wissenschaft des Judentums in Berlin.
<u>Links</u>: Im Seminar bei Ismar Elbogen an der Hochschule für die Wissenschaft des Judentums in Berlin. Photographie von *Abraham Pisarek*. 1935

*O*bgleich mein deutsches Vaterland es mir zur Zeit noch unmöglich macht, in der Heimat dasselbe zu wirken, was mir hier als Fremdem gelingt. Im deutschen Geiste bin ich heimisch, ihm verdanke ich des Gedankens und der Rede Kraft, seine Fahne erhebe und trage ich, ob auch Regierende und Fakultätsprofessoren mich zwingen, sie in die Fremde zu tragen.
Moritz Lazarus

*M*ein Deutschtum wäre doch genau was es ist, auch wenn es kein Deutsches Reich mehr gäbe. Sprache ist doch mehr als Blut.
Franz Rosenzweig

*D*er Culturverein machte es zu seinem Programm, die Kenntnis der jüdischen Geschichte und Kultur wieder in weite Kreise von Juden zu bringen und sie zu lehren, ihr Judentum als einen Teil der allgemeinen Kultur zu verstehen und nicht als Gegensatz.
Heinz Mosche Graupe

235

Albert Einstein (1879 Ulm – 1953 Princeton) übersiedelte 1894 mit seinen Eltern in die Schweiz. Als „technischer Experte dritter Klasse" des Berner Patentamtes (seit 1902) gab er 1905 Abhandlungen heraus, in denen er einen Beweis für die atomistische Struktur der Materie lieferte. Ebenfalls 1905 entwickelte er die

spezielle Relativitätstheorie, die, zur allgemeinen Relativitätstheorie erweitert (1914/15), seinen Weltruhm begründete. Seit 1909 war er außerordentlicher Professor an der Universität Zürich, 1911 bis 1912 ordentlicher Professor an der Deutschen Universität Prag, danach am Polytechnikum in Zürich. 1913 bis 1933 lehrte er in Berlin als

Mitglied der preußischen Akademie der Wissenschaften und Direktor der Kaiser-Wilhelms-Forschungsinstitute. 1921 wurde ihm der Nobelpreis für seine Beiträge zur Quantenlehre verliehen. Albert Einstein verzichtete 1933 auf seine akademischen Ämter in Deutschland und emigrierte in die USA.

Oben links: Albert Einstein. Um 1925
Oben: Albert Einstein am Einstein-Turm in Berlin-Babelsberg. 1921. Das Gebäude wurde aus Mitteln der „Einstein-Stiftung" amerikanischer Mäzene errichtet.

Max Born (1882 Breslau – 1970 Göttingen) lehrte seit 1921 Physik an der Universität Göttingen. 1933 emigrierte er nach England und bekam 1936 eine Lehrstelle für physikalische Chemie an der Universität Edinburgh. Born arbeitete über *Albert Einsteins* Relativitätstheorie; seit 1925 entwikkelte er mit seinen Schülern Wer-

ner Heisenberg und Ernst Pascual Jordan die Matrizenmechanik. Den Nobelpreis (1954) erhielt er für seine statistische Deutung der Quantenmechanik und Kristallgittertheorie.

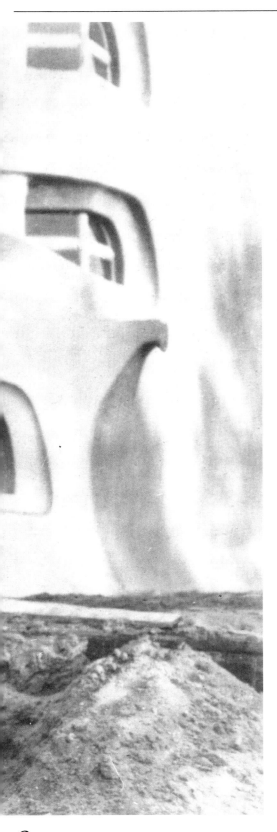

Das Schönste, was wir erleben können, ist das Geheimnisvolle. Es ist das Grundgefühl, das an der Wiege von wahrer Kunst und Wissenschaft steht. Wer es nicht kennt und sich nicht mehr wundern, nicht mehr staunen kann, der ist sozusagen tot und sein Auge erloschen.
Albert Einstein

Wenn einer mit Vergnügen in Reih und Glied zu einer Musik marschieren kann, dann verachte ich ihn schon, er hat sein großes Gehirn nur aus Irrtum bekommen, da für ihn das Rückenmark schon völlig genügen würde. Diesen Schandfleck der Zivilisation sollte man so schnell wie möglich zum Verschwinden bringen. Heldentum auf Kommando, sinnlose Gewalttat und die leidige Vaterländerei, wie glühend hasse ich sie, wie gemein und verächtlich erscheint mir der Krieg, ich möchte mich lieber in Stücke schlagen lassen, als mich an so elendem Tun beteiligen! Ich denke immerhin so gut von der Menschheit, daß ich glaube, dieser Spuk wäre schon längst verschwunden, wenn der gesunde Sinn der Völker nicht von geschäftlichen und politischen Interessenten durch Schule und Presse systematisch korrumpiert würde.
Albert Einstein

Die christlich-germanische Weltanschauung aber, die Wahrheiten auf ihre arische Abstammung prüft, war irritiert durch das Jüdeln der bei Ullstein und Mosse erschienenen Relativitätstheorie und horchte auf. Zwischen Reporter und Reportarier geworfen, verwandelte sich ein Forschungsergebnis zum politischen Fußball. Im Saal der Disharmonie vereinigten sich deutsche Naturforscher zu wissenschaftlichen Disputen auf antisemitischer Grundlage. Aus Relativitäts- wurde Rassentheorie.
Joseph Roth

Herstellung einer Atombombe. Ich war mir der furchtbaren Gefahr wohl bewußt, welche das Gelingen dieses Unternehmens für die Menschheit bedeutete. Aber die Wahrscheinlichkeit, daß die Deutschen an demselben Problem mit Aussichten auf Erfolg arbeiten dürften, hat mich zu diesem Schritt gezwungen. Es blieb mir nichts anderes übrig, obwohl ich stets ein überzeugter Pazifist gewesen bin.
Albert Einstein

Streben nach Erkenntnis um ihrer selbst willen, an Fanatismus grenzende Liebe zur Gerechtigkeit und Streben nach persönlicher Selbständigkeit – das sind die Motive der

Schau ich mir die Juden an,
Hab ich wenig Freude dran.
Fallen mir die andern ein,
Bin ich froh, ein Jud zu sein.
Albert Einstein

Tradition des jüdischen Volkes, die mich meine Zugehörigkeit zu ihm als ein Geschenk des Schicksals empfinden lassen.
Diejenigen, die heute gegen die Ideale der Vernunft und der individuellen Freiheit wüten und mit den Mitteln brutaler Gewalt geistlose Staats-Sklaverei durchsetzen wollen, sehen mit Recht in uns ihre unversöhnlichen Gegner. Die Geschichte hat uns einen schweren Kampf auferlegt; aber solange wir ergebene Diener der Wahrheit, Gerechtigkeit und Freiheit bleiben, werden wir nicht nur fortbestehen als ältestes der lebenden Völker, sondern auch wie bisher in produktiver Arbeit Werte schaffen, die zur Veredelung der Menschheit beitragen.
Albert Einstein

Nach meiner Überzeugung ist dies nicht auf einen besonderen Reichtum an Begabung zurückzuführen, sondern darauf, daß die Wertschätzung der geistigen Leistung unter den Juden eine Atmosphäre schafft, die der Entwicklung der vorhandenen Begabungen besonders günstig ist.
Albert Einstein

Klagt nicht über das Schicksal, sondern seht in diesen Ereignissen ein Motiv, der Sache der jüdischen Gemeinschaft treu zu bleiben . . . Bedenkt auch, daß Schwierigkeiten und Hindernisse eine wertvolle Quelle der Kraft und Gesundheit einer jeglichen Gemeinschaft sind. Wir hätten als Gemeinschaft die Jahrtausende nicht überlebt, wenn wir auf Rosen gebettet gewesen wären . . . Euch aber sage ich, daß Sein und Schicksal unseres Volkes weniger von äußeren Faktoren abhängen als davon, daß wir treu an denjenigen moralischen Traditionen festhalten, die uns Jahrtausende überstehen ließen, trotz schwerer Stürme, die über uns hereinbrachen.
Albert Einstein

Einstein war ein geborener Non-Konformist. Für ihn existierten die Gesetze der Natur, wie er sie sah und erkannte. Gegen die willkürlichen Gesetze der Menschen bäumte sich sein ganzes Wesen auf.
Kurt Blumenfeld

Was nun meine Frau und die Kinder betrifft, so ist ihnen das Bewußtsein, Juden oder „Nicht-Arier" zu sein (wie der schöne Fachausdruck lautet), erst seit den letzten Monaten entstanden, und ich selbst habe mich ja auch nie besonders als Jude gefühlt. Jetzt tue ich es natürlich sehr stark, nicht nur weil man mich und die Meinen dazu rechnet, sondern weil Unterdrückung und Ungerechtigkeit mich zu Zorn und Widerstand reizen.
Max Born

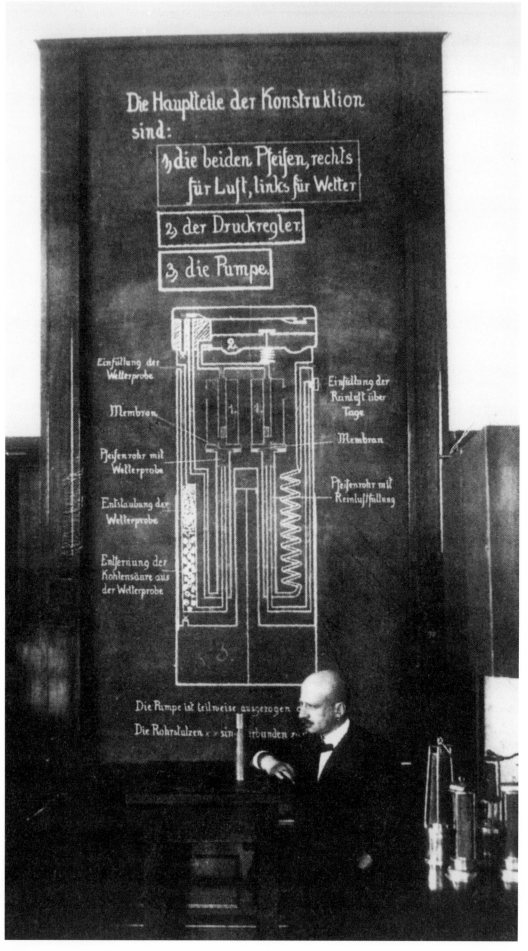

Man müßte, was der Verfasser nicht ist, selbst Naturforscher sein, um die wertvollen Arbeiten und Männer richtig zu würdigen, die hier zu verzeichnen sind; daher kann man dem Leser eine ziemlich steife Aufzählung der Namen und Taten von Männern nicht ersparen, deren Entdeckungen noch immer als deutsche Wissenschaft gelten. V. K. Goldschmidt hellte die Kristallstruktur der Minerale auf, Eugen Goldstein entdeckte die Kanalstrahlen, Gabriel Lippmann drang durch Interferenz zur direkten Farbenphotographie vor. Hermann Aron fand die Meßbarkeit der Elektrizität und schuf die Möglichkeit, ohne Drahtverbindung elektrische Signale zu geben; als Erbauer der besten elektrischen Stromverbrauchszähler errichtete er in Berlin eine berühmte Fabrik. Die Chemie der Teerderivate verdankt wichtige Entwicklungsstufen dem berühmten Victor Meyer (Benzolkern, Tolnole etc.), Karl Theodor Liebermann (Alizarin, mit Grähbe), Heinrich Caro (Anilinbraun etc.), Nathansohn, Warschau (Fuchsin), Entdeckungen, die für die Herstellung moderner Arzneimittel unentbehrlich waren . . .

Ein jüdischer Chemiker namens Lunge entwickelte durch Steinkohlendestillation die Soda-Industrie, während Ludwig Mond, nach England ausgewandert, später Gründer des Imperial Chemical Trust, ein anderes Sodaverfahren fand (auf Schwefelammoniak gegründet) und so die englische chemische Industrie befruchtete. Richard Willstädter, der berühmte Chemiker der Münchner Universität, verdankte seinen Ruhm der Darstellung des Chlorophylls, des Pflanzengrüns; zwei Söhne jüdischer Mütter, L. Bayer und Alfred Nobel, sind als Erfinder ihrer Sprengstoffe allgemein bekannt . . .

Mit einigem Widerwillen nehmen wir Juden den Anschein der Ruhmredigkeit auf uns, wenn wir jetzt unseren Anteil an der Zahl dieser Preisträger feststellen; aber wir dürfen in Zeiten so dringender Gefahr nicht wählerisch sein. Bis zum Jahre 1928 bemerken wir also unter hundertvierzig Männern und Frauen 12 Juden und vier Halbjuden, welch letztere uns der Rassenwahn der neuen Heilande ja auch zuweist: die Mediziner Paul Ehrlich, Elias Metschnikow (Halbjude), Robert Baranyi und Otto Meyerhof, die Chemiker Richard Willstädter, Fritz Haber, A. von Baeyer (Halbjude), die Physiker Albert A. Michelsohn, Gabriel Lippmann, Albert Einstein, James Franck und Nils Bohr (Halbjude); aus dem Gebiete des literarischen Schaffens den großen französischen Philosophen Henri Bergson und den deutschen Dichter Paul Heyse (Halbjude), während unter den Friedensfreunden Carl Asser und Alfred H. Fried figurieren. Überlegt man, wie sehr den Juden der Zugang zur wissenschaftlichen Laufbahn in Mittel- und Osteuropa von jeher erschwert wurde, so dürfen wir mit berechtigtem Stolz darauf verweisen, daß wir, ein

Prozent der Erd-Bevölkerung, neun bis zwölf Prozent der Nobelpreisträger stellen . . .
Die deutsche Mathematik besonders hat im 19. Jahrhundert eine ganze Anzahl bedeutender Mathematiker aufzuweisen: auf dem Gebiet der Mengenlehre Georg Cantor und Adolf Fränkel, auf dem der Funktionentheorie C. G. I. Jacoby und L. Königsberger, während E. Landau, M. Minkowsky (Kowno), M. Pasch und L. Kronecker sich auf anderen Gebieten hervortaten.
Immer liegen Erfindungen Bedürfnisse zu Grunde – oft allgemein gefühlte, manchmal solche, die auf Jahrtausende alte Menschheitsträume zurückgehen. Daß man fliegen könne, auf ungeheure Entfernungen zu geliebten Menschen sprechen, seinen Gegner durch einen Fingerdruck vernichten oder durch das Berühren eines Hebels der Luft zauberische Klänge entlocken: all das sind Märchenmotive aller Völker und gehen, in Mythen gestaltet, schon aus seelischen Tiefen als Wünsche hervor, die wir heute nur noch in Träumen erreichen. Die Verwirklichung unserer Phantasien aber liegt am Ende einer Kette unaufhörlicher Versuche und neuer Verknüpfungen von Stoffen, Geräten, Kräften . . .
Und doch begegnen wir jüdischen Namen erst in neuester Zeit. Die sozialen Umstände nämlich, welche Vorbedingungen für die Arbeit mit Maschinen oder Maschinenteilen

sind, treffen sich in der jüdischen Geschichte nur selten . . .
So hält man selten den (getauften) Entdecker und Anwender der Galvanoplastik und der elektrisch entzündeten Mine, Moritz H. Jacobi (Dorpat, Petersburg), für einen Juden; so auch kommt es, daß noch weit wichtigere jüdische Erfinder der Öffentlichkeit bis heute unbekannt sind. Und doch gingen sie auf dem Gebiet des Automobilbaus, der Radiotechnik und der Luftschiffkonstruktion bahnbrechend voran . . .
Was die drahtlose Telegraphie und das Radiowesen anlangt, so finden wir sie theoretisch und praktisch gegründet auf die großen Entdeckungen des Halbjuden Heinrich Hertz, der die elektromagnetische Wellennatur des Lichts feststellte und sehr lange Ätherwellen experimentell hervorbrachte. Der Erfinder des Grammophons und einer der drei Erfinder des Telephons, Emil Berliner (geboren in Hannover, gestorben in Washington 1924), der das Mikrophon einführt, schafft so die praktische Voraussetzung zum Abhören dieser Sendungen. Robert von Lieben, der Sohn eines geadelten Bankiers in Wien, aus mährisch-jüdischer Familie, konstruiert in mühevoller Arbeit die Radioröhre, das Instrument, mit dem wir die drahtlosen Wellen empfangen und wieder in Schall verwandeln, und so schließt sich der Kreis . . .

Emil Berliner (1851 Hannover – 1929 Washington) ging 1870 nach Amerika. Dort erfand er 1877, kurz nach Thomas Alva Edinson, ein Mikrophon für Fernsprecher und verbesserte entscheidend den Phonographen Edinsons.
Oben: Emil Berliner. Um 1910

Daß als Erster der jüdische Holzhändler David Schwarz aus Agram, Kroatien, alle entscheidenden Eingebungen zum Bau eines lenkbaren Luftschiffs starren Systems mit Balonetfüllung, Motorenantrieb und Aluminiumhülle ausarbeitete, sich patentieren ließ und praktisch erprobte . . .
Daß jüdische Ingenieure auch im Flugzeugbau Wertvolles geleistet haben, nämlich Wiener (Albatros) und Rumpler, sei nur nebenbei bemerkt; ebenso, daß das erste elektrisch betriebene Motorboot von dem schon genannten M. H. Jacobi gebaut wurde. Ganz entscheidend aber und ebenso tragisch sind Person und Leistung des Juden Siegfried Marcus (geboren 1831 in Malchin, Mecklenburg), dessen Denkmal, eine weiße Herme, vor der Technischen Hochschule in Wien steht. Dort nämlich baute er 1875 jenes mit Benzin betriebene Automobil, das heute als kostbarer Schatz im Gewerbemuseum dieser Stadt zu sehen ist.
Arnold Zweig

Fritz Haber (1868 Breslau – 1934 Basel) trat in seiner Jugend unter dem Einfluß von Theodor Mommsen zum Protestantismus über. Unter seiner Leitung (1911–1933) wurde das Kaiser-Wilhelms-Forschungsinstitut für physikalische Chemie in Berlin-Dahlem zu einer bedeutenden Forschungsstätte. Für die technische Herstellung von Ammoniak, die Haber gemeinsam mit Robert Bosch entwickelte, bekam er 1918 den Nobelpreis für Chemie.
Gegenüberliegende Seite: Fritz Haber vor der Konstruktionsskizze einer Schlagwetterpfeife. Um 1923

Adolf von Baeyer (1835 Berlin – 1917 Starnberg) stammte mütterlicherseits aus einer jüdischen Familie. Nach einer Studienzeit bei Robert Bunsen und August Kekulé veröffentlichte er grundlegende Arbeiten über die Herstellung von synthetischem Indigo. 1905 erhielt er den Nobelpreis für Chemie.
Rechts: Adolf von Baeyer. Um 1914

Ein genialer Konstrukteur war Edmund Rumpler (geb. 1872). Er konstruierte 1911 die „Rumpler-Taube", das an allen Fronten gefürchtete deutsche Flugzeug des ersten Weltkrieges. Mit diesem Apparat wurde auch der erste große Überlandflug in Deutschland bewältigt. Rumpler hat sich auch in den Daimler- und Adlerwerken um die Entwicklung der deutschen Automobil-Industrie verdient gemacht. Im Jahre 1919 baute er das „Tropfen-Auto", und auf der Berliner Automobil-Ausstellung 1926 zeigte er das von ihm erdachte erste Auto mit Vorderachsenantrieb.
Daniel Bernstein

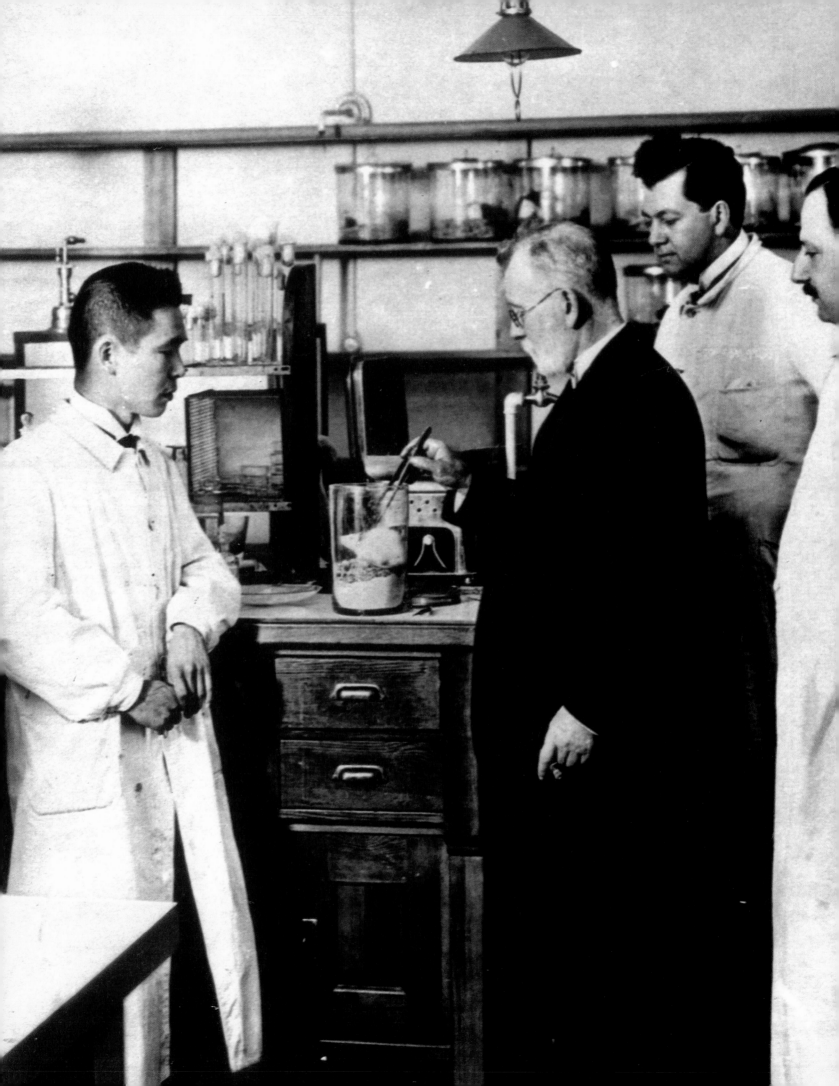

Paul Ehrlich (1854 Strehlen – 1915 Bad Homburg) war Mitarbeiter Robert Kochs in Berlin und leitete das Institut für Experimentelle Therapie in Frankfurt am Main. 1908 bekam er für seine Arbeiten auf diesem Gebiet den Nobelpreis. 1909 entdeckte er das Salvarsan und gilt damit als Begründer der modernen Chemotherapie.
<u>Links:</u> Paul Ehrlich in seinem Labor in Frankfurt am Main. Um 1914

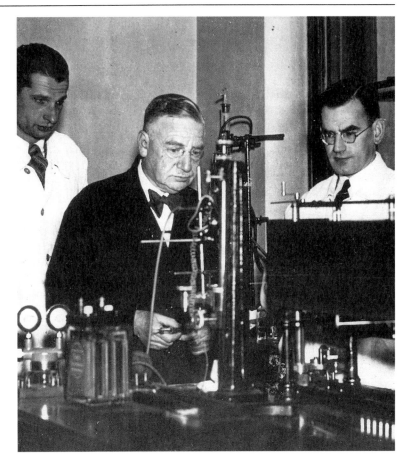

Otto Loewi (1873 Frankfurt am Main – 1961 New York) lehrte seit 1909 in Graz. Im Jahr 1921 bewies er exakt die chemische Übertragung der Nervenimpulse auf das Erfolgsorgan, wofür er 1936 den Nobelpreis erhielt. 1938 emigrierte er nach New York.
<u>Rechts:</u> Otto Loewi im Kreise seiner Schüler in Graz. Um 1928

Die jüdische Weltanschauung betont den Wert des Lebens. Sie hebt seine Bedeutung nicht auf durch Verheißungen eines besseren Jenseits. Im Judentum steht das leibliche Wohl des Menschen als beachtenswertes, der Pflege bedürftiges Gut im Mittelpunkt des Interesses. Der jüdische Arzt ist ein Werkzeug dieses Willens, und seine Existenz, sein Wirken ist eine Notwendigkeit in der jüdischen Gesellschaft. Die jüdische Welt braucht den Arzt. So entwickelte sich in der geschlossenen jüdischen Kulturwelt des Mittelalters ein Ärztestand, der auch von überragend geistiger Bedeutung wurde, da er die Schriften der klassischen römischen und griechischen Meister, die Werke arabischer Ärzte und die Opera der Zeitgenossen in hebräischer Sprache sammelte und aus ihnen sein Wissen zog. Bischöfe und Päpste, Könige und Sultane, Fürsten jeder Art haben jüdische Mediziner an ihre Höfe gerufen und ihnen den Aufenthalt in Ländern gestattet, die sonst Juden die Tore wie Aussätzigen versperrten. Bei allen Judenverfolgungen stoßen wir auf Fürsten, welche wohl ihre Seele der Geistlichkeit, ihren Leib aber jüdischen Ärzten anvertrauten.

In der beginnenden Neuzeit erziehen die langsam aufblühenden mitteleuropäischen Universitäten eine gut vorgebildete Ärzteschaft. Dieser systematische Unterricht bildet fortan die Grundlage jeder weiteren Forschung, jeder guten Kenntnis des Standes der Medizin. Von dem Studium an den meisten Hochschulen ausgeschlossen, mußte die autodidaktische Ausbildung die jüdischen Ärzte im allgemeinen dagegen ins Hintertreffen geraten lassen. Deutschland und Polen, in denen die jüdischen Ärzte jahrhundertelang einen hervorragenden Ruf genossen, duldeten an den Stätten des medizinischen Unterrichts keine jüdischen Studenten. Nur wenigen Juden war es in jener Zeit möglich, in dem entlegenen Leiden oder in Padua zu studieren. Erst als sich im 18. Jahrhundert die deutschen Universitäten dem Besuch jüdischer junger Leute erschlossen, nehmen jüdische Ärzte wieder starken Anteil an der medizinischen Forschung. Lange noch ist es ihnen vorenthalten, ungetauft an öffentlichen Instituten, am Katheder, an leitenden Krankenhausstellen zu wirken.

Auffallend ist trotzdem, daß gerade unter den jüdischen Koryphäen des 19. Jahrhunderts nicht die Praktiker, sondern die reinen Wissenschaftler überwiegen. Empiriker und Eklektiker, die als berühmte Diagnostiker, Kliniker, geschickte Operateure ihren Ruf begründeten, treten zurück gegenüber Pionieren wissenschaftlicher Erkenntnis, die im Dienst der Forschung Bedeutung erlangen . . .
Felix A. Theilhaber

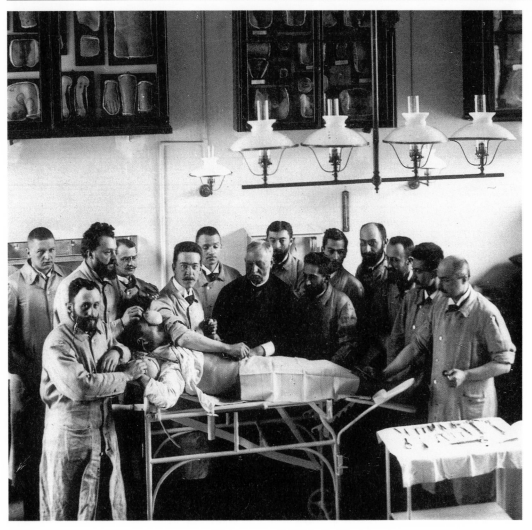

Wir zitieren also nur noch aus der Geschichte der Heilkunde den Biologen Jacques Loeb, der die künstliche Befruchtung erforschte, Karl Morgenroth und August von Wassermann, die durch die Wassermannsche Reaktion die Schwangerschaftsfeststellung aus dem Urin bereits zehn Tage nach erfolgter Befruchtung ermöglichten – wahre Wohltäter der weiblichen Welt, den Internisten Hermann Senator, den Magenarzt I. Boas, die Kinderärzte Henoch, Finkelstein und Baginsky, den Orthopäden Joachimsthal, die Hautärzte Lassar, Lesser (Berlin) und Unna (Hamburg), die Sexualwissenschaftler Iwan Bloch, Blaschko und vor allem Magnus Hirschfeld, der Bahnbrechendes für eine gerechtere Beurteilung und vernünftigere Behandlung sexueller Vorstufen und Sonderhaltungen geleistet hat, vor allem für die Homosexuellen; die Augenärzte Jakobsohn, der das Glaukom erfolgreich angriff, Robert Liebreich und Hermann Cohn (Breslau), den Wohltäter unzähliger kurzsichtiger Schulkinder; den Nierenchirurgen James Israel, die Toxikologen Louis Lewin (Verfasser eines grundlegenden Buches über die Gifte), Otto Liebreich und Max Jaffe (Königsberg), und aus der Fülle der Gynäkologen den Entdecker des Herzhormons Hermann Löwy, den Krebsforscher F. Blumenthal und die beiden Schöpfer eines neuen Schwangerschaftsnachweises Bernhard Zondek und I. Aschheim . . . Nicht genannt haben wir bisher zwei Männer, deren Namen die ganze Welt kennt: Paul Ehrlich, den Entdecker des Salvarsans, und Sigmund Freud.

Arnold Zweig

Der Arzt, der gebeten worden ist, der Frau Baronin bei ihrer Entbindung beizustehen, erklärt den Moment für noch nicht gekommen und schlägt dem Baron unterdes eine Kartenpartie im Nebenzimmer vor. Nach einer Weile dringt der Wehruf der Frau Baronin an das Ohr der beiden Männer. „Ah mon Dieu, que je souffre!" Der Gemahl springt auf, aber der Arzt wehrt ab: „Es ist nichts, spielen wir weiter." Eine Weile später hört man die Kreißende wieder: „Mein Gott, mein Gott, was für Schmerzen!" – „Wollen Sie nicht hineingehen, Herr Professor?" fragt der Baron. – „Nein, nein, es ist noch nicht Zeit." – Endlich hört man aus dem Nebenzimmer ein unverkennbares: „Ai, waih, waih geschrien"; da wirft der Arzt die Karten weg und sagt: „Es ist Zeit."

Sigmund Freud

Sprich: „Doktor." Apostrophierung von Menschen, die an einem Augenübel leiden und infolgedessen Zwicker oder Brille tragen. Wird speziell von Friseuren zur Anrede ihrer Kunden gebraucht. (Nach anderer Version: jüdischer Vorname.)

Anton Kuh

Man sprach oft von Verwandten, die nach Wien fuhren, um berühmte Ärzte zu konsultieren. Die Namen der großen Spezialisten jener Tage waren die allerersten Berühmtheiten, von denen ich als Kind hörte. Als ich später nach Wien kam, war ich verwundert, daß es all diese Namen: Lorenz, Schlesinger, Schnitzler, Neumann, Hajek, Halban als Leute wirklich gab. Ich hatte nie versucht, sie mir leiblich vorzustellen; woraus sie bestanden, das waren ihre Aussprüche, und diese hatten ein solches Gewicht, die Reise zu ihnen war so weit, die Veränderungen, die ihre Aussprüche bei den Menschen meiner Umgebung bewirkten, so umwälzend, daß sie etwas von Geistern annahmen, die man fürchtet und um Hilfe anruft. Wenn man von ihnen zurückkam, durfte man nur noch bestimmte Sachen essen, und andere waren einem verboten. Ich stellte mir vor, daß sie in einer eigenen Sprache redeten, die niemand verstand und die man erraten mußte. Ich kam nicht auf den Gedanken, daß es dieselbe Sprache war, die ich von den Eltern hörte und heimlich, ohne sie zu verstehen, für mich übte.

Elias Canetti

242

Dem historisch interessierten Mediziner sind viele jüdische Ärzte bekannt, denen wir auf diesen Grenzgebieten eigenwillige Funde verdanken, unter ihnen der vergleichende Anatom Gustav Born, Ludwig Lewin Jacobson (nach dem das Jacobsonsche Organ genannt ist), der Breslauer Leopold Auerbach (Plexus Auerbach), der die moderne Lehre von der Befruchtung und Zellteilung aufstellte, sein Landsmann, der Entwicklungsgeschichtler S. M. Pappenheim, David Gruby, der Morphologe, dem nebenher die Entdeckung des Soorpilzes gelang, Gottlieb Gluge, der von Brakel in Westfalen den Weg zur Professur in Brüssel fand. Ludwig Budge erforscht als erster den Vagusnerv, den „herumschweifenden", der das Herz zu hemmen weiß, und stellt die Funktionen der Zentren des Rückenmarks fest, wodurch er die Lehre von dem Eigenleben des Rückenmarks entwickelt.

Romberg erkennt das Frühsymptom der Tabes und beschreibt das Taumeln des Kranken, der mit geschlossenen Augen zu wanken anfängt.

Valentin entdeckt das Flimmerepithel des Auges, Cohnheim identifiziert, daß die weißen Blutkörperchen mit den Eiterzellen identisch sind . . .

Histologen und Physiologen jüdischer Herkunft haben im 19. Jahrhundert in großer Zahl diese Fachwissenschaften mit aufgebaut.

Robert Barany (1876 Wien – 1936 Upsala) erhielt 1914 für seine „Physiologie des Bogengang-Apparates beim Menschen" (1907) den Nobelpreis. Seit 1917 lehrte er in Upsala, Schweden. Er entwickelte die „Baranysche Lärmtrommel" für die getrennte Hörprüfung jedes einzelnen Ohres.

Gegenüberliegende Seite: Isidor Neumann, ein berühmter Dermatologe der Zweiten Wiener Medizinischen Schule, während einer Operation auf der Wiener Universitätsklinik. Um 1900

Unten: Robert Barany. Um 1910

Wir nennen hier u. a. den Darmhistologen S. K. von Basch, den Herzpathologen Karl Bettelheim, den Muskelphysiologen Julius Bernstein. Robert Remak hat die große Entdeckung gemacht, daß die drei Hauptsysteme des Körpers aus den drei Keimschichten entstehen. Munk wurde der Vater der Gehirnphysiologe, Zuntz der Ernährungsphysiologie, A. Axenfeld der Nervenkönig. Um noch einige glückliche Entdecker zu nennen: Rosenbach fand den Bazillus des Wundstarrkrampfs (Tetanus), Fränkel den der Lungenentzündung (Pneumonie) und Neisser den Erreger des Trippers (Gonorrhöe).
Felix A. Theilhaber

Karl Landsteiner (1868 Wien – 1943 New York) entdeckte 1901 die klassischen Blutgruppen, wofür ihm 1930 der Nobelpreis verliehen wurde. Weiters erkannte er die Kinderlähmung als Viruskrankheit. 1922 – nach seiner Tätigkeit als Prosektor am Wiener Wilhelminenspital (seit 1908) – wurde er an das Rockefeller Institute for Medical Research in New York berufen. 1940 entdeckte er gemeinsam mit seinem Schüler Alexander S. Wiener den Rhesusfaktor.

Oben: Karl Landsteiner. Um 1935

Keiner der Leser dieses Buches wird sich so leicht in die Gefühlslage des Autors versetzen können, der die heilige Sprache nicht versteht, der väterlichen Religion – wie jeder anderen – völlig entfremdet ist, an nationalistischen Idealen nicht teilnehmen kann und doch die Zugehörigkeit zu seinem Volk nie verleugnet hat, seine Eigenart als jüdisch empfindet und sie nicht anders wünscht. Fragte man ihn: Was ist an dir jüdisch, wenn du alle diese Gemeinsamkeiten mit deinen Volksgenossen aufgegeben hast?, so würde er antworten: „Noch sehr viel, wahrscheinlich die Hauptsache." Aber dieses Wesentliche könnte er gegenwärtig nicht in klare Worte fassen.
Sigmund Freud

Und dazu kam bald die Einsicht, daß ich nur meiner jüdischen Natur die zwei Eigenschaften verdankte, die mir auf meinem schwierigen Lebensweg unerläßlich geworden waren. Weil ich Jude war, fand ich mich frei von vielen Vorurteilen, die andere im Gebrauch ihres Intellekts beschränkten, als Jude war ich dafür vorbereitet, in die Opposition zu gehen und auf das Einvernehmen mit der „kompakten Majorität" zu verzichten.
Sigmund Freud

*Auch rein äußerliche Schwierigkeiten haben dazu beigetragen, den Widerstand gegen die Psychoanalyse zu verstärken . . .
Endlich darf der Autor in aller Zurückhaltung die Frage aufwerfen, ob nicht seine eigene Persönlichkeit als Jude, der sein Judentum nie verbergen wollte, an der Antipathie der Umwelt gegen die Psychoanalyse Anteil gehabt hat. Ein Argument dieser Art ist nur selten laut geäußert worden, wir sind leider so argwöhnisch geworden, daß wir nicht umhin können, zu vermuten, der Umstand sei nicht ganz ohne Wirkung geblieben. Es ist vielleicht auch kein bloßer Zufall, daß der erste Vertreter der Psychoanalyse ein Jude war. Um sich zu ihr zu bekennen, brauchte es ein ziemliches Maß von Bereitwilligkeit, das Schicksal der Vereinsamung in der Opposition auf sich zu nehmen, ein Schicksal, das dem Juden vertrauter ist als einem anderen.*
Sigmund Freud

Wir waren beide Juden und wußten voneinander, daß wir gemeinsam das geheimnisvolle Etwas tragen, das, bisher jeder Analyse unzugänglich – den Juden ausmacht!
Sigmund Freud

Ein für den tendenziösen Witz besonders günstiger Fall wird hergestellt, wenn die beabsichtigte Kritik der Auflehnung sich gegen die eigene Person richtet, vorsichtiger

Sigmund Freud (1856 Freiberg, Mähren – 1939 London) beschäftigte sich 1885/86 an der Salpêtrière in Paris bei Jean-Martin Charcot mit Hysterie und Hypnose und wandte sich der Psychopathologie zu. Ausgehend von seinen „Studien über Hysterie" gelangte er über das „Kathartische Verfahren", ein Bewußtmachen verdrängter seelischer Inhalte, zur Psychoanalyse. Nach der erfolgreichen Zusammenarbeit mit *Josef Breuer* trennte sich dieser von ihm, als Freud begann, die Ursache psy-choneurotischer Störungen generell in der Sexualität zu suchen. Freud behandelte auch Probleme der Völkerkunde, der Religionswissenschaft und der Mythologie sowie soziologische und ästhetische Fragen. Sein Einfluß auf das moderne Geistesleben war und ist von eminenter Bedeutung.

Gegenüberliegende Seite: Sigmund Freud. Photographie von Hermann Clemens Kosel. 1912
Links: Sigmund Freud sitzt Modell für eine Plastik von Oscar Némon. Um 1932

Der Mensch, den er analysiert, ist kein Deutscher oder Engländer, kein Russe oder Jude – sondern der Mensch schlechthin, in dem das Unbewußte und das Bewußte miteinander ringen; der Mensch als Teil der Natur und Mitglied der Gesellschaft; der Mensch, dessen Wünsche und Sehnsüchte, dessen Zweifel und Hemmungen, dessen Ängste und Unsicherheiten im wesentlichen die gleichen sind, welcher Rasse, Religion oder Nation er auch angehört. Von ihrem Standpunkt aus hatten die Nazis recht, wenn sie Freuds Namen mit Marx in Verbindung brachten und ihre Bücher zusammen ins Feuer warfen.
Isaac Deutscher

Ihm gebührt das Verdienst, in die Anarchie des Traums eine Verfassung eingeführt zu haben. Aber es geht darin zu wie in Österreich.
Karl Kraus

Ja, Freud. Was mich immer wieder besticht, ist seine unerbittliche Anständigkeit, die ihn so vorteilhaft von seinen Schülern unterscheidet. Bescheiden, sauber und bis ins letzte ehrlich. Wenn er nicht weiß, sagt er: ich weiß nicht. Wie weit ist das alles von den Strassers entfernt! Merkwürdig diese Dürre. „Er ist religiös unmusikalisch" hat einmal einer von ihm gesagt. Das sagt er auch selbst. Rührend, wenn er, der typische Mann der Intuition, uns erzählen will, daß er alles, was er gefunden, durch „rein wissenschaftliche Schlußfolgerungen" gefunden habe. Aber sonst: einer, der eine Tür aufgemacht hat.
Kurt Tucholsky

ausgedrückt, eine Person, an der die eigene Anteil hat, eine Sammelperson also, das eigene Volk zum Beispiel. Diese Bedingung der Selbstkritik mag uns erklären, daß gerade auf dem Boden des jüdischen Volkslebens eine Anzahl der trefflichsten Witze erwachsen sind, von denen wir ja hier reichliche Proben gegeben haben. Es sind Geschichten, die von Juden geschaffen und gegen jüdische Eigentümlichkeiten gerichtet sind. Die Witze, die von Fremden über Juden gemacht werden, sind zu allermeist brutale Schwänke, in denen der Witz durch die Tatsache erspart wird, daß der Jude den Fremden als komische Figur gilt. Auch die Judenwitze, die von Juden herrühren, geben dies zu, aber sie kennen ihre wirklichen Fehler wie deren Zusammenhang mit ihren Vorzügen, und der Anteil der eigenen Person an dem zu Tadelnden schafft die sonst schwierig herzustellende subjektive Bedingung der Witzarbeit. Ich weiß übrigens nicht, ob es sonst noch häufig vorkommt, daß sich ein Volk in solchem Ausmaß über sein eigenes Wesen lustig macht.
Sigmund Freud

Die Familie Freud, den Riten und Gebräuchen der jüdischen Religion entfremdet, wie sie war, stellt keine Ausnahme unter der jüdischen Bevölkerung Wiens dar. Die Reichen wie die Armen, ganz besonders aber die Reichen, sind diesen Weg gegangen. Und dennoch waren wir alle in einer Hinsicht jüdisch geblieben: wir bewegten uns in jüdischen Kreisen, unsere Freunde waren Juden, unser Arzt, unser Rechtsanwalt waren Juden.
Martin Freud

Diese großen Revolutionäre waren alle äußerst verwundbar. Als Juden waren sie in gewissem Sinne wurzellos, aber eben nur in mancher Hinsicht, waren sie doch ganz eng mit der intellektuellen Tradition und den edelsten Bestrebungen ihrer Zeit verbunden . . .
Es liegt auf der Hand, daß Freud derselben intellektuellen Linie zuzurechnen ist. In seinen Arbeiten, wie auch immer ihre Stärken und Schwächen aussehen, überwindet er die Grenzen früherer psychologischer Schulen.

Es ist ein Land, über das man sich zu Tod ärgert und wo man trotzdem sterben will.
Sigmund Freud

*U*nd der größte Teil dieser Schüler sind bezeichnenderweise Juden wie er, österreichische vor allem; zwar nicht Karl Abraham, Ernst Simmel oder A. Eitingon, aber Alfred Adler und Wilhelm Stekel, S. Ferenczy und Theodor Reik, Otto Rank und Siegfried Bernfeld und Dutzende älterer und jüngerer, die mit ihren Arbeiten die überaus lesenswer-

ten Zeitschriften der psychoanalytischen Bewegung füllen und in vielen Städten Europas und Amerikas den erkrankten Nervösen und Hysterikern Heilung bringen . . . Als man in Berlin und anderswo die Bücher Sigmund Freuds mit den unseren verbrannte, tat man uns allen die größte Ehre an, die heute von Barbaren zu vergeben ist. Denn einmal wird

man erkennen, daß dieser Jude Sigmund Freud eine jahrhundertwendende Gestalt ist wie Platon. Er hat in die Steindecke unserer Verdrängungen die Bresche geschlagen, die nicht mehr geschlossen werden kann. Er hat die menschlichen Triebe neu verstehen und bewerten gelehrt.
Arnold Zweig

Im Zentrum der psychoanalytischen Forschung in Deutschland stand das Psychoanalytische Institut in Berlin, das von *Karl Abraham* gegründet worden war.

Zu Freuds Schülern zählten u. a. *Otto Rank* (1884 Wien – 1939 New York), der vor allem Beiträge zur Mythenforschung und Literaturpsychologie lieferte, sich aber 1924 von seinem Lehrer Freud trennte, da er das Geburtstrauma als Ursache aller Neurosen verstand; *Hanns Sachs* (1881 Wien – 1947 Boston), der gemeinsam mit Otto Rank die Zeitschrift „Imago" redigierte; *Karl Abraham* (1877 Bremen – 1925 Berlin), der den Mythos und die Traumsymbolik sowie die Entwicklungsphasen der Sexualität des Kindes untersuchte; *Ernest Jones* (1879 Rhosfelyn – 1958 London), der als einer der ersten Freud-Schüler maßgeblich am Aufbau der Psychoanalyse beteiligt war und eine grundlegende Freud-Biographie verfaßte; *Max*

Eitingon (1881–1943), der mit Karl Abraham gemeinsam 1920 eine psychoanalytische Poliklinik in Berlin sowie ein Ausbildungs- und Forschungsinstitut eröffnete; *Sándor Ferenczi* (1873 Miskolc, Ungarn – 1933 Budapest), der die ungarische Psychoanalytische Vereinigung gründete; und *Wilhelm Reich* (1897 Dobrzcynica, Galizien – 1957 Lewisburg, USA), der sich durch Übernahme von marxistischen Ideen von Freud entfernte und durch seine Kritik an der repressiven Gesellschaft, die ihre autoritäre Ordnung vor allem durch sexuelle Unterdrückung aufrechterhalte, und durch seine spekulative „Orgon-Theorie" seit den 60er Jahren eine breitere Öffentlichkeit erreichte.

<u>Oben:</u> Der Berliner Kreis um Sigmund Freud. Stehend von links: Otto Rank, Karl Abraham, Max Eitingon, Ernest Jones. Sitzend von links: Sigmund Freud, Sándor Ferenczi, Hanns Sachs. 1922

Anna Freud (1895 Wien – 1982 London), Tochter Sigmund Freuds, erhielt ihre psychoanalytische Ausbildung in Wien. Sie stand ihrem Vater besonders nahe und unterstützte ihn bei seiner Arbeit. Sie gilt als Mitbegründerin der Psychoanalyse des Kindes.

<u>Unten:</u> Anna Freud. Um 1935

Alfred Adler (1870 Wien – 1937 Aberdeen) war Mitglied der Wiener Psychoanalytischen Gesellschaft und Schüler Sigmund Freuds, bis die Gegensätze zum Bruch führten (1911). Er war der Begründer der Individualpsychologie, die den Hauptantrieb menschlichen Verhaltens im Geltungs- und Machttrieb sah. Noch vor 1933 übersiedelte er in die USA.

<u>Rechts:</u> Alfred Adler. Um 1910

Julius Schoeps
MIT DER EINEN HAND DIE EMANZIPATION

Begeistert von der Möglichkeit, vollständig im Deutschtum aufzugehen, ließen nicht wenige Juden die letzten Hemmungen fallen. Sie wollten nur noch Deutsche sein ...
Oben: Der „Verein Jüdischer Studierender" in Breslau. Um 1900

Der Beginn der Mitwirkung der Juden am politischen Leben fällt zusammen mit dem Emanzipationsprozeß, der Ende des 18. Jahrhunderts einsetzte, und in der Doppelmonarchie Österreich-Ungarn bis 1867, in Deutschland bis über die Zeit der Reichsgründung andauerte. Schritt für Schritt wurden den Juden die bürgerlichen und staatsbürgerlichen Rechte zugestanden, die es ihnen schließlich ermöglichten, ihre von der Umwelt jahrhundertelang unterdrückten Fähigkeiten zu aktivieren – in der Politik, in der Wirtschaft, in der sich rapide entwickelnden Industrie und in den vielfältigsten Bereichen der Wissenschaft und der Kultur.

Der Emanzipationsprozeß hatte für das jüdische Selbstverständnis aber auch Konsequenzen, insofern die Juden anfingen, sich nicht mehr ausschließlich als Juden, sondern als Bürger des Staates zu definieren, in dem sie lebten. In Deutschland war es die Formel vom „deutschen Staatsbürger jüdischen Glaubens", auf die man sich im Lauf der Zeit verständigte. Die Ansicht begann sich durchzusetzen, daß die Sache der Juden identisch sei „mit der Sache des Vaterlandes, sie wird mit dieser siegen oder fallen", wie es der Frankfurter Rabbiner Leopold Stein formulierte.

Je entschiedener sich jüdische Intellektuelle von den Voraussetzungen ihres kollektiven Bewußtseins als Juden lösten, desto schärfer lehnten sie die bestehenden Machtstrukturen ab,

desto konsequenter kämpften sie für eine demokratische Staats- und Lebensordnung, in der jede soziale und nationale Benachteiligung aufgehoben sein sollte. Den Juden in Deutschland, aber auch in der Donaumonarchie, war immer bewußt, daß ihre politische, rechtliche, soziale und kulturelle Eingliederung in die Gesellschaft aufs engste verknüpft war mit der Errichtung einer demokratischen Ordnung. Bei allen politischen Unterschieden im Denken und Handeln innerhalb der jüdischen Gemeinschaft beteiligten sich die Juden deshalb vehement an allen demokratischen Strömungen ihrer Zeit. Es bestand nie ein Zweifel, daß sie ihr

Schicksal gebunden sahen an die Festigkeit der Demokratie: Je stärker das demokratische Prinzip, desto gesicherter die Gleichstellung der Juden.

Im Revolutionsjahr von 1848 waren ungefähr 750 deutsche Juden in verschiedenen politischen Organisationen tätig, und zwar als Mitglieder von Parlamenten, Landtagen, Stadtverordnetenversammlungen, Wahlmännerkollegien, Vereinen und Klubs. Die Juden bildeten jedoch keine monolithische Gruppe fest umrissener politischer Gesinnung, sondern handelten ebenso ihren Gesellschaftsinteressen entsprechend wie die übrige Bevölkerung. Alle Schattierungen des politischen Spektrums waren unter ihnen vertreten. Die überwiegende Mehrheit, die aufstiegsorientiert war und sich ins Bürgertum einzuordnen suchte, neigte zum gemäßigten konstitutionellen Liberalismus, von dem man sich nicht nur die Durchsetzung demokratischer Freiheiten, sondern auch die Lösung der sogenannten „Judenfrage" erhoffte. „Wie ich selbst Jude und Deutscher zugleich bin", äußerte sich der Königsberger Arzt und Schriftsteller Johann Jacoby, „so kann in mir der Jude nicht frei werden ohne den Deutschen, und der Deutsche nicht ohne den Juden. Wie ich mich selbst nicht trennen kann, ebensowenig vermag ich in mir die Freiheit des einen von der des anderen zu trennen ..."

Unter den 586 Abgeordneten der

Frankfurter Paulskirche, der ersten demokratisch gewählten Volksvertretung Deutschlands, befanden sich sechzehn Männer jüdischer Herkunft. Der wohl repräsentativste Vertreter unter ihnen war Gabriel Riesser, der zum Vorsitzenden des Geschäftsordnungsausschusses sowie zum Berichterstatter des Verfassungsausschusses gewählt wurde und von Oktober bis Dezember 1848 als Zweiter Vizepräsident der Nationalversammlung fungierte. Riesser hatte schon dem Vorparlament angehört und dort durchgesetzt, allen volljährigen Deutschen, ohne Unterschied des Standes, Vermögens und Glaubensbekenntnisses, das aktive und passive Wahlrecht zu gewähren. Seine Verbundenheit mit dem Deutschtum und sein politisches Programm legte er in der Zeitschrift „Der Jude", die er früher herausgegeben hatte, mit folgenden Worten nieder: „Bietet man mir mit der einen Hand die Emanzipation, auf die alle meine innigsten Wünsche gerichtet sind, mit der anderen die Verwirklichung des schönen Traumes von der politischen Einheit Deutschlands mit seiner politischen Freiheit verknüpft, ich würde ohne Bedenken die letztere wählen; denn ich habe die feste, tiefste Überzeugung, daß in ihr auch jene enthalten ist."

Eindrucksvoll ist die Mitarbeit der Juden am parlamentarischen Leben der Bismarck-Zeit und am Aufbau des Kaiserreichs. Im Gegensatz zu Österreich, wo Juden nur vereinzelt Sitz und Stimme in den öffentlichen Vertretungskörperschaften erhielten, gelang es ihnen, im neugegründeten Deutschen Reich in der Politik besser Fuß zu fassen. Als Parlamentarier genossen zum Beispiel Eduard Lasker und Ludwig Bamberger im liberalen Bürgertum eine ungewöhnliche Popularität. Beide galten als überzeugte Demokraten, als jüdische Deutsche, von denen man wußte, daß sie sich mit Deutschland und dem Deutschtum identifizierten. Lasker, dem die Wahrung rechtsstaatlicher Prinzipien ein wichtiges Anliegen war, hatte wesentlichen Anteil bei der Ausgestaltung der Reichsverfassung und der Reichsgesetzgebung. Bamberger wiederum war Mitbegründer der Reichsbank und hatte wesentlichen Anteil bei der Einführung der Goldwährung. Beide haben jeder auf seine Weise zur Durchsetzung demokratischer Bewußtseinshaltungen in Deutschland beigetragen.

Innerhalb der deutschen Sozialdemokratie sind vier jüdische Persönlichkeiten von historischer Bedeutung zu nennen: Paul Singer, Eduard Bernstein, Hugo Haase und Ludwig Frank. Singer wurde 1890 Parteivorsitzender und gründete den sozialdemokratischen Presseverlag, der das Zentralorgan der Partei, den „Vorwärts", herausgab. Bernstein, seit 1902 Mitglied des Reichstages, wurde der Theoretiker des sozialdemokratischen Revisionismus. Hugo Haase war Führer des sezessionistischen Flügels, der sich als USPD konstituierte, und wurde Sprecher der kleinen Minderheit, die – ohne die Pflicht der Landesverteidigung zu verneinen – den deutschen Imperialismus und die Annexionen, unbeirrt durch vorübergehende militärische Erfolge, furchtlos und kompromißlos verurteilte.

Begeistert von der Möglichkeit, vollständig im Deutschtum aufzugehen, haben nicht wenige Juden die letzten Hemmungen fallen lassen. Sie wollten nur noch Deutsche sein. Gabriel Riesser brachte diese Haltung auf die Formel: „Es gibt nur eine Taufe, die zur Nationalität einweiht, das ist die Taufe des Blutes im gemeinsamen Kampf für Freiheit und Vaterland." Demonstrative Vaterlandsliebe und Patriotismus (Walther Rathenau: „Wer sein Vaterland liebt, darf und soll ein wenig Chauvinist sein.") brachte eine ganze Reihe von Juden sogar dahin, an eine tiefgehende Wesensähnlichkeit von Deutschtum und Judentum, an eine innere Identität von deutschen und jüdischen Eigenschaften zu glauben.

Der „Centralverein deutscher Staatsbürger jüdischen Glaubens", in dem sich das assimilierte Judentum organisiert hatte, wandte sich in „schicksalsschwerer Stunde" am 1. August 1914 an die jüdische Öffentlichkeit mit dem Appell: „Daß jeder deutsche Jude zu den Opfern an Gut und Blut bereit ist, die die Pflicht erheischt, ist selbstverständlich ... Wir rufen Euch auf, über das Maß der Pflicht hinaus Eure Kräfte dem Vaterland zu widmen! Eilt freiwillig zu den Fahnen! Ihr alle – Männer und Frauen – stellet Euch durch persönliche Hilfeleistung jeder Art und durch Hingabe von Geld und Gut in den Dienst des Vaterlandes!" (Israelitisches Gemeindeblatt, Köln, 7. August 1914). Viele jüdische Gemeinden in Deutschland legten ihr Kapitalvermögen damals restlos in Kriegsanleihen an, was zur Folge hatte, daß sie dieses in der Inflation verloren.

Der Name Ludwig Franks kann gleichsam als Symbol für die Haltung der deutschen Juden im Ersten Weltkrieg gelten. Obgleich europäischer Pazifist und sozialistischer Patriot, der den Krieg immer aus ganzem Herzen ablehnte, hat Frank sich dennoch als Kriegsfreiwilliger gemeldet. Er war einer der zwei Mitglieder des Deutschen Reichstages, die im Weltkrieg fielen. Als er am 3. September 1914 auf dem lothringischen Schlachtfeld starb, glaubte er, der Krieg würde zur Demokratie und zur sozialen Befreiung auch des deutschen Volkes führen. In einem seiner letzten Briefe heißt es: „Ich habe den sehnlichen Wunsch, den Krieg zu überleben und dann am Innenbau des Reiches mitzuschaffen. Aber jetzt ist für mich der einzig mögliche Platz in der Linie in Reih und Glied ..."

Die Hoffnungen der Juden, durch betont patriotisches Verhalten ihre gesellschaftliche Stellung festigen zu können, erfuhren während des Ersten Weltkrieges einen heftigen Dämpfer. Auf antisemitischen Druck kam es Ende 1916 zu der sogenannten „Judenzählung", mit der das Kriegsministerium den Anteil der Juden an der kämpfenden Truppe nachprüfen lassen wollte. Das Ergebnis dieser Umfrage wurde nie veröffentlicht, denn es hätte das Gegenteil des Vorwurfs der Drückebergerei und der nationalen Unzuverlässigkeit dokumentiert. Proteste halfen wenig. Selbst der wiederholt geführte Nachweis, daß es 100.000 jüdische Kriegsteilnehmer gab und von diesen rund 12.000 gefallen (entsprechend dem Prozentsatz der Nichtjuden unter den Kriegstoten) sind, nützte wenig. In der öffentlichen Meinung stand das Urteil bereits fest. Bezeichnend war die bösartige Äußerung, mit der die Antisemiten die Nachricht kommentierten, daß der SPD-Reichstagsabgeordnete Ludwig Frank gefallen war: Immer diese Juden. Selbst beim Sterben müssen sie sich noch vordrängeln.

Empfindlichere Naturen quälte es, auf Ablehnung und kaum verhüllten Haß zu stoßen. Manche Juden haben in ihrer Verzweiflung die Vorurteile der Umwelt übernommen, ohne es selbst zu bemerken. Bekannt ist der Fall des jungen Philosophen Otto Weininger, der sich das Leben nahm, weil er die Geringschätzung und Vorurteile nicht ertragen konnte, auf die er stieß. Oder derjenige des Schriftstellers Arthur Trebitsch, der, selber jüdischer Herkunft, sich zu einem der rüdesten Antisemiten entwickelte. Andere waren bemüht, sich anzupassen, dabei nicht erkennend, daß sie in ihrem Wunsch, akzeptiert zu werden, sich würdelos verhielten. Als Beispiel seien hier nur die Verstrickungen des Dirigenten Hermann Levi genannt, der ein großer Bewunderer und Verehrer Richard Wagners gewesen ist, aber unsäglich unter dessen Antisemitismus gelitten und eine „seelische Odyssee" durchgemacht hat, die ihresgleichen sucht.

Bereits Anfang der 80er Jahre des letzten Jahrhunderts waren Stimmen laut geworden, die fragten, ob die Bemühungen um Akkulturation und Assimilation angesichts des immer rabiater werdenden Antisemitismus nicht vergeblich seien. Hauptsächlich in studentischen Kreisen stießen nationaljüdische Parolen auf Gehör. Ist nicht, fragte man, das Bekennen zum verachteten Judentum, die Rückbesinnung auf die Tradition der Väter, das beste Mittel zur Selbstbehauptung? In verschiedenen Städten des Deutschen Reiches, vor allem aber in Wien, das vor der Jahrhundertwende zu einem Zentrum jüdischer Agitation wurde, entstanden Vereine, die „Bekämpfung der Assimilation", „Hebung des jüdischen Selbstbewußtseins", „Besiedlung Palästinas" forderten. In einem Leitartikel des von Nathan Birnbaum in Wien herausgegebenen Blattes „Selbst-Emancipation" hieß es am 1. Mai 1885: „Die Entjudungsbestrebungen der Juden sind eines der häßlichsten Kapitel der Weltgeschichte." Und weiter: „Der Antisemitismus ist zwar durch die ihm beigemischten Elemente des Eigennutzes, des Vorurteiles, des Neides, der Schadenfreude, der Unduldsamkeit, des Eigendünkels ein nicht minder garstiger Abschnitt der Universalhistorie geworden, aber – wir scheuen uns nicht, es auszusprechen – angesichts der Assimilationssucht ist er berechtigt; das jüdische Volk, wie es sich bis jetzt repräsentierte, verdient den Antisemitismus."

Eine Normalisierung des jüdischen Lebens, das war die häufig vertretene Auffassung, sei nur über den Weg der Berufsumschichtung zu erreichen. Bereits in seiner Eröffnungsansprache auf der „Kattowitzer Konferenz" (1884), auf der sich Palästinafreunde versammelt hatten, um über eine länderübergreifende Organisationsstruktur zu verhandeln, hatte der aus Odessa stammende Arzt Leon Pinsker darauf hingewiesen, daß die Juden, von der Landwirtschaft ausgeschlossen, sich in den Städten in wenigen Berufen, vorwiegend im Handel, konzentrieren würden. Ihre Beschäftigung erscheine in den Augen der Nichtjuden als unproduktiv. Der heraufziehende Kampf zwischen Kapital und Arbeit werde auf Kosten der Juden ausgetragen werden. Die Juden hätten bisher nur „Dienstboten- und Vermittlungsarbeit" geleistet. Eine Entwicklung zum Besseren werde aber nur dann eintreten, wenn über den Weg der Berufsumschichtung, über die Kolonisationstätigkeit in Palästina, die Grundlagen für den Aufbau eines normalen Wirtschaftslebens geschaffen würden. „Ergreifen wir", rief Pinsker den Delegierten der Konferenz zu, „heute Pflug und Spaten an Stelle der bis nun handgehabten Meßelle und Waagschale und seien wir wiederum das, was wir ehemals waren, bevor wir ins üble Gerede der Völker kamen."

Es ist behauptet worden, die Wanderungsbewegungen der Juden in den Jahren seit 1880 aus Osteuropa in Richtung Westen hätten die Bestrebungen nach einer gewissen Wiedernationalisierung verstärkt. Diese Behauptung ist insofern richtig, als die Wanderungsbewegung es mit sich brachte, daß die Juden vom Land in die Städte, von den Städten in die Metropolen zogen. In den entstehenden jüdischen Zentren entwickelte sich eine Art Volksbewußtsein, das sich in vielfältiger Weise artikulierte – im Aufblühen jüdischer Literatur, in der vermehrten Gründung von Verlagen, Zeitungen und Zeitschriften, dem Entstehen von Theatern, Volksbildungsanstalten, Wohlfahrtseinrichtungen und sozialen Institutionen. Wichtiger aber war wohl, daß die Anfänge der jüdischen Nationalbewegung zusammenfielen mit dem nationalen Erwachen der Völker, der Tschechen, Slowaken, Magyaren und Balkanvölker.

Die nationaljüdische Idee und der Gedanke an ein autonomes jüdisches Volksleben in Palästina hatten in den Anfängen nur einige wenige Anhänger. Erst Theodor Herzls 1896 erschienene Schrift „Der Judenstaat", die den Untertitel „Versuch einer modernen Lösung der Judenfrage" hatte, gab den eigentlichen Anstoß zur organisatorischen Zusammenfassung der bestehenden nationaljüdischen Vereine und schuf das, was wir heute unter politischem Zionismus verstehen. Herzl vertrat hier die Auffassung, daß eine Lösung des Judenproblems nur in der Wiedergewinnung der inneren und äußeren Freiheit für die Juden und das Judentum bestehen könne. Die „Judenfrage", so meinte er, könne nur durch die Konzentration eines möglichst großen Teils der Juden in einem eigenen Land gelöst werden. „Ich halte die Judenfrage", so schrieb er in seiner Broschüre, „weder für eine soziale noch eine religiöse, wenn sie sich auch so und anders färbt. Sie ist eine nationale Frage ... Wir sind ein Volk, *ein* Volk."

Die Zustimmung zu Herzls „Judenstaat" war ebenso spontan, wie die Ablehnung heftig war. Überall entstanden Gruppen, die eine rege Agitation entwickelten. Eine Reihe angesehener Rabbiner bekannte sich zu dem von Herzl proklamierten Zionismus, indem sie sich ausdrücklich auf die messianischen Verheißungen bezogen. Die „Nationaljüdische Vereinigung für Deutschland" trat mit einer Erklärung an die Öffentlichkeit, in der der Behauptung entgegengetreten wurde, die zionistischen Bestrebungen würden den messianischen Verheißungen widersprechen. Dies war notwendig geworden, weil vor allem viele Strenggläubige Herzl als Ketzer anfeindeten. Ihrer Auffassung nach lehnte sich Herzl gegen das „göttliche Schicksal des Exils" auf und er, so wurde ihm vorgeworfen, „usurpiere die Rolle des Messias", anstatt demütig und ergeben der Ankunft des Messias zu harren, der nach der Überlieferung das jüdische Volk erlösen und das neue Reich aufrichten würde.

Trotz aller Angriffe gelang es dem diplomatischen und propagandistischen Geschick Herzls in einer erstaunlich kurzen Zeit, die Zionsfreunde aller Länder zu einer internationalen, gegliederten Organisation zusammenzufassen. Daß er die verschiedensten politischen, sozialen und religiösen Richtungen für die Mitarbeit in dieser Organisation gewinnen konnte, ist sicherlich nicht zuletzt der Tatsache zuzuschreiben, daß er die religiöse und geistig-kulturelle Komponente der Judenfrage ausklammerte und sie zu einer nationalen vereinfachte. Nur so ist zu erklären, warum auf dem ersten von Herzl einberufenen Kongreß 1897 in Basel, der von gewählten Delegierten beschickt worden war, ein für die Zukunft richtungweisendes Programm verabschiedet werden konnte. Die Formel „Der Zionismus erstrebt für das jüdische Volk die Schaffung einer öffentlich-rechtlich gesicherten Heimstätte in Palästina", auf die sich die Delegierten schließlich einigen konnten, entsprach den Vorstellungen Herzls, der den Kongreß eingeleitet hatte mit dem Satz: „Wir wollen den Grundstein legen zu dem Haus, das dereinst die jüdische Nation beherbergen wird." Unter dem Eindruck des Erfolges notierte er wenige Tage später in sein Tagebuch: „Fasse ich den Baseler Kongreß in ein Wort zusammen – das ich mich hüten werde, öffentlich auszusprechen –, so ist es dieses: in Basel habe ich den Judenstaat gegründet. Wenn ich das heute laut sagte, würde mir ein universelles Gelächter antworten. Vielleicht in 5 Jahren, jedenfalls in 50 wird es jeder einsehen."

So viel haben wir auch hier erfahren, daß die Juden ihre Freiheit durch den Sieg der Demokratie und nicht durch die Fürsten erlangen. Vor drei Jahrzehnten waren die Ehen noch beschränkt; kein Jude durfte mehr als ein Haus eigentümlich besitzen; vom aktiven und passiven Wahlrecht waren sie ausgeschlossen, und jetzt können sie sogar die höchste Staatswürde bekleiden. Im Jahre 1800 machte noch ein Dr. med. bekannt, daß in seiner Badeanstalt zwei Zimmer für die hiesige Judenschaft bestimmt seien und kein Christ in ein Judenbad und kein Jude in ein Christenbad eingelassen werde; auch das Weißzeug sei für beide Teile besonders gezeichnet; und jetzt gibt es keinen Vergnügungsort, keine öffentliche und geschlossene Gesellschaft, wo die Religion eine Scheidewand macht, keine wissenschaftliche, gemeinnützige Anstalt und keine merkantilistische Administration, wo die Juden nicht mit ihren geistigen und materiellen Kräften für das Gemeinwohl mitarbeiten. Das frische Aufblühen des Handels und die allseitige Wohlhabenheit in unserer Stadt haben alle früheren Gegner unserer Emanzipation zuschanden gemacht, und sie machen notgedrungen das Geständnis, daß die Stadt das an den Juden begangene Unrecht an sich selbst gebüßt habe. Mit diesen wenigen Worten haben Sie die gegenwärtige Stellung der Juden im staatlichen und sozialen Leben unserer Freistadt, und Sie werden es ganz natürlich finden, daß für uns die Messiasfrage entschieden ist, und früher oder später wird diese Frage in allen zivilisierten Staaten auf diese Weise gelöst werden.
Rafael Kirchheim an Leopold Löw

Wir waren so glücklich, endlich einmal als freie Bürger an dem Wohle des Landes arbeiten zu dürfen, dessen Sprache wir redeten, dessen Ruhm auch der unsere war, in dessen Heere, in dessen Verwaltung auch unsere Glaubensgenossen sich ausgezeichnet hatten.
Israelitische Wochenschrift. 1887

Denn einmal haben sie denn doch ein offenes, wahres Wort gesprochen, sie, die die Wahrheit sonst nicht gut vertragen und leiden mögen, sie haben Judenthum und Liberalismus als organisch miteinander fest verbunden bezeichnet, und dem ist wirklich so; denn jüdisch und liberal sind gewissermaßen identisch. Schon die von den Israeliten von der Bibel angeordnete Zeitzählung bezeichnet den Monat als den ersten, in welchem das kostbare Gut der Freiheit errungen wurde; das mit den meisten Observanzen gefeierte Fest der Juden, das Pessach, ist eine Feier der Freiheit, und schon durch die Einschränkungen, welches dieses Fest bei jeglichem Genusse fordert, ist zur Genüge dargethan, daß der Israelit den Begriff der Freiheit nie mit dem

Die Frankfurter Paulskirche, im Vordergrund das Salzhaus am Römerberg. 1860
Unter den 586 Abgeordneten, die 1848 als erste demokratisch gewählte Volksvertreter in der Frankfurter Paulskirche tagten, befanden sich 16 Männer jüdischer Herkunft. Unter ihnen war auch Gabriel Riesser, der es von Oktober bis Dezember 1848 zum Zweiten Vizepräsidenten der Nationalversammlung brachte.

Begriffe der Zügellosigkeit verwechseln dürfe. Nach einem Ausspruche des Talmud war auf den Tafeln des Gesetzes, die dem Volk Israel als das höchste Heiligthum galten, die „Freiheit" gegeben. Gesetzliche Ordnung ist das Element des Judenthums, und was da die Willkühr (sic), die Bedrückung und ungerechte Beschränkung des Menschen durch den Menschen fern hält, ist – jüdisch-liberal. Vor Jahrtausenden duldeten und kannten Juden und Judenthum eine Sklaverei nicht mehr, wie sie die frommen Vorfahren unserer jetzigen Gegner im Mittelalter gegen ihre Leibeigenen und Hörigen in Anwendung brachten.
Die Wahrheit. 1871

Es war daher nur zu verständlich, daß die Juden ihr Interesse in der Bekämpfung des fürstlichen Absolutismus und in der Entfaltung und Verwirklichung der liberalen Staatsauffassung sahen. Da sie Rechte zu erstreiten hatten, die wenigstens teilweise den übrigen Bürgern schon gewährt waren, war ihr Kampfwille eindeutiger und stärker. Sie traten für die Anerkennung der Menschen- und Bürgerrechte ein. Sie erwarteten von der Ausdehnung der Sphäre der persönlichen Freiheit und von der Sicherung der Preß- und Versammlungsfreiheit eine politisch-erzieherische Wirkung. Die Verteidigung der Gleichheit vor dem Gesetz war für sie lebenswichtig. Sie suchten die Bedeutung der parlamentarischen Einrichtungen gegenüber der Exekutive zu steigern; sie sahen in ihnen eine Stütze oder die Möglichkeit einer Stütze gegen obrigkeitliche Willkür.
Ernest Hamburger

Kurz vor Beginn meiner Studienzeit hatten Rassen- und Konfessionsvorurteile begonnen, das Studentenleben zu vergiften. Die Burschenschaften, einst Vorkämpfer freiheitlicher demokratischer Jugendideale, hatten gerade den berüchtigten Arierparagraphen eingeführt und so erreicht, daß ihnen ihre angesehensten Alten Herren das Band zurückschickten – und zwar nicht nur solche jüdischer Abkunft, sondern beispielsweise auch Männer, wie der berühmte Berliner Oberbürgermeister Kirschner, der Breslauer Germane war.
Isidor Hirschfeld

Der Central-Verein bezweckt, die deutschen Staatsbürger jüdischen Glaubens ohne Unterschied der religiösen und politischen Richtung zu sammeln, um sie in der tatkräftigen Wahrung ihrer staatsbürgerlichen und gesellschaftlichen Gleichstellung, sowie in der unbeirrbaren Pflege deutscher Gesinnung zu bestärken.
Satzung des Central-Vereins. 1893

Seien wir also Deutsche. Und Juden. Beides, ohne uns um das „und" zu sorgen, ja ohne viel davon zu reden, – aber wirklich beides. Wie, das ist im Grunde eine – Taktfrage.
Franz Rosenzweig

Juden und Deutsche: die beiden tragischen Wörtlichnehmer der Schöpfung.
Anton Kuh

Wer hat die liberale Bewegung in Österreich geschaffen? Die Juden! Von wem sind die Juden verraten und verlassen worden? Von den Liberalen. Wer hat die deutschnationale Bewegung in Österreich geschaffen? Die Juden. Von wem sind die Juden im Stich gelassen worden – was sag' ich im Stich gelassen . . . bespuckt worden wie die Hund'? Von den Deutschen. Und geradeso wirds ihnen jetzt ergehen mit dem Sozialismus und dem Kommunismus. Wenn die Suppe erst aufgetragen ist, so jagen sie euch vom Tisch. Das war immer so und wird immer so sein.
Arthur Schnitzler

Der sanfte, weitherzige und introvertierte Leser Lessings und Schillers trägt in die flammenden „modernen" Diskussionen der jungen Leute in den Warschauer Cafés das Zeugnis einer Menschheitsreligion und der Achtung vor dem Individuum. So erweist sich das Jüdische als Essenz der mitteleuropäischen und zugleich der deutschen Kultur und ist der einzige echte, unverdorbene Vermittler ihrer Ideale.
Claudio Magris

Unten: Der Weg in die Elite-Regimenter war nichtgetauften Juden lange versperrt: Der Bankier Otto H. Kahn (1867–1934) als Mainzer Husar. Um 1888

Rechts: Sie zogen für ihr Vaterland in den Deutsch-Französischen Krieg 1870/71: Meyer Dinkel (Mitte) aus Mannheim und seine Kameraden Albert Gautier und Peter Metz. 1871

Nur getaufte Juden wurden auch in das Offizierskorps aufgenommen. Man begegnete ihnen zwar mit Reserve und vergaß ihre Herkunft nicht, aber sie konnten sich mehr oder weniger durchsetzen. Die große Bedeutung dieser Diskriminierung war unverkennbar. Wer nicht Offizier werden konnte, war von der Oberschicht ausgeschlossen. Volle Gleichberechtigung konnte folglich nicht erreicht werden, solange diese Schlüsselstellung gesperrt blieb. . . . Mit der Beseitigung der Schranke wäre ein solides Fundament für eine Vollendung der Emanzipation gewonnen worden.
Ernst Herzfeld

Assimilation . . . Ein Wort . . . Ja, sie wird wohl kommen, irgendeinmal . . . In sehr, sehr langer Zeit. Sie wird ja nicht so kommen, wie manche sie wünschen – nicht so, wie manche sie fürchten . . . es wird auch nicht gerade Assimilation sein . . . aber vielleicht etwas, das sozusagen im Herzen dieses Wortes schlägt. Wissen Sie, was sich wahrscheinlich am Ende herausstellen wird? Daß wir, wir Juden, mein ich, gewissermaßen ein Menschheitsferment gewesen sind – ja, das wird vielleicht herauskommen in tausend bis zweitausend Jahren. Auch ein Trost, denken Sie sich!"
Arthur Schnitzler

Links: Jüdische Studentenverbin-
dung in Berlin. 1912
Rechts: Jüdische Studentenverbin-
dung in München. Um 1913/14

Ich frage Sie [Thomas Mann], wie kommen deutsche Studenten seit 6–8 Jahrzehnten dazu, den Juden, den jüdischen Kommilitonen für minderwertig, für satisfaktionsunfähig zu erklären? Sie werden leichthin antworten: Bagatelle. Ja, für den, der es nicht erleben muß, und die es erleben, sind tausende.
Jakob Wassermann

Die Frage war damals für uns junge Leute, namentlich für uns Juden, sehr aktuell, da der Antisemitismus in den studentischen Kreisen immer mächtiger emporblühte. Die deutschnationalen Verbindungen hatten damit begonnen, Juden und Judenstämmlinge aus ihrer Mitte zu entfernen; gruppenweise Zusammenstöße während des sogenannten „Bummels" an den Samstagvormittagen, auch an den Kneipabenden, auf offener Straße zwischen den antisemitischen Burschenschaften und den freisinnigen Landsmannschaften und Corps, deren einige zum großen Teil aus Juden bestanden (rein jüdische schlagende Verbindungen gab es damals noch nicht), waren keine Seltenheit; Herausforderungen zwischen Einzelpersonen in Hörsälen, Gängen, Laboratorien an der Tagesordnung. Nicht allein unter dem Zwang dieser Umstände hatten sich viele unter den jüdischen Studenten zu besonders tüchtigen und gefährlichen Fechtern entwickelt; müde, die Unverschämtheit und die Beleidigungen der Gegenseite erst abzuwarten, traten sie ihrerseits nicht selten provozierend auf, und ihre immer peinlicher zutage tretende Überlegenheit auf der Mensur war gewiß die Hauptursache des famosen Waidhofener Beschlusses, mittels dessen die deutsch-österreichische Studentenschaft die Juden ein für allemal als satisfaktionsunfähig erklärte. Der Wortlaut dieses Dekretes soll an dieser Stelle nicht übergangen werden. Er lautete folgendermaßen: „Jeder Sohn einer jüdischen Mutter, jeder Mensch, in dessen Adern jüdisches Blut rollt, ist von Geburt aus ehrlos, jeder feineren Regung bar. Er kann nicht unterscheiden zwischen Schmutzigem und Reinem. Er ist ein ethisch tiefstehendes Subjekt. Der Verkehr mit einem Juden ist daher entehrend; man muß jede Gemeinschaft mit Juden vermeiden. Einen Juden kann man nicht beleidigen, ein Jude kann daher keine Genugtuung für erlittene Beleidigungen verlangen."
Arthur Schnitzler

Aus den Tagesblättern habe ich mit großem Bedauern entnommen, daß der „Richard-Wagner"-Kommers, unter dessen Veranstaltern auch die Couleur sich befand, der als inaktives Mitglied anzugehören ich die Ehre habe, daß dieser Kommers sich in seinem Verlaufe zu einer antisemitischen Demonstration gestaltete. – Es fällt mir nicht ein, hier gegen diese rückschrittliche Mode des Tages zu polemisieren, ich will nur beiläufig erwähnen, daß ich vom Standpunkt der Freiheitsliebe selbst als Nichtjude diese Bewegung verurteilen müßte, der sich allem Anschein nach auch meine Burschenschaft angeschlossen hat.
Es ist ziemlich einleuchtend, daß ich, behaftet mit dem Hindernis des Semitismus (zur Zeit meines Einsprungs war das Wort noch unbekannt), heute nicht um Aufnahme in die B[urschenschaft] A[lbia] ansuchen würde, die mir aus dem angegebenen Grunde auch verweigert würde – und daß ich dort nicht bleiben will, wo ich dies voraussetze, das ist jedem anständigen Menschen klar.
. . . als inaktiver Bursch komme ich um Auflösung meines Verhältnisses zum Couleur ein.
Theodor Herzl

Albert Ballin (1857 Hamburg–1918 Hamburg) machte die Schiffahrtslinie HAPAG (Hamburg-Amerika-Linie) zu einer der größten Reedereien und damit Hamburg zum Welthafen. Er war nicht nur Kaufmann, sondern verkehrte unter anderem als wirtschaftlicher Berater am kaiserlichen Hof und befreundete sich mit Kaiser Wilhelm II. Während des Ersten Weltkriegs hoffte er, trotz seiner Unterstützung der deutschen Flotte, auf eine friedliche Gleichstellung Deutschlands mit Großbritannien. Im November 1918 nahm er sich aus Verzweiflung über den Zusammenbruch des deutschen Kaiserreiches das Leben.
Links: Kaiser Wilhelm II. mit Albert Ballin auf dem Weg zum Stapellauf der „Fürst Bismarck" in Stettin. 1890

Walter Rathenau (1867 Berlin–1922 Berlin) wurde 1915 nach seinem Vater Emil Präsident der AEG. 1914 bis 1915 organisierte er die deutsche Kriegsrohstoffversorgung. 1919 nahm er an den Vorbereitungen zur Friedenskonferenz von Versailles teil; 1921/22 war er Minister für Wiederaufbau und Außenminister. 1922 fiel er nationalistisch-antisemitischen Attentätern zum Opfer. Er verband seine Analysen sozialer und politischer Probleme mit philosophischen und kulturkritischen Reflexionen („Zur Mechanik des Geistes" 1913, „Von kommenden Dingen" 1917).
Rechts: Walter Rathenau. Photographie von *Moriz Nähr*. Um 1917

Wenn es jemals eine gerechte Geschichte geben wird, so wird sie es den Juden hoch anrechnen, daß sie die Vernunft bewahren durften, weil sie kein „Vaterland" besaßen in einer Zeit, in der die ganze Welt sich dem patriotischen Wahnsinn hingab.
Sie haben kein „Vaterland", die Juden, aber jedes Land, in dem sie wohnen und Steuern zahlen, verlangt von ihnen Patriotismus und Heldentod und wirft ihnen vor, daß sie nicht gerne sterben. In dieser Lage ist der Zionismus wirklich noch der einzige Ausweg: wenn schon Patriotismus, dann lieber einen für das eigene Land.
Joseph Roth

Die Judenschaft hat sich bereits vielfach einem intransigenten Deutschtum hingegeben, das bei den Zuchtmeistern gar keinen Dank und nur geringen Anwert findet. Ist eine Solidarität der Erbärmlichkeit vorstellbar wie die von deutschnationalen Juden, also Trägern einer Mission, die doch schon in Friedenszeiten ein Oxymoron war, gleich jener Finsternis, da der Mond so helle schien und ein schneller Wagen langsam durch die Straßen fuhr? . . . Juden, die den Drang haben, national zu sein, stellen die Verbindung zweier Komplexe von Minderwertigkeit da, die zu verdrängen wären.
Karl Kraus

In den Jugendjahren eines jeden deutschen Juden gibt es einen schmerzlichen Augenblick, an den er sich zeitlebens erinnert: wenn ihm zum ersten Male voll bewußt wird, daß er als Bürger zweiter Klasse in die Welt getreten ist, und daß keine Tüchtigkeit und kein Verdienst ihn aus dieser Lage befreien kann.
Walther Rathenau

*B*ekannte sich Rathenau zu einer christlichen Gesinnung und versicherte wiederholt, ‚auf dem Boden der Evangelien' zu stehen. Nichtsdestoweniger lehnte er einen Übertritt zum Christentum beharrlich ab. Im übrigen konstatierte er ebenfalls, daß die überwältigende Mehrheit des deutschen Judentums ‚nur ein einziges Nationalgefühl hätte: das deutsche'. Für ihn war es ‚fest und selbstverständlich', daß ‚ein anderes Nationalgefühl als das deutsche für einen gebildeten und gesitteten Juden nicht bestehen kann'. Ein jüdisches Volk oder eine jüdische Nation gebe es nicht mehr: östliche Juden gelten mir wie jedem anderen Deutschen als Russen, Polen oder Galizier; Westjuden als Spanier oder Franzosen'. ‚Mein Volk ist das deutsche Volk, meine Heimat das deutsche Land.' Denn er bestimmte die Volks- und Nationszugehörigkeit allein nach der ‚Gemeinsamkeit des Bodens, des Erlebnisses und des Geistes' sowie nach ‚Herz, Geist, Gesinnung und Seele'. Zwar bezeichnete er sich selbst als ‚Deutscher jüdischen Stammes'. Doch wie für Rießer und Fuchs waren ihm die deutschen Juden ‚ein deutscher Stamm, wie Sachsen, Bayern oder Wenden'. Er stellte sie ‚etwa zwischen Märker und Holsteiner, sie sind mir vielleicht etwas näher als Schlesier oder Lothringer'. . .
Egmont Zechlin

*K*ein Volk sollte sich als das auserwählte betrachten. In jedem Volke gibt es Heilige, Indifferente, Schwache und Verbrecher, die Mischung ist überall sehr ähnlich, und ich sehe nicht, daß der Krieg sie irgendwo verbessert hat. Schwächen kann man an jedem Stamm und Volk finden; ich glaube, man sollte sie zu verstehen und zu heilen suchen, nicht sie zum Vorwurf machen.
Der Krieg ist noch nicht zu Ende. Er wird eine heilungsbedürftige Menschheit hinterlassen, die sich wechselseitig stützen soll, um ihre Sendung zu erfüllen.
Meine Aufgabe ist keine jüdische. Ich fühle deutsch und werde mich nie von meinem deutschen Volke trennen.
Walther Rathenau

*I*ch bin in der Kultgemeinschaft der Juden geblieben, weil ich keinem Vorwurf und keiner Beschwerde mich entziehen wollte und habe von beiden bis auf den heutigen Tag genug erlebt.
Walther Rathenau

*E*s war nicht der letzte Jude, der dem Pack die Stirne zeigte. Er hatte den Mut des Juden, einsam zu sterben und der viehischen Gewalt des ewigen Boche nicht zu achten . . . Ein Jude mittleren Formats. Und viel, viel zu schade für diese Nation . . .
Arnold Zweig

Ganz Deutschland verfiel 1914 bei der Mobilmachung in einen Taumel der Kriegsbegeisterung: Unter den Linden in Berlin. Eine der damals meistpublizierten Photographien zeigt den Kavalleristen *Ludwig Börnstein*, der sich von seinen Freunden *Fritz* und *Emma Schlesinger* verabschiedet. Allen dreien gelang nach 1933 die Flucht aus Deutschland nach Israel.

Ich bin als Deutscher ins Feld gezogen, um mein bedrängtes Vaterland zu schützen. Aber auch als Jude, um die volle Gleichberechtigung meiner Glaubensbrüder zu erstreiten.
Josef Zürndorfer

Deutschland – weil wir hier nur von Deutschland sprechen – ging mit siebzig Millionen Menschen in den Krieg, es ließ daselbst zwei Millionen Tote, nicht ganz 2,9 Prozent seiner Gesamtbevölkerung. Die deutschen Juden zählten damals 600.000 Leben, sie ließen davon über 12.000 auf den Schlachtfeldern – ein ganz anständiger Prozentsatz für eine dem Waffenhandwerk so entfremdete Menschenart . . . Wir wollen gar nicht daran erinnern, daß bei der allgemeinen antisemitischen Stimmung im deutschen Heere die fünfzehnhundert Eisernen Kreuze erster Klasse doppelt so viel wiegen als dieselbe Zahl der gleichen Auszeichnung für Nichtjuden, und daß das Gleiche für die etwa viertausend jüdischen Reserveoffiziere gilt . . . Da man Juden aber in vielen Ländern, auch jenseits der deutschen Grenze, diese Gerechtigkeit verweigert, sich selbst dabei schädigend und den eigenen Staat erniedrigend, weisen wir hier noch darauf hin, daß das jüdische Volk als Organismus im vergangenen Kriege noch mehr gelitten hat als die anderen – aktiv dadurch, daß in allen Heeren Juden fochten (mindestens 600.000, wahrscheinlich aber 700.000 im russischen Heer, davon 400.000 seit Kriegsbeginn, über 100.000 im deutschen, also 17 Prozent aller Juden Deutschlands, über 300.000 im österreichischen und noch 300.000 in allen anderen Heeren und Expeditionskorps – zum Beispiel 3.000 allein im

Rechts: Wilhelm Frankl, einer der erfolgreichsten Jagdflieger des Ersten Weltkriegs. 1916
Der Fliegerleutnant erhielt nach seiner Konversion den Orden „Pour le Mérite"; er wurde im April 1917 abgeschossen.
Unten: Leo Loewenstein, erster Vorsitzender des von ihm 1919 gegründeten Reichsbundes jüdischer Frontsoldaten. Um 1918

südafrikanischen Heer, gleich 6 Prozent der dortigen jüdischen Bevölkerung); passiv dadurch, daß von Lettland bis Rumänien hinunter der Krieg im Osten mit seinen Seuchen, seinem Hunger und den Pogromen in seiner Folge sich im Gebiet der jüdischen Massensiedlung abspielte, wodurch für das jüdische Volk eine Gesamtzahl von über einer Viertelmillion Todesopfern zu beklagen ist. Vergleicht man diesen furchtbaren Verlust an lebendiger Substanz mit dem wilden Wachstum der Judenfeindschaft in den Ländern östlich des Rheins, so wird man verstehen, warum wir organisch und von Grund auf den Krieg bekämpfen.
Arnold Zweig

Die siegreichen Armeen der verbündeten Großmächte Deutschland und Österreich-Ungarn sind mit Gottes Beistand in Polen eingerückt.
Der Krieg, den wir jetzt führen, ist kein Krieg gegen die Bevölkerung, sondern nur gegen die russische Tyrannei. Der russische Despotismus ist unter den starken Schlägen unserer tapferen Heere zusammengebrochen.
Juden in Polen! Wir kommen als Freunde und Erlöser zu euch! Unsere Fahnen bringen euch Recht und Freiheit: Gleiches, volles Bürgerrecht, wirkliche Glaubensfreiheit und Le-

bensfreiheit auf allen wirtschaftlichen und kulturellen Gebieten. Zu lange habt ihr unter dem eisernen Joche Moskaus gelitten. Wir kommen als Befreier zu euch. Die tyrannische Fremdherrschaft ist gebrochen, eine neue Epoche beginnt jetzt für Polen, mit allen unseren Kräften werden wir die Erlösung der ganzen polnischen Bevölkerung fördern und sichern. Auf sicheren Grundlagen und durch Gesetze garantiert, werden wir die volle Gleichberechtigung der Juden nach westeuropäischem Muster in Polen einführen.
Laßt euch nicht durch die falschen Versprechungen der Russen betören! Im Jahre 1905 gab euch Rußland das heilige Versprechen der Gleichberechtigung. Brauchen wir euch zu erinnern, euch erzählen, wie der Moskowiter Wort gehalten hat? Denkt an Kischinew, Homel, Bialystok, Odessa, Siedlce und hundert andere blutige Pogrome! Erinnert euch an die Massenausweisungen und -vertreibungen. Ohne Erbarmen mit menschlichem Leide hat der Peiniger euch mit Weib und Kind wie die wilden Tiere gejagt und gehetzt . . .
Juden in Polen! Die Stunde der Vergeltung ist gekommen . . .
Proklamation des Generalkommandos Österreich-Ungarns und des Deutschen Reiches zu Beginn des Ersten Weltkrieges

*A*ntreten dem Range nach! Die Totenstammrolle ist anzuerkennen! Da sagte ein milde Stimme: „Oh warum laßt ihr uns nicht schlafen, da wir schon lagen in der Erde Arme ruhevoll!" Und der Schreiber: „Die Statistik fragt, wieviel von euch Juden sich vom fernern Krieg gedrückt ins Grab." Stöhnen stieg auf vom Gelände, als klagte der Boden, und die Stimme rief schmerzlich: „Großes Vaterland, ich gedachte für dich zu sterben und zu ruhn!" Aber ein Wirbel bewegte die Toten, sie standen am Tische einer nach dem andern, Hauptleute und Stabsärzte zuvor und Leutnants und Ärzte, Feldwebel und Wachtmeister. Unteroffiziere, Gefreite, Gemeine. Und eine dürre Feder gab der Schreiber in jede Hand, sie floß wie ein geritzter Finger, seinen hebräischen Namen schrieb ein jeder in kleinen roten Lettern, die leuchteten wie quadratische Siegel. Da standen die Leichname geduldig und warteten, und wer geschrieben, der legte schweigend die Abzeichen auf den Tisch, die er trug, und trat zurück, einer in der Menge. Da lagen die dicken Achselstücke der Stabsärzte und die silbernen der Offiziere, Portepees wie silberne Eier, die Tressen der Unteroffiziere, die kleinen Äskulapstäbe, die großen Knöpfe der Gefreiten: die Eisernen Kreuze der Ersten Klasse und wie viele der Zweiten, andere Kreuze und Medaillen, schwarzweiße Bänder in allerlei Farben. Der Haufen schwoll aber auf dem Tische.
Arnold Zweig

*D*eutsche Juden!
In dieser Stunde gilt es für uns aufs neue zu zeigen, daß wir stammesstolzen Juden zu den besten Söhnen des Vaterlandes gehören.
Der Adel unserer vieltausendjährigen Geschichte verpflichtet.
Wir erwarten, daß unsere Jugend freudigen Herzens freiwillig zu den Fahnen eilt.
Deutsche Juden!
Wir rufen Euch auf, im Sinne des alten jüdischen Pflichtgebots mit ganzem Herzen, ganzer Seele und ganzem Vermögen Euch dem Dienste des Vaterlandes hinzugeben.
Aufruf des „Reichsvereins der Deutschen Juden" und der „Zionistischen Vereinigung für Deutschland" zu Beginn des Ersten Weltkriegs

*D*er Leutnant im theoretischen Unterricht: „Rekrut Teitelbaum, warum soll der Soldat für Kaiser und Vaterland willig sein Leben opfern?"
Teitelbaum: „Ja, wirklich, Herr Leutnant, warum soll er."

*E*s war Abend geworden, und da es ein Freitagabend war, brannten die Kerzen in den kleinen Häuschen der Juden und erleuchteten die Bürgersteige. Jedes Häuschen war wie eine kleine Gruft. Der Tod selbst hatte die Kerzen angezündet. Lauter als an den andern Feiertagen der Juden scholl ihr Gesang aus den Häusern, in denen sie beteten. Sie grüßten einen außerordentlichen, einen blutigen Sabbat. Sie stürzten in schwarzen, hastigen Rudeln aus den Häusern, sammelten sich an den Kreuzungen, und bald erhob sich ihr Wehklagen um jene unter ihnen, die Soldaten waren und morgen schon einrücken mußten. Sie gaben sich die Hände, sie küßten sich auf die Backen, und wo zwei sich umarmten, vereinigten sich ihre roten Bärte wie zu einem besonderen Abschied, und die Männer mußten mit den Händen die Bärte voneinander trennen. Über den Köpfen schlugen die Glocken. Zwischen ihren Gesang und die Rufe der Juden fielen die schneidenden Stimmen der Trompeten aus den Kasernen. Man blies den Zapfenstreich, den letzten Zapfenstreich. Schon war die Nacht gekommen. Man sah keinen Stern. Trüb, niedrig und flach hing der Himmel über dem Städtchen!
Joseph Roth

Links: Kriegsgottesdienst im Wiener Stadttempel. 1915
Unten: Der Komponist Arnold Schönberg als einfacher Soldat im Militärlager Bruck an der Leitha (Niederösterreich). 1916

Gegenüberliegende Seite: Der Feldrabbiner Dr. Sali Lewi aus Breslau. Um 1916

*E*s ist, trotz aller Beschwerlichkeiten, durchaus erforderlich, alle Teile der Armee aufzusuchen. Nur dadurch ist es möglich, daß, wenn auch vielleicht nicht alle, so doch viele den persönlichen Eindruck und die persönliche Gewißheit davon gewinnen, daß ein Rabbiner unter ihnen ist. Es ist sehr wesentlich, daß die jüdischen Soldaten dies erfahren, aber ebenso auch, daß die Andersgläubigen es wissen. Für die Anerkennung des Judentums ist dies unstreitig von Bedeutung, und es braucht nicht erst darauf hingewiesen zu werden, daß jede Anerkennung der Juden doch zuerst und zuletzt von der Anerkennung des Judentums abhängt. Es ist auch für die Stellung des jüdischen Soldaten wichtig, daß seine Religion sichtbar neben den anderen steht.
Leo Baeck

*W*enn wir jüdischen Soldaten geglaubt hatten, uns durch die Teilnahme am Kriege die Liebe unserer Mitmenschen zu erringen, so hatten wir uns geirrt. Herrschte auch kein offener Antisemitismus, so standen den Juden, welche sich doch mit den Arbeitern solidarisierten, ein großer Teil der Leute als Gegner gegenüber, welche die Republik haßten. Es schien auch schon, als ob die wirtschaftliche Macht dieser Gegner sehr stark war, und daß auch von ihnen bald die Parole ausgegeben wurde, daß die meisten Juden Drückeberger gewesen seien. Und so wie in meiner Heimatstadt war es ja im ganzen Reiche, und wenn auch die Arbeiter stets die Juden in Schutz nahmen, so schlossen sich doch die jüdischen Frontkämpfer, für welche der Schutz von dieser Seite eine gewisse Demütigung darstellte, unter Führung früherer Offiziere zu einer Vereinigung zusammen, dem Reichsbund jüdischer Frontsoldaten.
Edwin Landau

*E*s geht darum, daß in jeder Frage, die ein Volk an sich richtet, die Menschheit zugleich ihr Wort habe.
Leo Baeck

*D*ie Juden sind . . . stets die Wenigen gewesen, und eine Minderheit ist immer zum Denken genötigt; das ist der Segen ihres Schicksals.
Leo Baeck

Ich habe das Werk von Karl Marx zuerst auf der Universität kennengelernt, und es war mir eine Wohltat, nach allen abstrakten Weltdeutungen, wie die von Hegel und Schelling, endlich ein geistiges Werk kennenzulernen, das unmittelbar ins Leben blickte und sein Material nicht aus dem Historischen, sondern aus der Zukunft nahm. Die großartig zwingende Logik, die unbarmherzige Art der Diagnostik und vor allem die prophetische Art der Problemstellung, machten mir zutiefst einen Eindruck, und ich begriff zutiefst die ganze explosive, zeiterschütternde Kraft, welche auf diesen paar hundert Seiten wie Ekrasit zusammengeballt war.
Stefan Zweig

Und ich, ein junger machtloser Jude, erhob mich gegen die furchtbarsten Mächte – ich allein gegen die ganze Welt, gegen die Mächte des Ranges und der ganzen Aristokratie, gegen die Macht eines unbegrenzten Reichtums, gegen die Regierung und gegen die Beamten aller Art, welche stets die natürlichen Verbündeten von Rang und Reichtum sind, gegen alle nur möglichen Vorurteile.
Ferdinand Lassalle

*So gewiß wie wir eine soziale Revolution zu machen haben in bezug auf die ökonomischen Verhältnisse, ebenso gewiß und notwendig haben wir eine soziale Revolution zu machen in bezug auf Liebe, Geschlechterleben und Sitte. Der Zug der neuen Zeit ist, daß sich die Persönlichkeit zur unbedingtesten freien Verwirklichung bringen will. Wie kann aber die Persönlichkeit wahrhaft frei sein . . . wenn nicht einmal ihr eigenstes und unmittelbarstes – ihre Gefühle und ihr Leib – Gegenstände ihrer Freiheit sind . . .
Durch die Entwicklung der Liebesidee wird natürlich am meisten das Weib affiziert, gedrückt oder gehoben, da sie nur in dieser, der Mann in noch vielen anderen Sphären lebt . . . Die deutschen Weiber kamen damals – und zum Teil noch heute – schon als Hausfrauen auf die Welt.*
Ferdinand Lassalle

Ich schwöre es bei Gott unter den Sternen und fluch' mir, wenn ich meinem Schwur untreu werde . . . Ich will hintreten vor das deutsche Volk und vor alle Völker und mit glühenden Worten zum Kampf für die Freiheit auffordern.
Ferdinand Lassalle

Karl Marx (1818 Trier–1883 London) hatte Rabbiner als Vorfahren. Sein Vater Heinrich trat mit seiner Familie zum Protestantismus über. Karl Marx wurde nach seinem Studium Chefredakteur der linksliberalen „Rheinischen Zeitung" (1842). Seit 1843 in Paris, war er Mitherausgeber der „Deutsch-Französischen Jahrbücher". Damals vollzog er mit seinem Freund Friedrich Engels den Schritt zum revolutionären Sozialismus. Sie begründeten den historischen Materialismus und wissenschaftlichen Sozialismus, genannt „Marxismus". Im „Kommunistischen Manifest" (1848) übten sie radikale Kritik an der bürgerlichen Gesellschafts- und Wirtschaftsordnung, verbunden mit dem Aufruf zum Klassenkampf. Ausgehend von der Revolutionsanalyse gelangte er zur Analyse der ökonomischen Gesetze („Das Kapital" 1867). In „Zur Judenfrage" (1843) definierte er seine vom Marxismus geprägte Sicht des Judentums. Oben: Karl Marx in seiner Londoner Zeit. Um 1875

Im Wesen der prophetischen Religion liegt es, daß sie als Aufgabe und Ziel erkennt, bestehende Verhältnisse umzugestalten . . . Sie enthält einen Gärungsstoff, etwas, was immer wieder das Bestehende, das im Ruhezustand Befindliche in Bewegung und in Unruhe versetzt. Von der Zeit an, in der die prophetische Religion in die Welt eingetreten ist, ist es im Gesellschaftlichen, im Sozialen mit der Ruhe der Welt vorbeigewesen.
Leo Baeck

*Wissen Sie, wozu wir in die Welt gekommen sind? Um jedes Menschenantlitz vor den Sinai zu rufen. Sie wollen nicht hin? Wenn ich Sie nicht rufe, wird Marx Sie rufen. Wenn Marx Sie nicht ruft, wird Spinoza Sie rufen. Wenn Spinoza Sie nicht ruft, wird Christus Sie rufen.
Sie wollen sterben um einer alten Weltordnung willen? Sie werden leben um einer neuen Weltordnung willen. Und diese Weltordnung ist sehr einfach. Nicht die Edlen sind für die Unedlen verantwortlich, sondern Kol Israel, ganz Israel ist für jeden, ja für jeden verantwortlich. Ganz Israel aber ist jeder, der nach dem Bilde Gottes geschaffen ist, das sind Sie und Ihr Oberst und Ihr Bursche und ich und wir alle.*
Walther Rathenau

Erst durch den Kampf gegen die allgemeine Ungerechtigkeit von Klasse zu Klasse wird auch den Juden Gerechtigkeit gesichert.
Arnold Zweig

Wie ein wilder Schrei über die Welt hin und wie eine kaum flüsternde Stimme in unserem Innersten sagt uns unabweisbar eine Stimme, daß der Jude nur zugleich mit der Menschheit erlöst werden kann und daß es ein und dasselbe ist: auf den Messias in Verbannung und Zerstreuung zu harren und der Messias der Völker zu sein.
Gustav Landauer

Wir waren im Politischen zurückgeblieben, waren die anmaßendsten und herausforderndsten Knechte; das Unheil, das sich daraus für uns mit Schicksalsnotwendigkeit ergab, hat uns in Empörung gegen unsere Herren getrieben, hat uns in die Revolution versetzt.
Gustav Landauer

Ferdinand Lassalle (1825 Breslau–1864 Genf) war als Sozialist bereit, in einem evolutionären Prozeß die bestehenden gesellschaftlichen Verhältnisse zu verändern. Damit stand er im Gegensatz zu den revolutionären Ideen des international orientierten *Karl Marx*. 1863 begründete er den „Allgemeinen Deutschen Arbeiterverein", die erste sozialdemokrati-sche Parteigruppierung in Deutschland. Weitere Forderungen Lassalles waren die Bildung von Produktionsgemeinschaften und die Durchsetzung des allgemeinen, gleichen und geheimen Wahlrechts. Er starb an den Folgen eines Duells.
Gegenüberliegende Seite, unten: Ferdinand Lassalle. Um 1860

Eduard Bernstein (1850 Berlin – 1932 Berlin) war Herausgeber der Zeitschrift „Der Sozialdemokrat", die erstmals 1879 in Zürich erschien, 1887 bis 1901 in London. Als Anhänger des gemäßigten Flügels der Sozialdemokratie wurde er 1902 bis 1906, 1912 bis 1918 und 1920 bis 1928 Mitglied des Reichstages; 1916 bis 1920 zählte er zu den Unabhängigen Sozialdemokraten. Als führender Theoretiker des Revisionismus konnte er diesem die Oberhand innerhalb der SPD sichern.
Oben: Eduard Bernstein auf dem Weg zum Berliner Reichstag. 1920

Was die Juden verbindet und seit Jahrtausenden verbunden hat, ist in erster Linie das demokratische Ideal der sozialen Gerechtigkeit und die Idee der Pflicht zur gegenseitigen Hilfe und Duldsamkeit aller Menschen untereinander. Dies soziale Ideal durchdringt schon die ältesten religiösen Schriften der Juden und hat durch das Christentum und die mohammedanische Religion mächtig und wohltätig auf die soziale Gestaltung eines großen Teiles der Menschheit eingewirkt.
Albert Einstein

Rosa Luxemburg (1871 Zamość–1919 Berlin) beteiligte sich an der Gründung der „Sozialdemokratischen Partei des Königreiches Polen und Litauen". In Deutschland, wo sie seit 1897 lebte, trat sie als Theoretikerin des linken Flügels der SPD hervor. Während des Ersten Weltkriegs befand sie sich meist in Haft und bekämpfte von dort aus die „Burgfriedenspolitik" der SPD. Mit Karl Liebknecht schuf sie den Spartakusbund, der in der Novemberrevolution eine radikale Linie der Sozialdemokratie vertrat. Das Programm der 1918/19 gegründeten KPD war von ihr. Nach dem Scheitern des Spartakusaufstandes 1919 wurde sie verhaftet und ermordet.

Links: Rosa Luxemburg spricht auf dem Sozialistenkongreß 1907 in Stuttgart

In Rosa Luxemburg mischen sich auf einzigartige Weise deutsche, polnische und russische Charakterzüge mit jüdischem Temperament.
Isaac Deutscher

O diese „erhabene Stille der Unendlichkeit", in der so viele Schreie ungehört verhallen, sie klingt in mir so stark, daß ich keinen Sonderwinkel im Herzen für das Getto habe: ich fühle mich in der ganzen Welt zu Hause, wo es Wolken und Vögel und Menschentränen gibt.
Rosa Luxemburg

Mensch sein ist vor allem die Hauptsache. Und das heißt: fest und klar und heiter sein, ja heiter trotz alledem und alledem, denn das Heulen ist Geschäft der Schwäche. Mensch sein heißt sein ganzes Leben „auf des Schicksals großer Wage" freudig hinwerfen, wenn's sein muß, sich zugleich aber an jedem hellen Tag und jeder schönen Wolke freuen, ach ich weiß keine Rezepte schreiben, wie man Mensch sein soll, ich weiß nur, wie man's ist, und Du wußtest es auch immer, wenn wir einige Stunden zusammen im Südender Feld spazieren gingen und auf dem Getreide roter Abendschein lag. Die Welt ist so schön bei allem Graus und wäre noch schöner, wenn es keine Schwächlinge und Feiglinge auf ihr gäbe. Komm, Du kriegst doch noch einen Kuß, weil Du doch ein ehrlicher kleiner Kerl bist. Prosit Neujahr!
Rosa Luxemburg

Es gibt hier Briefe, die wie Kapitel aus einem Roman von Flaubert anmuten, wo in ein paar Sätzen dieser „polnischen Jüdin" mehr wahre Poesie, mehr deutsches Wesen steckt als in neun Zehnteln der deutschen Lyrik. Weil sie nicht gedichtet, weil sie erlebt sind. Man mag den Band aufschlagen, wo man will: sei es nun eine einfache „nichtssagende" Postkarte oder ein rein sachlicher Bericht über eine Agitationsreise – man findet nicht eine einzige Phrase in diesen hundert Briefen.
Leo Lania

nen, ausnehmen zu wollen. So geschehen wahr und wahrhaftig im ersten Jahr und Monat der glorreichen deutschen Revolution! . . . Hinter allen diesen schwirrenden Gerüchten, lächerlichen Phantasien, wahnwitzigen Räubergeschichten und schamlosen Lügen steckt ein sehr ernster Vorgang: es liegt System darin . . . Die Gerüchte werden zielbewußt fabriziert und ins Publikum lanciert . . . um eine Pogromatmosphäre zu schaffen . . . Gegen Morde, Putsche und ähnlichen Blödsinn schreit man, und den Sozialismus meint man.
Rosa Luxemburg

Der Kommunismus . . . – der Teufel hole seine Praxis, aber Gott erhalte ihn uns als konstante Drohung über den Häuptern jener, so da Güter besitzen und alle anderen zu deren Bewahrung und mit dem Trost, daß das Leben der Güter höchstes nicht sei, an die Fronten des Hungers und der vaterländischen Ehre treiben möchten. Gott erhalte ihn uns, damit dieses Gesindel, das schon nicht mehr ein und aus weiß vor Frechheit, nicht noch frecher werde, damit die Gesellschaft der ausschließlich Genußberechtigten . . . wenigstens doch auch mit einem Alpdruck zu Bett gehe! Damit ihnen wenigstens die Lust vergehe, ihren Opfern Moral zu predigen, und der Humor, über sie Witze zu machen!
Karl Kraus

In der südlichen Friedrichstadt stehen ein paar großmächtige Häuser, alte Festungen des Geistes, umgebaut und ausgebaut, einladend mit breiten Fensterflächen, drohend mit Steinbalustraden, verlockend und abwehrend, schöne gefährliche Häuser. Sie gehören sagenhaften Königen und Königsfamilien, die Ullstein, Mosse und Scherl heißen. Als unsere letzte kleine Revolution ausbrach, wurden mit den anderen Königen eine zeitlang auch die Zeitungskönige aus ihren Schlössern vertrieben. Da standen in den Schloßhöfen auf Biwakfeuern Kochtöpfe mit Speckerbsen, auf den Dächern wurde geschossen und durch die Redaktionsräume polterten genagelte Kriegerstiefel. Aber viel schneller als andere Monarchen sind die Zeitungskönige zurückgekehrt. In ihren Höfen stehen wieder ihre Streitwagen mit Papiermunition, und durch die Redaktionsräume schlüpfen ihre Hofdamen, leichtfüßige Sekretärinnen und Schreibmaschinenfräulein.
Franz Hessel

Klirrt irgendwo eine Fensterscheibe, platzt an der Ecke ein Pneumatik mit lautem Knall, gleich schaut sich der Philister mit gesträubten Haaren und einer Gänsehaut auf dem Rücken um: Aha, sicher „kommen die Spartakusleute"! . . . Verschiedene Personen haben sich an Liebknecht mit der rührenden Bitte gewandt, ihre Gatten, Neffen oder Tanten von dem beabsichtigten bethlehemitischen Kindermord, den die Spartakusse pla-

Oben: Regierungstruppen mit Panzerwagen in der Berliner Münzstraße während der Märzkämpfe 1919
Unten: Verwüstungen im Berliner Ullstein-Haus während der Spartakuskämpfe im Januar 1919
Gegenüberliegende Seite: Spartakusaufstand in Berlin im Januar 1919: Ein Anführer der Spartakisten hält vom Balkon des verwüsteten Verlagshauses Mosse eine Ansprache.

Am Nachmittag des 10. Juli 1934 wurde Erich Mühsam in das Wachlokal bestellt. Dort machte ihm der SS-Sturmführer Ehrat in höhnisch-höflicher Form folgende Eröffnung: „Also Sie sind Herr Mühsam? Doch der Mühsam aus der Münchner Räterepublik? Also hören Sie zu, was ich Ihnen jetzt sage. Bis morgen früh haben Sie sich aufzuhängen. Sie verstehen doch, was ich meine, so um den Hals rum aufhängen. Wenn Sie diesen Befehl nicht ausführen, erledigen wir das selbst!"

Ganz verstört kehrte Mühsam zu seinen Leidensgefährten zurück, denen er den Sachverhalt erzählte. Er erklärte, daß er ungeachtet der schon durchlebten Leiden sich auch jetzt keinesfalls selber aufhängen werde. Um 8.15 Uhr abends wurde Mühsam zum Verwaltungsgebäude geholt. Von diesem Weg kehrte er nicht mehr zurück. Man sah ihn später in Begleitung des SS-Sturmführers Werner über den Hof gehen. Am nächsten Morgen fand man ihn, an einem Strick hängend, auf dem Abtritt Nummer vier, seine Füße hingen in das Abtrittsloch nieder. Der Knoten war so kunstgerecht geknüpft, wie ihn der halbblinde Mühsam niemals fertigbekommen hätte.

Karl Grünberg

Eines Morgens wachten die Münchner Bürger auf und entdeckten zu ihrem Erstaunen, daß sie in einer Räterepublik waren, noch dazu in einer, gegründet von „Schlawinern", von „landfremden Elementen" (wie heute jeder Bauer jeden Mann nennt, der da geboren ist, wohin er nicht mehr spucken kann) – da saßen sie hinter Maßkrügen und staunten in die Welt. Es war eine bittere Zeit. Wenn man die Leute heute fragt, was sie eigentlich damals auszustehen gehabt hatten, dann sagen sie alle dasselbe: nämlich im Grunde gar nichts. Die Münchner Räterepublik hat im ganzen vierzehn Menschen das Leben gekostet – es waren das jene zehn Geiseln im Luitpoldgymnasium (ein Mord, für den es mancherlei Erklärungen, aber keine Entschuldigung gibt) –, dazu kommen, wenn man sehr gewissenhaft rechnet, noch vier Menschenleben, die auf das gleiche Konto zu setzen sind. Soweit diese Revolutionäre.

Als man die Münchner Spießer von außen her befreit hatte, zogen die „siegreichen" Truppen in die bayerische Residenz ein – und zur gleichen Zeit büßten einhundertvierundachtzig Menschen der Gegenseite ihr Leben auf die mannigfaltigste Weise ein: durch ein willkürlich gehandhabtes Standrecht, durch viehische Ermordungen (Landauer wurde von den Uniformierten erschlagen, wie man keinen Hund erschlägt; die Leiche wurde gefleddert) – Rache! Rache!

Die Hauptrache genoß man kalt. Die „Schlawiner" wurden vor Volksgerichte gestellt, es waren Ausnahmegerichte – und die Räteregierung Münchens büßte ihr Verbrechen mit 519 Jahren 9 Monaten Freiheitsstrafen; ein

Todesurteil wurde gefällt (Leviné); drei Führer wurden von den Soldaten ermordet. (Die Anhänger der Kapp-Regierung befinden sich sämtlich in Freiheit.)

Kurt Tucholsky

*K*urt Eisner (1867 Berlin–1919 München) wurde 1899 als Redakteur an die sozialdemokratische Wochenzeitschrift „Vorwärts" berufen, doch 1905 wegen seiner revisionistischen Einstellung entlassen. Seit 1910 lebte er als Feuilletonist in München. Bei der Parteispaltung 1917 schloß er sich der pazifistischen unabhängigen Sozialdemokratie an. In der Novemberrevolution rief er den „Freistaat Bayern" aus und wurde Ministerpräsident. Er verfocht ein radikales Friedensprogramm und eine Kombination von Rätesystem und Parlamentarismus. Auf dem Weg zur Eröffnung des neuen Landtages wurde er von *Anton Graf Arco* erschossen. Sein Tod war das Signal für die Ausrufung der Räterepublik.

Oben: Räterepublik München 1919: Der Dichter Erich Mühsam spricht auf einer Kundgebung.
Rechts: Kurt Eisner, der Ministerpräsident von Bayern, fährt anläßlich der Reichskonferenz der Vertreter der bundesstaatlichen Volksregierungen vor der Berliner Reichskanzlei vor. 1918

Und mein Deutschtum und Judentum tun einander nichts zuleid und vieles zulieb. Wie zwei Brüder, ein Erstgeborener und ein Benjamin, von einer Mutter nicht in gleicher Art, aber im gleichen Maße geliebt werden, und wie diese beiden Brüder einträchtig mit einander leben, wo sie sich berühren und auch, wo jeder für sich seinen Weg geht, so erlebe ich dieses seltsame und vertraute Nebeneinander als ein Köstliches und kenne in diesem Verhältnis nichts Primäres oder Sekundäres. Ich habe nie das Bedürfnis gehabt, mich zu simplifizieren oder durch Verleugnung meiner selbst zu unifizieren; ich akzeptiere den Komplex, der ich bin, und hoffe noch vielfältiger eins zu sein als ich weiß.
Gustav Landauer

Gustav Landauer (1870 Karlsruhe–1919 Berlin) war in der Münchner Räteregierung von 1919 Volksbeauftragter für Volksaufklärung. Als Gegner sowohl der Sozialdemokratie als auch des Kommunismus setzte er sich für einen radikalen, aber undoktrinären Sozialismus sowie den Rätegedanken ein. Nach dem Sturz der Räterepublik wurde er im Gefängnis umgebracht. Neben politischen Werken („Die Revolution" 1908) schrieb er auch Erzählungen und literarische Essays („Vorträge über Shakespeare" 1920).
<u>Unten:</u> Gustav Landauer. 1916

Erich Mühsam (1878 Berlin–1934 KZ Oranienburg) lebte seit 1901 als freier Schriftsteller in Berlin, seit 1909 in München, wo er das revolutionäre Literaturblatt „Kain – Zeitschrift für Menschlichkeit" herausbrachte. 1919 beteiligte er sich an der Bildung der Bayerischen Räterepublik. Nach ihrem Sturz wurde er verurteilt, doch 1924 amnestiert. Von 1926 bis 1933 gab er die Zeitschrift „Fanal" heraus. Nach dem Reichstagsbrand wurde Mühsam von der SA verhaftet und im KZ Oranienburg ermordet. Er trat als Essayist, Dramatiker, Publizist und Verfasser revolutionärer Lieder mit anarchistischer Tendenz hervor.
<u>Oben:</u> Erich Mühsam. Photographie von *Lotte Jacobi.* 1929

Victor Adler (1852 Prag –
1918 Wien), ursprünglich den
Deutschnationalen zugehörig,
wandte sich als Armenarzt bald der
Sozialdemokratie zu. Um die Spal-
tung zwischen Reformisten und
Revolutionären zu verhindern, rief
er 1886 die Zeitschrift „Gleichheit", 1889 die „Arbeiter-Zeitung"
ins Leben. 1888/89 gründete er auf
dem Hainfelder Parteitag die Sozialdemokratische Partei Österreichs. Nach der großen Wahl-
rechtsdemonstration 1905 in Wien
zog Adler 1907 nach Einführung
des allgemeinen Wahlrechts für
Männer als Führer der Sozialdemokraten in das Abgeordneten-
haus ein. In den folgenden Jahren
kämpfte er vor allem gegen den
drohenden Krieg und den erstarkenden Nationalismus des Vielvölkerstaates Österreich-Ungarn.
1918, kurz vor seinem Tod und der
Ausrufung der Republik, wurde er
zum Staatssekretär des Äußeren
ernannt.
Links: Victor Adler. Um 1910
Gegenüberliegende Seite, rechts:
Enthüllung des Lassalle-Denkmals
vor dem Winarsky-Hof, einem der
bemerkenswerten Gemeindebau-
ten des „Roten Wien". 1928

*Gegen Adler gehalten, sind alle socialisti-
schen Führer, Bebel ebenso wie Jaurès, Ro-
mantiker, und man muss sich eigentlich nur
fragen, wie eine solche Natur, dessen größte
Tugend Klarheit und Nüchternheit ist, der
Leiter einer (zumindest einstmals) revolutionären Partei werden konnte. Seinen eigenen
Parteigenossen wird oft unheimlich zu
Muthe, wenn sie denken, wie geschickt und
rapid dieser allzeit kühle Kopf arbeitet. Am
letzten Parteitag sagte einer der populären
Führer von ihm: „Dr. Adler hat die Gewohn-
heit, in schwierigen Fragen mitten durchzu-*

*schwimmen." Ach, und die anderen sind
natürlich soviel unbeholfenere Schwimmer!
Wie kommt's, daß Adler trotzdem, trotz aller
„Sclavenaufstände", so sicher im Sattel sitzt?
Vielleicht rührt es daher, daß er vor allem
einen sicheren Blick für seine historische Aufgabe hat. Ueber wieviel Intelligenz, welche
er eigentlich in der Partei nicht ganz verwer-
ten kann, verfügt dieser Mann! Aber er kann
resignieren, kann sich Grenzen ziehen, dieser
Geist kann schweigen! Er ist niemals ein
Dilettant gewesen. Er macht sich seinen Genossen durch einen allzu ausgebreiteten Hori-*

*zont nicht gern verdächtig, er weiß sich zu
concentrieren . . . Auf die großen Massen
wirken eigentlich die gröberen Geister viel
stärker. Pernerstorfer zum Beispiel wirkt mit
seinen steten Orgeltönen aus deutscher Brust
viel begeisternder. Aber Victor Adler kennt
die Technik einer demokratischen Partei! Er
wirkt nicht so sehr auf die Massen, als auf die
der Masse entsprossenen Agitatoren, die Vermittler zwischen Partei und Volk.*
Stefan Großmann

*D*ie österreichische Sozialdemokratie empfing ihren geistigen Reichtum und ihre intellektuellen und moralischen Antriebe vor allem von jüdischen Intellektuellen, deren
Denkgewohnheiten nicht ganz im Einklang
mit dem geistigen Temperament der alpen-
ländischen Arbeiter und Kleinbürger stand.
Julius Braunthal

*U*nd die Fülle jüdischer Intelligenz, die sich
ihr zur Verfügung gestellt hatte, als sie noch
kämpfte, rechtfertigte auch für die Juden
selber diesen Kampf als Verteidigung der
Zivilisation. Dies war der geheime Sinn, aus
unterbewußten Schichten der Volkserfahrung
quellend, jenes Bündnisses, das wir jüdischen
Intellektuellen mit den Arbeiterparteien geschlossen hatten.
Arnold Zweig

*O*tto Bauer (1882 Wien –
1938 Paris), der als Exponent des
linken, radikalen Flügels der Sozialdemokratischen Partei Österreichs galt, war seit 1907 Sekretär
der sozialistischen Parlamentsfrak-
tion und 1918/19 als direkter
Nachfolger *Victor Adlers* Staatssekretär des Äußeren. Bis 1933 Parlamentarier, gehörte er 1934 der
Leitung bei den Februarkämpfen
an. Noch während der Kämpfe
emigrierte er in die Tschechoslowakei und gründete in Brünn das
Auslandsbüro der Sozialisten. 1938
emigrierte er nach Paris. Bauer,
1907 Mitbegründer der theoretischen Zeitschrift „Der Kampf",
verfaßte grundlegende Werke des
Austromarxismus („Die Nationalitätenfrage und die Sozialdemokratie" 1907, „Bolschewismus oder
Sozialdemokratie" 1920).
Oben: Otto Bauer bei einer Wahl-
veranstaltung. Photographie von
Lothar Rübelt. Um 1925

271

Die Deutschen haben uns so lange und so gründlich demonstriert, daß unsere Nationalität ein Hindernis für unsere „innerliche" Emanzipation sei, daß wir am Ende selbst daran glaubten und alles aufboten, uns durch Verleugnung unserer Abstammung des blonden Germanentums würdig zu zeigen. Doch abgesehen von den vortrefflichen Rechenmeistern, die ihr Judentum für eine Staatsstelle verhandelten, hatten alle unsere jüdischen Germanomanen sich schmählich verrechnet. Es half Meyerbeer nichts, daß er es selbst ängstlich vermied, einen jüdischen Stoff als Oper zu behandeln; er entging darum dem deutschen Judenhaß nicht. Auch dem deutschen Patrioten Börne diente es zu nichts, daß er seinen Familiennamen Baruch umtaufen ließ. Er gesteht es selbst: „So oft meine Gegner am Börne scheitern", sagt er irgendwo in seinen Schriften, „werfen sie ihren Notanker Baruch aus." – Ich selbst habe es nicht nur bei Gegnern, sondern bei meinen eigenen Gesinnungsgenossen erfahren, daß sie in jedem persönlichen Streite von dieser Hepwaffe Gebrauch machten, die in Deutschland selten ihre Wirkung verfehlt. Ich habe mir vorgenommen, ihnen die bequeme Waffe noch bequemer zu machen, indem ich fortan meinen alttestamentarischen Namen Moses adoptieren werde, und bedauere nur, daß ich nicht Itzig heiße.
Moses Heß

Die jüdische Volksmasse wird sich an der großen geschichtlichen Bewegung der modernen Menschheit erst dann beteiligen, wenn sie ein jüdisches Vaterland haben wird. So lange aber die Masse der Juden in ihrer Ausnahmestellung verharrt, werden auch die relativ wenigen Juden, die vergebens alles aufbieten, um dieser falschen Stellung des jüdischen Volkes individuell zu entfliehen, weit schmerzlicher von derselben berührt sein, als die Masse, die sich nur unglücklich aber nicht entehrt fühlt. – Daher kann sich der Jude, gleichviel ob orthodox oder nicht, der Aufgabe nicht entziehen, für die Erhebung des Gesamtjudentums mitzuwirken. – Jeder Jude, selbst der getaufte, haftet solidarisch für die Wiedergeburt Israels.
Moses Heß

*M*oses Heß (1812 Bonn – 1875 Paris) war 1842/43 mit *Karl Marx* Redakteur der liberaldemokratischen „Rheinischen Zeitung". Seine Theorien eines „wahren Sozialismus" hatten eine starke ethische Grundlage (Arnold Ruge nannte ihn deshalb „Kommunisten-Rabbi"). Er übte Einfluß auf Karl Marx und Friedrich Engels aus, die aber mit Erscheinen des „Kommunistischen Manifestes" einen radikaleren Weg einschlugen. Zum Vorläufer des Zionismus wurde Moses Heß durch sein Werk „Rom und Jerusalem. Die letzte Nationalitätenfrage" (1862). Darin forderte er einen eigenen Staat für das jüdische Volk.
Oben: Moses Heß. Um 1860

*W*as in mir den Entschluß zur Reife brachte, für die nationale Wiedergeburt meines Volkes aufzutreten, ist Ihr unendlicher Seelenschmerz über den Verlust einer teuren Hingeschiedenen. Solcher Liebe, die gleich der Mutterliebe aus dem Blute stammt und doch so rein wie der Geist Gottes ist, einer so unbegrenzten Familienliebe ist nur ein jüdisches Herz fähig. Und diese Liebe ist der natürliche Born jeder intellektualen Liebe Gottes, welche nach Spinoza das Höchste ist, wozu es der Geist überhaupt bringen kann. Aus der unversiegbaren Quelle der jüdischen Familienlieben stammen die Erlöser des Menschengeschlechts.
„Durch Dich", sagt in einer Selbstoffenbarung der göttliche Genius der jüdischen Familie, „werden alle Familien der Erde gesegnet".
Jeder Jude hat den Stoff zu einem Messias, jede Jüdin hat den zu einer mater dolorosa in sich . . .
Moses Heß

Es gilt heute nicht Ablösung vom Deutschtum, zu dem wir ein inneres Verhältnis haben, das durch kein Verhalten der Deutschen zu uns abgeändert werden kann – diese Feststellung hat aber nichts zu tun mit den heute hie und da in der deutschen Judenheit laut werdenden Liebeserklärungen und Treueschwüren ins Leere – sondern Verdichtung des Judentums, Neuknüpfung der Urverbundenheit in der Hoffnung auf den Bund. Es gilt aus der Not eine große Tugend zu machen.
Martin Buber

Der Zionismus ist vielmehr eine Bewegung, deren Entstehungsgrund in der furchtbaren Krise liegt, in welcher sich heute, nach hundertjähriger Entwicklung, seit der ersten Rezeption (in Frankreich) Judenheit und Judentum befinden. Das bewegende Motiv im Zionismus ist, diese Krise zu überwinden, die heutige „Judenfrage" zu lösen.
Adolf Böhm

Wozu die Täuschung? – Die europäischen Völker haben die Existenz der Juden in ihrer Mitte niemals anders denn als eine Anomalie betrachtet. Wir werden stets Fremde unter Nationen bleiben, die uns wohl aus Humanität und Rechtsgefühl emanzipieren, aber nie und nimmer achten werden, solange wir nicht das ubi bene ibi patria mit Hintansetzung unserer eigenen großen nationalen Erinnerungen als Grund- und Glaubenssatz voranstellen.
Moses Heß

Wir sind ein Volk, Ein Volk.
Wir haben überall ehrlich versucht, in der uns umgebenden Volksgemeinschaft unterzugehen und nur den Glauben unserer Väter zu bewahren. Man läßt es nicht zu. Vergebens sind wir treue und an manchen Orten sogar überschwängliche Patrioten, vergebens bringen wir dieselben Opfer an Gut und Blut wie unsere Mitbürger, vergebens bemühen wir uns den Ruhm unserer Vaterländer in Künsten und Wissenschaften, ihren Reichthum durch Handel und Verkehr zu erhöhen. In unseren Vaterländern, in denen wir ja auch schon seit Jahrhunderten wohnen, werden wir als Fremdlinge ausgeschrieen: oft von Solchen, deren Geschlechter noch nicht im Lande waren, als unsere Väter da schon seufzten. Wer der Fremde im Lande ist, das kann die Mehrheit entscheiden: es ist eine Machtfrage, wie Alles im Völkerverkehre. Ich gebe nichts von unserem ersessenen guten Recht preis, wenn ich das als ohnehin mandatloser Einzelner sage. Im jetzigen Zustande der Welt und wohl noch in unabsehbarer Zeit geht Macht vor Recht. Wir sind also vergebens überall brave Patrioten, wie es die Hugenotten waren, die man zu wandern zwang. Wenn man uns in Ruhe ließe . . . Aber ich glaube, man wird uns nicht in Ruhe lassen.
Theodor Herzl

Der erste Kongreß kam. Die Berichte wurden verschlungen. Die Reden von Theodor Herzl und Max Nordau rüttelten Freunde und Gegner in gleicher Weise auf. Das Wunder war geschehen. Das jüdische Volk war erwacht und hatte seine Sprache wiedergefunden. Es gab eine jüdische Tribüne. – Wie ungeheuerlich das Werk war, aus dieser heterogenen Masse von Menschen, die aus allen Weltteilen kamen, die alle Weltanschauungen vertraten, eine Organisation zu schaffen, läßt sich erst rückschauend bewerten, nachdem diese Organisation, die in wenigen Tagen geschaffen war, sich derart entwickelt hat.
Sammy Gronemann

*Herzls Schritt erfolgte gewissermaßen als eine Art Antwort auf den damals hochanschwellenden Antisemitismus der Luegerei. Aber das war nur ein äußerer, ein zufälliger Anlaß, und an der Größe, an dem Alter des ganzen Problems gemessen, möchte man sagen, daß es nur ein kleiner Anlaß gewesen ist. In den Blättern dieser Schrift erwachte ein stolzer, freier Mensch aus dem Angleichungstraum, den seit den Tagen der Henriette Herz und der Rahel Varnhagen so viele edle und gutgesinnte Juden geträumt haben. Er sah die zahllosen, großen Leistungen der großen Männer seines Volkes in allen Ländern und auf allen Gebieten, sah die wertvollen, die kostbaren Beiträge, die dieses Volk zu allen Kulturen lieferte, und sah die Wand des Hasses, von der die Juden zurückgestoßen wurden, an der ihre heißesten Bemühungen zerschellten.
Er wollte nicht mehr um eine Zugehörigkeit werben, die ja doch immer und immer wieder höhnisch verweigert wurde. Theodor Herzl hatte, als Student, den Schimpf des Waidhofener Programms erlebt, das den Juden die Waffenehre absprach; er sah die Kluft nur immer weiter und tiefer sich öffnen, und sein Gedanke war, daß Versöhnung nur werden könne, wenn die Juden sich zu ihrem eigenen Volkstum bekannten, zu ihren uralten Überlieferungen und zu ihrem uralten Lande.*
Felix Salten

Es bekundet aber auch eine ganz merkwürdige Auffassung der Herren Congreßtheilnehmer, sämmtliche Juden als eine Nation hinzustellen. Es ist dies gerade so unrichtig, als wenn man alle Menschen, die sich zum katholischen Glauben bekennen, als wenn man beispielsweise Franzosen, Deutsche, Russen, Magyaren, Neger als eine Nation hinstellen wollte.
Israelitische Gemeindezeitung Prag. 1898

Erst der kleingeistige Zionismus, dessen politische Linie mühelos bis zum nahen Endpunkte der realen Unmöglichkeit zu verfolgen ist, hat es diesen Herren, die bisher ausschliesslich mit ihren Nerven beschäftigt waren, ermöglicht, sich auch als Zeitgenossen zu fühlen. Erstaunlich rasch haben sie den Schmerz des Judenthums, den tausendjährigen, bewältigt, der ihnen jetzt zu tausend ungeahnten neuen Posten verhilft. Es ist gewiss interessant, einen Dichter, der einst, wenn er sprach, das Rathhausviertel aufhorchen machte, nunmehr plötzlich alle gesellschaftlichen Zusammenhänge von sich abstreifen zu sehen. Er trennt sich von seiner exotischen Cravatte, die das Ensemble der „sonderbaren Schwermuth" stören könnte, bestellt beim vornehmsten Tailleur ein Gewand à la Sack und Asche und gibt auf die Frage, was ihm denn fehle, immer nur zur Antwort: Die Heimat . . .!
Karl Kraus

Das Judentum ist eine Massenherberge des Elends mit Filialen in der ganzen Welt.
Theodor Herzl

Traum ist von That nicht so verschieden, wie mancher glaubt. Alles Thun der Menschen war vorher Traum und wird später zum Traum.
Theodor Herzl

Ein sonderbarer Tag war es, ein Tag im Juli, unvergeßlich jedem, der ihn miterlebte. Denn plötzlich kamen auf allen Bahnhöfen der Stadt, mit jedem Zug bei Tag und Nacht aus allen Reichen und Ländern Menschen gefahren, westliche, östliche, russische, türkische Juden, aus allen Provinzen und kleinen Städten stürmten sie plötzlich herbei, den Schreck der Nachricht noch im Gesicht; niemals spürte man deutlicher, was früher das Gestreite und Gerede unsichtbar gemacht, daß er der Führer einer großen Bewegung war, der hier zu Grabe getragen wurde. Es war ein endloser Zug. Mit einemmal merkte Wien, daß hier nicht nur ein Schriftsteller oder mittlerer Dichter gestorben war, sondern einer jener Gestalter von Ideen, wie sie in einem Land, in einem Volk nur in ungeheuren Intervallen sich sieghaft erheben. Am Friedhof entstand ein Tumult; zu viele strömten plötzlich zu seinem Sarge, weinend, heulend, schreiend in einer wild explodierenden Verzweiflung, es wurde ein Toben, ein Wüten fast; alle Ordnung war zerbrochen durch eine Art elementarer und ekstatischer Trauer, wie ich sie niemals vordem und nachher bei einem Begräbnis gesehen. Und an diesem ungeheuren, aus der Tiefe eines ganzen Millionenvolkes stoßhaft aufstürmenden Schmerz konnte ich zum erstenmal ermessen, wieviel Leidenschaft und Hoffnung dieser einzelne und einsame Mensch durch die Gewalt seines Gedankens in die Welt geworfen.*
Stefan Zweig

Theodor Herzl (1860 Budapest – 1904 Edlach) verfaßte unter dem Eindruck der Dreyfus-Affäre, die er als Berichterstatter (1881–1895) der Wiener „Neuen Freien Presse" in Paris miterlebte, die Schrift „Der Judenstaat" (1896). Damit initiierte er den politischen Zionismus, der vor allem die Gründung eines jüdischen Staates anstrebte.
Seit dem Aufkommen des modernen Antisemitismus beschäftigte Herzl die Judenfrage, deren Lösung er zunächst in völligem Aufgehen der Juden in den anderen Völkern sah. Die Analyse der Stellung der Juden in der modernen Gesellschaft ließ in ihm die Erkenntnis reifen, daß die Judenfrage eine nationale Frage ist und nur als solche zu lösen sei. Erster Ausdruck dieser Erkenntnis war das Drama „Das neue Ghetto" (1. Fassung 1894). Theodor Herzls Weg vom Assimilanten zum Zionisten ist bezeichnend: Er hat, wie Martin Buber diagnostizierte, die Entwicklung eines „enttäuschten Liberalen" durchgemacht, der sich unter dem Eindruck der Irrationalität des Antisemitismus zum Nationalismus bekannte.
Auf dem Ersten Kongreß in Basel 1897 rief Theodor Herzl die Zionistische Weltorganisation ins Leben. Damals wurde das „Basler Programm" angenommen: „Der Zionismus erstrebt die Schaffung einer öffentlich-rechtlich gesicherten Heimstätte für das jüdische Volk in Palästina." 1898 erfolgte die Gründung der Zionistischen Bank „Jewish Colonial Trust", 1901 schuf Herzl den jüdischen Nationalfonds (Keren Kajemet Lejisrael) zur Erwerbung von Boden als Nationalbesitz des jüdischen Volkes. Herzl war bis zu seinem Tod Präsident aller Organisationen. Er versuchte als anerkannter Vertreter der Zionistischen Organisation im besonderen die Großmächte für seinen Staatsgedanken zu gewinnen. 1896 unternahm er eine Reise nach Konstantinopel und wurde 1898 durch Vermittlung des Großherzogs von Baden in Konstantinopel und Jerusalem durch Kaiser Wilhelm II. empfangen, der ein deutsches Protektorat in Aussicht stellte. Weiters führte er Verhandlungen mit den Osmanen und den Engländern, die jedoch scheiterten.
Neben seinen politischen Tätigkeiten blieb Herzl Feuilletonredakteur der „Neuen Freien Presse" in Wien und versuchte sich weiter in der Schriftstellerei, der seine heimliche Liebe galt. Im Roman „Altneuland" (1902) zeichnete Herzl das Zukunftsbild eines aristokratisch geleiteten jüdischen Staates.
<u>Rechts</u>: Theodor Herzl auf dem Zweiten Zionistenkongreß in Basel. 1898
<u>Links</u>: Das Begräbnis Theodor Herzls am 7. Juli 1904 in Wien.

Max Nordau (1849 Pest – 1923 Paris), eigentlich Max Südfeld, studierte Medizin in Pest, wo er Feuilletonist des „Pester Lloyd" und seit 1876 beim „Neuen Pester Journal" war. 1880 zog er endgültig nach Paris. Seine umfassende Bildung machten ihn zu einem gesuchten Korrespondenten („Vossische Zeitung", „Neue Freie Presse", „Die Welt"). Neben kulturhistorischen und zeitkritischen Abhandlungen („Konventionelle Lügen der Kulturmenschheit" 1883) schrieb er Romane und Dramen. Von den Ideen *Theodor Herzls* begeistert, engagierte er sich ab 1895 für den politischen Zionismus. Bis 1911 spielte er auf den meisten Zionistenkongressen eine führende Rolle, geriet aber in immer stärkeren politischen Gegensatz zu anderen zionistischen Gruppen.

<u>Rechts:</u> Max Nordau. Um 1900.
<u>Unten:</u> Auf dem 6. Zionistenkongreß 1903 wurde die praktische Aufbauarbeit in Palästina beschlossen. Mit der Leitung waren beauftragt (von links): der Agrarreformer Franz Oppenheimer, Otto Warburg (1911–1920 Präsident der Zionistischen Weltorganisation, seit 1921 Direktor des landwirtschaftlichen Instituts in Rechowot, seit 1925 an der Hebräischen Universität Jerusalem) und Selig Soskin.

*D*er Zionismus erstrebt eine dauernde Lösung der Judenfrage durch die Gründung einer öffentlich-rechtlich gesicherten Zufluchtsstätte für solche Juden, die im Lande ihrer Geburt nicht bleiben können oder wollen. – Der Zionismus erstrebt die Rückkehr eines großen Teiles der Juden zum Ackerbau auf dem historisch geweihten Boden Palästinas.

Der Zionismus erstrebt die Neubelebung des jüdischen Selbstbewußtseins, die Hochhaltung der jüdischen Ideale, die Pflege der jüdischen Literatur und der Geschichte, die Erziehung der Jugend im Geiste des jüdischen Volkes . . .

„Assimiliert Euch, dann wird es besser werden!" rief man uns mit Pathos zu. Wir haben es getan, wir haben uns assimiliert bis auf die Nasen. Wir haben alle Sitten und Gebräuche der Völker, ohne sie auf ihren Wert zu prüfen, nachgeahmt, wir haben unsere eigenen Sitten vergessen, unsere eigene Kultur vernachlässigt. Was hat uns das genützt? Wir sind in den Augen der Völker Juden geblieben, das heißt nicht Bekenner des jüdischen Glaubens, sondern Söhne eines anderen Stammes . . . Wir haben um die Gunst der arischen Völker lange genug gebuhlt, sogar unter Aufgabe der eigenen Würde, aber diese Dame ist sehr spröde, und je mehr man sich ihretwegen demütigt, desto weniger gefällt man ihr.
Der Zionismus. 1897

*I*ch saß, als diese knappe, aber mit der Durchschlagskraft eines stählernen Bolzens versehene Broschüre erschien, noch im Gymnasium, kann mich aber der allgemeinen Verblüffung und Verärgerung der Wiener bürgerlich-jüdischen Kreise wohl erinnern. Was ist, sagten sie unwirsch, in diesen sonst so gescheiten, witzigen und kultivierten Schriftsteller gefahren? Was treibt und schreibt er für Narrheiten? Warum sollen wir nach Palästina? Unsere Sprache ist deutsch und nicht hebräisch, unsere Heimat das schöne Österreich. Geht es uns nicht vortrefflich unter dem guten Kaiser Franz Joseph? Haben wir nicht unser anständiges Fortkommen, unsere gesicherte Stellung? Sind wir nicht gleichberechtigte Staatsangehörige, nicht eingesessene und treue Bürger dieses geliebten Wien? Und leben wir nicht in einer fortschrittlichen Zeit, welche alle konfessionellen Vorurteile in ein paar Jahrzehnten beseitigen wird? Warum gibt er, der doch als Jude spricht und dem Judentum helfen will, unseren bösen Feinden Argumente in die Hand und versucht uns zu sondern, da doch jeder Tag uns näher und inniger der deutschen Welt verbindet? Die Rabbiner eiferten sich

von den Kanzeln, der Leiter der „Neuen Freien Presse" verbot, das Wort „Zionismus" in seiner „fortschrittlichen" Zeitung auch nur zu erwähnen. Der Thersites der Wiener Literatur, der Meister des giftigen Spotts, Karl Kraus, schrieb eine Broschüre, „Eine Krone für Zion", und wenn Theodor Herzl das Theater betrat, murmelte man spöttelnd durch alle Reihen: „Seine Majestät ist erschienen!"
Stefan Zweig

*A*uf die Frage „Was ist Zionismus?" . . . war die lapidare Antwort: „Zionismus, das ist, wenn ein Jud' einem zweiten zuredet, Geld zu spenden, mit dem man einem dritten die Reise nach Palästina bezahlen kann."
Wilma Iggers

*D*er moderne Zionismus entstand in Österreich, in Wien. Ein österreichischer Journalist hat ihn begründet. Kein anderer hätte ihn begründen können.
Joseph Roth

Der Zionismus hat sich wohl im ersten Anlauf als politische Bewegung durchgesetzt, aber der größte Teil der deutschen Judenheit stand ihm auch in den nächsten Jahren ablehnend gegenüber. Nur eine Minderheit beteiligte sich an dem Aufbau der zionistischen Organisation und an den großen Kämpfen, die innerhalb der Bewegung bis zum Tode Herzls und darüber hinaus stattfanden. Diese Kämpfe waren nicht nur politischer Natur. Neben die große Auseinandersetzung, die das als Zwischenlösung am sechsten Zionistenkongreß (1903) aufgetauchte Uganda-Projekt(das „Nachtasyl" vor Erlangung Palästinas) zwischen den „Territorialisten" und den an der Grundidee des Zionismus, der Heimstätte in Palästina, festhaltenden „Zionisten" ausgelöst hatte, traten die Gegensätze in den Kulturfragen. Den Vorkämpfern der jüdischen Wiedergeburt konnte die politische, sozial betonte Richtung, wie sie durch Herzl selbst repräsentiert war, nicht genügen. Ihnen ging es um eine innere Erneuerung des Volkes, um die Synthese des Zionismus mit der religiösen Mission des Judentums, somit um die Lösung von Fragen, die von der Erreichung des politisch-zionistischen Endziels unabhängig waren. Die Ideen des von Achad

Haam begründeten geistigen Zionismus, der in einem jüdischen Palästina ein auf die Diaspora zurückstrahlendes geistiges Zentrum erblickte, die Richtung Nathan Birnbaums, die in der These „Israel geht vor Zion" zum Ausdruck kam, die Wiedererweckung des im Chassidismus wirkenden Geistes durch Martin Buber – in allen diesen Strömungen fanden tief in der jüdischen Geschichte wurzelnde, nach Wiedergeburt drängende Kräfte ihren Ausdruck. So kam es innerhalb der zionistischen Bewegung zu einem großen geistigen Ringen, dessen Erschütterungen sich auch der nichtzionistischen Welt mitteilten.

Franz Kobler

In meiner frühesten Jugend schon waren zionistische Ideale und Bestrebungen im russischen Judentum wach. Mein Vater war kein ausgesprochener Zionist, aber unser Haus war erfüllt vom Geist reicher jüdischer Tradition. Palästina war das Zentrum des Rituals, und die Sehnsucht dahin war ein Teil unseres Lebens. Als nationale Bewegung gewann der Zionismus erst einige Jahre später Form, aber der Gedanke an „die Rückkehr" lag schon in

der Luft, als ein vager, tief eingewurzelter Erlösungsglaube, als eine Hoffnung, die nie sterben konnte. Wir hörten die Erwachsenen davon sprechen und wurden von ihrer Ruhelosigkeit ergriffen. Aber wir Kinder durften nicht mitreden, und wenn wir es wagten, eine Bemerkung über diese Frage in die Unterhaltung zu werfen, so wurden wir ziemlich unsanft zum Schweigen gebracht. An einen Rabbi besonders erinnere ich mich, der, selbst glühender Nationalist, es doch äußerst respektlos und anmaßend fand, wenn ein junger Mensch es wagte, sich über die Wiederherstellung eines jüdischen Staates in Palästina zu äußern.

„Halt den Mund!" pflegte er dann zu sagen. „Du wirst den Messias nicht näher bringen. Es muß einer viel tun, viel lernen, viel wissen und viel leiden, ehe er dessen würdig ist." Er schüchterte uns so sehr ein, daß wir lernten, unsere Meinung für uns zu behalten. Jedoch unser heimlicher Traum blieb immer lebendig auf dem Grund unsrer Seele. Und diese heftigen Worte des Rabbi gruben sich mir unauslöschlich ins Herz.

Chajim Weizmann

Oben: Demonstration der Arbeiter-Zionisten in Chelm (Polen). 1932

Rechts: Turnfest der tschechoslowakischen Makkabi-Sportvereine in Zilina (Slowakei). 1937

Gleich nach dem Krieg begann der Zionismus eine wachsende Rolle in Deutschland zu spielen. In unserer ruhigen konservativen Gemeinde hatte er zwar noch keine Anhänger gewonnen, aber bald schlossen sich einige junge Leute unter dem Einfluß unserer rührigen Studentengruppe zu einer kleinen, aber enthusiastischen Schar zusammen . . . Die Mitglieder dieser von uns organisierten Gruppe waren junge Menschen, die von denselben Ideen ergriffen waren wie wir oder die sich zumindest von unserer Begeisterung soweit anstecken ließen, daß sie bei uns mitmachten. Unser „Bund", eigentlich nur eine kleine verschworene Gemeinschaft von Burschen in meinem Alter und einigen jüngeren, war nach dem Vorbild des „Wandervogels" organisiert. Es gab nur einen entscheidenden Unterschied: In unserer Gruppe waren alle Mitglieder Juden. Neben den alten deutschen Volksliedern, die wir so liebten, und den Landsknechtsliedern, die wir bei unseren Wanderungen sangen, stimmten wir jetzt die traurigen, gefühlvollen jiddischen Gesänge und die frühen erregenden Melodien der „Chaluzim" an. Jeder Bund, jede Organisation, braucht eine Fahne, unter der sie marschiert, eine Flagge, die sie der Welt zeigt, eine Standarte, der sie folgt. Unser Zeichen war – wie konnte es anders sein – der Mogen David, der Davidstern. Wir hatten einen wunderschönen kleinen Wimpel, den wir auf unseren Wanderfahrten mit uns führten.
Henry Buxbaum

Rechts: Mädchengruppe des zionistischen Wanderbunds „Blau-
Weiß" in Breslau. 1913

Ich habe mein Judentum zuerst in dieser
Gruppe zukunftsfreudiger, von einem romantischen Sozialismus der Brüderlichkeit
und Gerechtigkeit erfüllter Menschen erlebt,
die viel diskutierten und noch mehr sangen –
am liebsten die Landknechtslieder des „Zupf-
geigenhansels": die gleichen, wie sie die nichtjüdische bündische Jugend sang, die gleichen,
wie wir später entsetzt erkennen sollten, die
von Anhängern eines politischen Außenseiters
namens Adolf Hitler gebrüllt wurden. Gelegentlich stimmte der eine oder andere eine
Schwermutsmelodie aus der ostjüdischen Diaspora an, oder wir stampften im Kreis die
„Horra", wie sie weit über'm Meer in Palästina von den zionistischen Pionieren getanzt
wurde. All das in jenen Jahren der Illusion
einer vermeintlich gelungenen jüdisch-deut-
schen Assimilation: Es war ein Stück nachge-
lebter Folklore – ohne besonderes Engagement – so wie die italienischen und französischen Kanons, die wir vielstimmig im spärlichen Schatten märkischer Kiefern summten.
Den geistigen Vater dieses Zweigs der jüdischen Jugendbewegung, Ludwig Tietz, habe
ich, soweit ich mich erinnern kann, nur
einmal gesehen. Man sprach von ihm mit
hohem Respekt. Er galt als jemand, dem es
gelungen war, „das Beste" bei Wirts- und
Gastvolk zu erkennen und zusammenzubrin-
gen. Befruchtung und Vermischung zweier
Völker, die einander oft so feindlich gegen-
übergestanden waren, erschien uns in seinem
Sinne als glücklicher Fortschritt, ein aus der
Enge nationaler Befangenheit hinausführen-
der Schritt der Vereinigung des Getrennten in
einer höheren, vollkommeneren Synthese.
Robert Jungk

Für uns gehörte alles zusammen: die fast
militaristische Haltung bei Körperübungen,
bei Gewaltmärschen, die Verwendung der
soldatischen Terminologie; die völlig freien,
uferlosen Diskussionen, in denen man sich
heiser redete und von allem Druck befreite;
die wachsende Gegnerschaft gegen den Krieg,
gegen jeden, der von ihm profitierte, gegen
alles Bürgerliche und gegen alles Autoritäre;
die martialischen Marschlieder und die wehmütigen jiddischen Volkslieder, die revolutionären der jüdischen und der nicht-jüdischen
Arbeiterbewegung und die Niggunim, die
Melodien, die man in den Häusern und
Betstuben der Chassidim sang.
Manès Sperber

Was wollten wir damals? Wir waren nach
unserer Meinung unbürgerlich, maßvoll revolutionär, feindlich der „mechanisierten",
von Geschäft und Vergnügen beherrschten
Umwelt, und wir betrachteten den Zionismus
als die Losung einer Erneuerung von Grund
auf. Rationalismus war uns ein negativer
Begriff.
Robert Weltsch

Die Zionisten waren damals die Unzufrie-
denen, die young angry men jener Zeit, sie
hielten das jüdische Existieren in der Diaspora für nichtig, leer und zukunftslos, sie setzten
alles auf eine Karte: Neuaufbau in Palästina,
Änderung unserer Lebensformen vom tiefsten Grund aus.
Max Brod

Mitte Januar ging meine Schwester mit einigen ihrer Freunde nach Lehnitz bei Berlin. Dort befand sich ein sogenanntes Vorbereitungslager, Hachschara genannt, in dem die jungen Menschen in 14 Tagen auf ihre neue Umgebung, einen Kibbuz in Palästina, vorbereitet werden sollten. Wurden sie „bestätigt", so durften sie die Reise in ihre neue Heimat antreten. Als meine Schwester nach 14 Tagen zurückkam, war sie wie umgewandelt. Sie schwärmte von dem Lande, das an der Ostküste des Mittelländischen Meeres lag, ja, sie hatte sogar einige Ausdrücke auf Hebräisch aufgeschnappt, die sie zu gegebener Zeit richtig anwendete: Sollte man ruhig sein, so sagte sie nur noch „scheket", bitte hieß „bewakascha" und „toda raba" diente ihr für das Wort danke. Meiner Schwester, die überhaupt leicht anpassungsfähig ist und sich für etwas Neues schnell begeistert, wobei das Feuer der Begeisterung auch sehr schnell abkühlen kann, gefiel die neue, auf Kameradschaft aufgebaute Lebensweise wunderbar; sie war der Mittelpunkt ihrer Gruppe und wurde natürlich „bestätigt", d. h., daß sie dem Transport aus der Diaspora in die jüdische Heimat, die sie als „Erez" bezeichnete, schon Ende Februar oder Anfang März eingegliedert werden konnte.
Hans Winterfeldt

Links: Melkunterricht für jüdische Auswanderinnen in Hohenneuendorf bei Berlin. Photographie von *Abraham Pisarek*. 1936

Unten: Landwirtschaftliche Ausbildung für Auswanderer auf dem Lehrgut Winkel in Brandenburg. Photographie von *Tim Gidal*. Um 1935

Von mindestens ebenso großer, wenn nicht größerer Bedeutung als die industrielle und handwerkliche Umschichtung war die landwirtschaftliche Ausbildung. Auf diesem Gebiete waren die jüdischen Organisationen allerdings in der glücklichen Lage, die Umschichtler in bereits seit Jahren bestehende jüdische landwirtschaftliche Güter einweisen zu können, wo sie unter fachmännischer Leitung eine gründliche Ausbildung auf den verschiedenen Gebieten des Ackerbaus, der Viehzucht und der Gartenwirtschaft erhielten . . . Die größte und bekannteste jüdische landwirtschaftliche Ausbildungsstätte war das Landgut Neuendorf in der Nähe von Fürstenwalde, etwa 40 Kilometer vom Weichbild der Reichshauptstadt entfernt gelegen. Unter der Leitung des jüdischen Diplomlandwirts Moch wurden hier viele Hunderte von jungen jüdischen Menschen zu perfekten Ackerbauern, Viehzüchtern, Gärtnern ausgebildet.
Alexander Szanto

*D*iese Politik des Friedens und der Versöhnlichkeit ist die einzig richtige, die von den Juden getrieben werden kann. Sie entspricht dem jüdischen Herzen, dem jüdischen Geist, entspricht den wahren, menschlichen Geboten. Hier, auf dem Boden ihrer Urheimat dürfen die Juden nicht als eroberungslustige Europäer auftreten, dürfen nicht Gewalt gegen Gewalt setzen wollen. Dürften es selbst dann nicht, wenn sie die volle Macht dazu hätten. Denn sie werden hier für immer mit den Arabern leben, mit den Arabern in Palästina wie mit denen der ganzen, großen, angrenzenden Länder. Sie legen jetzt den Samen in den Boden und in die Herzen für dieses immerwährende Zusammensein mit den Arabern, und wenn sie jetzt Haß oder Vergeltung säen, werden sie niemals Liebe oder auch nur Duldung ernten. Sie müssen sich brüderlich dem semitischen Volk der Araber nähern, die ihre Brüder sind. Sie müssen ihnen sagen, daß Gott sie zurückgeführt hat nach Palästina, daß sie nach Gottes Willen zurückgekommen seien. Und es genügt nicht, ihnen das bloß zu sagen, sie müssen durch ihre Haltung beweisen, daß der Geist Gottes in ihnen lebendig ist. Dann werden ihnen die Araber glauben, und es wird langsam Friede einkehren zwischen ihnen. Immer müssen sich die Juden das vor Augen halten. Es ist eine ihrer größten Aufgaben hier in Palästina und im Angesicht der ganzen Welt. Von der Erfüllung dieser Aufgabe hängt das Gelingen ihres ganzen Werkes ab. „Teuer erkauft", werden manche sagen. Aber es kann nicht zu teuer erkauft sein!
Felix Salten

*A*lles verantwortliche Verhältnis zu den andern fängt mit echter aktueller Phantasie an. Wenn wir im Zeichen der Verantwortung uns vergegenwärtigen wollen, was wir in Palästina tun, müssen wir uns gründlich, mit leiblicher Phantasie vorstellen, wir wären die Eingesessenen und die andern die Anwärter, die nun ins Land gekommen sind und von Jahr zu Jahr mehr davon in Besitz nehmen wollen! Wie würden wir das uns Widerfahrende empfinden? Wie würden wir darauf reagieren? Erst wenn wir das wissen, werden wir lernen, jeweils nicht mehr unrecht zu tun, als wir müssen, um zu leben. Das freilich, leben, dürfen wir nicht bloß, wir sollen es. Denn wir leben ja um der ewigen Aufgabe willen, die wir in uns tragen.
Martin Buber

Oben: Max Bodenheimer, Vorsitzender der Zionistischen Vereinigung für Deutschland, pflanzt beim Besuch einer Siedlung in Palästina als symbolische Geste einen Ölbaum. 1904

*W*enn der Zionismus gesiegt hat – mindestens auf der Ebene historischer Entscheidungen in der Geschichte der Juden – so hat er das vor allem drei Faktoren zu verdanken, die seinen Charakter prägten: er war, alles in allem, eine Bewegung der Jugend, in der, wie es nicht anders sein konnte, auch starke romantische Momente mitspielten; er war eine Bewegung des sozialen Protestes, die ihre Inspiration ebensosehr aus dem uralten und noch immer lebendigen Anruf der Propheten Israels wie aus den Losungen des europäischen Sozialismus schöpfte; und er war bereit, sich mit dem Schicksal der Juden in allen, ich sage allen Aspekten, den religiösen und den weltlichen gleichermaßen, zu identifizieren.
Gershom Scholem

*S*ehr verehrter Herr Sachs, die Not uns'rer jüdischen Glaubensgenossen, besonders der jüdischen Jugend, ermutigt mich, dem Wunsche der „Werkleute" nachzukommen und Ihnen, den ich nur als den großzügigen Kunstsammler kenne, die Bestrebungen des Bundes auf das wärmste zu empfehlen. Aus dem schönen Traum der Assimilation sind wir leider, leider! nur zu jäh aufgeweckt. Für die jüdische Jugend sehe ich keine Rettung als die Auswanderung nach Palästina, wo sie als freie Menschen aufwachsen kann und den Gefahren des Emigrantentums entgeht.
Leider bin ich, der ich im 87sten stehe, zu alt um auszuwandern, aber der heranwachsenden jüdischen Generation zu einem freien Dasein zu verhelfen, scheint mir die wünschenswerteste Hilfe.
Max Liebermann

*S*elbstbesinnung auf sein jüdisches Erbteil. Je mehr man ihn seines Judentums wegen angreift, um so näher liegt ihm, die Wendung vom Deutschtum weg, die man ihm aufnötigt, zu einem Judentum hin zu machen, das ihm im Verlauf seiner Entwicklung störend, unerwünscht, fremd, gleichgültig, altmodisch oder beschränkt vorgekommen sein mochte. Jetzt findet er unter seinen Schicksalsgenossen Trost, Verständnis, Ermutigung, Kraft zum Aushalten und sogar eine praktische, begehbare Rettungsplanke: Palästina. Die zionistische Bewegung, aus dem deutschsprachigen Judentum und aus dem russischen entstanden, von Männern vorangetragen, die, wie Theodor Herzl, Max Nordau, Martin Buber in Wien oder Budapest geboren waren, oder wie Leon Pinsker, Uscher Ginsburg, S. Dubnow in Rußland aufwuchsen, hatte unter den deutschen Juden immer nur eine Minderheit zu Anhängern. Unsere Landsleute fürchteten, sehr zu Unrecht, ihre Emanzipation und Gleichberechtigung sei bedroht, wenn sie sich selber aus dem hundertprozentigen Deutschtum ausschlössen.
Arnold Zweig

*Z*ionismus ist etwas anderes als jüdischer Nationalismus; denn Zion ist mehr als Nation. Zionismus ist Bekenntnis zu einer Einzigartigkeit . . . Es ist auch keine bloße an einen geographischen Ort geknüpfte Bezeichnung wie Kanaan oder Palästina, sondern es ist von jeher ein Name für etwas, was an einem geographisch bestimmten Ort werden soll; in der Sprache der Bibel: der Anfang des Königtum Gottes über alles Menschenvolk.
Martin Buber

Joachim Riedl
RAUCH, GRAB DER MILLIONEN

Auf dem Boden des ehemaligen Konzentrationslagers Auschwitz befindet sich nun eine Gedenkstätte. Ein funktionsuntüchtiger Komplex, unbelebtes, schemenhaftes Inventar: stromloser Stacheldraht, erkaltete Krematorien, entleerte Baracken. Über die Geleise, auf denen Viehwaggon um Viehwaggon, vollgepfercht mit Menschenmaterial, fahrplanmäßig verkehrt war, über diese Geleise wuchs Gras.

Es herrscht Stille. Es finden sich Hinweise auf das millionenfache Sterben. Doch es schweigt die gequälte Erde. Ruhe liegt auf dem zerschundenen Land. Nacht und Nebel, durch die damals die kalten Scheinwerferfinger schnitten, sind geschwunden. Kein Echo von Wachschrittstiefeln. Kein Häftlingsorchester. Kein Todesröcheln. Das scharfe Hecheln der Bluthunde ist verstummt, das Kommandobellen, die beiläufigen Selektionsbefehle sind der Totenstille gewichen. Lautlose Landschaft eben; begrüntes Auschwitz.

Welcher Schlußstein läßt sich hinter diese Geschichte setzen? Stein ist das Material unserer Gräber. Stein legt Zeugnis ab. Stein ist das Material unserer Läuterung. Indem wir Grabsteine setzen, den hilflosen Ausdruck unserer Sehnsucht, lebendig zu bleiben, anerkennen wir die Todesmacht. Stein also ist jenes Material, mit dem wir unsere Demut gegenüber dem Leben und den Lebenden bekennen.

Dort, wo der Leichnam nur Abfallprodukt einer Lebensvernich-

Schweigen, das grenzenlose Schweigen von Unbetroffenen, von mitleidlos Desinteressierten, begleitete das monotone, ferne Mahlen der Vernichtungsmaschine. Sie verschlang Million um Million, mehr, als in den größten Städten des Landes lebte, nahezu mehr, als die Nazi-Zeit Minuten hatte . . .

Oben: Eheringe ermordeter Häftlinge im Konzentrationslager Mauthausen (Oberösterreich). 1945
Gegenüberliegende Seite: Ein jüdischer Jugendlicher wird von Nationalsozialisten gezwungen, „Jud" an eine Geschäftsfassade in der Wiener Leopoldstadt zu schreiben. März 1938

tungsmaschine gewesen ist. Dort, wo ein Bastard von Tod verübt wurde, lange bevor das Sterben seinen Abschluß gefunden hatte. Dort, wo das, was übrigblieb nach diesem Tod und diesem Sterben, durch die Schlote der Krematorien zum Himmel stieg und sich in der Luft zerlöste, nicht einmal ein Hauch, der mit mildem Schauder die Blätter zum Erzittern bringt. Schwerer, schwarzer Rauch hängt über dieser Geschichte. Und ohnmächtiges Vergehen. Den Toten, den der Tod gestohlen worden war, sechs, sieben Millionen todlosen Toten, ihrem Angedenken fehlen die Steine, die Gräber, die sie aus dem Vergessen herabziehen könnten in die

Schreckensbilder der Erinnerung.

Die Nationalsozialisten hatten schnell erkannt, daß sie den Menschen nur so nachhaltig das Menschsein aberkennen mußten, bis nur mehr eine Masse Körper übrigblieb, entseelte Gestalten, deren Schicksal bedenkenlos einer leidenschaftslosen Statistik überantwortet werden konnte. „Verjudet" eben zuvor, und „judenrein" danach. Wie leichtfertig konnte das gesagt, gedacht, gelesen werden. Damals.

Da waren die Vernichtungslager ja noch gar keine Todesfabriken, die schlimmer gewesen sein sollen als alle Höllenbilder, die ein Ablaßprediger jemals für die schlimmsten aller Schrecken hätte finden können. Was waren diese Zyanidduschbäder und Verbrennungsöfen? Was weiter als Entjudungsaggregate, weniger schlafstörend als die Schlachthöfe in der Vorstadt. Damals.

Und das Blut, das dort vergossen wurde, befleckte es? Bezeichnete es jene, die es vergossen hatten? Wurden die Nachbarn bleich, wenn sie dem Entjuder begegneten? Im Treppenhaus etwa, ganz ohne vorgewarnt zu sein? Wurde Mitleid laut, wenn die Schneiderei, wenn alles ringsherum judenfrei gemacht worden war? Sprach man dann leise, wurde kalkweiß, flüsterte vielleicht nur hinter vorgehaltener Hand vom drohenden Tod? Zeigte mit Fingern auf ihn, machte seine Spuren aus? Und die Trinkgefährten? Damals.

Fror eine Ehefrau, wenn sie in den

Armen des Mörders lag? Und sein Atem; erschauerte sie vor dieser Nähe, als die Luft aus seinen Lungen, die doch Mörderatem war, sanft und warm über ihre Wangen strich? Und die blutbefleckten Hände, die nach ihren Hüften faßten? War sie beschämt? Wehrte dem Zugriff? Damals.

Es herrschte große Stille, tonlose Teilnahmslosigkeit begleitete, was geschah. Zuerst hatten sie die Menschen abgeschafft und dann deren Tod. Was zu tun übrigblieb, war eine Verrichtung unwesentlicher Art; ein Organisationsproblem enormen Ausmaßes, doch letztendlich ein technisch lösbarer Vorgang. Damals war das so: Ein Mensch war gar kein Mensch mehr, der einen Tod hätte sterben können, er war (wie verräterisch: *es war*) etwas, das weg mußte, und je mehr weg kam, desto besser lasen sich die Vollzugsmeldungen, Produktionszahlen eines Fabriksystems, das aus Gegenständen Gegenstandslosigkeit produziert. Heute noch Körper, morgen schon Rauch.

Schweigen, das grenzenlose Schweigen von Unbetroffenen, von mitleidlos Desinteressierten, begleitete das monotone, ferne Mahlen der Vernichtungsmaschine. Sie verschlang Million um Million, mehr, als in den größten Städten des Landes lebte, nahezu mehr, als die Nazi-Zeit Minuten hatte.

Und während all dieser Zeit nur Lautlosigkeit. Es gibt keine Totenklagen und keine Grabreden, wo es keinen Tod und keine Gräber gibt. „Schweigen, wie Gold gekocht, in / verkohlten, verkohlten Händen. / Finger rauchdünn, wie Kronen, Luftkronen." *(Paul Celan: Chymisch)*

Denn was war man, wenn man Jude war und aufgehört hatte, Mensch zu sein? Dieser plötzliche Wechsel vom Sein zum Nicht-Sein, der doch noch immer in einer physischen Existenz stattfand und eingebettet lag zwischen Vor- und Nachgeschichte, was verursachte ihn?

War dies nur das Erbe des Antisemitismus, die letzte, mörderische Konsequenz? Tausend und mehr Jahre zog er seine blutige Bahn und entfachte dennoch nie einen derartigen Todesorkan.

Sie verbrannten die Juden lebendigen Leibes. In Ancona loderten die Scheiterhaufen, und in ihren Folterkellern stachen die Inquisitoren nach dem Judenherz, und in Wien, wo es noch heute „Unter den Weißgerbern" heißt, da belustigte sich das Volk an den erstickten Todesschreien, als die Flammen nach den Juden leckten und sie verzehrten mit Haut und Haar. Überall Ghettos, überall Flammen, Blut, Qualen. Zahllos. Unentrinnbar. Tausend Jahre und länger hat dieses Christenvolk, das aus seinen Katakomben gekrochen war, nicht geruht, die Judenheit, mit der es doch den *einen* Gott teilt, zu verfolgen, zu hassen, zu verleumden und unbarmherzig von Land zu Land zu jagen. Päpste, Kosaken, Despoten oder auch nur kleine Dorftyrannen, sie alle schlugen das Kreuz und vergriffen sich am Juden. Die katholische Majestät dankte ihrem himmlischen Herrn und legte die Juden in Acht und Bann. Das war ihre Christenpflicht, und dieses christliche Abendland, so vollgefüllt und überreich an Heilsideen und moralischem Gedankengut, das kannte keine Gnade, wenn ihm das jüdische Volk in die Quere kam.

Hostienschänder, Christusmörder, Brunnenvergifter und Christenkinderschänder, „mit vielfältiger vertusch und vertilgung", das alles blieb das antisemitische Credo, bis hin zu jenen Tagen, als sich der „Stürmer" diese „große Haß, Rachbegierdt, Naidt und feindschaft der juden wider die christen" *(Flugschrift, Wien 1668)* aufs neue besah und dem deutschen Volk, das nun christlich sein mochte oder nicht, in jedem Fall aber „arisch" zu sein hatte, mit panischen Wehklagen in den Ohren lag und in seinem verderbten Sprachgebrauch aus dem Christlichen das Völkische schälte, bis in fataler Nacktheit übrigblieb, was aus dem Menschen einen Menschen macht und was ein Jude ist, ein Untermensch nämlich, also einer, der nicht *unter*, sondern *unterhalb* der Menschen angesiedelt ist, und dort vermutlich unter den Ratten, die es ja waren, die im Mittelalter auf den Schiffen der Kreuzfahrer-Flotten jene Pest transportiert hatten, die den brunnenvergiftenden Juden zur Last gelegt worden war. Aber in ihrer Sprache waren sie nicht kleinlich; an ihr soll man sie erkennen.

Da besaß noch im christlichen Wien der christlichsoziale Lueger immerhin den veritablen Anstand, seinen Bürgern darzutun: „Was ein Jud' ist, bestimm' ich."

Den Frankenführer Streicher hingegen, der nur ein Sprachgewaltiger unter vielen Gleichlautenden war, behinderte keine Luegersche Judenfrage mehr. Er beschloß: „Was ein Mensch ist, bestimm' ich."

Der Unterschied zwischen beiden Anmaßungen beträgt sechs Millionen.

Und somit war mit einem Streich, indem der Jude mit dem Menschen vertauscht worden war, der Mensch zum Material seiner Geschichte geworden. Es war nun nicht mehr Menschheitsgeschichte, die Opfer forderte, sondern Geschichte schlechthin, aus der die Handelnden ausgetreten waren, sich verdinglicht hatten und sich nun damit begnügten, in Gestalt von Tätern als Werkzeug und Objekt gehandhabt zu werden. So hatte sich der Faustsche Höhenflug verselbständigt und jene, die der Traum vom Absoluten dazu trieb, die Lebensgrenzen aufheben zu wollen, wurden ausgestoßen aus dem Reich des Lebens und des Todes. Sie nahmen fremdes Leben, doch nur um den Preis des eigenen. Aus den Gestaltern der Geschichte wurde Material der Geschichte, die sie selbst verschuldet hatten.

„Es kann die Spur von meinen Erdentagen / nicht in Aeonen untergehen." *(J. W. Goethe: Faust)*. Keines Menschen Spur jedoch, wenn sie historische Tatsache ist, könnte nicht vergehen, denn sie ist „behaftet mit allen Unzulänglichkeiten des Empirischen, unterworfen dem Wandel und Vergehen" *(Hermann Broch: Logik einer zerfallenden Welt)*. Doch bestehen bleibt, bis an das Ende der Zeit, die riesigschwarze Rauchwolke, die zum Grab der Millionen wurde. Sie ist es, die nicht untergehen kann in Aeonen, den Himmel verfinsternd: Nebel der Geschichte, der jede Tageszeit in tiefe Finsternis hüllt.

Massenmord entsteigt einem Abgrund verborgener Ängste und Leidenschaften: Das Blut, das er vergießt, genügt sich selbst. Die mechanisierte Vernichtung von Menschen hingegen ist ein organisierter Ablauf, auf Effizienz bedacht, der sich Gesetze gibt, nach denen er funktioniert. Kalt und gefühllos, entmenscht oder entseelt, maschinell – wobei die Maschine schon dem Maschinisten sein Handeln dirigiert (und das spricht nicht frei von Schuld, sonder verdoppelt sie, denn die Maschine wird ja nicht nur vom Maschinisten bedient, sondern auch von ihm gewollt!) – so erfolgt die mechanisierte Vernichtung von Menschen. Sie will nicht Blut und sie weidet sich nicht am Elend und den Qualen. Sie will weit mehr. Sie will das Nichts, das Absolute.

Denn *es* geschah. *Es* wurde gestorben. *Es* wurde Leben vernichtet. Nicht: Sie sind oder sie haben, sondern: es wurde. Darin liegt das Prinzip von Auschwitz: in der Verurteilung zu absoluter Passivität. Das Dasein hatte aufgehört zu sein: Das Da und Dort wurde verfügt, und verfügbar war, wer sich sowohl da wie dort befand. Das ist die Logik der Mechanik. Nach ihr funktionieren die Maschinen und nach ihren Gesetzen produzieren auch die Vernichtungsmaschinen Nicht-Sein. „Und alles geschieht, um es in Bewegung zu halten", schreibt Karl Kraus in „Die dritte Walpurgisnacht"; allein an ihrer Sprache hatte er sie erkannt.

Ich bestreite, daß es ein solches deutsch-jüdisches Gespräch in irgendeinem echten Sinne als historisches Phänomen je gegeben hat. Zu einem Gespräch gehören zwei, die aufeinander hören, die bereit sind, den anderen in dem, was er ist und darstellt, wahrzunehmen und ihm zu erwidern. Nichts kann irreführender sein, als solchen Begriff auf die Auseinandersetzungen zwischen Deutschen und Juden in den letzten 200 Jahren anzuwenden. Dieses Gespräch erstarb in seinen ersten Anfängen und ist nie zustande gekommen. Es erstarb, als die Nachfolger Moses Mendelssohns, der noch aus irgendeiner, wenn auch von den Begriffen der Aufklärung bestimmten, jüdischen Totalität her argumentierte, sich damit abfanden, diese Ganzheit preiszugeben, um klägliche Stücke davon in eine Existenz herüberzuretten, deren neuerdings beliebte Bezeichnung als deutsch-jüdische Symbiose ihre ganze Zweideutigkeit offenbart. Gewiß, die Juden haben ein Gespräch mit den Deutschen versucht, von allen möglichen Gesichtspunkten und Standorten her, fordernd, flehend und beschwörend, kriecherisch und auftrotzend, in allen Tonarten ergreifender Würde und gottverlassener Würdelosigkeit, und es mag heute, wo die Symphonie aus ist, an der Zeit sein, ihre Motive zu studieren und eine Kritik ihrer Töne zu versuchen. Niemand, auch wer die Hoffnungslosigkeit dieses Schreis ins Leere von jeher begriffen hat, wird dessen leidenschaftliche Intensität und die Töne der Hoffnung und der Trauer, die in ihm mitgeschwungen haben, geringschätzen. Der Versuch der Juden, sich den Deutschen zu erklären und ihre eigene Produktivität ihnen zur Verfügung zu stellen, sogar bis zur völligen Selbstaufgabe hin, ist ein bedeutendes Phänomen, dessen Analyse in zureichenden Kategorien noch aussteht und vielleicht jetzt erst, wo es zu Ende ist, möglich werden wird. Von einem Gespräch vermag ich bei alledem nichts wahrzunehmen. Niemals hat etwas diesem Schrei erwidert, und es war diese einfache und ach, so weitreichende Wahrnehmung, die so viele von uns in unserer Jugend betroffen und uns bestimmt hat, von der Illusion eines Deutschjudentums abzulassen. Wo Deutsche sich auf eine Auseinandersetzung mit den Juden in humanem Geiste eingelassen haben, beruhte solche Auseinandersetzung stets, von Wilhelm von Humboldt bis zu George, auf der ausgesprochenen und unausgesprochenen Voraussetzung der Selbstaufgabe der Juden, auf der fortschreitenden Atomisierung der Juden als einer in Auflösung befindlichen Gemeinschaft, von der bestenfalls die einzelnen, sei es als Träger reinen Menschentums, sei es selbst als Träger eines inzwischen geschichtlich gewordenen Erbes rezipiert werden konnten. Jene berühmte Losung aus den Emanzipationskämpfen: „Den Juden als Individuen alles, den Juden als Volk (das heißt: als Juden) nichts" ist es,

die verhindert hat, daß je ein deutsch-jüdisches Gespräch in Gang gekommen ist. Die einzige Gesprächspartnerschaft, welche die Juden als solche ernstgenommen hat, war die der Antisemiten, die zwar den Juden etwas erwiderten, aber nichts Förderliches. Dem unendlichen Rausch der jüdischen Begeisterung hat nie ein Ton entsprochen, der in irgendeiner Beziehung zu einer produktiven Antwort an die Juden als Juden gestanden hätte, das heißt der sie auf das angesprochen hätte, was sie als Juden zu geben, und nicht auf das, was sie als Juden aufzugeben hätten. Zu wem also sprachen die Juden in jenem

Oben: Denkmal vor dem Deutschen Pavillon der Pariser Weltausstellung. Photographie von *Herbert List.* 1937

vielberufenen deutsch-jüdischen Gespräch? Sie sprachen zu sich selber, um nicht zu sagen: sie überschrien sich selber. Manchen war dabei unheimlich zumute, viele aber taten so, als ob alles auf dem besten Wege sei, in Ordnung zu kommen, als ob das Echo ihrer eigenen Stimme sich unversehens in die Stimme der anderen verwandeln würde, die sie so begierig zu hören hofften. Die Juden waren immer große Lauscher, eine edle Erbschaft, die sie vom Berge Sinai mitgebracht haben.

286

Sie haben auf vielerlei Stimmen gelauscht, und man kann nicht sagen, daß es ihnen immer gut bekommen ist. Als sie zu den Deutschen zu sprechen dachten, da sprachen sie zu sich selber. Niemand als Juden selber ist etwa von der jüdischen Produktivität eines Denkers wie Simmel angesprochen worden. Und Simmel ist in der Tat eine wahrhaft symbolische Erscheinung für all das, wovon ich hier spreche, weil eine Erscheinung, die die Substanz des Judentums noch höchst sichtbar an einem Manne zeigte, bei dem es auf dem reinen Nullpunkt völliger Entfremdung angelangt war. Ich versage es mir, jenes erschütternde Kapitel abzuhandeln, das durch den großen Namen Hermann Cohens bezeichnet ist, und die Art, in der diesem unglücklich Liebenden, der den Schritt vom Erhabenen zum Lächerlichen nicht gescheut hat, geantwortet worden ist.

Die angeblich unzerstörbare geistige Gemeinsamkeit des deutschen Wesens mit dem jüdischen Wesen hat, solange diese beiden Wesen realiter miteinander gewohnt haben, immer nur vom Chorus der jüdischen Stimmen her bestanden und war, auf der Ebene historischer Realität, niemals etwas anderes als eine Fiktion, eine Fiktion, von der Sie mir erlauben werden zu sagen, daß sie zu hoch bezahlt worden ist. Die Deutschen hat diese Fiktion, ausweislich einer nur allzu reichen Dokumentation, meistens ergrimmt und bestenfalls gerührt. Kurz bevor ich nach Palästina ging, erschien Jakob Wassermanns Schrift: Mein Weg als Deutscher und Jude, gewiß eines der ergreifendsten Dokumente dieser Fiktion, ein wahrer Schrei ins Leere, der sich als solchen wußte. Was ihm erwidert hat, war teils Verlegenheit, teils Grinsen. Vergebens wird man nach einer Antwort auf der Ebene des Redenden suchen, die also ein Gespräch gewesen wäre. Und wenn es einmal, direkt vor dem Einbruch der Katastrophe, in der Tat zu einem Gespräch in Wechselrede gekommen ist, dann sieht es so aus wie jenes Gespräch zwischen den Exwandervögeln Hans Joachim Schoeps und Hans Blüher, bei dessen Lektüre noch heute dem Leser die Haare zu Berge stehen. Aber wozu Beispiele häufen, wo ja eben das Ganze jenes gespenstischen deutsch-jüdischen Gespräches sich in solchem leeren Raume des Fiktiven abspielte? Ich könnte unendlich davon sprechen und bliebe doch immer auf demselben Punkt. Es ist wahr: daß jüdische Produktivität sich hier verströmt hat, wird jetzt von den Deutschen wahrgenommen, wo alles vorbei ist. Ich wäre der letzte zu leugnen, daß darin etwas Echtes – Ergreifendes und Bedrückendes in einem – liegt. Aber das ändert nichts mehr an der Tatsache, daß mit den Toten kein Gespräch mehr möglich ist, und von einer „Unzerstörbarkeit dieses Gespräches" zu sprechen, scheint mir Blasphemie.
Gershom Scholem

Wir waren Deutsche, sonst wäre nicht alles, was später kam, so furchtbar, so niederschmetternd gewesen. Wir sprachen die uns teure deutsche Sprache, im wahrsten Sinn die Muttersprache, in der wir alle Worte und Werte des Lebens empfangen hatten, und Sprache ist ja fast mehr als Blut. Wir kannten kein anderes Vaterland als das deutsche, und wir liebten es mit der Liebe zum Vaterland, die später so verhängnisvoll wurde.
Margarete Susman

Wir wollen einem Lande, das uns soviel gegeben hat und dem wir dankbar seine Gaben doppelt und dreifach zu vergelten strebten, nichts mehr aufdrängen, da es unsern Dank nicht mag. Unser Verhältnis zu Deutschland ist das einer unglücklichen Liebe: wir wollen endlich männlich genug sein, uns die Geliebte, statt ihr endlos kläglich nachzuschmachten, mit kräftigem Entschlusse aus dem Herzen zu reißen – und bleibe auch ein Stück Herz hängen.
Moritz Goldstein

Die zwei Quellen – das sind Judentum und Deutschtum. Aus ihnen beiden strömt dem Träger der Handlung sein Fühlen und Denken. Niemals habe ich einen Zwiespalt zwischen dem Juden und dem Deutschen in mir gefühlt. Dem zersetzenden Verstand mag sich vielleicht Trennendes zwischen ihnen auftun, aber das Gefühl – und das entscheidet hier – empfindet sie in sich als eine Einheit. Und wenn ich jemals auf etwas stolz war, so war es darauf: Deutscher und Jude zu sein.
Jakob Loewenberg

Vater und Großvater waren sich dessen bewußt, daß die Frage der Ostjuden, und zwar nicht nur der in Rußland, gelöst werden mußte, nicht nur in philanthropischem Sinne, sondern auch in kultureller, wirtschaftlicher und vielleicht auch jüdisch-nationaler Richtung, sollte nicht das Gift, das in Russisch-Polen gestreut war, auf ganz Europa übergreifen. Ich begriff schon damals, daß ich in religiös-ethischem Sinne Jude bin und daß das Judentum so „katholos", das heißt „weltweit", ist wie der römische Katholizismus oder eine der evangelischen Kirchen, daß ich in politischer und kultureller Beziehung aber Deutscher war, wobei es kein protestantisches, katholisches oder jüdisches Deutschtum geben konnte. Mit anderen Worten, man habe dem Kaiser zu geben, was des Kaisers ist, und Gott, was Gottes ist. So meinte ich es wenigstens damals und betete, niemals vor die Frage, ob ich Deutscher oder Jude sein wolle, gestellt zu werden.
Georg Tietz

Deutschland ist weder ein christlicher Kirchenstaat noch ein germanischer Rassenstaat, sondern eine Gemeinschaft im Geiste. Wir Juden sind keine Germanen, sondern Semiten, aber um nichts weniger Deutsche. Wir werden es stes als die unverschämteste Anmaßung betrachten, wenn einer ein besserer Deutscher zu sein behauptet, nur weil er Schulze heißt und blaue Augen und blondes Haar hat, als Cohn mit dunklen Augen und Haaren. Das Deutschtum liegt im Gemüte, nicht im Geblüte. Ein Deutscher ist, wer ein Deutscher sein will.
Benno Jacob

Wir fühlen uns mit allen Juden der ganzen Erde eines Stammes und Glaubens. Wir empfinden tief ihr Leiden mit und werden uns nie ihrer Not versagen, aber wir deutschen Juden sind und bleiben von Religion Juden, von Nation Deutsche. Welcher andern Nation könnten wir denn angehören, welches andere Land kann unser Vaterland sein als dasjenige, in dem unsere Wiege stand und die Gräber unserer Väter liegen, dessen Luft wir seit Kindesbeinen atmen, dessen Bildung wir in uns aufgenommen haben, dessen Sprache wir sprechen, das uns nährt und schützt und für das wir jetzt wieder geblutet und gelitten haben?
Benno Jacob

Der Liebe der Juden zu Deutschland entsprach die betonte Distanz, mit der die Deutschen ihnen gegenübertraten. Gewiß, aus „Distanzliebe" heraus hätten diese Partner mehr Güte, Aufgeschlossenheit, Verständnis füreinander aufbringen können. Aber historische Konjunktive sind immer illegitim, und wenn Distanzliebe die, wie wir jetzt wahrnehmen können, zionistische Antwort auf die unaufhaltsam sich anbahnende Krise zwischen Juden und Deutschen gewesen wäre, so kam diese Losung der zionistischen Avantgarde zu spät. Die deutschen Juden, die durch ihren Sinn für Kritik bei den Deutschen ebenso berühmt wurden, wie sie ihnen dadurch auf die Nerven gingen, haben sich in diesen, der Katastrophe vorausgehenden Generationen durch einen erstaunlichen Mangel an Einsicht und Kritik ihrer eigenen Lage ausgezeichnet.
Gershom Scholem

Die Liebesaffäre der Juden mit den Deutschen blieb, aufs Große gesehen, einseitig, unerwidert, und weckte im besten Fall etwas wie Rührung . . . und Dankbarkeit. Dankbarkeit haben die Juden nicht selten gefunden, die Liebe, die sie gesucht haben, so gut wie nie.
Gershom Scholem

Wenige Beobachter in aller Welt scheinen sich darüber Rechenschaft abzulegen, was die Bücherverbrennung, die Vertreibung der jüdischen Schriftsteller und all die anderen wahnwitzigen Versuche des Dritten Reiches, den Geist zu zerstören, bedeuten . . .
Wir deutschen Schriftsteller jüdischer Abstammung müssen in diesen Tagen, da der Rauch unserer verbrannten Bücher zum Himmel steigt, vor allem erkennen, daß wir besiegt sind. Erfüllen wir, die wir die erste Welle der Soldaten bilden, die unter dem Banner des europäischen Geistes gekämpft haben, die edelste Pflicht der in Ehren besiegten Krieger: erkennen wir unsere Niederlage. Ja, wir sind geschlagen. . .
In einer Zeit, da Seine Heiligkeit, der unfehlbare Papst der Christenheit, einen Friedensvertrag, „Konkordat“ genannt, mit den Feinden Christi schließt, da die Protestanten eine „Deutsche Kirche“ gründen und die Bibel zensieren, bleiben wir Nachkommen der alten Juden, der Ahnen der europäischen Kultur, die einzigen legitimen deutschen Repräsentanten dieser Kultur . . .
Das unbestreitbare Verdienst der jüdischen Schriftsteller für die deutsche Literatur besteht in der Entdeckung und literarischen Auswertung des Urbanismus. Die Juden haben die Stadtlandschaft und die Seelenlandschaft des Stadtbewohners entdeckt und geschildert. Sie haben die ganze Vielschichtigkeit der städtischen Zivilisation entschleiert. Sie haben das Kaffeehaus und die Fabrik entdeckt, die Bar und das Hotel, die Bank und das Kleinbürgertum der Hauptstadt, die Treffpunkte der Reichen und die Elendsviertel, die Sünde und das Laster, den städtischen Tag und die städtische Nacht, den Charakter des Bewohners der großen Städte. Diese Richtung war den jüdischen Talenten vorgegeben durch das städtische Milieu, woher die meisten von ihnen stammten, wohin ihre Eltern aus gesellschaftlichen Gründen getrieben worden waren, und auch durch ihre besser entwickelte Sensibilität und die den Juden eigene kosmopolitische Begabung. Die Mehrzahl der deutschen Schriftsteller nichtjüdischer Herkunft beschränkte sich auf die Beschreibung der Landschaft, die ihre Heimat war.
Joseph Roth

Betrunkene Horden im Palast und auf der Gasse, noch trinken sie Wein, doch bald werden sie Blut saufen, noch leuchten sie mit Fackeln, doch bald werden ihre Dächer brennen und flammen, brennen, brennen, brennen. Und desgleichen werden die Bücher mit in dem Rauch aufgehen.
Hermann Broch

Was fangen Sie wohl mit den beiden Räumen an, die meine Bibliothek enthielten? Bücher, habe ich mir sagen lassen, sind nicht sehr beliebt in dem Reich, in dem Sie leben, Herr X, und wer sich damit befaßt, gerät leicht in Unannehmlichkeiten. Ich zum Beispiel habe das Buch Ihres „Führers“ gelesen und harmlos konstatiert, daß seine 140.000 Worte 140.000 Verstöße gegen den deutschen Sprachgeist sind. Infolge dieser meiner Feststellung sitzen jetzt Sie in meinem Haus. Manchmal denke ich darüber nach, wofür man wohl im Dritten Reich die Büchergestelle verwenden könnte.
Lion Feuchtwanger

Die deutsche Umwälzung, deren Zeugen wir seit zwei Jahren staunenden Auges und Ohres sind, erfaßte auch die Grammatik. Ihr Grundstatut, auf eine bündige Formel gebracht, lautet: Abschaffung von Subjekt und Prädikat.
Anton Kuh

Asphaltliteratur – Heimatkunst, die Zweiteilung ist klar. Sie entspricht ungefähr der Einteilung der Menschen in gesunde und kranke Volksgenossen, wobei die gesunden die sind, die in Reih und Glied marschieren, der Autorität nicht lange nachgrübeln und sich an Ganghofers würzigem Quell laben, während als krank die gelten, welche die Neigung, dem Zusammenhang der Dinge nachzuspüren und sich nach dem Sinn des Daseins zu fragen, nicht unterdrücken können.
Anton Kuh

Österreich ist die Wiege der deutschen Welt. Hier wurde Gut und Böse des mitteleuropäischen Geistes geboren, der Satz und der Gegensatz, hier war die Geburtsstätte des Antisemitismus und zugleich des Zionismus, des ersten Reichs und des dritten Reichs, Hitlers und Mozarts. Hier erblickte im „Nibelungenlied“ die deutsche Sprache das Licht der Welt (in Pöchlarn a. d. Donau). Hier starb sie einige Jahrhunderte später (in Braunau am Inn).
Anton Kuh

Unten: SA-Leute beschlagnahmen Literatur für die Bücherverbrennung am Kaiser-Friedrich-Ufer in Hamburg. Photographie von Joseph Schorer. 15. Mai 1933

Ich bin ... gegen meinen Willen immer wieder aus der Umgebung herausgerissen worden, die ich mit Liebe und Sorgfalt meinen Wünschen und Bedürfnissen gemäß gemodelt hatte. Immer wieder umgab ich mich mit Dingen, die ich gern hatte, immer wieder stellte ich einen sehr großen Schreibtisch vor einen Ausblick in eine schöne Landschaft, immer wieder stellte ich ein paar tausend Bücher um mich herum, immer wieder zog ich ein paar Katzen groß und glaubte, sie hingen nun gerade an mir, immer wieder schaffte ich mir zwei oder drei Schildkröten

an und schaute ihren langsamen, urweltlichen Bewegungen zu, immer wieder legte ich mir ein paar Flaschen ausgesuchten Weines in einen kellerigen Raum. Und wiewohl mich immer wieder äußere Umstände zwangen, dieses mein mit soviel Mühe eingerichtetes Gehäuse zu verlassen, ich ließ mich nicht belehren. Immer wieder von neuem baute ich es mir auf, immer wieder von neuem klammerte ich mich daran, innerlich und äußerlich, und glaubte, diesmal müsse es mir erhalten bleiben.
Lion Feuchtwanger

Oben: Verbrennung „undeutscher Schriften und Bücher“ auf dem Opernplatz in Berlin. 10. Mai 1933

*Ja, wir lieben dieses Land.
Und nun will ich euch mal etwas sagen: Es ist
ja nicht wahr, daß jene, die sich „national"
nennen und nichts weiter sind als bürgerlich-
nationalistisch, dieses Land und seine Sprache
für sich gepachtet haben.
Weder der Herr Regierungsvertreter im Geh-
rock noch der Oberstudienrat noch die Herren und Damen des Stahlhelms allein sind
Deutschland. Wir sind auch noch da.
Sie reißen den Mund auf und rufen: „Im
Namen Deutschlands . . .!" Sie rufen: „Wir
lieben dieses Land, nur wir lieben es." Es ist
nicht wahr.
. . . Und so wie die nationalen Verbände über
die Wege trommeln – mit dem gleichen
Recht, mit genau demselben Recht nehmen
wir, wir, die wir hier geboren sind, wir, die
wir besser deutsch schreiben und sprechen als
die Mehrzahl der nationalen Esel – mit genau
demselben Recht nehmen wir Fluß und Wald
in Beschlag, Strand und Haus, Lichtung und
Wiese: es ist unser Land.
. . . Deutschland ist ein gespaltenes Land. Ein
Teil von ihm sind wir. Und in allen Gegen-
sätzen steht – unerschütterlich, ohne Fahne,
ohne Leierkasten, ohne Sentimentalität und
ohne gezücktes Schwert – die stille Liebe zu
unserer Heimat.*
Kurt Tucholsky

*Ihre Heimat hieß Deutschland. Ihre Heimat
heißt Deutschland, wo sie seit Jahrhunderten
sitzen, arbeiten, in einem genau verfolgbaren
Ausmaß schöpferisch werden. Das Buch, welches Sie freundschaftlicherweise zu lesen
wünschten, Bilanz der deutschen Judenheit
1933, beschrieb diesen Prozeß . . .
Sie trauten es den Deutschen nicht zu. Ich
auch nicht. Sie glaubten nicht, daß sie diesen
Müll fressen würden. Ich auch nicht. Aber
siehe da, sie haben ihn mit Begeisterung
gefressen . . . Daß wir uns so irrten, daß wir
die Menschen, mit denen wir aufgewachsen
waren, so überschätzten, ehrt uns nicht, aber
es schändet uns auch nicht . . . Wir täuschten
uns über den Grad von Zivilisation in den
Deutschen und in der Leidenschaft der Europäer für ihre Kultur.*
Arnold Zweig

*Ich wußte nichts, am wenigsten über mich
selbst, doch hatte ich immerfort das Gefühl:
dies hier kann nicht dauern.*
Hans Mayer

*Diese schlimme Zeit des Wartens und des
Übergangs, die dunkelste, welche Deutschland seit dem Dreißigjährigen Krieg erlebt
hat, für die Späteren lebendig zu machen.
Denn es wird diesen Späteren unverständlich
sein, warum wir ein solches Leben so lange
ertragen konnten, sie werden nicht begreifen,
warum wir so lange zuwarteten, ehe wir die
einzige vernünftige Schlußfolgerung zogen,
die nämlich, der Herrschaft der Gewalt und
des Widersinns unsererseits mittels Gewalt ein
Ende zu setzen und an ihrer Statt eine
vernünftige Ordnung herzustellen. Warum
und wieso wir das nicht taten, warum die
meisten es nicht einmal wollten, warum selbst
die wenigen, die richtige Erkenntnisse hatten,
so seltsam und unbegreiflich dahinlebten,
dieses unser armseliges, bitteres, verrücktes
und heroisches Dasein in der langen Zeit des
Wartens und des Übergangs den Spätergebo-
renen begreiflich zu machen, das also versucht der Roman-Zyklus „Der Wartesaal".*
Lion Feuchtwanger

*Es ist an der Zeit, gefährliche Illusionen zu
zerstören. Nicht nur Demokraten, auch Sozialisten und Kommunisten neigen zu der
Ansicht, man solle Hitler regieren lassen,
dann werde er am ehesten „abwirtschaften".
Dabei vergessen sie, daß die Nationalsozialistische Partei gekennzeichnet ist durch ihren
Willen zur Macht und zur Machtbehauptung.
Sie wird es sich wohl gefallen lassen, auf
demokratische Weise zur Macht zu gelangen,
aber keinesfalls auf Geheiß der Demokratie
sie wieder abgeben.*
Ernst Toller

*Wir sahen mit steigender Besorgnis, daß die
„Gleichschaltung" der öffentlichen Meinung
in Deutschland erfolgreich zu werden begann. Wir mußten einsehen, daß die Hoffnung weiter Kreise, eine Mäßigung in der
nationalsozialistischen Politik zu erleben,
vergebens war. Demgemäß wurde die Auswanderung von allen jüdischen Kreisen, auch
den unseren, stärker betrieben.*
Kurt Baumann

<u>Links:</u> Organisierte Nazi-Schmier-
aktionen in Berlin, die zum Boy-
kott jüdischer Geschäfte aufrufen.
Sommer 1933
<u>Gegenüberliegende Seite:</u> Groß-
razzia der Polizeiabteilung z. b. V.
(zur besonderen Verwendung) im
Berliner Scheunenviertel: Die jüdischen Bewohner eines Hauses in
der Grenadierstraße werden auf
den Hof getrieben, nach Waffen
untersucht und zur Ausweislei-
stung gezwungen. 5. April 1933

Hätten die deutschen Nationalisten nicht diese fast tierische Stalldumpfheit von pommerschen Bereitern aus dem vorigen Jahrhundert: sie hätten längst auf die allerdings zugkräftige Volksparole „Haut die Juden!" verzichtet – und drei Viertel der deutschen Juden säßen heute da, wo sie klassenmäßig hingehören: bei der Deutschen Volkspartei. Sie tun es nicht, weil sie der Antisemitismus abstößt; sie tun es zum Teil doch, weil ihnen ihr Bankkonto lieber ist als eine Religion, von der sie nur noch das Weihnachtsfest und die Frankfurter Zeitung halten.
Kurt Tucholsky

Ich kann es nicht überwinden, daß man Menschen, deren Väter auf märkischer Erde geboren, in den Kriegen 1864 und 1866 mit Auszeichnung gekämpft und geblutet haben, die selber Soldaten gewesen, aktiv gedient, als Reservisten ins Feld gezogen sind, heute nicht mehr als Deutsche anerkennen will. Es ist für mich ein unerträglicher Gedanke, daß die Fahnen der alten Regimenter, unter denen ich selbst und meine Väter gedient haben, womöglich nicht mehr Symbol für mich selbst sein sollen.
Central-Verein Zeitung. 1933

Das Sterben meiner Mutter, die Hinrichtung der sechs jungen Menschen in Köln (der jüngste 18, der älteste 28), die Morde an Freunden – jeder Tod bedeutet mir ein Vermächtnis. Wilde Tiere töten, wenn sie Hunger haben, diese Babaren morden aus satter Rache und freuen sich ihrer Rache. Daß sie aus der Erde Europas gerissen werden mit Blatt und Wurzel, auch dafür will ich leben. Ich habe zuweilen daran gedacht, die Emigration zu sammeln, mit der strengen Disziplin einer Legion – es wäre ein vergebliches Beginnen. Die Emigration von 1933 ist ein wüster Haufe aus zufällig Verstoßenen, darunter vielen jüdischen verhinderten Nazis, aus Schwächlingen mit vagen Ideen, aus Tugendbolden, die Hitler verhindert Schweine zu sein, und nur wenigen Männern mit Überzeugungen. Deutsche, allzu Deutsche.
Ernst Toller

*E*inen Begriff von der Lage gibt weniger der individuelle Terror, als die kulturelle Gesamtsituation. Über den erstern ist schwer, absolut Zuverlässiges in Erfahrung zu bringen. Unbezweifelt sind die zahlreichen Fälle, in denen Leute nachts aus ihren Betten geholt und mißhandelt oder ermordet werden... Was mich betrifft, so sind es nicht diese – seit langem mehr oder minder absehbaren – Verhältnisse gewesen, die in mir, und zwar erst vor einer Woche, in unbestimmten Formen, die Entschließung, Deutschland zu verlassen zur schleunigsten Entfaltung gebracht haben. Es war vielmehr die fast mathematische Gleichzeitigkeit, mit der von allen überhaupt in Frage kommenden Stellen Manuscripte zurückgereicht, schwebende, beziehungsweise abschlußreife Verhandlungen abgebrochen, Anfragen unbeantwortet gelassen wurden. Der Terror gegen jede Haltung oder Ausdrucksweise, die sich der offiziellen nicht restlos angleicht, hat ein kaum zu überbietendes Maß angenommen.
Walter Benjamin

*L*iebe Freunde, wir möchten uns in einer sehr dringenden und vertraulichen Sache an Sie wenden. In Berücksichtigung der gegenwärtigen Lage in Deutschland haben wir beschlossen, unser Eigentum in Berlin – sowohl bewegliches als unbewegliches – gegen Schaden durch Pogrome zu versichern; sowohl gegen Zerstörung des Hauses, des Mobiliars, der Maschinen, als auch gegen Feuer, hervorgerufen durch Unruhen. Wir erwägen, diese Versicherung durch Lloyds vorzunehmen. Aus Gründen, die Sie verstehen werden, haben wir uns dahingehend entschieden, daß Sie, die Zionistische Exekutive, die Versicherung zu unseren Gunsten beantragen und abschließen, so daß wir die Versicherten sind. Wir ersuchen Sie, uns umgehend zu antworten, ob Sie gewillt sind, die Angelegenheit zu übernehmen. Bei Empfang Ihrer prinzipiellen Zustimmung werden wir Ihnen ein detailliertes Konzept des Antrags übersenden, das an Lloyds weiterzureichen ist.
Auf Ihre sofortige Antwort hoffend, verbleiben wir mit bestem Dank und Zionsgruß.
Zionistische Vereinigung für Deutschland
Dr. Georg Landauer

*H*üten wir uns vor den Weichlingen, die in einer Zeit wie dieser Zurückhaltung predigen, und halten wir unbeirrbar an den Errungenschaften der Emanzipation fest! Freiwillig dürfen und werden wir von unserer staatsbürgerlichen Gleichberechtigung keinen Schritt zurückweichen!. . . Wir glauben an die guten Kräfte im deutschen Volk, wir glauben an das baldige Erwachen dieser Kräfte auch im rechten Lager. Wir bleiben, wie wir sind, und weil wir so bleiben, werden wir das Judentum und das Deutschtum in uns zu Ehren bringen.
Central-Verein-Zeitung, 1932

*D*ie jüdische Gemeinschaft schloß sich enger zusammen. Die Jüdische Rundschau, das Blatt der Zionisten, trug durch ihre ermutigenden Artikel viel zur Aufrichtung der Geister bei. Wir versuchten, in Hanau eine jüdische Schule zu errichten, doch die Regierung versagte die Einwilligung. Die Geschäfte wurden schikaniert. . . Der Druck auf die Kundschaft, den jüdischen Geschäften fernzubleiben, wurde stärker. Die NS-Handels-Organisation arbeitete mit Anstrengung.
Carl Schwabe

Oben: „500.000 Arbeitslose /
400.000 Juden / Ausweg sehr einfach!": Antisemitische Wahlwer-
bung der Nationalsozialisten anläßlich der Wiener Gemeinderats-
wahl. Photographie von Lothar
Rübelt. 1932

Rechts: Terror und Erniedrigung
bis in die Privatsphäre: SA-Männer
stellen vor dem Haus der NS-
Kreisleitung in Cuxhaven eine
Frau und ihren jüdischen Freund
öffentlich an den Pranger.
27. Juli 1933

*W*ir dagegen wußten, daß das Ungeheuer-
lichste als selbstverständlich zu erwarten war.
Wir hatten jeder das Bild eines erschlagenen
Freundes, eines gefolterten Kameraden hinter
der Pupille und darum härtere, schärfere,
unerbittlichere Augen. Wir Geächteten, Ge-
jagten, Entrechteten, wir wußten, daß kein
Vorwand zu unsinnig, zu lügnerisch war,
wenn es um Raub ging und Macht.
Stefan Zweig

*D*em deutschen Moraljüngling und seiner
heroischen Gesinnung hatte es gerade der
Befreier der Stenotypistinnen [Hugo Bettau-
er] angetan. Ein nationalistisches Blatt brachte in Extenso-Breite eine Schmäh-Überschrift
auf ihn, und darunter stand genau so groß der
Aufruf: „Unsere blonden Mädels als Freiwild
für geile Judenbengels" – ein Satz, der sich
neben einer graziösen Fülle an Genetiv-„s"
noch durch das naive Bekenntnis auszeichnet,
wo eigentlich im Deutschen Nationalismus
des Pudels Kern steckt . . .
Anton Kuh

Wir, die wir im neuen Jahrhundert gelernt haben, von keinem Ausbruch kollektiver Bestialität uns mehr überraschen zu lassen, wir, die wir von jedem kommenden Tag noch Ruchloseres erwarten als von dem vergangenen, sind bedeutend skeptischer hinsichtlich einer moralischen Erziehbarkeit der Menschen. Wir mußten Freud recht geben, wenn er in unserer Kultur, unserer Zivilisation nur eine dünne Schicht sah, die jeden Augenblick von den destruktiven Kräften der Unterwelt durchstoßen werden kann, wir haben allmählich uns gewöhnen müssen, ohne Boden unter unseren Füßen zu leben, ohne Recht, ohne Freiheit, ohne Sicherheit. Längst haben wir für unsere eigene Existenz der Religion unserer Väter, ihrem Glauben an einen raschen und andauernden Aufstieg der Humanität abgesagt, banal scheint uns grausam Belehrten jener voreilige Optimismus angesichts einer Katastrophe, die mit einem einzigen Stoß uns um tausend Jahre humaner Bemühungen zurückgeworfen hat. Aber wenn auch nur Wahn, so war es doch ein wundervoller und edler Wahn, dem unsere Väter dienten, menschlicher und fruchtbarer als die Parolen von heute. Und Etwas in mir kann sich geheimnisvollerweise trotz aller Erkenntnis und Enttäuschung nicht ganz von ihm loslösen. Was ein Mensch in seiner Kindheit aus der Luft der Zeit in sein Blut genommen, bleibt unausscheidbar. Und trotz allem und allem, was jeder Tag mir in die Ohren schmettert, was ich selbst und unzählige Schicksalsgenossen an Erniedrigung und Prüfungen erfahren haben, ich vermag den Glauben meiner Jugend nicht ganz zu verleugnen, daß es wieder einmal aufwärts gehen wird trotz allem und allem. Selbst aus dem Abgrund des Grauens, in dem wir heute halbblind herumtasten mit verstörter und zerbrochener Seele, blicke ich immer wieder auf zu jenen alten Sternbildern, die über meiner Kindheit glänzten, und tröste mich mit dem ererbten Vertrauen, daß dieser Rückfall dereinst nur als ein Intervall erscheinen wird in dem ewigen Rhythmus des Voran und Voran.

Stefan Zweig

Oben: Verhöhnung der jüdischen Einwohner Baden-Badens, die mit dem Schild „Gott verläßt uns nicht!" von der SS durch die Straßen der Stadt getrieben werden. November 1938

Unten: Demütigung der jüdischen Einwohner Wiens, die nach dem Hitler-Einmarsch gezwungen werden, unter Aufsicht von Hitler-Jungen und unter hämischer Anteilnahme der Bevölkerung in sogenannten „Reibpartien" auf allen vieren kriechend die Straßen von Österreich-Parolen der Regierung Schuschnigg zu reinigen. März 1938

Rechts: Vor dem Betreten der Parkanlagen wurde nur gewarnt, das Sitzen auf Parkbänken war den Juden aber schon verboten: Schild in einer öffentlichen Parkanlage in Wien. 1938

Oben: Abschiedsfeier für eine Gruppe von Jugendlichen, die mit Hilfe der Jugend-Alijah 1938 nach Palästina auswandern konnte. Photographie von *Abraham Pisarek*. 1938

Unten: Spanisch-Kurs für auswanderungswillige Mitglieder der Jüdischen Gemeinde Berlin. Photographie von *Abraham Pisarek*. 1935

Unserer Bne-Briss-Frauengruppe gelang es auch, eine Schulspeisung für bedürftige Schulkinder zu organisieren. Wir taten, was wir konnten, aber den Familien, die in die Fänge der Gestapo geraten waren, denen konnten wir nicht helfen, da waren wir vollkommen machtlos. Der Einspruch jüdischer Anwälte wurde von der Gestapo überhaupt nicht zur Kenntnis genommen, christliche Rechtsanwälte dagegen hatten Angst, Juden zu vertreten.

Wenn Gott nicht half, gab es keine Hilfe mehr für uns. Niemand konnte sicher sein, daß er nicht am nächsten Tag hinter dem elektrisch geladenen Stacheldraht eines Konzentrationslagers verschwinden würde und entweder niemals oder durch grausame Mißhandlungen an Leib und Seele gebrochen zurückkommen würde.
Marta Appel

Man soll sich nicht daran gewöhnen! haben wir einmal in der Selbstwehr gefordert, nämlich an die alltägliche, systematische Judenentrechtung in Deutschland, die ohne großen Tam-Tam vor sich geht. Der zeitliche Anlaß zu jenem Mahnruf war das halbjährige Bestandsjubiläum des Dritten Reiches; inzwischen wird es, und damit auch die gewaltigste antisemitische Quelle dieser Erde, in wenigen Monaten bereits die fünfte Jahresgrenze erreicht haben. Man soll sich nicht gewöhnen: an Entrechtung, Entwürdigung, an den Strom Unflat, der dort ständig über uns Juden ausgegossen wird, an das Leid der Emigration und an den Zusammenbruch eines gesunden Zweiges des jüdischen Volkes.
Hans Lichtwitz

Seine Eltern meldeten ihn in einer jüdischen Schule an. Einer seiner neuen Klassenkameraden nahm ihn zum Treffen einer jüdischen Jugendgruppe mit. Dort entdeckte er eine neue Welt. Judesein hatte ihm bislang nur Ärger und Kummer eingebracht. Jetzt lernte er, stolz auf sein Judentum zu sein. Wenn sie in der Gruppe zusammen waren, fühlte er sich frei und glücklich. Er las jetzt viel, tauchte ein in 3500 Jahre jüdische Geschichte, las von jüdischen Freiheitshelden, wie den Makkabäern, vom unerschrockenen Auftreten der Propheten und von der religiösen Gegenwelt des Chassidismus. Friedrich wurde Mitglied einer zionistischen Gruppe. In Vorträgen wurde das Ende der jüdischen Leidensgeschichte und der Beginn einer neuen Epoche beschworen. Er träumte den Traum Theodor Herzls und Martin Bubers. Friedrich beschloß, als Bauer und Pionier nach Palästina zu gehen. Es kam zu heftigen Auseinandersetzungen mit seinen Eltern. „Wir sind Deutsche", hatte ihm sein Vater beschieden, „was interessiert uns eine Wüstenei in Palästina. Wir waren und wir sind

Deutsche. Wir sprechen deutsch und wir fühlen deutsch! Von einem hergelaufenen Schnäuzerkowski (womit er Hitler meinte) und biertrunkenem Pöbel in Uniform lasse ich mir mein Deutschtum nicht absprechen." „Wo sind denn", entgegnete dann Friedrich, „deine Deutschen? Wo sind deine Freunde, wo deine Kriegskameraden? Wenn die Deutschen uns nicht haben wollen, wir brauchen sie nicht. Bekenn' dich zu deinem eigenen Volk. Deine Heimat ist nicht Deutschland, sondern Erez Israel." Es waren böse Auseinandersetzungen, böse nicht nur in der Heftigkeit, sondern in der scheinbaren Unmöglichkeit, den anderen zu verstehen.
Günther B. Ginzel

*L*iebe Landsleute! Es geht um unsere Jugend, um die Zukunft des Judentums!
Die jüdische Jugend, wirtschaftlich und seelisch in gleicher Weise wie das Alter bedrückt, hat unter den gegebenen Verhältnissen keine Möglichkeit, in geschlossenem Kreise mit Altersgenossen zusammenzukommen, in geselliger Form sich auszusprechen und Sorgen und Lasten des Alltags vergessen zu lassen. Jugend muß einmal ausspannen, einmal froh und heiter sein können.
Jugend darf nicht ständig in dem Gedanken an ihr Schicksal gefangen gehalten werden. Erst aus dem Willen, Leben zu gestalten, erwächst neue Lebenskraft. Wer nur darüber nachdenkt, welche Sorgen ihn umfangen, verliert den Lebensmut und verlernt, froh und heiter zu sein!
Hier wollen wir helfen! Wir wollen unserer Jugend Gelegenheit geben, unbeschwert von der Not der Zeit sich zu treffen, sich kennen zu lernen und sich auszusprechen. Wir wollen diese Möglichkeit schaffen fern von allem religiösen, weltanschaulichen und politischen Streit, nur auf der Grundlage des Zusammengehörigkeitsgefühls, das uns selbst zusammengeführt hat und zusammenhält. Und wenn wir die Jugend dann lachen und tanzen lassen, dann hebt nicht drohend den Finger und mahnt nicht an den Ernst der Zeit. Denkt vielmehr an Eure eigene Jugendzeit, an die frohen Stunden, die Ihr in der Heimat verbringen konntet.
Zu diesem unseren Ziel, das wir uns gesteckt haben, brauchen wir Eure Hilfe: Führt Eure Jugend zu uns, veranlaßt Eure Kinder, Eure Enkel in unsere Veranstaltungen zu kommen. Teilt uns auf anl. Karte die Adressen unserer jungen Landsleute mit, damit wir sie zu uns heranziehen können. Wir wollen keine Jugendgruppen bilden, wir wollen, daß unsere Jugend im Rahmen unserer Veranstaltungen zu uns kommt und in unserem Kreis einige Stunden von der Last der Zeit ausspannt. Es geht um unsere Jugend, um die Zukunft des Judentums!
Verband Jüdischer Heimatvereine

Rechts: Morgengebet an Bord eines Auswandererschiffes nach Südamerika. Photographie von B. Federmeyer. 1938

*N*eben allen anderen Pflichten waren wir seit Wochen damit beschäftigt, eine große Anzahl von Kindern für ihre Ausreise nach Palästina vorzubereiten. Die jüdischen Kinder waren ebenso flammend begeistert von der Idee, in Palästina eine neue Heimat aufzubauen, wie die deutsche Jugend von der Idee, ein neues Deutschland zu errichten. Scharenweise kamen sie, um sich einschreiben zu lassen, und jeder bemühte sich, in die ersten Transporte zu kommen. Dieser Eifer war nicht nur aus dem Wunsch geboren, der Diffamierung und dem Haß in Deutschland zu entgehen, sondern ebenso von der Vorstellung, in Palästina eine große und heilige Aufgabe zu finden, für die es sich zu leben lohnte. In keinem Land der Welt hatte die Idee, Palästina wieder aufzubauen, so viele Gegner gefunden, wie in Deutschland, in keinem Land der Welt waren Zionisten so heftig bekämpft worden. Immer noch lehnte die ältere Generation den Zionismus entschieden ab. „Der Religion nach sind wir Juden, aber politisch sind wir Deutsche", dieser Grundsatz war im Denken der deutschen Juden fest verankert. Haß und Verfolgung konnten die Liebe zu unserem Heimatland nicht zerstören. Daher führte der Enthusiasmus der jüdischen Jugend für Palästina in vielen Familien zu schweren Konflikten.
Marta Appel

Links: Der Traum vom Auswandern. Die exotischsten Länder wurden in Erwägung gezogen, die groteskesten Pläne geschmiedet, aber nur die wenigsten konnten sich die rettenden Visa verschaffen, geschweige denn leisten. Photographie von *Abraham Pisarek*.
Um 1938
Unten: Büro für jüdische Emigranten in Berlin. 1935
Gegenüberliegende Seite: Jüdische Eltern verabschieden sich auf dem Anhalter-Bahnhof in Berlin von ihren Kindern, die mit Hilfe der Jugend-Alijah nach Palästina geschickt werden. Etwa 4000 Kinder konnten auf diese Weise bis zum Herbst 1939 gerettet werden. Photographie von *Abraham Pisarek*.
1936

Wenn es mir schon an dieser Stelle erlaubt ist, eine erste und vorläufige Antwort zu geben auf die Frage, wieviel Heimat der Mensch braucht, möchte ich sagen: um so mehr, je weniger davon er mit sich tragen kann. Denn es gibt ja so etwas wie mobile Heimat oder zumindest Heimatersatz. Das kann Religion sein, wie die jüdische. „Nächstes Jahr in Jerusalem" haben sich von alters her die Juden im Osterritual versprochen, aber es kam gar nicht darauf an, wirklich ins Heilige Land zu gelangen, vielmehr genügte es, daß man gemeinsam die Formel sprach und sich verbunden wußte im magischen Heimatraum des Stammesgottes Jahwe.
Jean Améry

Ich sehe, immer werde ich allein sein. jude, deutschsprechend, in frankreich, jude ohne gott und ohne kenntnis unserer vergangenheit, deutschsprechend, doch gewillt, die deutsche sprache nicht wie meine landsleute und gleichzungigen faul und müde versacken zu lassen. in frankreich, d. i. ohne leser . . . nie werde ich in französischer dichtung zu hause sein; denn ich träume und sinniere deutsch. also nun bin ich durch Hitler zu völliger heimatlosigkeit und fremdheit verurteilt.
Carl Einstein

Ihr alle wißt, daß ich nie etwas getan habe, was Deutschland schaden kann.
Ihr wißt, daß ich schon vor Antritt meiner Amerikareise den amerikanischen Freunden geschrieben habe, daß ich weder öffentlich noch unoffiziell über Deutschland reden werde, einerseits, weil ich nicht mehr befugt bin, deutsche Kulturbelange zu vertreten, und andererseits, weil ich nichts Nachteiliges über das Land, in dem meine Familie 225 Jahre gelebt hat, aussprechen kann.
Ihr wißt, daß ich immer unerschütterlich an den Sieg des Guten in der menschlichen Natur geglaubt und dafür gelebt habe. Ich werde das alles auch weiter so halten „nach dem Gesetz, nach dem ich angetreten".
Alice Salomon

Es gibt keine „neue Heimat". Die Heimat ist das Kindheits- und Jugendland. Wer sie verloren hat, bleibt ein Verlorener, und habe er es auch gelernt, in der Fremde nicht mehr wie betrunken umherzutaumeln, sondern mit einiger Furchtlosigkeit den Fuß auf den Boden zu setzen.
Jean Améry

*A*ndererseits hatte ich auch sprechende Beweise vom überschäumenden Haß der arischen Bevölkerung gegen das jetzige braune Regime. Eine alte Bäuerin konnte es sich nicht versagen, einen kerndeutschen Fluch gegen die braune Pest so laut zu schreien, daß ich sie bitten mußte, in Zukunft mehr Vorsicht zu üben. Während ich mich mit dieser Frau unterhielt, kamen immer mehr Bauern mit ihren Frauen dazu. Als sie erfuhren, daß ich nach Amerika auswandere, waren sie zuerst ganz still, dann aber sagte der größte unter ihnen: „Wer wird jetzt noch dafür sorgen, daß wir jedes Jahr unseren Wein verkaufen können?" Jeder bat, daß ich noch einmal zu ihm in sein Haus kommen müsse, um gemeinsam mit ihm ein Glas Wein zu trinken. Ich mußte das der Kürze der verfügbaren Zeit wegen ablehnen, aber innerhalb einer Viertelstunde kamen acht Frauen, und eine jede hatte ein Abschiedsgeschenk unter der Schürze – Butter, Eier, Brot, Kirschwasser und ein frischgeschlachtetes Huhn. Ich war ganz gerührt über diese Aufmerksamkeit, und im Moment, als ich mich bereits verabschiedet und bedankt hatte, und ins Auto einsteigen wollte, brachte die Tochter des Bürgermeisters einen großen Strauß frischer Maiblumen für meine Frau. Ich denke noch immer gerne an diese Stunde, in der das alte Deutschland sich mir noch einmal zeigen wollte, wie es wirklich war!
Friedrich Weil

*D*ie Emigration war für mich nur die Bestätigung einer Unzugehörigkeit, die ich von frühester Kindheit an erfahren hatte. Einen heimischen Boden hatte ich nie besessen.
Peter Weiss

*D*amals erzählte man sich unter Emigranten die Geschichte von dem Juden, der sich mit der Absicht trug, nach Uruguay auszuwandern, und der, als seine Freunde in Paris darüber erstaunten, daß er so weit weg wolle, die Frage stellte: Weit von wo?
Peter Szondi

*A*lle meine Pulse pochen.
Von dem Rufe: auf und fort!
Und ich folge, und ich weine
Weine, weil das Herz verwaist.
Weil ein Tausendjahr vereist.
Karl Wolfskehl

*T*äuschen wir uns nicht über folgende drei entscheidende Tatsachen: erstens darüber, daß die Mehrzahl der deutschen Emigranten Juden sind; zweitens, daß in den meisten Ländern ein latenter Antisemitismus herrscht; drittens, daß unter den Vorwürfen, die man gegen das Dritte Reich erhebt, jener gegen seinen tierischen Antisemitismus am wenigsten Wirkung haben kann.
Man könnte eher im Gegenteil sagen: der Antisemitismus des Dritten Reiches gehört zu seinen wirkungsvollsten Propagandamitteln. Er trifft haargenau den latenten bestialischen Instinkt jedes Plebejers außerhalb des Dritten Reiches.
Joseph Roth

*W*ir wurden aus Deutschland vertrieben, weil wir Juden sind. Doch kaum hatten wir die Grenze zu Frankreich passiert, da wurden wir zu „boches" gemacht... Sieben Jahre lang spielten wir eine lächerliche Rolle bei dem Versuch, Franzosen zu werden, oder wenigstens wie Bürger... Wir waren die ersten „prisonniers volontaires", die die Geschichte je gesehen hat. Nach dem Einmarsch der Deutschen mußte die französische Regierung nur den Namen der Firma ändern, man hatte uns eingesperrt, weil wir Deutsche waren, jetzt ließ man uns nicht frei, weil wir Juden waren.
Hannah Arendt

*E*rreichbar, nah und unverloren blieb inmitten der Verluste dies eine: die Sprache. Sie, die Sprache, blieb unverloren, ja, trotz allem. Aber sie mußte nun hindurchgehen durch ihre eigenen Antwortlosigkeiten, hindurchgehen durch furchtbares Verstummen, hindurchgehen durch die tausend Finsternisse todbringender Rede. Sie ging hindurch und gab keine Worte her für das, was geschah; aber sie ging durch dieses Geschehen. Ging hindurch und durfte wieder zutage treten, „angereichert" von all dem. In dieser Sprache habe ich, in jenen Jahren und in den Jahren nachher, Gedichte zu schreiben versucht: um zu sprechen, um mich zu orientieren, um zu erkunden, wo ich mich befand und wohin es mit mir wollte, um mir Wirklichkeit zu entwerfen.
Paul Celan

Die Synagoge wird abgebrochen

Komm lieber Mai und mache von Juden uns jetzt frei.

Oben: „Wir nehmen Abschied von unserem großen schönen Gotteshaus. Abschiednehmen ist zum überwältigenden jüdischen Schicksal unserer Tage geworden": Am 15. April 1939 versammelte sich die Jüdische Gemeinde der „Freien Stadt Danzig" zum letzten Mal in ihrer Großen Synagoge an der Reitbahn. Der Abbruch erfolgte am 9. Juni 1939. Photographie von Douglas Alcombe

Unten: Der Innenraum der Synagoge in der Berliner Fasanenstraße nach der sogen. „Reichskristallnacht". 9. November 1938

Und nun das jüdische Volk, dieses Volk jenseits der gewohnten Regel. Es hat ein Leid sondergleichen erfahren, und es hat in ihm, mögen einzelne auch versagt haben, als Ganzes doch eine Größe sondergleichen bewiesen, welche Zukunft verheißt. Das jüdische Volk ist oft und in so manchem Lande zerteilt und auseinandergerissen worden, aber es hat vor keiner Teilung und keiner Zerreißung kapituliert. Es war immer, oder wenigstens in seinen besten Zeiten, ein Volk ohne Politik, aber dafür ein Volk mit einer Idee, einem Glauben.
Leo Baeck

So war in der Tat das Judentum so gewesen, um so allein weiterhin zu sein: das Unantike in der antiken Welt, das Unmoderne in der modernen Welt. So sollte der Jude als Jude sein: der große Nonkonformist in der Geschichte, ihr großer Dissenter. Dazu war er da. Um dessentwillen mußte der Kampf für die Religion ein Kampf um diese Selbsterhaltung sein. Kein Gedanke der Macht war darin, er wäre der Widerspruch dazu gewesen – nicht Macht, sondern Individualität, Persönlichkeit um des Ewigen willen, nicht Macht, sondern Kraft. Als Kraft in der Welt lebt das jüdische Dasein. Und Kraft ist Größe.
Leo Baeck

Religion? Ich bin Atheist. Jüdischer Nationalismus? Ich bin Internationalist. Nach keiner dieser Bedeutungen bin ich daher Jude. Wohl aber bin ich Jude kraft meiner unbedingten Solidarität mit den Verfolgten und Ausgerotteten. Ich bin Jude, weil ich die jüdische Tragödie als meine eigene empfinde; weil ich den Pulsschlag der jüdischen Geschichte spüre; weil ich mit allen Kräften dazu beitragen möchte, etwas für die wirkliche und nicht die trügerische Sicherheit und Selbstachtung der Juden zu tun.
Isaac Deutscher

Rechts: Warten auf die Deportation – es gab ab 1940/41 für die deutschen Juden keine andere Alternative mehr: Laibisch Banach, ein bekannter zionistischer Funktionär aus Bendzin.

Wir Wandernde,
An jeder Wegkreuzung erwartet uns eine Tür
Dahinter das Reh, der waisenäugige Israel
der Tiere
In seine rauschenden Wälder verschwindet
Und die Lerche über den goldenen Äckern
jauchzt.
Ein Meer von Einsamkeit steht mit uns still
Wo wir anklopfen.
O ihr Hüter mit flammenden Schwertern
ausgerüstet,
Die Staubkörner unter unseren Wanderfüßen
Beginnen schon das Blut in unseren Enkeln
zu treiben –
O wir Wandernde vor den Türen der Erde,
Vom Grüßen in die Ferne
Haben unsere Hüte schon Sterne angesteckt.
Wie Zollstöcke liegen unsere Leiber auf der
Erde
Und messen den Horizont aus –
O wir Wandernde,
Kriechende Würmer für kommende Schuhe,
Unser Tod wird wie eine Schwelle liegen
Vor euren verschlossenen Türen!
Nelly Sachs

In Sammelstellen mußten
die Menschen, mit Pappschildern
um den Hals zu Nummern degra-
diert, oft Stunden, manchmal Tage
warten. Unter dem Vorwand der
Kontrolle wurde das Gepäck meist
konfisziert. Das „Reiseziel", das
niemand wußte, aber viele ahnten,
hieß: Vernichtung.
Unten: Sammelstelle für die Deportation in der Großmarkthalle in
Wiesbaden. 1942
Gegenüberliegende Seite: SS und
Polizei treiben nach der sogenannten „Reichskristallnacht" verhafte-
te Berliner Juden zu den Sammel-
plätzen für den Transport in das
Konzentrationslager Sachsenhau-
sen. 10. November 1938

Aber je länger einer auf Deutschland vertraut hatte, je schwerer er sich von der
geliebten Heimat losgerissen, um so härter
war er gezüchtigt worden. Erst hatte man
den Juden ihre Berufe genommen, ihnen den
Besuch der Theater, der Kinos, der Museen
verboten und den Forschern die Benutzung
der Bibliotheken: sie waren geblieben aus
Treue oder aus Trägheit, aus Feigheit oder
aus Stolz. Lieber wollten sie in der Heimat
erniedrigt sein als in der Fremde sich als
Bettler erniedrigen. Dann hatte man ihnen
die Dienstboten genommen und die Radios
und Telephone aus den Wohnungen, dann die
Wohnungen selbst, dann ihnen den Davidstern zwangsweise angeheftet; jeder sollte sie
wie Leprakranke schon auf der Straße als
Ausgestoßene, als Verfemte erkennen, meiden und verhöhnen. Jedes Recht wurde ihnen
entzogen, jede seelische, jede körperliche Ge-
waltsamkeit mit spielhafter Lust an ihnen
geübt . . .
Stefan Zweig

Oben: Selbst Kinder mußten den
„Judenstern" tragen: Unbekanntes
Mädchen aus Berlin. Nach 1941

Ich hatte in jenen Stunden mit Freud oftmals über das Grauen der hitlerischen Welt und des Krieges gesprochen. Er war als menschlicher Mensch tief erschüttert, aber als Denker keineswegs verwundert über diesen fürchterlichen Ausbruch der Bestialität. Immer habe man ihn, sagte er, einen Pessimisten gescholten, weil er die Übermacht der Kultur über die Triebe geleugnet habe, nun sehe man – freilich mache es ihn nicht stolz – seine Meinung, daß das Barbarische, daß der elementare Vernichtungstrieb in der menschlichen Seele unausrottbar sei, auf das entsetzlichste bestätigt. Vielleicht werde in den kommenden Jahrhunderten eine Form gefunden werden, wenigstens im Gemeinschaftsleben der Völker diese Instinkte niederzuhalten, im täglichen Tage aber und in der innersten Natur bestünden sie als unausrottbare und vielleicht notwendige spannungserhaltende Kräfte. Mehr noch in diesen seinen letzten Tagen beschäftigte ihn das Problem des Judentums und dessen gegenwärtige Tragödie: hier wußte der wissenschaftliche Mensch in ihm keine Formel und sein luzider Geist keine Antwort. Er hatte kurz vorher seine Studie über Moses veröffentlicht, in der er Moses als einen Nichtjuden, als einen Ägypter darstellte, und er hatte mit dieser wissenschaftlich kaum fundierbaren Zuweisung die frommen Juden ebensosehr wie die nationalbewußten gekränkt. Nun tat es ihm leid, dieses Buch gerade inmitten der grauenhaftesten Stunde des Judentums publiziert zu haben, „jetzt, da man ihnen alles nimmt, nehme ich ihnen noch ihren besten Mann".
Ich mußte ihm recht geben, daß jeder Jude jetzt siebenmal empfindlicher geworden war, denn selbst inmitten dieser Welttragödie waren sie die eigentlichen Opfer, überall die Opfer, weil verstört schon vor dem Schlag, überall wissend, daß alles Schlimme sie zuerst und siebenfach betraf, und daß der haßwütigste Mensch aller Zeiten gerade sie erniedrigen und jagen wollte bis an den letzten Rand der Erde und unter die Erde.
Stefan Zweig

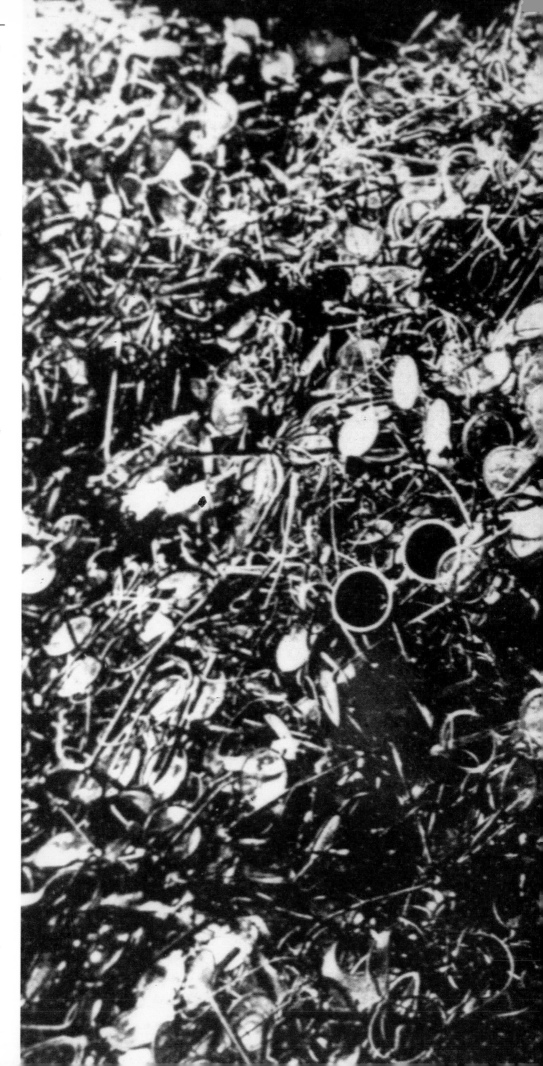

Rechts: „Ich habe einen Berg gesehen ... aus jüdischen Brillen in Mauthausen." 1945

Moische Schulstein
CH'HOB GESEJN A BARG/ICH HABE EINEN BERG GESEHEN

Ch'hob gesejn a Barg –
is er hecher gewejn fun
   Montblanc,
un heiliger fun'em Barg Sinai,
nischt in Trojm – ojf der Wahr, ojf
   der Erd
is er geschtanen –
asa Barg, asa Barg hob ich gesejn
fun jidische Schich in Majdanek.

Asa Barg, asa Barg hob ich gesejn.

Un pluzzem, wie s'wollt durch a
   Wunder geschejn,
ch'hob dersejn
wie er riert sich un riert fun'em Ort,
un die tojsenter Schich schtelln ojs
   sich allejn
zu der Moß, zu der Poor,
un in Reijen –
un geijen . . .

Hert-ojs, hert-ojs dem Marsch, hert
   ojs dem Hymen
fun Schich varbliebene – dem letzten
   Simen
fun Klein un Grojs, fun Kind-und-
   Keit.
A Ware far die Reijen, far die Pooren,
a Ware far die Dojres, far die Johren! –
Die Schich-Armee, sie geijt und geijt.

Mir sennen Schich, mir sennen letzte
   Eides,
mir sennen Schich fun Einiklech und
   Seides,
fun Prag, Paris un Amsterdam.
Un weil mir sennen blojß fun Stoff un
   Leder –
un nischt fun Blut un Fleisch – hot
   jeder
gemittn dem Gehennim-Flamm.

Hert-ojs, hert-ojs dos ojsgemischte
   Trettn
fun alle Geng! Fun Rebbns
   Schtiwelettn,
und Schtiwl proste un gemein,
fun proste Jidn, fun Kazojwim-
   Schinder,
un fun geschtrickte Schichelech fun
   Kinder,
wus heibn nor-wos un zu geijn.

Mit Klangen allerlei die Sojln
   raschen:
Gescharrech fun Chussns gemsene
   Kamaschn,
der Kalles Letschelech fun Seid, –
si sennen zu der Chupe nischt
   dergangen,
itzt jammern noch sei die Chupe-
   Stangen,
varlosn ergetz, in a Seit.

Mir, Schich fun Jass, fun Munkacz un
   fun Athen,
wos flegn geijn zu Merk un zu
   Warschtattn,
un geijn bescholem unser Weg,
in Kram, Fabrik, in Kinder-Schul, in
   Cheder.
Itzt geijn mir – Jerusche fun an Eide,
wos is fun uns aweg, aweg . . .

Weil s'hot Gebein un Fleisch dem
   Flamm gesteijet,
hot uns der Feier-Pisk varsucht un
   nischt verdeijet,
un ojsgeschpign in a Seit, –
itzt hert, itzt hert in unser Sojln-
   Skrippen,
s'zescheid-gewein un dos Millionen
   Chlippen,
wos geijt uns noch wie a Bagleit.

Mir, Schich, wos flegn geijn in Park
   spaziern,
un Chussn-Kalle zu der Chupe fiern,
un geijn asoi Dor-ojs, Dor-ein
ojf Simches, Chassenes, un gejn zu
   Kimpet,
un hojch a Tanz-geijn, full mit Rasch
   un Impet,
un ruig of Leweijes gejn.

Bis einmul in a Trojer-Zug a langen,
ojf eigener Leweije schtill gegangen,
zescheid mit Gang fun Alt un Jung,
wenn Lebn is aweg fun uns varborgn,
hot uns der Sam geschojnt un nischt
   geworgn,
wojl mir – ohn Harz, ohn Kehl, ohn
   Lung.

Ohn Apru geijen mir un klappn,
   klappn . . .
s'hot nischt bawisn uns
   areinzuchappn
der Talion in sein Rojber-Sack, –
itzt geijen mir zu ihm, s'soll jeder
   hern
die Tritt, wos geijen wie der Fluß fun
   Trern,
die Tritt, wos klappn ojs dem Psak.

Un hert, un hert, wer s'flegt amul
   nischt welln
derhern unser Geijn durch Tojtn-
   Schwelln,
itzt hert, Schtadt-ojs, Schtadt-ein,
mir geijen – tojter Abhilch fun a Lebn –
mir welln keinmul eich kein Ru
   nischt gebn
un geijn, un geijn, un geijn . . .

Ich habe einen Berg gesehen –
er war höher als der Montblanc
und heiliger als der Berg Sinai,
nicht im Traum – in Wirklichkeit, auf
der Erde
ist er gestanden –
so einen Berg, so einen Berg habe ich
gesehen
aus jüdischen Schuhen in Majdanek.

So einen Berg, so einen Berg habe ich
gesehen.

Und plötzlich, als wäre ein Wunder
geschehen,
habe ich gesehen
wie er sich rührt und sich wegbewegt,
und die Tausende von Schuhen
stellen sich von selbst auf
nach Größe, paarweise,
und in Reihen –
und gehen . . .

Hört, hört den Marsch, hört die
Hymne
der zurückgebliebenen Schuhe – das
letzte Zeichen
von Klein und Groß, von Kind und
Kegel.
Eine Ware für die Reihen, für die
Paare,
eine Ware für die Geschlechter, für
die Jahre! –
Die Schuh-Armee, sie geht und geht.

Wir sind Schuhe, wir sind letzte
Zeugen,
wir sind Schuhe von Enkeln und von
Großvätern,
aus Prag, Paris und Amsterdam.
Und weil wir nur aus Stoff und Leder
sind –
und nicht aus Blut und Fleisch – hat
jeder
die Flamme der Hölle gemieden.

Hört, hört den gemischten Tritt
aller Schritte: des Rabbiners
Stiefeletten,
und die einfachen, gewöhnlichen
Stiefel
von einfachen Juden, von Metzgern,
und die gestrickten Schühchen der
Kinder,
die gerade zu gehen angefangen
haben.

Mit allerlei Geräuschen treten die
Sohlen:
Gescharre von den gamsledernen
Gamaschen des Bräutigams,
von den seidenen Schuhen der
Braut –
sie haben den Traubaldachin nicht
erreicht,
jetzt jammern die Stangen des
Baldachins um sie,
irgendwo verlassen in einer Ecke.

Wir, Schuhe aus Jassy, aus Munkacz
und aus Athen,
die auf Märkte und in Werkstätten zu
gehen pflegten,
und unseren Weg in Frieden gingen,
in Krämerläden, Fabriken, in
Kindergärten, in die Schule.
Jetzt gehen wir – Erbe eines Zeugen,
der von uns gegangen ist, gegangen
ist.

Weil nur Gebein und Fleisch der
Flamme geschmeckt haben,
hat uns das Feuermaul gekostet und
nicht verdaut,
und in einer Ecke ausgespuckt, –
jetzt hört, jetzt hört im Knarren
unserer Sohlen
das Abschiedsweinen und
millionenfache Wimmern,
das uns nachgeht wie ein Begleiter.

Wir, Schuhe, die im Park
spazierenzugehen pflegten,
und Braut und Bräutigam unter den
Traubaldachin führten
und von Generation zu Generation
auf Feste und Hochzeiten gingen und
zum Kindbett kamen,
und laut zum Tanze schritten, voller
Schwung und Lärm,
und ruhig auf Beerdigungen gingen.

Bis wir auf einmal in einem langen
Trauerzug
still auf die eigene Beerdigung
gegangen sind,
getrennt in den Gang von Alt und
Jung,
als das Leben heimlich von uns
gegangen ist,
hat uns das Gift verschont und nicht
gewürgt,
wohl ist mir – ohne Herz, ohne
Kehle, ohne Lunge.

Ohne Pause gehen wir und klappern,
klappern . . .
er hat es nicht geschafft uns
einzufangen,
der Henker in seinen Räubersack, –
jetzt gehen wir zu ihm, jeder soll sie
hören
die Tritte, die wie der Tränenfluß
dahingehen,
die Tritte, die das Urteil fällen.

Und hört, und hört, wer vielleicht
einmal
unser Gehen über die Totenschwellen
nicht hören will,
jetzt hört, stadtaus, stadtein, –
wir gehen – das tote Echo eines
Lebens –
wir werden Euch niemals Ruhe
geben,
und gehen, und gehen, und
gehen . . .

ADLER, Hans G. Die Juden in Deutschland. Von der Aufklärung bis zum Nationalsozialismus. München 1987

ADLER, Jankel. Jankel Adler. Kunst. Köln 1984

ADLER-RUDEL, S. Jüdische Selbsthilfe unter dem Naziregime 1933–1939. Tübingen 1974

ADORNO, Theodor W. Kulturkritik und Gesellschaft. Prismen. Ohne Leitbild. Gesammelte Schriften. Frankfurt 1976

ADORNO, Theodor W. Minima Moralia. Reflexionen aus dem beschädigten Leben. Frankfurt 1986

AGNON, Samuel Josef. Der Verstoßene. Erzählung aus dem Hebr. von N. N. Glatzer und M. Spitzer. Frankfurt 1988

ALTENBERG, Peter. Peter Altenberg. Leben und Werk in Texten und Bildern. Frankfurt 1980

ANDICS, Hellmut. Die Juden in Wien. Köln 1988

ANGRESS, Werner. Generation zwischen Furcht und Hoffnung. Jüdische Jugend im Dritten Reich. Hamburg 1985

ARENDT, Hannah. Die verborgene Tradition. Acht Essays. Frankfurt 1984

ARENDT, Hannah. Rahel Varnhagen. Lebensgeschichte einer deutschen Jüdin aus der Romantik. München 1984

ARENDT, Hannah. Von der Menschlichkeit in finsteren Zeiten. Rede über Lessing. München 1960

ARENDT, Hannah. Zur Zeit. Politische Essays. Berlin 1986

ARENDT, Hannah/JASPERS, Karl. Hannah Arendt/Karl Jaspers. Briefwechsel. München 1985

ASCH, Schalom. Moses. Der Gott hat gegeben. Roman. Deutsch von R. Jordan. Zürich 1986

ASCH, Schalom. Mottke der Dieb. Roman. Hg. von V. Hacken. Aus dem Jidd. von G. Richter. Zürich 1985

ASSALL, Paul. Juden im Elsaß. Elster 1984

BAB, Julius. Leben und Tod des deutschen Judentums. Hg. von H. Haarmann und K. Siebenhaar. Berlin 1988

BACH, Hans I. Jacob Bernays. Ein Beitrag zur Emanzipationsgeschichte der Juden und zur Geschichte des deutschen Geistes im 19. Jahrhundert. Tübingen 1974

BAECK, Leo. Das Wesen des Judentums. Wiesbaden 1985

BAHR, Erhard. Nelly Sachs. München 1980

BARNER, Wilfried. Von Rahel Varnhagen bis Friedrich Gundolf: Juden als deutsche Goethe-Verehrer. Heidelberg 1988

BAUMANN, Guido. Erinnerungen an Paul Celan. Frankfurt 1986

BAUSCHINGER, Sigrid. Else Lasker-Schüler. Ihr Werk und ihre Zeit. Heidelberg 1980

BECKER, Heinz. Giacomo Meyerbeer. Reinbek 1980

BECKERMANN, Ruth. Die Mazzesinsel. Juden in der Wiener Leopoldstadt 1918–1938. Wien 1984

BEIN, Alex. Die Judenfrage. Biographie eines Weltproblems. Stuttgart 1980

BELKE, Ingrid. In den Katakomben. Jüdische Verlage in Deutschland 1933–1938. Marbach/Neckar 1985

BEN-CHORIN, Schalom. Mein Glaube – mein Schicksal. Jüdische Erfahrungen. Freiburg 1984

BEN-CHORIN, Schalom. Zwiesprache mit Martin Buber. Gerlingen 1978

BEN-SASSON, Hayim Hillel. Geschichte des jüdischen Volkes. Bd. 1: Von den Anfängen bis zum 7. Jahrhundert. München 1981. Bd. 2: Das Mittelalter. Vom 7. bis zum 17. Jahrhundert. München 1979. Bd. 3: Vom 17. Jahrhundert bis zur Gegenwart. Die Neuzeit. München 1979

Rachel Salamander in einem Displaced-persons-Camp in Föhrenwald bei München. 1954

BENJAMIN, Walter. Benjamin über Kafka – Texte, Briefzeugnisse, Aufzeichnungen. Frankfurt 1981

BENJAMIN, Walter. Berliner Kindheit um Neunzehnhundert. Frankfurt 1987

BENJAMIN, Walter. Gesammelte Schriften. Bd. 6: Fragmente vermischten Inhalts. Autobiographische Schriften. Frankfurt 1985

BENZ, Wolfgang/GRAML, Hermann. (Hg.). Biographisches Lexikon zur Weimarer Republik. München 1988

BERGELSON, David. Das Ende vom Lied. Roman. Aus dem Jidd. von A. Eliasberg, neu bearb. von V. Hacken. München 1988

BERMANN-FISCHER, Gottfried. Lebendige Gegenwart. Reden und Aufsätze. Frankfurt 1987

BERTHELSEN, Detlef. Alltag bei Familie Freud. Hamburg 1987

BEST, Otto F. Mameloschen – Jiddisch, eine Sprache und ihre Literatur. Frankfurt 1988

Biographisches Handbuch der deutschsprachigen Emigration nach 1933. Hg. v. Institut für Zeitgeschichte u. a. Bd. 1: H. A. Strauss, Politik, Wirtschaft, Öffentliches Leben. München 1980. Bd. 2: H. A. Strauss u. a., Sciences, Arts and Literature. München 1983. Bd. 3: Gesamtregister/Index, München 1983

BLOCH, Ernst. Werkausgaben in 17 Bänden. Frankfurt 1985

BLUMBERG, H. M. Chaim Weizmann. His Life and Times. Berlin 1975

BOEHLICH, Walter (Hg.). Der Berliner Antisemitismusstreit. Frankfurt 1988

BÖRNE, Ludwig/HEINE, Heinrich. Ludwig Börne und Heinrich Heine. Ein deutsches Zerwürfnis. Nördlingen 1986

BORRIES, Achim von. Selbstzeugnisse des deutschen Judentums 1861–1945. Mit einem Geleitwort von H. Gollwitzer. Frankfurt 1988

BREUER, Mordechai. Jüdische Orthodoxie im Deutschen Reich 1871–1918. Die Sozialgeschichte einer religiösen Minderheit. Frankfurt 1986

BROCH, Hermann. Briefe von 1929 bis 1951. Frankfurt 1957

BROCKE, Michael (Hg.). Die Erzählungen des Rabbi Nachman von Bratzlaw. Reinbek 1989

BROD, Max. Der Prager Kreis. Frankfurt 1979

BROD, Max. Streitbares Leben. Autobiographie. Frankfurt 1979

BRONSEN, David. Joseph Roth und die Tradition. Eine Aufsatz- und Materialsammlung. Köln 1975

BUBER, Martin. Begegnung. Autobiographische Fragmente. Heidelberg 1986

BUBER, Martin. Der Weg des Menschen nach der chassidischen Lehre. Heidelberg 1981

BUBER, Martin. Die Erzählungen der Chassidim. Stuttgart 1987

BUBER, Martin. Ein Land und zwei Völker. Zur jüdisch-arabischen Frage. Frankfurt 1983

BUBER, Martin. Pfade in Utopia. Über Gemeinschaft und deren Verwirklichung. Hg. von A. Schapira. Heidelberg 1985

BUNZL, John. Sportklub Hakoah. Jüdischer Sport in Österreich 1909–1987. Wien 1987

BUNZL, John/MARIN, Bernd. Antisemitismus in Österreich. Sozialhistorische und soziologische Studien. Innsbruck 1987

CALIMANI, Ricardo. Die Kaufleute von Venedig. Die Geschichte der Juden in der Löwenrepublik. Düsseldorf 1988

CANETTI, Elias. Das Augenspiel. Lebensgeschichte 1931–1937. München 1985

CANETTI, Elias. Die Fackel im Ohr. Lebensgeschichte 1921–1931. München 1982

CANETTI, Elias. Die gerettete Zunge. Geschichte einer Jugend. München 1983

CANETTI, Elias. Die Provinz des Menschen. Aufzeichnungen 1942–1972. Frankfurt 1986

CHAGALL, Bella. Brennende Lichter. Reinbek 1986

CHALFEN, Israel. Paul Celan. Eine Biographie seiner Jugend. Frankfurt 1983

CLAUSSEN, Detlev. Vom Judenhaß zum Antisemitismus. Köln 1987

DAHM, Volker. Das jüdische Buch im Dritten Reich. Bd. 1: Die Ausschaltung der jüdischen Autoren, Verleger und Buchhändler. Frankfurt 1979

DAWIDOWICZ, Lucy. S. Der Krieg gegen die Juden. 1933–1945. Wiesbaden 1975

Der Fiedler vom Ghetto. Jiddische Gedichte aus Polen. Aus dem Jidd. von H. Witt. Vorwort von B. Mark. Berlin 1985

Der Nister (Pinchas Kahanowitsch). Unterm Zaun. Jiddische Erzählungen. Ausgewählt und Nachwort von D. Mantovan-Kromer. Frankfurt 1988

DEUTSCHER, Isaac. Der nichtjüdische Jude. Essays. Mit einem Beitrag von T. Deutscher. Einführung von D. Claussen. Aus dem Englischen von E. Geisel u. a. Berlin 1988

DEUTSCHKRON, Inge. Berliner Juden im Untergrund. Berlin 1980

Die jüdische Emigration aus Deutschland 1933–1941. Die Geschichte einer Austreibung. Frankfurt 1985

DIEDERICHS, Ulf u. a. (Hg.). Ostjüdische Geschichten. Mit 44 Bildern von Ephraim Mose Lilien. München 1988

DINSE, Helmut. Die Entwicklung des jiddischen Schrifttums im deutschen Sprachgebiet. Tübingen 1974

DINSE, Helmut/LIPTZIN, Sol. Einführung in die jiddische Literatur. Tübingen 1978

DÖBLIN, Alfred. Ausgewählte Werke in Einzelbänden. Autobiographische Schriften und letzte Aufzeichnungen. Olten 1980

DÖBLIN, Alfred. Briefe. München 1988

DÖBLIN, Alfred. Reise in Polen. Olten 1968

DREWITZ, Ingeborg. Berliner Salons. Gesellschaft und Literatur zwischen Aufklärung und Industriezeitalter. Berlin 1984

DUBNOW, Simon. Geschichte des Chassidismus. Aus dem Hebr. von A. Steinberg. Frankfurt 1981

DUBNOW, Simon. Weltgeschichte des jüdischen Volkes. 3 Bde. Jerusalem 1971

DUBROVIC, Milan. Veruntreute Geschichte. Die Wiener Salons und Literatencafés. Wien 1985

EBAN, Abba. Das Erbe. Die Geschichte des Judentums. Aus dem Engl. von P. Hahlbrock. Berlin 1986

Ein Ghetto im Osten. Wilna. Vorwort von H. A. Strauss. Reprint der Ausgabe von 1931. In hebr. und dt. Sprache. Berlin 1985

EINSTEIN, Albert. Ausgewählte Texte. München 1986

EINSTEIN, Albert. Mein Weltbild. Zürich 1986

EINSTEIN, Albert/FREUD, Sigmund. Warum Krieg? Ein Briefwechsel. Zürich 1972

ELBOGEN, Ismael/STERLING, Eleonore. Die Geschichte der Juden in Deutschland. Frankfurt 1988

ELOESSER, Arthur. Vom Ghetto nach Europa. Deutsche Juden im geistigen Leben des 19. Jahrhunderts. Berlin 1988

ENGELMANN, Bernt. Deutschland ohne Juden. Eine Bilanz. Berlin 1988

ERICH, Renata M./HÖFER, Edmund. Ojtser. Das Schtetl in der Moldau und Bukowina heute. Wien 1988

ESCHWEGE, Helmut. Die Synagoge in der deutschen Geschichte. Eine Dokumentation. Wiesbaden 1988

Exilforschung. Ein internationales Jahrbuch. Hg. von T. Koebner u. a. Bd. 4: Das jüdische Exil und andere Themen. München 1986

FEUCHTWANGER, Lion/ZWEIG, Arnold. Briefwechsel 1933–1958. Frankfurt 1986

FIEDLER, Leonhard M. Max Reinhardt. Reinbek 1981

FITTKO, Lisa. Mein Weg über die Pyrenäen. Erinnerungen 1940/41. München 1988

FLADE, Roland. Die Würzburger Juden. Ihre Geschichte vom Mittelalter bis zur Gegenwart mit vielen Fotos und Augenzeugenberichten. Würzburg 1987

FLESCH-BRUNNINGEN, Hans. Die verführte Zeit. Lebenserinnerungen. Hg. und Nachwort von M. Mixner. Wien 1988

Flucht und Exil. Hg. von Peter Strelka. Mit Texten von M. Brod, H. Broch, M. Sperber, T. Mann, A. Polgar, H. Sahl, u. a. Frankfurt 1988

FREEDEN, Herbert. Die jüdische Presse im Dritten Reich. Tübingen 1987

FREEDEN, Herbert. Jüdisches Theater in Nazideutschland. Berlin 1964

FREUD, Sigmund. Briefe 1873–1939. Frankfurt 1980

FREUD, Sigmund. Gesammelte Werke. Texte aus den Jahren 1885–1935. Frankfurt 1987

FREUD, Sigmund. Sein Leben in Bildern und Texten. Frankfurt 1985

FREUD, Sigmund. Studienausgabe. 10 Bände. Frankfurt 1981

FREUD, Sigmund/ZWEIG, Arnold. Sigmund Freud/Arnold Zweig: Briefwechsel. Frankfurt 1984

FREUND, Gisele. Photographien. München 1985

GAY, Peter. Die Republik der Außenseiter. Geist und Kultur in der Weimarer Zeit 1918–1933. Frankfurt 1987

GAY, Peter. Freud, Juden und andere Deutsche. Herren und Opfer in der modernen Kultur. München 1988

GEIGER, Ludwig. Geschichte der Juden in Berlin. Berlin 1986

Geschichten aus dem Ghetto. Eine Anthologie deutschsprachiger Ghetto-Geschichten aus dem 19. Jahrhundert. Hg. von J. Hermand. Frankfurt 1987

Gesichter einer verlorenen Welt. Fotos aus dem Leben des polnischen Judentums 1864–1939. Hg. vom Yivo Institut. New York 1982

GIDAL, Nachum T. Die Juden in Deutschland von der Römerzeit bis zur Weimarer Republik. München 1988

GILBERT, Martin. Endlösung. Die Vertreibung und Vernichtung der Juden. Ein Atlas. Reinbek 1982

GINZEL, Günter B. Jüdischer Alltag in Deutschland 1933–1945. Fotografierte Zeitgeschichte. Düsseldorf 1984

GOLDSTEIN, Walter B. Der Glaube Martin Bubers. Jerusalem 1969

GOLDSTEIN, Walter B. Tausend Jahre Europa und die Juden. Jerusalem 1983

GOMBRICH, Ernst. H. Aby Warburg. Eine intellektuelle Biographie. Frankfurt 1984

GORION, Micha Josef. Born Judas. 1. Teil: Legenden, Märchen und Erzählungen. Hg. von E. bin Gorion. Frankfurt 1959

GRAB, Walter. Deutsche Aufklärung und Judenemanzipation: In: Jahrbuch des Inst. f. Dt. Geschichte, Beiheft 3. Tel Aviv 1980

GRAETZ, Heinrich. Volkstümliche Geschichte der Juden. 6 Bände in Kassette. München 1985

GRAF, Oskar Maria. Gelächter von außen. Aus meinem Leben 1918–1933. München 1985

GREIVE, Hermann. Grundzüge der Geschichte des modernen Antisemitismus in Deutschland. Stuttgart 1983

GRIMM, Gunter E./BAYERDÖRFER, Hans-P. Im Zeichen Hiobs. Jüdische Schriftsteller und deutsche Literatur im 20. Jahrhundert. Frankfurt 1984

GSTREIN, Heinz. Jüdisches Wien. Wien 1984

HAAS, Willy. Die literarische Welt. Lebenserinnerungen. Fischer 1983

HABERMAS, Jürgen. Philosophisch politische Profile. Frankfurt 1981

HAMBURGER, Ernest. Juden im öffentlichen Leben Deutschlands. Regierungsmitglieder, Beamte und Parlamentarier in der monarchistischen Zeit 1848–1918. Tübingen 1968

HAMMER-SCHENK, Harold. Synagogen in Deutschland. Geschichte einer Baugattung im 19. und 20. Jahrhundert. Hamburg 1981

HÄUSLER, Wolfgang. Das galizische Judentum in der Habsburger Monarchie. Im Lichte zeitgenössischer Publizistik und Reiseliteratur von 1772 bis 1848. München 1979

HEER, Friedrich. Gottes erste Liebe. Die Juden im Spannungsfeld der Geschichte. Berlin 1986

HEILBORN, Ernst. Die gute Stube. Berliner Geselligkeit im 19. Jahrhundert. Berlin 1987

HEILBUT, Anthony. Kultur ohne Heimat. Deutsche Emigranten in den USA nach 1930. Weinheim 1987

HEMPEL, Henri Jacob. „Wenn ich schon ein Fremder sein muß . . ." Deutsch-jüdische Emigranten in New York. Berlin 1984

HERZ, Henriette. Berliner Salon. Erinnerungen und Porträts. Berlin 1984

HERZL, Theodor. Der Judenstaat. Versuch einer modernen Lösung der Judenfrage. Stuttgart 1988

HERZL, Theodor. „Wenn ihr wollt, ist es kein Märchen". Altneuland – der Judenstaat. Frankfurt 1985

HETMANN, Frederik. Rosa L. Die Geschichte der Rosa Luxemburg und ihrer Zeit. Frankfurt 1985

HEUER, Renate. Bibliographica Judaica. Verzeichnis jüdischer Autoren deutscher Sprache. Bd. 1: A–K. Frankfurt 1982. Bd. 2: L–R. Mit Nachträgen, Pseudonymen- und Ortsverzeichnis. Frankfurt 1985. Bd. 3: S–Z. Frankfurt 1988

HEYWORTH, Peter. Otto Klemperer. Dirigent der Republik 1885–1933. Berlin 1988

HILBERG, Raul. Die Vernichtung der europäischen Juden. Die Gesamtgeschichte des Holocaust. Berlin 1982

HILLER, Kurt. Leben gegen die Zeit. Erinnerungen. Reinbek 1973

HIRSCH, Helmut. Marx und Moses. Karl Marx zur „Judenfrage" und zu Juden. Hamburg 1980

HOFFMANN, Hilma/SCHOBERT, W. Von Babelsberg nach Hollywood. Filmemigranten aus Nazideutschland. Exponatenverzeichnis. Ausstellungskatalog. Frankfurt 1987

HORCH, Hans Otto (Hg.). Judentum, Antisemitismus und europäische Kultur. Tübingen 1988

HORKHEIMER, Max. Dialektik der Aufklärung und Schriften 1940–1950. Frankfurt 1987

HORKHEIMER, Max. Notizen 1950–1969 und Dämmerung. Frankfurt 1974

IGGERS, Wilma (Hg.). Die Juden in Böhmen und Mähren. Ein historisches Lesebuch. München 1986

JACKEL, Eberhard/ROHWER, Jürgen. Der Mord an den Juden im Zweiten Weltkrieg. Entschlußbildung und Verwirklichung. Stuttgart 1985

JACOBI, Lotte. Rußland 1932/33. Hg. von M. Beckers und E. Moortgat. Berlin 1988

JACOBI, Ruth L. Heinrich Heines jüdisches Erbe. Bonn 1978

JERSCH-WENZEL, Stefi. Deutsche – Polen – Juden. Ihre Beziehungen von den Anfängen bis ins 20. Jahrhundert. Ein Tagungsbericht. Berlin 1987

Jiddische Sprichwörter. Je länger ein Blinder lebt, desto mehr sieht er. Jidd. in lateinischen Buchstaben und in dt. Übers. von H. C. Artmann. Frankfurt 1965

Juden in der deutschen Literatur. Ein deutsch-israelisches Symposium. Frankfurt 1985

JUNGK, Peter S. Franz Werfel. Eine Lebensgeschichte. Frankfurt 1987

KAFKA, Franz. Brief an den Vater. Frankfurt 1986

KAFKA, Franz. Briefe an Felice und andere Korrespondenz aus der Verlobungszeit. Frankfurt 1988

KAFKA, Franz. Briefe an Milena. Frankfurt 1986

KAFKA, Franz. Eine innere Biographie in Selbstzeugnissen. Frankfurt 1983

KAFKA, Franz. Tagebücher 1910–1923. Frankfurt 1984

KAMPF, Abraham. Jüdisches Erleben in der Kunst des 20. Jahrhunderts. Weinheim 1987

KANTOROWICZ, Alfred. Exil in Frankreich. Merkwürdigkeiten und Denkwürdigkeiten. Hamburg 1983

KARPELES, Gustav. Geschichte der jüdischen Literatur. Graz 1963

KAUFFELDT, Rolf. Erich Mühsam. Literatur und Anarchie. Stuttgart 1984

KEDOURIE, Eli. Die jüdische Welt. Offenbarung, Geschichte und Prophetie. Frankfurt 1980

KESSLER, Harry Graf. Walther Rathenau. Sein Leben und sein Werk. Nachwort und hg. von C. Blasberg. Frankfurt 1988

KLÜSENER, Erika. Else Lasker-Schüler. Reinbek 1985

KNOBLOCH, Heinz. Herr Moses in Berlin. Ein Menschenfreund in Preußen. Das Leben des Moses Mendelssohn. Berlin 1987

KOESTER, Rudolf. Joseph Roth. Reinbek 1982

KOESTLER, Arthur. Als Zeuge der Zeit. Die Abenteuer meines Lebens. Frankfurt 1983

KOLITZ, Zvi. Jossel Rackower spricht zu Gott. Aus dem Jidd. von A. M. Joki. Neu-Isenburg 1985

Konzentrationslager Dachau 1933–1945. Dachau 1978

KÖPCKE, Wulf. Lion Feuchtwanger. München 1983.

KRINSKY, Carol Herselle. Europas Synagogen. Architektur, Geschichte und Bedeutung. Aus dem Engl. von B. Witsch-Aldor. Stuttgart 1988

KROHN, Claus D. Wissenschaft im Exil. Deutsche Sozial- und Wirtschaftswissenschaftler in den USA und die New York School for Social Research. Frankfurt 1987

KÜHNER, Hans. Der Antisemitismus der Kirche. Genese, Geschichte und Gefahr. Zürich 1976

KWIET, Konrad/ESCHWEGE, Helmut. Selbstbehauptung und Widerstand. Deutsche Juden im Kampf um Existenz und Menschenwürde 1933–1945. Hamburg 1984

LAQUEUR, Walter. Der Weg zum Staat Israel. Geschichte des Zionismus. Wien 1972

LASKER-SCHÜLER, Else. „Was soll ich hier?" Exilbriefe an Salmann Schocken. Heidelberg 1986

LASSALLE, Ferdinand. Reden und Schriften. Berlin 1987

LESSING, Theodor. Der jüdische Selbsthaß. Mit einem Essay von B. Groys. München 1984

LICHARZ, Werner. Leo Baeck – Lehrer und Helfer in schwerer Zeit. Frankfurt 1983

LIEBERMANN, Max. Die Phantasie in der Malerei. Frankfurt 1978

LIEBESCHÜTZ, Hans. Von Georg Simmel zu Franz Rosenzweig. Studien zum jüdischen Denken im deutschen Kulturbereich. Tübingen 1970

LILIEN, Ephraim M. Briefe an seine Frau. Frankfurt 1985

LÖWITH, Karl. Mein Leben in Deutschland vor und nach 1933. Ein Bericht von 1940. Stuttgart 1986

LÜTZELER, Paul-Michael. Hermann Broch. Eine Biographie. Frankfurt 1988

LUXEMBURG, Rosa. Ich umarme Sie in großer Sehnsucht. Briefe aus dem Gefängnis 1915–1918. Berlin 1986

MAHLER, Gustav. Im eigenen Wort – im Worte der Freunde. Selbstbildnis. Zürich 1958

MAHLER, Gustav/BLAUKOPF, H. Briefe. München 1983

MAIMONIDES, Moses (Mose ben Maimon). Eine Abhandlung zur jüdischen Ethik und Gotteserkenntnis. Hamburg 1981

MANGER, Itzik. Das Buch fun Gan Eden (Das Buch vom Paradies). Genf/Hamburg 1963

MAOR, Maimon. Max Horkheimer. Berlin 1981

MARCUSE, Ludwig. Ludwig Börne. Aus der Frühzeit der deutschen Demokratie. Zürich 1986

MARCUSE, Ludwig. Sigmund Freud. Sein Bild vom Menschen. Zürich 1986

MARWEDEL, Rainer. Theodor Lessing 1872–1933. Eine Biographie. Darmstadt 1987

MATTENKLOTT, G. Die Exotik der Ostjuden in Deutschland. In: Die andere Welt. Hg. von T. Koebner und G. Pickerodt. Frankfurt 1987

MATTENKLOTT, Gert/SCHLAFFER, Hannelore und Heinz (Hg.). Deutsche Briefe 1750–1950. Frankfurt 1988

MAURER, Trude. Ostjuden in Deutschland 1918–1933. Hamburg 1986

MAYER, Hans. Ein Deutscher auf Widerruf. Erinnerungen. Frankfurt 1984

MAYER, Hans. Wir Außenseiter. Grazer Rede 1981. Frankfurt 1983

MEHRING, Walter. Die verlorene Bibliothek. Autobiographie einer Kultur. Berlin 1978

MEIER-UDE, Klaus/SENGER, Valentin. Die jüdischen Friedhöfe in Frankfurt. Frankfurt 1985

MELCHER, Peter. Weißensee. Ein Friedhof als Spiegelbild jüdischer Geschichte in Berlin. Berlin 1986

MENDELE Mojcher Sforim. Die Mähre. Ein Roman. Dt. hg. von V.

Hacken. Stuttgart 1984

Mendelsohn, Erich. Erich Mendelsohn: Das Gesamtschaffen des Architekten. Skizzen, Entwürfe, Bauten. Berlin 1988

Mendelssohn, Moses. Gesammelte Schriften. Jubiläumsausgabe. 20 Bände. Stuttgart 1970

Metzger, Heinz-K./Riehn, Rainer (Hg.). Gustav Mahler. München 1988

Metzger, Heinz-K./Riehn, Rainer. Mendelssohn-Bartholdy. München 1980

Michalski, Gabrielle. Der Antisemitismus im deutschen akademischen Leben in der Zeit nach dem 1. Weltkrieg. Bern 1980

Mosse, George. Ein Volk, ein Reich, ein Führer. Die völkischen Ursprünge des Nationalsozialismus. Königstein 1979

Mosse, Werner E. Entscheidungsjahr 1932. Zur Judenfrage in der Endphase der Weimarer Republik. Tübingen 1966

Mühsam, Erich. In meiner Posaune muß ein Sandkorn sein. Briefe 1900–1934. Hg. von Gerd Jungbluth. Ruggell 1984

Müller, Hartmut. Stefan Zweig. Reinbek 1988

Mynona (Salomo Friedlaender). Briefe aus dem Exil 1933–1946. Hg. von H. Geerken. Mainz 1982

Na'aman, Schlomo. Emanzipation und Messianismus. Leben und Werk des Moses Hess. Frankfurt 1981

Nathorff, Hertha. Das Tagebuch der Hertha Nathorff. Berlin – New York. Aufzeichnungen 1933 bis 1945. Hg. und eingeleitet von W. Benz. Frankfurt 1988

Olsvanger, Immanuel. Rosinkess mit Mandlen. Schwänke, Erzählungen, Sprichwörter, Rätsel. Zürich 1965

Opatoschu, Josef. Bar Kochba. Der letzte Aufstand. Roman. Aus dem Jidd. von E. Hacken. Stuttgart 1985

Pascheles, Jacob Wolf. Sippurim. Eine Sammlung jüdischer Volkssagen, Erzählungen, Mythen, Chroniken. Mit Biographien berühmter Juden. Hildesheim 1976

Paucker, Arnold/Gilchrist, Sylvia u. a. Die Juden im nationalsozialistischen Deutschland. The Jews in Nazi Germany 1933–1945. Tübingen 1986

Pazi, Margarita. Fünf Autoren des Prager Kreises. Oskar Baum, Paul Kornfeld, Ernst Sommer, Ernst Weiss, Ludwig Winder. Hildesheim 1978

Perez, Isaac Leib. Die Seelenwanderung einer Melodie. Erzählungen. Aus dem Jidd. von J. Schajowicz u. a. München 1988

Petuchowski, Jakob J. Feiertage des Herrn. Die Welt der jüdischen Feste und Bräuche. Freiburg 1984

Polgar, Alfred. Lieber Freund! Lebenszeichen aus der Fremde. Wien 1981

Poliakov, Léon. Geschichte des Antisemitismus. 8 Bände. Bd. 5: Die Aufklärung und ihre judenfeindliche Tendenz. Worms 1983. Bd. 6: Emanzipation und Rassenwahn. Worms 1987. Bd. 7: Zwischen Assimilation und „jüdischer Weltverschwörung". Frankfurt 1988. Bd. 8: Am Vorabend des Holocaust. Frankfurt 1988

Poliakov, Léon/Wulf, J. Das Dritte Reich und die Juden. Berlin 1983

Pollack, Martin. Nach Galizien. Von Chassiden, Huzulen, Polen und Ruthenen. Eine imaginäre Reise durch die verschwundene Welt Ostgaliziens und der Bukowina. Wien 1984

Prater, Donald A. Stefan Zweig. Das Leben eines Ungeduldigen. Frankfurt 1983

Prinz, Arthur. Juden im deutschen Wirtschaftsleben. Soziale und wirtschaftliche Struktur im Wandel 1850–1914. Hg. von A. Barkai. Tübingen 1984

Ransmayr, Christoph (Hg.). Im blinden Winkel. Nachrichten aus Mitteleuropa. Wien 1985

Reich-Ranicki, Marcel. Über Ruhestörer. Juden in der deutschen Literatur. Stuttgart 1989

Reichmann, Eva G. Größe und Verhängnis deutsch-jüdischer Existenz. Heidelberg 1974

Reuter, Fritz. Warmaisa. 1000 Jahre Juden in Worms. Frankfurt 1987

Richarz, Monika. Jüdisches Leben in Deutschland. Selbstzeugnisse zur Sozialgeschichte. Bd. 1: 1780–1871. Stuttgart 1976. Bd. 2: Im Kaiserreich. Stuttgart 1978. Bd. 3: 1918–1945. Stuttgart 1982

Robert, Marthe. Einsam wie Franz Kafka. Frankfurt 1985

Rosenstrauch, Hazel (Hg.). Aus Nachbarn wurden Juden. Mit Fotos von Abraham Pisarek. Berlin 1988

Roth, Joseph. 1894–1939. Ein Ausstellungskatalog. Frankfurt 1979

Roth, Joseph. Briefe 1911–1939. Köln 1970

Roth, Joseph. Juden auf Wanderschaft. Köln 1985

Rozenblit, Martha L. Die Juden Wiens. Assimilation und Identität 1876 bis 1914. Köln 1986

Rubinstein, Mordechai. Die Greinizraisser. Unser „umlegaler" Weg fun

Goles kein „Isroel". Jerusalem 1986

Rürup, Reinhard. Emanzipation und Antisemitismus. Studien zur „Judenfrage" der Bürgerlichen Gesellschaft. Frankfurt 1987

Sachs, Nelly. Briefe der Nelly Sachs. Frankfurt 1984

Salomon, Erich. Der unsichtbare Photograph. Ermanox-Aufnahmen 1928–1932. Nördlingen 1987

Sauder, Gerhard. Die Bücherverbrennung. 10. Mai 1933. Berlin 1985

Schebera, Jürgen. Damals im Romanischen Café. DDR 1988

Schlösser, Manfred. Karl Wolfskehl – Biographie. Berlin 1970

Schnelting, Karl B. Zwischen Diktatur und Literatur. Marcel Reich-Ranicki im Gespräch mit Joachim Fest. Frankfurt 1987

Schnitzler, Arthur. Arthur Schnitzler. Sein Leben – sein Werk – seine Zeit. Frankfurt 1981

Schnitzler, Arthur. Briefe 1875–1912. Frankfurt 1981

Schnitzler, Arthur. Jugend in Wien. Eine Autobiographie. Frankfurt 1984

Schnitzler, Arthur. Tagebuch 1879–1931. Hg. von W. Welzig. Bd. 1: 1909–1912. Bd. 2: 1913–1916. Bd. 3: 1917–1919. Bd. 4: 1879–1892. Frankfurt 1978, 1981, 1983, 1985

Scheonberner, Gerhard (Hg.). Wir haben es gesehen. Augenzeugenberichte über Terror und Judenverfolgung im Dritten Reich. Wiesbaden 1988

Schoenberner, Gerhard. Der gelbe Stern. Die Judenverfolgung in Europa 1933–1945. Frankfurt 1985

Schoeps, Julius H. (Hg.). Zionismus. Texte zu seiner Entwicklung. Wiesbaden 1983

Schoeps, Julius H. Theodor Herzl. Wegbereiter des politischen Zionismus. Frankfurt 1975

Scholem Alejchem. Menachem Mendel. Briefe von Menachem Mendel an seine Frau Scheine Scheindel. Nördlingen 1987

Scholem Alejchem. Tewje, der Milchmann. Mit 67 Lithographien von Anatoli L. Kaplan. Übers. von A. Eliasberg und M. Reich. Wiesbaden 1987

Scholem, Betty. Briefe an Werner Kraft. Frankfurt 1986

Scholem, Betty/Scholem, Gershom. Betty Scholem/Gershom Scholem. Mutter und Sohn im Briefwechsel 1917–1946. Hg. von I. Shedletzky. München 1989

Scholem, Gershom. Die jüdische Mystik in ihren Hauptströmungen. Frankfurt 1985

Scholem, Gershom. Judaica 1: Essays. Frankfurt 1981. Judaica 2: Essays. Frankfurt 1982. Judaica 3: Essays. Frankfurt 1987. Judaica 4: Frankfurt 1984

Schrader, Bärbel/Schebera, Jürgen. Die „Goldenen" Zwanziger Jahre. Kunst und Kultur der Weimarer Republik. Berlin-Ost 1987

Schulin, Ernst. Walther Rathenau. Repräsentant, Kritiker und Opfer seiner Zeit. Göttingen 1979

Schultheis, Herbert A. Die Reichskristallnacht in Deutschland nach Augenzeugenberichten. Würzburg 1986

Schütz, Hans J. Ein deutscher Dichter bin ich einst gewesen. Vergessene und verkannte Autoren des 20. Jahrhunderts. München 1988

Schwarberg, Günther (Hg.). Das Getto. Geburtstagsspaziergang in die Hölle. 120 großformatige Fotos. Göttingen 1988

Selig, Wolfram (Hg.). Synagogen und jüdische Friedhöfe in München. München 1988

Serke, Jürgen. Böhmische Dörfer. Wanderungen durch eine verlassene literarische Landschaft. Wien 1987

Serke, Jürgen. Die verbrannten Dichter. Berichte – Texte – Bilder einer Zeit. Frankfurt 1983

Shaked, Gershon. Die Macht der Identität. Essays über jüdische Schriftsteller. Frankfurt 1986

Silbermann, Alphons. Der ungeliebte Jude. Köln 1981

Silbermann, Alphons. Mahler-Lexikon. Bergisch-Gladbach 1986

Silberner, Edmund. Moses Hess. Geschichte seines Lebens. Berlin 1966

Simon, Ernst. Aufbau im Untergang. Jüdische Erwachsenenbildung im nationalsozialistischen Deutschland als geistiger Widerstand. Tübingen 1959

Simon, Ernst. Entscheidung zum Judentum. Essays und Vorträge. Frankfurt 1980

Singer, Israel J. Yoshe Kalb. Aus dem Jidd. ins Engl. von M. Samuel. Einführung von I. Howe. New York 1988

Skirecki, Ingetraut (Hg.). Die Wunder von Chanukka. Geschichten zu jüdischen Fest- und Feiertagen. Mit einem Beitrag zum jüdischen Kalender von Heinrich Simon. Hanau 1989

Somogyi, Tamar. Die Scheijnen und die Prosten. Untersuchungen zum Schönheitsideal der Ostjuden. Berlin 1982

Sperber, Manès. Ein politisches Leben. Gespräche mit L. Reinisch.

Stuttgart 1984

Spiel, Hilde. Die hellen und die finsteren Zeiten. Erinnerungen 1911–1946. München 1989

Spiel, Hilde. Glanz und Untergang. Wien 1866–1938. München 1987

Spiel, Hilde. Rückkehr nach Wien. Ein Tagebuch. Berlin 1989

Spiero, Claude. Und wir hielten die für Menschen. Jüdisches Schicksal während der Emigration. Frankfurt 1987

Steinhardt, Wolfgang O. Mein Vater – Deutscher Bürger jüdischen Glaubens. Berlin 1986

Stern, Fritz. Gold und Eisen. Bismarck und sein Bankier Bleichröder. Deutsch von O. Weith. Reinbek 1988

Sternburg, Wilhelm v. Lion Feuchtwanger. Eine Biographie. Frankfurt 1984

Tausk, Walter. Breslauer Tagebuch. Berlin 1988

Taylor, John R. Fremde im Paradies. Emigranten in Hollywood 1933–1950. Berlin 1984

Thalmann, Rita/Feinermann, Emmanuel. Die Reichskristallnacht. Frankfurt 1987

Torberg, Friedrich. In diesem Sinne . . . Briefe an Freunde und Zeitgenossen. Berlin 1981

Toury, Jacob. Die jüdische Presse im Österreichischen Kaiserreich. Ein Beitrag zur Problematik der Akkulturation 1802–1918. Tübingen 1983

Toury, Jacob. Soziale und politische Geschichte der Juden in Deutschland 1847–1871. Zwischen Revolution, Reaktion und Emanzipation. Düsseldorf 1977

Traber, Habakuk/Weingarten, Elmar. Verdrängte Musik. Berliner Komponisten im Exil. Berlin 1987

Troller, Georg Stefan. Selbstbeschreibung. Hamburg 1988

Tucholsky, Kurt. 1890–1935. Ein Lebensbild. Weinheim 1987

Tucholsky, Kurt. Briefe aus dem Schweigen. Briefe an Nuuna. Reinbek 1977

Tucholsky, Kurt. Die Q-Tagebücher 1934–1935. Reinbek 1978

Tucholsky, Kurt. Unser ungelebtes Leben. Briefe an Mary. Reinbek 1983

Uexküll, Gösta v. Ferdinand Lassalle. Reinbek 1974

Varnhagen, Rahel. Gesammelte Werke. München 1983

Viertel, Salka. Das unbelehrbare Herz. Ein Leben mit Stars und Dichtern des 20. Jahrhunderts. Frankfurt 1987

Vishniac, Roman. Verschwundene Welt. Photographien 1933–1939. Vorwort von E. Wiesel. Aus dem Amer. von J. Trobitius. München 1983

Völker, Klaus. Fritz Kortner. Schauspieler und Regisseur. Berlin 1987

Vries, S. Philipp de. Jüdische Riten und Symbole. Wiesbaden 1986

Wagner, Renate. Arthur Schnitzler. Eine Biographie. Frankfurt 1984

Walk, Joseph. Das Sonderrecht für die Juden im NS-Staat. Eine Sammlung der gesetzlichen Maßnahmen und Richtlinien. Heidelberg 1981

Walk, Joseph. Kurzbiographien zur Geschichte der Juden 1918–1945. Hg. vom Leo Baeck Institut. München 1988

Wall, Renate. Verbrannt, verboten, vergessen. Kleines Lexikon deutschsprachiger Schriftstellerinnen 1933–1945. Köln 1988

Wassermann, Jakob. Mein Weg als Deutscher und Jude. Berlin 1987

Wegweiser durch das jüdische Berlin. Geschichte und Gegenwart. Mit Berlin-Plan von 1936. Berlin 1987

Weinzierl, Ulrich. Alfred Polgar. Eine Biographie. Wien 1984

Weltsch, Robert. Tragt ihn mit Stolz, den gelben Fleck. Eine Aufsatzreihe der „Jüdischen Rundschau" zur Lage der deutschen Juden. Hg. von H. M. Broder und H. Recher. Nördlingen 1988

Wiesel, Elie. Chassidische Feier. Geschichten und Legenden. Aus dem Franz. von M. Venjakob. Freiburg 1988

Wiesenthal, Simon. Recht, nicht Rache. Erinnerungen. Berlin 1988

Wiznitzer, Manuel. Arnold Zweig. Das Leben eines deutsch-jüdischen Schriftstellers. Frankfurt 1983

Wolff, Kurt. Briefwechsel eines Verlegers. 1911–1963. Frankfurt 1980

Wolff, Theodor. Die Juden. Hg. von B. Sösemann. Frankfurt 1984

Wolfskehl, Karl. Briefwechsel aus Neuseeland 1938–1948. Darmstadt 1988

Zeugnisse einer tragischen Begegnung. Geleitwort von H. Gollwitzer. Heidelberg 1974

Zoch-Westphal, Gisela. Aus den sechs Leben der Mascha Kaléko. Biographische Skizzen, Tagebuch, Briefe. Berlin 1987

Zohn, Harry. . . .bin ein Sohn der deutschen Sprache nur. Der jüdische Anteil an der österreichischen Literatur. Berlin 1985

Zuckerkandl, Bertha. Österreich intim. Lebenserinnerungen. Berlin 1988

Zweig, Stefan. Die Welt von gestern. München 1982

Zweig, Stefan. Tagebücher. Frankfurt 1988

ADORNO, Theodor W. In: Frankfurter Beiträge zur Soziologie. 1967, H. 18–20 _S. 233_

AGNON, Samuel Josef. Das Licht der Tora. In: Das Buch von den polnischen Juden. Berlin 1916 _S. 41, 71_

ALLERHAND, Jakob/Claudio Magris. Studien zur Literatur der Juden in Osteuropa. Eisenstadt 1977 _S. 195_

ALTENBERG, Peter. In: Gesammelte Werke. Hg. von Werner J. Schweiger. Frankfurt am Main 1987 _S. 136, 149_

AMÉRY, Jean. Jenseits von Schuld und Sühne. München 1966. Ndr.: München 1989 _S. 300 (2)_

ANZ, Thomas/Michael Stark (Hg.). Expressionismus. Manifeste und Dokumente zur deutschen Literatur 1910–1920. Stuttgart 1982 _S. 184_

APPEL, Marta. Memoirs. In: Monika Richarz (Hg.). Jüdisches Leben in Deutschland 1918–1945. Stuttgart 1982 _S. 298, 299_

ARENDT, Hannah. Die verborgene Tradition. Acht Essays. Frankfurt am Main 1976 _S. 184_

ARENDT, Hannah. Nachwort zu: Hermann Broch. Hofmannsthal und seine Zeit. In: Hermann Broch. Gesammelte Werke. Köln 1955. Ndr.: Frankfurt am Main 1974 _S. 190_

ARENDT, Hannah. Rahel Varnhagen. Lebensgeschichte einer deutschen Jüdin aus der Romantik. München 1959. Ndr.: München 1987 _S. 190_

ARENDT, Hannah. Von der Menschlichkeit in finsteren Zeiten. München 1960. Ndr.: Menschen in finsteren Zeiten. München 1989 _S. 190_

ARENDT, Hannah. Zur Zeit. Acht Essays. München 1989 _S. 301_

ASCH, Schalom. Der Trost des Volkes. Zürich 1934 _S. 28_

ASCH, Schalom. Hohes Gras. In: Kinder in der Fremde. Amsterdam 1935 _S. 66_

AUERBACH, Berthold an Jakob Auerbach, 4. 10. 1862. In: Franz Kobler. Jüdische Geschichte in Briefen aus Ost und West. Wien 1938 _S. 42_

AUERBACH, Berthold an Jakob Auerbach, 28. 12. 1867. In: Franz Kobler. Juden und Judentum in deutschen Briefen aus drei Jahrhunderten. Wien 1935 _S. 171_

Aufruf des „Reichsvereins der Deutschen Juden" und der „Zionistischen Vereinigung für Deutschland". Berlin 1914 _S. 260_

AUSLÄNDER, Rose. Bukowina. In: Rose Ausländer. Gesammelte Werke. Hg. von Helmut Braun. Frankfurt am Main 1985–1988 _S. 79_

BAB, Julius. Das Theater der Gegenwart. Leipzig 1928 _S. 224_

BAECK, Leo. Das Wesen des Judentums. Berlin 1905. Ndr.: Wiesbaden 1988 _S. 15, 22, 261, 302_

BAECK, Leo. Israel und das deutsche Volk. In: Merkur 1952, Jg. 6, Nr. 56, H. 10 _S. 261, 302_

BAECK, Leo. Wohlfahrt, Recht und Religion. 1930. In: Wege im Judentum. Berlin 1933 _S. 262_

BAECK, Leo. In: Juden in Berlin. Ein Lesebuch. Berlin 1988 _S. 261_

BAMBERGER, Ludwig. Deutschtum und Judentum. In: Unsere Zeit. Jg. 1880 _S. 170_

BAUM, Oskar. Das Geheimnis der jüdischen Energie. In: Jüdischer Almanach 5686 (1925/26). Prag 1925 _S. 100, 184_

BAUMANN, Kurt. Memoiren. In: Monika Richarz (Hg.). Jüdisches Leben in Deutschland 1918–1945. Stuttgart 1982 _S. 290_

BEER-HOFMANN, Richard an Martin Buber, 3. 4. 1913. In: Martin Buber. Briefwechsel aus sieben Jahrzehnten. Heidelberg 1972–1975 _S. 174_

BEER-HOFMANN, Richard. Der Tod Georgs. Berlin 1900. Ndr.: Ditzingen o. J. _S. 102_

BEER-HOFMANN, Richard. In: Harry Zohn . . . ich bin ein Sohn der deutschen Sprache nur. Wien – München 1986 _S. 174 (2)_

BENJAMIN, Walter an Max Rychner. In: Walter Benjamin. Briefe. Hg. von Gershom Scholem und Theodor W. Adorno. Frankfurt am Main 1987 _S. 191_

BENJAMIN, Walter. In: Walter Benjamin–Gershom Scholem: Briefwechsel 1933–1940. Hg. von Gershom Scholem. Frankfurt am Main 1980 _S. 292_

BENJAMIN, Walter an Gershom Scholem, 22. 10. 1917. In: Walter Benjamin. Briefe. Hg. von Gershom Scholem und Theodor W. Adorno. Frankfurt am Main 1987 _S. 191_

BENJAMIN, Walter. Gesammelte Schriften. Hg. von Rolf Tiedemann und Hermann Schweppenhäuser, unter Mitwirkung von Gershom Scholem und Theodor W. Adorno. Frankfurt am Main 1980 _S. 182, 191_

BENJAMIN, Walter. Die Wiederkehr des Flaneurs. In: Die literarische Welt 1929, Jg. 5, Nr. 40 _S. 207_

BENN, Gottfried. Rede auf Else Lasker-Schüler. In: Der Tagesspiegel, 24. 2. 1952. In: Gesammelte Werke in vier Bänden. Hg. von Dieter Wellershoff. Wiesbaden 1987–1989 _S. 186_

BERNSTEIN, Daniel. Handel und Industrie. In: Siegmund Kaznelson (Hg.). Juden im deutschen Kulturbereich. Berlin 1962 _S. 239_

BERNSTEIN, Daniel. Wirtschaft I: Finanzwesen. In: Siegmund Kaznelson (Hg.). Juden im deutschen Kulturbereich. Berlin 1962 _S. 161_

BERNSTEIN, S. Das Wesen des Judentums. In: Jüdischer Almanach 5663 (1902/03). Berlin 1902 _S. 42_

BILLROTH, Theodor an Joseph Joachim, 20. 1. 1890. In: Franz Kobler. Juden und Judentum in deutschen Briefen aus drei Jahrhunderten. Wien 1935 _S. 219_

BLOCH, Ernst. Geist der Utopie. München 1918. In: Ernst Bloch. Gesamtausgabe in 16 Bänden. Frankfurt am Main 1975 _S. 233_

BLOCH, Ernst. In: Silvia Markun. Ernst Bloch. Reinbek 1985 _S. 233_

BLUMENFELD, Kurt. In: Carl Seelig (Hg.). Helle Zeit – Dunkle Zeit. In memoriam Albert Einstein. Frankfurt am Main – Stuttgart – Wien 1956 _S. 237_

BLUMENTHAL, Hermann. Knabenalter (2. Teil der Trilogie „Der Weg der Jugend"). Berlin 1908 _S. 96_

BÖHM, Adolf. Die zionistische Bewegung. In: Vom Judentum. Ein Sammelbuch. Leipzig 1913 _S. 82, 272_

BÖRNE, Ludwig. In: Börnes Werke. Hg. von Helmut Bock und Walter Dietze. Berlin (Ost) 1986 _S. 171_

BORN, Max an Albert Einstein, 2. 6. 1933. In: Albert Einstein, Hedwig und Max Born: Briefwechsel 1916–1955. Geleitwort von Bertrand Russel. München 1969 _S. 237_

BRAUNTHAL, Julius. In: Auf der Suche nach dem Millenium. Nürnberg 1948–1949 _S. 270_

BROCH, Hermann. Hofmannsthal und seine Zeit. In: Hermann Broch. Gesammelte Werke. Frankfurt am Main 1974 _S. 157, 224_

BROCH, Hermann. In: Hermann Broch in Selbstzeugnissen und Bilddokumenten. Hg. von Manfred Durzak. Reinbek 1966 _S. 190_

BROCH, Hermann. In: Paul Michael Lützeler. Hermann Broch. Eine Biographie. Frankfurt am Main 1988 _S. 190 (2)_

BROD, Leo. Geschichten aus dem Böhmerwald. München o. J. Ndr.: Fürstenfeldbruck 1976 _S. 96_

BROD, Max. Streitbares Leben. München 1960. Ndr.: Frankfurt am Main 1979 _S. 22, 184, 229, 279_

BUBER, Martin. Briefwechsel aus sieben Jahrzehnten. Hg. von Grete Schaeder. Heidelberg 1972–1975 _S. 70, 235 (2)_

BUBER, Martin. Aus der Rede zur Wiedereröffnung des Frankfurter jüdischen Lehrhauses. In: Die Stunde und die Erkenntnis. Berlin 1936 _S. 235, 272_

BUBER, Martin. Die Erzählungen der Chassidim. Zürich 1949. Ndr.: Zürich 1987 _S. 41 (2), 48, 51, 76, 93, 100, 103_

BUBER, Martin. Geleitwort zur Gesamtausgabe von „Die Chassidischen Bücher". Berlin o. J. Ndr.: Die chassidische Botschaft. Heidelberg 1952 _S. 70_

BUBER, Martin. Jüdisches Nationalheim und nationale Politik in Palästina. Rede in Berlin am 31. 10. 1929. In: Der Jude und sein Judentum. Gesammelte Reden und Aufsätze. Köln 1963. Ndr.: Heidelberg o. J. _S. 281_

BUBER, Martin. Judentum und Kultur. In: An der Wende. Reden über das Judentum. Köln – Olten 1952 _S. 108, 235_

BUXBAUM, Henry. Erinnerungen. In: Monika Richarz (Hg.). Jüdisches Leben in Deutschland 1918–1945. Stuttgart 1982 _S. 126 (2), 278_

CANETTI, Elias. Das Augenspiel. Lebensgeschichte 1931–1937. München – Wien 1985 _S. 215_

CANETTI, Elias. Die Fackel im Ohr. Lebensgeschichte 1921–1931. München – Wien 1980 _S. 53, 137, 147_

CANETTI, Elias. Die gerettete Zunge. Geschichte einer Jugend. München – Wien 1977 _S. 19, 24. 109. 170, 242_

CARROLL, Lewis. The Works of Lewis Carroll. Kap. 13: Journal of a Tour in Russia 1867. London 1965 _S. 38 (2)_

CELAN, Paul. Bremer Ansprache. Stuttgart 1958. In: Paul Celan. Gesammelte Werke. Hg. von Beda Allemann und Stefan Reichert. Frankfurt am Main 1983 _S. 301_

CELAN, Paul. Und mit dem Buch aus Tarussa. In: Paul Celan. Gesammelte Werke. Hg. von Beda Allemann und Stefan Reichert. Frankfurt am Main 1983 _S. 170_

Central-Verein, Satzung aus dem Jahr 1893. In: Gunter E. Grimm/Hans-Peter Bayerdörfer (Hg.). Im Zeichen Hiobs. Frankfurt am Main 1986 _S. 252_

Central-Verein Zeitung vom 5. 8. 1932 _S. 292_

Central-Verein Zeitung vom 30. 3. 1933 _S. 291_

CHAGALL, Bella. Brennende Lichter. Reinbek 1966. Ndr.: Reinbek 1985 _S. 22_

COHEN, Hermann. Religion der Vernunft aus den Quellen des Judentums. Köln 1929. Ndr.: Wiesbaden 1988 _S. 17, 19, 28, 48, 74_

Czernowitzer Allgemeine Zeitung vom 4. 6. 1904. Hochzeitsfeier im Sadagorer Rabbihaus _S. 70_

DEUTSCHER, Isaac. Der nichtjüdische Jude. 1958. In: Der nichtjüdische Jude. Berlin 1988 _S. 245, 265, 302_

DEUTSCHER, Isaac. Marc Chagall und die jüdische Vorstellungswelt. 1965. In: Der nichtjüdische Jude. Berlin 1988 _S. 95, 202_

DEUTSCHER, Isaac. Wer ist Jude? 1963/66. In: Der nichtjüdische Jude. Berlin 1988 _S. 108_

DEUTSCHER, Isaac. In: Tamara Deutscher. Die Erziehung eines jüdischen Kindes. In: Isaac Deutscher. Der nichtjüdische Jude. Berlin 1988 _S. 82, 135, 202_

DANIEL, Max. Meine Familiengeschichte. In: Monika Richarz (Hg.). Jüdisches Leben in Deutschland 1871–1918. Stuttgart 1979 _S. 102_

DINSE, Helmut/Sol Liptzin. Einführung in die jiddische Literatur. Stuttgart 1978 _S. 195 (2)_

DÖBLIN, Alfred. Berichte und Kritiken 1921–1924. Olten – Freiburg 1976 _S. 229_

DÖBLIN, Alfred. Reise in Polen. Berlin 1926. Ndr.: München 1987 _S. 29, 31, 32, 49, 74, 76, 85 (2), 91, 99_

DÖBLIN, Alfred. Schicksalsreise, Bericht und Bekenntnis. Frankfurt am Main 1949 _S. 188 (2)_

EHRENSTEIN, Albert. In: Werke. Hg. von Hanni Mittelmann. München 1988 _S. 177_

EINSTEIN, Albert. Aus meinen späten Jahren. Berlin 1984 _S. 237 (2), 263_

EINSTEIN, Albert. In: Albert Einstein als Philosoph und Naturforscher. Hg. von Paul Arthur Schilpp. Stuttgart 1955 _S. 237_

EINSTEIN, Albert. Mein Weltbild. Hg. von Carl Seelig. Zürich – Stuttgart – Wien 1953 _S. 237 (3)_

EINSTEIN, Albert. In: Carl Seelig (Hg.). Helle Zeit – Dunkle Zeit. In memoriam Albert Einstein. Zürich – Stuttgart – Wien 1956 _S. 237_

EINSTEIN, Carl. Pariser Nachlaß. In: Gesammelte Werke. Hg. von Sibylle Penkert. Reinbek 1973 _S. 300_

ELIASBERG, Alexander. Reb Jajnkew-Mejer. In: Sonderheft der Süddeutschen Monatshefte „Ostjuden". Februar 1916 _S. 15_

ELJASHOFF, J. Über Jargon („Jüdisch") und Jargonliteratur. In: Jüdischer Almanach 5663 (1902/03). Berlin 1902 _S. 120_

EPSTEIN, Jehudo. Mein Weg von Ost nach West. Erinnerungen. Stuttgart 1929 _S. 15, 19, 27, 76, 80_

FEUCHTWANGER, Lion. Centum opuscula. 1929. Eine Auswahl, zusammengestellt von Wolfgang Berndt. Rudolstadt 1956. Ndr.: Frankfurt am Main 1984 _S. 192 (2)_

FEUCHTWANGER, Lion. Der Teufel in Frankreich. Erlebnisse. Rudolstadt 1953. Ndr.: Frankfurt am Main 1987 _S. 289_

FEUCHTWANGER, Lion. Exil. Berlin 1956. Ndr.: Frankfurt am Main 1989 _S. 290_

FEUCHTWANGER, Lion. Offener Brief an den Bewohner meines Hauses Mahlerstraße 8 in Berlin. In: Heinz Knobloch. Der Berliner zweifelt immer. Feuilletons von damals. Berlin (Ost) 1978 _S. 288_

FISCHER, Brigitte B. Sie schrieben mir oder Was aus meinem Poesiealbum wurde. Zürich – Stuttgart 1978. Ndr.: München 1989 _S. 194_

FLAKE, Otto. Juden in der Literatur. In: Die Weltbühne. 1923, Jg. 19, Nr. 12. In: Werke in Einzelausgaben. Hg. von Rolf Hochhuth und Peter Härtling. Frankfurt am Main 1974–1976 _S. 217_

FRANK, Fritz. Verschollene Heimat. In: Monika Richarz (Hg.). Jüdisches

Leben in Deutschland 1871–1918. Stuttgart 1979 *S. 79, 126, 199*
Frank, Julius. Reminiscences of days gone. In: Monika Richarz (Hg.). Jüdisches Leben in Deutschland 1871–1918. Stuttgart 1979 *S. 48*
Franzos, Karl Emil. Der Pojaz. Stuttgart 1893. Ndr.: Frankfurt am Main 1988 *S. 135*
Franzos, Karl Emil. Die Juden von Barnow. Leipzig 1877 *S. 69*
Frei, Bruno. Der blinde Bettler von der Produktenbörse. In: Jüdisches Elend in Wien. Bilder und Daten. Wien 1920 *S. 118*
Freud, Martin. Who was Freud. In: Josef Fraenkel. The Jews of Austria. London 1967 *S. 245*
Freud, Sigmund. Briefe 1873–1939. Hg. von Ernst L. Freud. Frankfurt am Main 1980 *S. 244 (2), 245*
Freud, Sigmund. Briefe an Arthur Schnitzler. Hg. von Heinrich Schnitzler. In: Neue Rundschau 1955, Jg. 66. *S. 173*
Freud, Sigmund. Der Witz und seine Beziehung zum Unbewußten. In: Gesammelte Werke. Frankfurt am Main 1974 *S. 92, 242, 244*
Freud, Sigmund. Die Widerstände gegen die Psychoanalyse. In: Imago. 1925. In: Gesammelte Werke. Frankfurt am Main 1974 *S. 244*
Freud, Sigmund. Vorrede zur hebräischen Ausgabe von „Totem und Tabu". 1934. In: Gesammelte Werke. Frankfurt am Main 1976 *S. 244*
Friedell, Egon. Ecce poeta. Berlin 1912 *S. 177*
Friedell, Egon. In: Meine Doppelseele. Taktlose Bemerkungen zum Theater. Hg. von Herbert Illig. Wien 1985 *S. 173*
Friedländer, Otto. Letzter Glanz der Märchenstadt. Wien 1948. Ndr.: Wien 1985 *S. 137*
Fromer, Jacob. Eine Hochzeit im Ghetto. In: Artur Landsberger. Das Volk aus dem Ghetto. Berlin – Wien 1921 *S. 26*
Frýd, Norbert. Muster ohne Wert und der Herr Bischof. Prag 1966. In: Wilma Iggers (Hg.). Die Juden in Böhmen und Mähren. München 1986 *S. 74*
Fuchs, Vilém. In: Johannes Urzidil. Die Prager Juden. Radio Bremen, 15. 9. 1976 *S. 182*
Genée, Pierre/Hans Veigl. Fritz Grünbaum. Die Schöpfung und andere Kabarettstücke. Wien 1985 *S. 230 (2), 231*
Ginzel, Günther B. Aus Friedrich wurde Chajim. Alltag eines jüdischen Kindes. In: Jüdischer Alltag in Deutschland 1933–1945. Düsseldorf 1984 *S. 298*
Goldschmidt, Levin an Heinrich von Treitschke, 4. 5. 1881. In: Franz Kobler. Jüdische Geschichte in Briefen aus Ost und West. Wien 1938 *S. 128*
Goldstein, Moritz. Deutsch-jüdischer Parnaß. In: Kunstwart. 1912, Jg. 25, erstes März-Heft *S. 287*
Gottlieb, Moritz an eine Redaktion, 1876. In: Franz Kobler. Jüdische Geschichte in Briefen aus Ost und West. Wien 1938 *S. 202*
Granach, Alexander. Da geht ein Mensch. Roman eines Lebens. Stockholm 1945. Ndr.: München 1987 *S. 15, 78, 79, 227*
Graupe, Heinz Mosche. Die Entstehung des modernen Judentums. 1650–1942. Hamburg 1977 *S. 235*
Gronemann, Sammy. Erinnerungen. In: Monika Richarz (Hg.). Jüdisches Leben in Deutschland 1871–1918, Stuttgart 1979 *S. 122, 127, 273*
Grossmann, Stefan. Wiener Köpfe, dritter Teil: Victor Adler. Die Zeit. 1898, Nr. 177 *S. 270*
Grünberg, Karl. In: Jürgen Serke. Die verbrannten Dichter. Frankfurt am Main 1983 *S. 268*
Grunwald, Max. Chanukka. In: Friedrich Thieberger (Hg.). Jüdisches Fest – jüdischer Brauch. o. O. 1937. Frankfurt am Main 1985 *S. 23*
Hamburger, Ernest. Juden im öffentlichen Leben Deutschlands. 1848–1918. Tübingen 1968 *S. 252*
Hamerow, Theodore S. Aus: Commentary. April 1984. In: Die versunkene Welt. Hg. von Joachim Riedl. Wien 1984 *S. 110*
Hauschner, Auguste. Die Familie Lowositz. Berlin 1908 *S. 86*
Havel-Ornstein, Alfred M. Autobiographie des Adolf Ornstein. In: Wilma Iggers (Hg.). Die Juden in Böhmen und Mähren. München 1986 *S. 120*
Heine, Heinrich. Heines Briefe in einem Band. Hg. von Fritz Mende. Weimar 1989 *S. 171*
Heine, Heinrich. Reisebilder. Stuttgart o. J. In: Atta Troll. Klagenfurt 1984 *S. 161*
Herben, Jan. Itzig Wolf, Gemischte Waarenhandlung. Telč 1892. In: Wilma Iggers (Hg.). Die Juden in Böhmen und Mähren. München 1986 *S. 80*
Herrmann, Hugo. In jenen Tagen. Jerusalem 1938 *S. 126, 199*
Herzfeld, Ernst. Lebenserinnerungen. In: Monika Richarz (Hg.). Jüdisches Leben in Deutschland 1871–1918. Stuttgart 1979 *S. 253*
Herzfelde, Wieland. Else Lasker-Schüler. In: Sinn und Form. Beiträge zur Literatur. 1969, Jg. 21, H. 6 *S. 186*
Herzl, Theodor. Altneuland. In: Jüdischer Almanach 5663 (1902/03). Berlin 1902 *S. 274*
Herzl, Theodor. Briefe und Tagebücher 1866–1895. Hg. von Alex Bein und Hermann Greive. Berlin – Frankfurt am Main – Wien 1983–1988 *S. 255*
Herzl, Theodor. Der Judenstaat. Leipzig – Wien 1896. Ndr.: Zürich 1988 *S. 274*
Herzl, Theodor. Die Menora. In: Friedrich Thieberger (Hg.). Jüdisches Leben – jüdischer Brauch. o. O. 1937. Ndr.: Frankfurt am Main 1985 *S. 23*
Herzl, Theodor. Theodor Herzls Tagebücher 1895–1904. Berlin 1922–1923 *S. 274*
Hess, Moses. Rom und Jerusalem. Die letzte Nationalitätenfrage. Leipzig 1862 *S. 272 (4)*
Hessel, Franz. Ein Flaneur in Berlin. Leipzig – Wien 1929. Ndr.: Berlin 1984 *S. 266*
Hille, Peter. Pastellbilder der Kunst. In: Kampf. 1904, Nr. 7, NF 19 *S. 186*
Hirschfeld, Isidor. Tagebuch. In: Monika Richarz (Hg.). Jüdisches Leben in Deutschland 1871–1918. Stuttgart 1979 *S. 139, 252*
Höllriegel, Arnold. Die Fahrt auf dem Katarakt, Autobiographie ohne einen Helden. In: Monika Richarz (Hg.). Jüdisches Leben in Deutschland 1871–1918. Stuttgart 1979 *S. 137 (2)*
Hofmannsthal, Hugo von an Leopold Andrian-Werburg, 14. 8. 1913. In: Briefwechsel Hofmannsthal–Andrian-Werburg. Frankfurt am Main 1968 *S. 173*
Hofmannsthal, Hugo von. Aufzeichnungen. In: Gesammelte Werke in 10 Einzelbänden. Hg. von Bernd Schoeller. Frankfurt am Main 1985 *S. 172*
Horkheimer, Max. In: Thilo Koch (Hg.). Porträts deutsch-jüdischer Geistesgeschichte. Köln 1961 *S. 233*
Horkheimer, Max. Die Sehnsucht nach dem ganz Anderen. Ein Interview mit Kommentar von Helmut Gumniar. Hamburg 1970. In: Gesammelte Schriften. Hg. von Gunzelin Schmid-Noerr. Frankfurt am Main 1988 *S. 233*
Horkheimer, Max. Zur Kritik der instrumentellen Vernunft. Frankfurt am Main 1986 *S. 233 (2)*
Iggers, Wilma (Hg.). Die Juden in Böhmen und Mähren. München 1986 *S. 276*
Israelitische Gemeindezeitung. Prag 1898. In: Wilma Iggers (Hg.). Die Juden in Böhmen und Mähren. München 1986 *S. 273*
Israelitische Wochenschrift. 1887. In: Ernest Hamburger. Juden im öffentlichen Leben Deutschlands 1848–1918. Bulletin des Leo-Baeck-Institutes. New York 1968 *S. 252*
Jacob, Benno. Rede im Centralverein deutscher Staatsbürger jüdischen Glaubens. 1919. In: Aus Geschichte und Leben der Juden in Westfalen. Eine Sammelschrift. Hg. von Hans Chanoch Mayer. Frankfurt am Main 1962 *S. 287 (2)*
Jacobsohn, Egon/Leo Hirsch. Jüdische Mütter. Berlin 1936 *S. 76*
Janouch, Gustav. Gespräche mit Kafka. Frankfurt am Main 1951 *S. 15*
Jens, Walter. 1966. In: Hilde Domin. Zusätzliche Informationen zu Leben und Werk von Nelly Sachs. In: Text und Kritik. München – Hannover 1979 *S. 187*
Jonas, Hans. In: Wolfang Heuer. Hannah Arendt. Reinbek 1987 *S. 191*
Jüdische Rundschau vom 7. 4. 1933 *S. 225*
Jungk, Robert. In: Mein Judentum. Hg. von Hans Jürgen Schultz. Stuttgart 1978 *S. 235, 279*
Kästner, Erich. In: Bernt Engelmann. Deutschland ohne Juden. Köln 1988 *S. 188*
Kafka, Franz an Max Brod, 1921. In: Franz Kafka. Briefe von 1902 bis 1924. Hg. von Max Brod. Frankfurt am Main 1983 *S. 178, 182*
Kafka, Franz an Oskar Pollak, 27. 1. 1904. In: Franz Kafka. Briefe von 1902 bis 1924. Hg. von Max Brod. Frankfurt am Main 1983 *S. 197*
Kafka, Franz. Brief an den Vater. Frankfurt am Main 1989 *S. 182*
Kafka, Franz. In: Gustav Janouch. Gespräche mit Kafka. Frankfurt am Main 1968 *S. 87*
Kafka, Franz. Tagebücher 1910–1923. Hg. von Max Brod. Frankfurt am Main 1989 *S. 77, 93, 182*
Kahler, Ottilie von. Ein Beitrag zu einer Familiengeschichte des Hauses M. B. Teller. Svinaře 1930. In: Wilma Iggers (Hg.). Die Juden in Böhmen und Mähren. München 1986 *S. 124*
Kaléko, Mascha. Die frühen Jahre. In: Gisela Zoch-Westphal. Aus den sechs Leben der Mascha Kaléko. Berlin 1988 *S. 187*
Kerr, Alfred. In: Werke in Einzelbänden. Hg. von Hermann Haarmann und Günther Rühle. Berlin 1989 *S. 177*
Kesten, Hermann. Der Mensch Joseph Roth. In: Joseph Roth. Leben und Werk. Ein Gedächtnisbuch. Hg. von Hermann Linden. Köln – Hagen 1949 *S. 194*
Kirchheim, Rafael an Leopold Löw, 17. 12. 1865. In: Franz Kobler. Jüdische Geschichte in Briefen aus Ost und West. Wien 1938 *S. 252*
Kisch, Bruno. Wanderungen und Wandlungen. Köln 1966 *S. 103, 201*
Klapheck, Anna. Mutter Ey. Eine Düsseldorfer Künstlerlegende. Düsseldorf 1958 *S. 203*
Kobler, Franz. Jüdische Geschichte in Briefen aus Ost und West. Wien 1938 *S. 151, 215*
Kobler, Franz. Juden und Judentum in deutschen Briefen aus drei Jahrhunderten. Wien 1935 *S. 277*
Kohn, Salomon. Der Kaddisch von Kol Nidre in der Altneusynagoge. In: Artur Landsberger. Das Volk aus dem Ghetto. Berlin – Wien 1921 *S. 31*
Kohn, Salomon. Prager Ghettogeschichten. Leipzig o. J. *S. 94*
Kortner, Fritz. Aller Tage Abend. München 1959. Ndr.: München 1986 *S. 228*
Kosta, Oskar. Der Weg in die Vergangenheit. In: Wilma Iggers (Hg.). Die Juden in Böhmen und Mähren. München 1986 *S. 35*
Kraus, Karl. In: Die Fackel. Wien 1899, Jg. 2, Nr. 5 *S. 199*
Kraus, Karl. In: Die Fackel. Wien 1908/09, Jg. 10, Nr. 254–255 *S. 245*
Kraus, Karl. Credo. In: Die Fackel. Wien Mai 1917, Jg. 19 *S. 266*
Kraus, Karl. Eine Krone für Zion. Wien 1898. In: Karl Kraus. Frühe Schriften 1892–1900. Hg. von Johannes J. Braakenburg. Frankfurt am Main 1979 *S. 273*
Kraus, Karl. Die demolirte Litteratur. Wien 1897 *S. 136*
Kraus, Karl. In: Harry Zohn. . . . ich bin ein Sohn der deutschen Sprache nur. Wien – München 1986 *S. 256*
Kuh, Anton. Asphalt und Scholle. In: Prager Tagblatt. Prag 1933, Nr. 101 *S. 288*
Kuh, Anton. „Central" und „Herrenhof". In: Der unsterbliche Österreicher. München 1931 *S. 136, 177*
Kuh, Anton. Die „blonden Mädels" und die „Tante". In: Die Stunde 6. 5. 1925, Jg. 3, Nr. 647 *S. 294*
Kuh, Anton. Eisenbach. In: Von Goethe abwärts. Aphorismen, Essays, kleine Prosa. Wien – Hannover – Bern 1963 *A. 231 (3)*
Kuh, Anton. Pallenberg plappert. In: Der unsterbliche Österreicher. München 1931 *S. 213*
Kuh, Anton. Physiognomik. Aussprüche. München 1931 *S. 182, 252*
Kuh, Anton. Prag. Eine Vision der Wirklichkeit. In: Der unsterbliche Österreicher. München 1931 *S. 86, 87*
Kuh, Anton. Von Pöchlarn bis Braunau. In: Die Neue Weltbühne. 1935, Nr. 13 *S. 288 (2)*
Kuh, Anton. Wörterbuch des Fremdenverkehrs. In: Prager Tagblatt. 1933, Jg. 58, Nr. 130 *S. 242*
Kunert, Günter. Vorwort zu: Eike Geisel. Im Scheunenviertel. Berlin 1981 *S. 110*
Landau, Edwin. Mein Leben vor und nach Hitler. In: Monika Richarz (Hg.). Jüdisches Leben in Deutschland 1918–1945. Stuttgart 1982 *S. 261*
Landau, Philippine. Kindheitserinnerungen. In: Monika Richarz (Hg.). Jüdisches Leben in Deutschland 1871–1918. Stuttgart 1979 *S. 22, 32*
Landau, Saul Raphael. Unter jüdischen Proletariern. Reiseschilderungen aus Ostgalizien und Rußland. Wien 1898 *S. 90*
Landauer, Georg. In: Dokumente zur Geschichte des deutschen Zionismus 1882–1933. Hg. von Jehuda Reinharz. Tübingen 1981 *S. 292*
Landauer, Gustav. Aufruf zum Sozialismus. Berlin 1919 *S. 262*
Landauer, Gustav. Sind das Ketzergedanken. In: Der werdende Mensch. Hg. von Martin Buber. Potsdam 1921 *S. 262, 268*
Landsberger, Artur. Das Volk aus dem Ghetto. Berlin – Wien 1921 *S. 75*
Lania, Leo. In: Die Weltbühne. Berlin 1923, Jg. 19 *S. 265*
Lasker-Schüler, Else. Mein Volk. In: Der siebente Tag. Berlin 1905. In: Gesammelte Werke. München 1986 *S. 186*
Lasker-Schüler, Else. Der Wunderrabbiner von Barcelona. Berlin 1921. In: Gesammelte Werke. München 1986 *S. 186*
Lasker-Schüler, Else. Ich räume auf! Zürich 1925. In: Gesammelte Werke. München 1986 *S. 186*
Lasker-Schüler, Else. Ernst Toller. In: Die Weltbühne. Berlin 1925, Jg. 21, Nr. 1 *S. 185*
Lasker-Schüler, Else. Jankel Adler. In: Anna Klaphek. Jankel Adler. Recklinghausen 1966 *S. 203*
Lassalle, Ferdinand. Nachgelassene Briefe und Schriften. Hg. von Gustav Mayer. Stuttgart 1921–1925 *S. 262*
Lassalle, Ferdinand. Reden und Schriften, Tagebuch. Seelenbeichte. Wien 1911 *S. 262 (2)*
Lazarus, Moritz. In: Nahida Lazarus. Ein deutscher Professor in der Schweiz. Berlin 1924 *S. 235*
Levin, Schemarja. Kindheit im Exil. Berlin 1931 *S. 66*

LICHTWITZ, Hans. In: Jüdischer Almanach 5699 (1938/39). Berlin 1938
S. 298

LIEBERMANN, Max. In: Central-Verein Zeitung vom 5. 11. 1933 *S. 201*

LIEBERMANN, Max an Carl Sachs, 28. 2. 1934. In: Deutsche Briefe 1750–1950. Hg. von Gert Mattenklott u. a. Frankfurt am Main 1988 *S. 281*

LIEBERMANN, Max. Siebzig Briefe. Hg. von Franz Landsberger. Berlin 1937 *S. 201*

LIEBERMANN, Mischket. Aus dem Ghetto in die Welt. Berlin (Ost) 1977
S. 95, 109

LOEWENBERG, Jakob. In: Jüdisch-liberale Zeitung vom 16. 10. 1925 *S. 287*

LÖWENFELD, Philipp. Memoiren. In: Monika Richarz (Hg.). Jüdisches Leben in Deutschland 1871–1918. Stuttgart 1979 *S. 110*

LESSING, Theodor. Gesammelte Schriften. Bd. 1: Einmal und nicht wieder. Lebenserinnerungen. Prag 1935 *S. 234*

LANGER, Frantisek. Sie waren und es war. Prag 1963. In: Wilma Iggers (Hg.). Die Juden in Böhmen und Mähren. München 1986 *S. 103, 126*

LUXEMBURG, Rosa. Briefe an Freunde. Hg. von Benedikt Kautsky. Hamburg 1950. Ndr.: Frankfurt am Main 1986 *S. 265 (2)*

LUXEMBURG, Rosa. Gesammelte Werke. Red. von Georg Adler u. a. Berlin 1979–1983 *S. 266*

MAGRIS, Claudio. Weit von wo? Verlorene Welt des Ostjudentums. Wien 1974 *S. 132, 253*

MAUTHNER, Fritz. In: Walter Muschg. Von Trakl zu Brecht. München 1961 *S. 232*

MAUTHNER, Fritz an Gustav Landauer, 10. 10. 1913. In: Franz Kobler. Juden und Judentum in deutschen Briefen aus drei Jahrhunderten. Wien 1935 *S. 232*

MAUTHNER, Fritz. Erinnerungen. Prager Jugendjahre. Frankfurt am Main 1969 *S. 232*

MAYER, Hans. Ein Deutscher auf Widerruf. Erinnerungen. Frankfurt am Main 1982. Ndr.: Frankfurt am Main 1987 *S. 187, 290*

MAYER, Paul. Maximilian Harden. In: Gustav Krojanker. Juden in der deutschen Literatur. Berlin 1922 *S. 199*

MAYER, Louis an seinen Sohn, 10. 7. 1868. In: Franz Kobler. Jüdische Geschichte in Briefen aus Ost und West. Wien 1938 *S. 38*

MEHRING, Walter an Kurt Tucholsky. In: Kurt Tucholsky haßt – liebt. Hg. von Mary Gerold-Tucholsky. Reinbek 1962 *S. 187*

MENDELSSOHN, Peter de. Nachwort zu: Jakob Wassermann. Der Fall Maurizius. München 1981 *S. 180*

MISCHNE Tora. Der Richter. In: Maimonides. Gesammelte Werke. Hg. von Valerio Verra. Hildesheim 1965–1971 *S. 27*

MORGENSTERN, Soma. Dichten, denken, berichten. Gespräche zwischen Roth und Musil. In: Frankfurter Allgemeine Zeitung 1975, Nr. 79 *S. 184*

MÜHSAM, Paul. Ich bin ein Mensch gewesen. In: Monika Richarz (Hg.). Jüdisches Leben in Deutschland 1871–1918. Stuttgart 1979 *S. 128*

NEUHAUS, Leopold. Barmizwa. In: Friedrich Thieberger (Hg.). Jüdisches Fest – jüdischer Brauch. o. O. 1937. Ndr.: Frankfurt am Main 1985 *S. 24*

NIEMIROWER, J. Rebb Aphikomen und der Prophet Elijahu. In: Artur Landsberger. Das Volk aus dem Ghetto. Berlin – Wien 1921 *S. 71*

OSTROVSKY, Bruno. Erinnerungen und Betrachtungen. In: Monika Richarz (Hg.). Jüdisches Leben in Deutschland 1918–1945. Stuttgart 1982
S. 137, 153

PERETZ, Jizchak Leib. In: Das Buch von den polnischen Juden. Berlin 1916 *S. 62*

PERETZ, Jizchak Leib. In: Otto F. Best. Mameloschen. Jiddisch, eine Sprache und ihre Literatur. Frankfurt am Main 1988 *S. 195 (2)*

PISCATOR, Erwin. Das Politische Theater. Berlin 1929. Ndr.: Das Politische Theater und weitere Schriften von 1915 bis 1966. Reinbek o. J. *S. 225*

PINSKI, David. Das Erwachen. In: Jüdischer Almanach 5663 (1902/03). Berlin 1902 *S. 52*

POLGAR, Alfred. Das Wiener Feuilleton. In: Der Weg I (17) vom 20. 1. 1906 *S. 177*

POLGAR, Alfred. Habima. In: Der Morgen vom 7. 6. 1926 *S. 229*

POLGAR, Alfred. Der Theaterdichter Schnitzler. In: Die Weltbühne. Berlin 1931, Jg. 27/2, Nr. 44 *S. 172*

POLGAR, Alfred. Sonnenthal. In: Wiener Sonn- und Montags-Zeitung vom 26. 12. 1904 (gezeichnet mit L. A. Terne) *S. 226*

POLITZER, Heinz. Das Schweigen der Sirenen. Studien zur deutschen und österreichischen Literatur. Stuttgart 1968 *S. 173*

RATHENAU, Walther. In: Franz Kobler. Juden und Judentum in deutschen Briefen aus drei Jahrhunderten. Wien 1935 *S. 257 (2)*

RATHENAU, Walther. Briefe. Neue Folge. Dresden 1928 *S. 262*

RATHENAU, Walther. Staat und Judentum. In: Zur Kritik der Zeit. Berlin 1912 *S. 256*

REINER, Max. Mein Leben in Deutschland vor und nach dem Jahr 1933. In: Monika Richarz (Hg.). Jüdisches Leben in Deutschland 1918–1945. Stuttgart 1982 *S. 198*

REINHARDT, Max an Einar Nilson, 18. 10. 1934. In: Schriften. Hg. von Hugo Fetting. Berlin 1974 *S. 225*

ROSEGGER, Peter an Berthold Auerbach, 27. 6. 1870. In: Franz Kobler, Jüdische Geschichte in Briefen aus Ost und West. Wien 1938 *S. 171*

ROSENSTEIN, Conrad. Der Brunnen, eine Familienchronik. In: Monika Richarz (Hg.). Jüdisches Leben in Deutschland 1871–1918. Stuttgart 1979
S. 24, 38, 85, 122, 137

ROSENSTOCK, Werner. In: Gegenwart im Rückblick, Festgabe für die jüdische Gemeinde zu Berlin. Hg. von Herbert A. Strauss und K. Grossmann. Heidelberg 1970 *S. 132*

ROSENZWEIG, Franz. In: Josef Ehrlich. Schabbat. München 1982 *S. 85*

ROSENZWEIG, Franz. Briefe und Tagebücher. Hg. von Rachel Rosenzweig und Edith Rosenzweig-Scheinmann. Den Haag 1978 *S. 41, 252*

ROTH, Joseph. Briefe 1911–1939. Hg. und eingeleitet von Hermann Kesten. Köln – Berlin 1970 *S. 194 (3), 199*

ROTH, Joseph. Lemberg die Stadt. In: Frankfurter Zeitung vom 22. 11. 1924. In: Werke in sechs Bänden. Köln 1989 *S. 97*

ROTH, Joseph. In: Hartmut Scheible. Arthur Schnitzler in Selbstzeugnissen und Bilddokumenten. Reinbek 1976 *S. 172*

ROTH, Joseph. Döblin im Osten. In: Frankfurter Zeitung vom 31. 1. 1926
S. 188

ROTH, Joseph. Der stumme Prophet. Fragment in: Die Neue Rundschau. Berlin 1929. Ndr.: Köln 1966, 1989 *S. 147*

ROTH, Joseph. Einstein, der „Fall". In: Freie Deutsche Bühne vom 5. 9. 1920 *S. 237*

ROTH, Joseph. Hiob. Berlin 1930. In:
Werke in sechs Bänden. Köln 1989 *S. 35*

ROTH, Joseph. In: Egon Erwin Kisch. Hetzjagd durch die Zeit. Reportagen. Frankfurt am Main 1974 *S. 177*

ROTH, Joseph. Das Moskauer jüdische Theater. In: Das Moskauer jüdische akademische Theater. Berlin 1928. In: Werke. Hg. von Hermann Kesten. Köln 1975–1976 *S. 229 (2)*

ROTH, Joseph. Wassermanns letzter Roman. In: Das Neue Tage-Buch. 1934, Jg. 39, Nr. 2 *S. 178*

ROTH, Joseph. Radetzkymarsch. Berlin 1932. Ndr.: Köln 1989 *S. 260*

ROTH, Joseph. Juden auf Wanderschaft. Berlin 1927. Ndr.: Köln 1985
S. 21, 28, 29, 35, 43, 54, 57, 68, 72, 89, 92, 96, 99, 104, 107 (2), 110, 111, 117, 136, 194

ROTH, Joseph. Das Autodafé des Geistes. In: Gerhard Sonder (Hg.). Die Bücherverbrennung 10. Mai 1933. Berlin 1985 *S. 170, 288*

ROTH, Joseph. Emigration (Typoskript). 1937. In: Werke. Hg. und eingeleitet von Hermann Kesten. Köln 1975–1976 *S. 301*

ROTH, Joseph. Die Kapuzinergruft. Bilthoven 1938. Ndr.: Köln 1987
S. 66, 98

SAAR, Ferdinand von. 1894. In: Rudolf Holzer. Villa Werheimstein. Wien 1960 *S. 151*

SACHS, Nelly. In: Ruth Dinesen und Helmut Müssener (Hg.). Briefe der Nelly Sachs. Frankfurt am Main 1985 *S. 187*

SAHL, Hans. Memoiren eines Moralisten. Zürich 1983 *S. 178, 224, 225*

SALOMON, Alice. In: Juden in Berlin. Ein Lesebuch. Berlin 1988 *S. 300*

SALTEN, Felix. Aus den Anfängen. In: Jahrbuch deutscher Bibliophiler und Literaturfreunde. 1932, Jg. 18/19 *S. 172*

SALTEN, Felix. Geister der Zeit. Wien 1924 *S. 217*

SALTEN, Felix. Neue Menschen auf alter Erde. Berlin – Wien – Leipzig 1925. Ndr.: Frankfurt am Main 1986 *S. 75, 78, 174, 273, 281*

SANDLER, Aron. Aus der Frühgeschichte des Zionismus. In: Monika Richarz (Hg.). Jüdisches Leben in Deutschland 1871–1918. Stuttgart 1979
S. 132 (2)

SAPHIR, Moritz Gottlieb. Gesammelte Schriften. Stuttgart 1832 *S. 171*

SELIGSBERGER-WHITE, Philip. Memoirs of my youth in Fürth, Bavaria. In: Monika Richarz (Hg.). Jüdisches Leben in Deutschland 1918–1945. Stuttgart 1982 *S. 20*

SICHER, Gustav. Dringende Kapitel. In: Jüdischer Kalender 1924/25. Prag 1924. In: Wilma Iggers (Hg.). Die Juden in Böhmen und Mähren. München 1986 *S. 32, 38*

SIMMENAUER, Felix. Die Goldmedaille. Erinnerungen an die Bar Kochba-Makkabi Turn- und Sportbewegung 1898–1938. Berlin 1989 *S. 140, 144*

SINGER, Isaac Bashevis. Mein Vater der Rabbi. Reinbek 1971. Ndr.: Reinbek 1983 *S. 106*

SPERBER, Manès. Die Wasserträger Gottes. Wien 1974
S. 41, 51, 61, 81, 108, 279

SPIRO, Samuel. Jugenderinnerungen aus hessischen Judengemeinden. In: Monika Richarz (Hg.). Jüdisches Leben in Deutschland 1871–1918. Stuttgart 1979 *S. 126*

SUSMAN, Margarete. Ich habe viele Leben gelebt. Erinnerungen. Stuttgart 1964 *S. 287*

SVOBODA, Emil. Über die reale Teilung der Häuser auf dem Gebiet des gewesenen Prager Ghettos. Prag 1909. In: Wilma Iggers (Hg.). Die Juden in Böhmen und Mähren. München 1986 *S. 87*

SWARSENSKY, Manfred. Rosch Haschana. In: Friedrich Thieberger (Hg.). Jüdisches Fest – jüdischer Brauch. o. O. 1937. Ndr.: Frankfurt am Main 1985 *S. 20*

SZANTO, Alexander. Im Dienste der Gemeinde 1923–1939. In: Monika Richarz (Hg.). Jüdisches Leben in Deutschland 1918–1945. Stuttgart 1982
S. 280

SZONDI, Peter. In: Claudio Magris. Weit von wo? Verlorene Welt des Ostjudentums. Wien 1974 *S. 301*

SCHERLAG, Lorenz. Der Musikant. In: Artur Landsberger. Das Volk aus dem Ghetto. Berlin – Wien 1921 *S. 93*

SCHILDE, Kurt. Spurensicherung: Jüdischer Sport in Berlin 1933–1938. In: Felix Simmenauer. Die Goldmedaille. Erinnerungen an die Bar Kochba-Makkabi Turn- und Sportbewegung 1898–1938. Berlin 1989 *S. 140*

SCHIVELBUSCH, Wolfgang. Intellektuellendämmerung. Frankfurt am Main 1982 *S. 150*

SCHNITZLER, Arthur. Gesammelte Werke in Einzelbänden. Frankfurt am Main 1981 *S. 217*

SCHNITZLER, Arthur. Briefe 1875–1912. Hg. von Therese Nickl und Heinrich Schnitzler. Frankfurt am Main 1981 *S. 82, 172*

SCHNITZLER, Arthur. Jugend in Wien. Wien – München – Zürich 1968. Ndr.: Frankfurt am Main 1988 *S. 172 (3), 255*

SCHNITZLER, Arthur. Der Weg ins Freie. Berlin 1908. Ndr.: Frankfurt am Main 1978 *S. 136, 173, 253*

SCHÖNBERG, Arnold. Ausgewählte Briefe. Hg. von Erwin Stein. Mainz 1965 *S. 217, 218 (2)*

SCHOLEM Alejchem. Die Geschichte Tewjes des Milchhändlers. Berlin o. J. (1921). Ndr.: Frankfurt am Main 1964 *S. 91*

SCHOLEM Alejchem. Pessach im Dorfe. In: Ostjüdische Erzähler. Weimar 1916. Ndr.: Langen 1963 *S. 76*

SCHOLEM, Gershom. In: Ostjüdische Geschichten. Hg. von Ulf Diederichs. München 1988 *S. 73*

SCHOLEM, Gershom. In: Deutsche und Juden. Beiträge von Nahum Goldmann, Gershom Scholem, Golo Mann, Salo W. Baron u. a. Frankfurt am Main 1967 *S. 129, 287*

SCHOLEM, Gershom. Ernst Bloch. In: Der Spiegel 1975, Jg. 29, Nr. 28
S. 233

SCHOLEM, Gershom. Die jüdische Mystik in ihren Hauptströmungen. Zürich 1957. Ndr.: Frankfurt am Main 1980 *S. 48*

SCHOLEM, Gershom. Walter Benjamin. In: Neue Rundschau. Frankfurt am Main 1965, Jg. 76. In: Judaica 2. Frankfurt am Main 1970 *S. 191*

SCHOLEM, Gershom. Juden und Deutsche. In: Neue Rundschau. Frankfurt am Main 1966, Jg. 77. In: Judaica 2. Frankfurt am Main 1970 *S. 128, 287*

SCHOLEM, Gershom. Rede über Israel. In: Der Monat. Aug. 1967, Jg. 19. In: Judaica 2. Frankfurt am Main 1970. *S. 281*

SCHOLEM, Gershom. Wider den Mythos vom deutsch-jüdischen Gespräch. Offener Brief an Manfred Schlösser, den Hg. von „Auf gespaltenem Pfad", zum neunzigsten Geburtstag von Margarete Susman. Darmstadt 1964. In: Judaica 2. Frankfurt am Main 1970 *S. 286*

SCHOLEM, Gershom. Israel und die Diaspora. In: Neue Zürcher Zeitung vom 16. November 1969. In: Judaica 2. Frankfurt am Main 1970 *S. 281*

SCHOLEM, Gershom. In: Judaica 4. Frankfurt am Main 1984
S. 131 (2), 134, 140

SCHORSCH, Emil. Die zwölf Jahre vor der Zerstörung der Synagoge in Hannover. In: Monika Richarz (Hg.). Jüdisches Leben in Deutschland 1918–1945. Stuttgart 1982 *S. 28, 47*

SCHULSTEIN, Moische. Ch'hob gesejn a Barg. Warschau 1954 *S. 308*

SCHWABE, Carl. Mein Leben in Deutschland vor und nach dem 30. Januar 1933. In: Monika Richarz (Hg.). Jüdisches Leben in Deutschland 1918–1945. Stuttgart 1982 *S. 292*

SCHWARZ, Karl. Kunstsammler. In: Siegmund Kaznelson (Hg.). Juden im deutschen Kulturbereich. Berlin 1962 *S. 206*

SCHWIND, Moritz von an Eduard von Bauernfeld, 25. 5. 1866. In: Franz Kobler. Jüdische Geschichte in Briefen aus Ost und West. Wien 1938 *S. 151*

TAL, Josef. Der Sohn des Rabbiners. Berlin 1985 *S. 19*

TAU, Max. Das Land, das ich verlassen mußte. Hamburg 1961 *S. 194*

TEIGE, Josef/Ignát Hermann/Zikmund Winter. Das Prager Ghetto. 1903.

In: Wilma Iggers (Hg.). Die Juden in Böhmen und Mähren. München 1986 S. 87 (2)

THEILHABER, Felix A. In: Arnold Zweig. Bilanz der deutschen Judenheit. Amsterdam 1934 S. 241, 243

TIETZ, Georg/Hermann Tietz. Geschichte einer Familie und ihrer Warenhäuser. Stuttgart 1965 S. 287

TOLLER, Ernst an Emil Ludwig, 2. 1. 1943. Deutsches Literaturarchiv Marbach/Neckar S. 291

TOLLER, Ernst. Eine Jugend in Deutschland. In: Gesammelte Werke. Hg. von John M. Spalek und Wolfgang Frühwald. München 1978 S. 184, 185

TOLLER, Ernst. Ferdinand und Isabella. In: Das Neue Tage-Buch IV vom 25. 1. 1936. In: Gesammelte Werke. Hg. von John M. Spalek und Wolfgang Frühwald. München 1978 S. 184

TOLLER, Ernst. Reichskanzler Hitler. In: Die Weltbühne 1930, Jg. 26, Nr. 2. In: Gesammelte Werke. Hg. von John M. Spalek und Wolfgang Frühwald. München 1978 S. 290

TORBERG, Friedrich an Max Brod, 15. 3. 1955. In: In diesem Sinne . . . Briefe an Freunde und Zeitgenossen. Hg. von David Axmann, Marietta Torberg und Hans Weigel. München – Wien 1981 S. 184

TRAMER, Hans. Der Beitrag der Juden zu Geist und Kultur. In: Werner E. Mosse/Arnold Paucker. Deutsches Judentum in Krieg und Revolution 1916–1923. Tübingen 1971 S. 170

TORBERG, Friedrich. Die Tante Jolesch oder der Untergang des Abendlandes. München 1975. Ndr.: München 1989
S. 136, 138, 139, 177, 182, 228, 231 (2)

TORBERG, Friedrich. Warum ich stolz darauf bin. In: 50 Jahre Hakoah 1909–1959. Tel Aviv 1959 S. 142

TUCHOLSKY, Kurt. Gesammelte Werke. Reinbek 1975 S. 187, 188, 268, 290

TUCHOLSKY, Kurt. Briefe an eine Katholikin. Reinbek 1970 S. 291

TUCHOLSKY, Kurt. Prozeß Harden. In: Deutschland, Deutschland – unter anderem. Berlin 1957 S. 178

TUCHOLSKY, Kurt. Panther, Tiger und andere. Berlin 1957 S. 180, 222, 231

TUCHOLSKY, Kurt. Q-Tagebücher 1934–1935. Reinbek 1985 S. 245

TUCHOLSKY, Kurt an Hans Reichmann, 4. 5. 1929. In: Kurt Tucholsky haßt – liebt. Hg. von Mary Gerold – Tucholsky. Reinbek 1962 S. 187

TUCHOLSKY, Kurt. In: Richard von Soldenhoff. Kurt Tucholsky 1890–1935. Ein Lebensbild. Weinheim 1985 S. 187, 188

Verband jüdischer Heimatvereine, 9. 11. 1935. In: Günther B. Ginzel. Jüdischer Alltag in Deutschland 1933–1945. Düsseldorf 1984 S. 299

VIERTEL, Berthold an Hermann Wlach, 1908. In: Jugend in Wien. Literatur um 1900. Katalog, Ausstellung Deutsches Literaturarchiv Marbach/Neckar 1974 S. 136

Die Wahrheit. Wochenschrift für Leben und Lehre im Judenthume vom 18. 8. 1871 S. 252

WASSERMANN, Jakob an Thomas Mann. In: Martha Karlweiß. Jakob Wassermann. Bild, Kampf und Werk. Amsterdam 1935 S. 255

WASSERMANN, Jakob. Deutscher und Jude. Reden und Schriften 1904–1933. Hg. von Dierk Rodewald. Heidelberg 1984 S. 180

WEIL, Friedrich. Mein Leben in Deutschland vor und nach dem 30. Januar 1933. In: Monika Richarz (Hg.). Jüdisches Leben in Deutschland 1918–1945. Stuttgart 1982 S. 301

WEISEL, Georg Leopold. Träger. In: Wilma Iggers (Hg.). Die Juden in Böhmen und Mähren. München 1986 S. 91

WEISS, Gittel. Ein Lebensbericht. Berlin (Ost) 1982 S. 37, 47

WEISS, Peter. Abschied von den Eltern. Erzählung. Frankfurt am Main 1980 S. 301

WEIZMANN, Chajim. Memoiren. Zürich 1953 S. 277

WELTSCH, Robert. An der Wende des modernen Judentums. Betrachtungen aus fünf Jahrzehnten. Tübingen 1972 S. 174, 279

WERFEL, Franz. Pogrom. In: Gesammelte Werke. Erzählungen aus zwei Welten. Hg. von Adolf Klarmann. Frankfurt am Main 1952–1953 S. 184

WERTHEIMER, Willi. Erinnerungen. In: Monika Richarz (Hg.). Jüdisches Leben in Deutschland 1871–1918. Stuttgart 1979 S. 92

WILBRANDT, Adolf. Erinnerungen. Stuttgart 1905 S. 151

WINTERFELDT, Hans. Deutschland. Ein Zeitbild 1926–1945. In: Monika Richarz (Hg.). Jüdisches Leben in Deutschland 1918–1945. Stuttgart 1982 S. 280

WITTGENSTEIN, Ludwig. Werkausgabe in acht Bänden. Frankfurt am Main 1989 S. 232

WITTLIN, Józef. Erinnerungen an Joseph Roth. In: Joseph Roth. Leben und Werk. Ein Gedächtnisbuch. Hg. von Hermann Linden. Köln – Hagen 1949 S. 194

WOLFENSTEIN, Alfred. Jüdisches Wesen und Dichtertum. In: Der Jude 1922, Jg. 6, H. 7 S. 185

WOLFSKEHL, Karl. An die Deutschen. In: Gesammelte Werke. Hamburg 1960 S. 301

ZECHLIN, Egmont. Die deutsche Politik und die Juden im Ersten Weltkrieg. Göttingen 1969 S. 257

Der Zionismus. Erste Schrift der Zionistischen Vereinigung gleichen Namens. 1897, Jg. 1, Nr. 1. S. 276

ZONDEK, Hermann. Auf festem Fuße. Erinnerungen eines jüdischen Klinikers. Stuttgart 1973 S. 108

ZÜRNDORFER, Josef. In: Günther B. Ginzel. Jüdischer Alltag in Deutschland 1933–1945. Düsseldorf 1984 S. 259

ZWEIG, Arnold. In: Georg Wenzel (Hg.). Arnold Zweig 1887–1968, Werk und Leben in Dokumenten und Bildern. Mit unveröffentlichten Manuskripten und Briefen aus dem Nachlaß. Berlin – Weimar 1978 S. 192, 260

ZWEIG, Arnold. In: Die Weltbühne. Berlin 1922, Jg. 18, Nr. 31 S. 257

ZWEIG, Arnold. Bilanz der deutschen Judenheit. Amsterdam 1934
S. 145, 153, 163, 164 (2), 178, 197, 199, 201, 205, 214, 224, 234, 239, 242, 246, 259, 262, 271, 281

ZWEIG, Arnold. Das ostjüdische Antlitz. Berlin 1922. Ndr.: Wiesbaden 1988 S. 99

ZWEIG, Arnold. Öffentlicher Brief an Kurt Tucholsky, 16. 1. 1936. In: Neue Weltbühne vom 6. 2. 1936 S. 103, 187, 290

ZWEIG, Arnold. Herkunft und Zukunft. Zwei Essays zum Schicksal eines Volkes. Wien 1929 S. 106

ZWEIG, Arnold. Mein Weltbild. Zürich 1954 S. 192

ZWEIG, Stefan. Antwort auf eine Umfrage der „Internationalen Literatur". Moskau 1933, Jg. 3 S. 262

ZWEIG, Stefan. Briefe an Freunde. Hg. von Richard Friedenthal. Frankfurt am Main 1984 S. 178, 181 (2)

ZWEIG, Stefan. Die Welt von gestern. Stockholm 1944. Ndr.: Frankfurt am Main 1988 S. 156, 158, 202, 206, 245, 274, 276, 294, 296, 304, 306

ZWEIG, Stefan. Europäisches Erbe. Frankfurt am Main 1986 S. 181

TEXTQUELLEN

BILDQUELLENVERZEICHNIS

Herausgeberin und Verlag danken allen Privatpersonen, Archiven und Institutionen für die Unterstützung beim Zusammenstellen des Bildmaterials, insbesondere Eike Geisel, Berlin, und dem Salomon-Ludwig-Steinheim-Institut, Duisburg.

AKADEMIE DER KÜNSTE, Berlin, S. 227 l.

ALLGEMEINE JÜDISCHE WOCHENZEITUNG, Düsseldorf, S. 303

ALLGEMEINER DEUTSCHER NACHRICHTENDIENST, Zentralbild, Berlin (Ost), S. 291

AMT DER BURGENLÄNDISCHEN LANDESREGIERUNG, Eisenstadt, S. 26 u., 27 u., 47 u.

PETER BADEL, Berlin (Ost), für Urheberrechte nach Hans Thormann, S. 110 u., 120 l.

LEO-BAECK-INSTITUTE, New York (Jim Strong, New York), S. 43 r. o., 126 (2), 127, 131 r., 134 (2), 148 r., 160 r. o., 232 o., 235 o., 239 u., 259 l., 269 l.

BERLINISCHE GALERIE, Berlin, S. 205 u.

BETH HATEFUTSOTH, Tel Aviv, S. 81, 104 u., 111, 122, 125

Sammlung CHRISTIAN BRANDSTÄTTER, Wien, S. 54 o. 86 (2), 118 u., 119, 129 l. o., 129 r. o., 133 u., 159 l., 171 l. u., 172, 178 u., 214, 214/215, 225 o., 226 r., 260 o., 262 (2)

THE CENTRAL ARCHIVES OF THE HISTORY OF THE JEWISH PEOPLE, Jerusalem, S. 48 u., 91

CENTRAL ZIONIST ARCHIVES, Jerusalem, S. 73, 254/255, 273, 274, 276 u., 277, 280 r.

DEUTSCHES THEATERMUSEUM, München, S. 228 u.

DOKUMENTATIONSARCHIV DES ÖSTERREICHISCHEN WIDERSTANDES, Wien, S. 283, 306/307

DOKUMENTATIONSSTELLE FÜR NEUERE ÖSTERREICHISCHE LITERATUR, Wien, S. 190 o.

S. FISCHER VERLAG, Frankfurt am Main, S. 196

SIGMUND FREUD COPYRIGHTS LTD., Colchester, S. 138/139, 245, 246

GISÈLE FREUND, Paris, S. 191 o.

Sammlung EIKE GEISEL, Berlin, S. 109 u., 117 u., 124 u.

GESELLSCHAFT DER MUSIKFREUNDE, Wien, S. 219

Sammlung LI HANDLER, Perchtoldsdorf, S. 187 l. u.

CARL HANSER VERLAG, München, siehe ROMAN VISHNIAC

Sammlung ANDRÉ HELLER, Wien, S. 194

HISTORISCHES MUSEUM, Wien, S. 176, 215, 217

HANS HOFFMANN, Berlin, S. 124 o.

Sammlung FRANZ HUBMANN, Wien, S. 6/7, 7 M., 14, 21, 31 u., 33, 34/35, 34 l. o., 34 r. o., 38 u., 43 M. o., 49, 60, 64 o., 76 u., 78, 80 u., 82 u., 87 o., 94/95, 99 u., 102 o., 103 (2), 104 o., 136, 138 u., 139 u., 154/155, 157 M., 159 u., 200, 202 u., 256, 275, 300 u.

INSTITUT FÜR DIE GESCHICHTE DER MEDIZIN, Wien, S. 242, 243 (2)

THE LOTTE JACOBI ARCHIVE, Media Services, Dimond Library, University of New Hampshire, S. 223 (2)

JEWISH LABOUR MOVEMENT, Bund Archives, New York, S. 15 (2), 17, 24 u., 28, 29 (2), 41, 66, 92 l. u.

THE JEWISH MUSEUM, New York, S. 43 M. u.

JEWISH NATIONAL AND UNIVERSITY LIBRARY, Jerusalem, S. 160 r. M., 197 u.

LOTTE KÖHLER, New York, S. 191 u.

LANSESARCHIV BERLIN, S. 37, 157 o.

LANDESBILDSTELLE BERLIN, S. 302 u.

THE LIBRARY OF CONGRESS, Washington, S. 107

MUSEUM FÜR KUNST UND GEWERBE, Hamburg, S. 128, 147, 201

ÖSTERREICHISCHE NATIONALBIBLIOTHEK, Bildarchiv, Wien, S. 20 u., 32, 36, 46, 68 u., 71 o., 88/89, 117 o., 122/123, 132 u. r., 146, 150, 151 o., 154 u., 158 (2), 159 o., 163 o., 174, 175, 177 u., 178 o., 181, 182, 184 u., 190 u., 203, 206 o., 207 u., 216, 218/219, 220 (4), 221, 222 (2), 225 u., 226 l., 227 r., 231 u., 232 r., 234 l. o., 241, 244, 247 l., 257, 260 u., 270, 276 o., 297

ÖSTERREICHISCHES FILMMUSEUM, Wien, S. 211 (2), 212 l. o.

ÖSTERREICHISCHES INSTITUT FÜR ZEITGESCHICHTE, Wien (Albert Hilscher, Wien), S. 177 o., 271 l. o., 282

ÖSTERREICHISCHES MUSEUM FÜR VOLKSKUNDE, Wien, S. 11, 52 r. o., 72, 75, 97 (2)

ÖSTERREICHISCHES STAATSARCHIV/KRIEGSARCHIV, Wien, S. 56, 68 o., 82 o., 101

FRIEDRICH PFÄFFLIN, Marbach/Neckar, S. 186 l.

ABRAHAM PISAREK, Berlin, S. 20 u., 23, 25, 27 o., 34 M. o., 47 o., 52 r. u., 53 (2), 64/65, 70, 79 u., 110 o., 144 u., 298 o., 300 o., 301, 304 o.

PPS GALERIE F. C. GUNDLACH, Hamburg, für Urheberreche nach Herbert List, S. 286

PREUSSISCHER KULTURBESITZ, Bildarchiv, Berlin, S. 19 (2), 31 o., 38 o., 39, 42, 43 M. u., 45 u., 69, 121, 122, 125, 131 l., 133 o., 140 u., 153, 162/163, 165, 199 o. (Friedrich Seidenstücker), 235 u. (Abraham Pisarek), 239 o., 248, 255, 259 o., 263, 266 o., 280 l. (Abraham Pisarek), 288, 289, 290, 292 o. (Hans Hoffmann), 296 (2), 298 u., 299, 302 o., 304 u.

PRIVATBESITZ, Wien, S. 148 l. o.

Sammlung WILLY PUCHNER, Wien, S. 30, 54 u., 62/63

ROWOHLT VERLAG, Reinbek bei Hamburg, S. 188

LOTHAR RÜBELT, Wien, S. 140 u., 141, 142 (2), 143, 151 u., 154 o., 230, 271 r., 294

Sammlung RACHEL SALAMANDER, München, S. 135 u., 310

GUNTHER SANDER, USA, für Urheberrechte nach August Sander, S. 202 o.

SCHILLER-NATIONALMUSEUM, Deutsches Literaturarchiv, Marbach/Nekkar, S. 197 l. o.; Lotte Jacobi, Manchester: 179, 180, 183, 184 o., 187, 189, 192, 193, 197 r. o., 209, 233, 234 r. o., 269 r.

Sammlung PETER SCHNITZLER, Wien, S. 173

Sammlung LILLY SCHOEN, Haifa, S. 144 u., 278 r.

Sammlung WERNER J. SCHWEIGER, Wien, S. 205 o., 206 u.

STADTARCHIV FRANKFURT, S. 161

STADTARCHIV MANNHEIM, S. 253 r.

STADTMUSEUM FRANKFURT, S. 130

STADTMUSEUM KÖLN, S. 272

STÁTNÍ ŽIDOVSKÉ MUZEUM, Prag., S. 9, 43 l. o., 43 r. u., 44/45, 213 u.

SALOMON-LUDWIG-STEINHEIM-INSTITUT, Duisburg (Nachum Tim Gidal, Jerusalem), S. 129 u. (Elishewa Cohen, Jerusalem), 152/153 (Eric Warburg, Hamburg), 164 (Alex Bein, Jerusalem), 166 (Heinrich-Heine-Institut, Düsseldorf), 170 (Peter Hunter, Den Haag), 207 o., 210 u., 229 o., 234 l. u. (Ruth Gorny-Lessing, Hannover), 240/241 (Bernhard Witkop, Washington), 258 (Ursula Liebstädter, Jerusalem), 268 u., 279 r. o., 296 u., 309 r., 355 u., 370 l., 370 r., 378 r. o., 414 l. u.

Sammlung ALBERT STERNFELD, Wien, S. 26 o.

THATERMUSEUM DER UNIVERSITÄT KÖLN, S. 231 o.

ULLSTEIN BILDERDIENST, Berlin, S. 16, 24 o., 64 o., 80 o., 84, 85 (2), 145, 156, 157 u., 185, 186 r., 198, 199 u., 204, 228 o., 236/237, 238, 264/265, 266 u., 267, 268 (2), 292 u., 293, 294/295, 305

Sammlung NIKOLAUS VIELMETTI, Wien, S. 138 o.

ROMAN VISHNIAC, New York, S. 40, 41, 83, 89, 92 r. o.

YAD VASHEM, Jerusalem, S. 49

YIVO, New York, S. 18, 22 (2), 43 l. u., 48 o., 50, 51, 52 l., 55, 57, 61, 67, 71 u., 74 (2), 76 o., 77, 79 o., 90 (2), 93, 96 o., 98, 99 o., 100, 104/105, 106, 108, 132 o., 135 o., 139 o., 148 l. u., 149, 195 (2), 213 o., 229 (2), 261, 278 l.

Sämtliche anderen Bilder stammen aus dem Verlagsarchiv.

317